reflexões para uma vida a dois

Devocional para Casais

reflexões para uma vida a dois

Jaime & Judith Kemp

1ª edição: novembro de 2002
24ª reimpressão: outubro de 2024

Revisão: Sonia Emilia L. Andreotti e Iara Vasconcellos
Diagramação: Atis Design
Capa: Douglas Lucas
Editor: Aldo Menezes
Coordenador de produção: Mauro Terrengui
Impressão e acabamento: Imprensa da Fé

Editora Hagnos Ltda.
Rua Geraldo Flausino Gomes, 42, conj. 41
CEP 04575-060 — São Paulo, SP
Tel.: (11) 5990-3308

E-mail: hagnos@hagnos.com.br | Home page: www.hagnos.com.br

Editora associada à Associação Brasileira de Direitos Reprográficos (ABDR)

Dados Internacionais de Catalogação na Publicação (CIP)
Câmara Brasileira do Livro, SP, Brasil

Kemp, Jaime

Devocional para casais / Jaime e Judith Kemp. — São Paulo: Hagnos, 2002.

ISBN 85-89320-02-2

1. Casais: Vida Religiosa 2. Casamento: Aspectos Religiosos: Cristianismo
3. Devoções Diárias 4. Família: Vida Religiosa 5. Meditações I. Kemp, Judith
II. Título

02.5936 CDD - 242.2

Índices para catálogo sistemático:
1. Casais: Meditações e Orações para uso diário: Cristianismo 242:2

Dedicatória

O Ministério Lar Cristão demanda um grande volume de trabalho. Diariamente, minha esposa e eu temos uma série de compromissos e atividades a cumprir, que nos mergulham na desenfreada correria ministerial.

Nosso trabalho seria impossível se não tivéssemos ao nosso lado uma equipe eficiente, disposta e incondicionalmente comprometida com Deus. Cada um deles se tornou essencial para a continuidade do nosso ministério:

Elenir é o nosso "cartão de visitas"; é ela que prepara minha agenda e faz todos os contatos e intermediações com pastores e pessoas.

Iara pilota o computador produzindo a revista "Lar Cristão", com o carinho de quem cuida da "menina de seus olhos".

Sonia Emília procura transformar meu português, às vezes inteligível, em textos que possam ser publicados em livros.

Esvando cruza as estradas do Brasil ao meu lado sendo meu "braço direito" nas igrejas em que ministro seminários.

Marcelo "quebra a cabeça" ajustando um orçamento pequeno às necessidades do ministério.

Sei que Deus os recompensará por tudo o que têm feito por nós e pelo Ministério Lar Cristão. Portanto, Judith e eu agradecemos a eles e suas famílias. Obrigado Iara e João Marcos, Sonia e Marinho, Esvando e Rose, Marcelo e Fernanda e Elenir, por estarem conosco.

Jaime e Judith

Agradecimentos

Jamais poderíamos lançar um livro como este sem a ajuda de pessoas dedicadas ao Senhor, que se empenharam na produção desta obra, sem medir esforços.

Minha esposa e eu não conseguimos encontrar palavras adequadas para demonstrar nossa gratidão e apreciação pelo trabalho de Sonia Emília Lopez Andreotti, Iara Vasconcellos, Keyla Duarte, Rosângela e Carlos Cianci, Hellade Fonteles e Maria da Penha Vasconcellos.

Agradecemos pelas horas que passaram diante do computador, pelos contatos que mantiveram entre si visando a uniformidade do trabalho, pelos finais de semana sacrificados, enfim, por tudo.

Também a Marilene e Flávia da Hagnos que acreditaram e viabilizaram esta publicação, somos muito gratos.

Somente o Senhor pode retribuir adequadamente a participação que cada um de vocês teve nesta obra.

Jaime e Judith

Apresentação

A família é uma instituição idealizada por Deus para fornecer ao homem e à mulher amor incondicional, prover suprimento das necessidades físicas e emocionais de seus membros, abrandar a solidão e ser refúgio contra as violências e pressões do mundo. O Senhor almejou que a família fosse um laboratório, um treinamento para a vida.

Contudo, ela tem sido massacrada em seus fundamentos e valores. Satanás quer destruir o homem, por isso ataca a família. Ele elaborou algumas estratégias que têm se mostrado eficazes, como por exemplo, separar o casal; comprometer o relacionamento entre pais e filhos; desanimar o ser humano, tornando-o ineficaz para a batalha e alienando-o das disciplinas espirituais.

Ao longo dos anos, o Ministério Lar Cristão tem firmado seu compromisso com:

- O bem-estar espiritual e emocional familiar.
- A indissolução do casamento.
- A santidade dos papéis estabelecidos por Deus para cada pessoa da família.
- A perpetuação de uma herança espiritual para a próxima geração, através de filhos comprometidos com o Senhor.

O propósito desta obra é encorajar e motivar os casais que não têm conseguido separar tempo para orar e meditar na Palavra. As meditações são práticas, abrangendo nosso cotidiano. O "Pense nisso" favorece uma meditação sobre a leitura, sugerindo áreas a serem avaliadas e/ou trabalhadas. Situações vividas pelos autores como lutas, vitórias, dores e alegrias, experiências preciosas com o Pai, são compartilhadas.

Queridos amigos, a hora é agora, porque o tempo que passou não voltará e não podemos perder mais oportunidades de crescer no relacionamento conjugal e familiar. Em geral, os casais que têm o hábito de orar e meditar na Palavra costumam ser mais hábeis em trabalhar seus conflitos.

Enfim, este livro *Devocional para casais* traz ensinamentos diários sobre os princípios bíblicos a respeito de como viver em família. Ele foi preparado com muito carinho, na expectativa de aproximar o casal de Deus, ajudar no desenvolvimento da intimidade entre eles, ser uma ponte que promova a união entre pais e filhos, dar dicas perante impasses, etc. O objetivo não é substituir a leitura da Bíblia, mas mostrar que sua sabedoria e eficácia podem fazer toda a diferença na vida de uma família.

Oramos para que o Senhor os abençoe grandemente através de sua leitura diária.

Jaime e Judith

1 DE JANEIRO

FELIZ ANO NOVO!

Confie no SENHOR de todo o seu coração e não se apoie em seu próprio entendimento; reconheça o Senhor em todos os seus caminhos, e ele endireitará as suas veredas.
Provérbios 3:5,6

PRIMEIRO dia do ano. Você está com a sensação de que o tempo voou, que os dias escorreram pelos vãos dos dedos? Gostaria de fazer novos planos, concretos e atingíveis para sua família? Experiências passadas podem querer convencê-lo que não vale a pena. Isso não é verdade! Deus pode usar você e sua família para serem luz em meio a um mundo de escuridão! Tenho pensado muito nisso e gostaria de compartilhar alguns conceitos que poderão contribuir para o alcance desse alvo:

1. **Arrependimento e retorno à sensatez:**
   Para isso, é necessário que haja uma renovação espiritual individual. Um arrependimento pessoal que admite e "declara guerra" ao orgulho, egoísmo, autossuficiência e irresponsabilidade. Este é o pontapé inicial.
2. **O sagrado compromisso do casamento:**
   A Palavra de Deus estabeleceu o casamento como uma aliança sagrada a três: marido, esposa e Deus, para a vida toda (Gênesis 2:24). O "até que a morte nos separe" implica uma promessa de cuidar, amar e manter-se fiel ao cônjuge durante toda a vida. Se como família quisermos impactar nossa geração, devemos firmar nossos propósitos para esse tipo de compromisso vitalício.
3. **A santidade dos papéis estabelecidos por Deus:**
   O movimento feminista tem feito muitas reivindicações sociais válidas, mas entre elas, há também as perniciosas, que merecem uma boa avaliação. Isso iniciou uma grande confusão no que diz respeito ao papel da esposa/mãe e do marido/pai cristãos. Muitos homens cristãos têm falhado em liderar, amar e servir suas esposas. E muitas mulheres cristãs têm falhado em dar apoio amoroso, encorajamento e respeito a seus maridos e em criar os filhos nos caminhos do Senhor.
4. **Herança espiritual para a próxima geração:**
   A Palavra de Deus ensina que um dos propósitos de Deus para a família é perpetuar uma herança espiritual. A maior herança que se pode deixar a um filho não são as riquezas, uma vasta cultura ou uma carreira bem-sucedida, mas sim a orientação que poderá transformá-lo em um receptáculo da graça de Deus.

PENSE NISTO
Que tal investir em nossa família, para que Deus assuma o trono em nosso lar, e reine em nossos relacionamentos nos próximos 364 dias?! Feliz Ano-Novo!

2 DE JANEIRO

O DESCANSO E A RENOVAÇÃO DA ALMA

Em verdes pastagens me faz repousar
e me conduz a águas tranquilas.
Salmos 23:2

DEUS nunca nos abandona! Ele é sempre sensível às nossas necessidades imediatas. Conforme Salmos 23:2, ele nos faz repousar e nos conduz a águas tranquilas. Os verbos sugerem uma persuasão gentil e mansa. O pastor, paciente e persistentemente, encoraja suas ovelhas e as leva para um lugar onde elas possam matar a sua fome e saciar a sua sede. A imagem sugere águas plácidas, um local fresco e sombreado. Um oásis de descanso, a possibilidade de satisfação dos desejos e necessidades. Agostinho, certa vez, clamou: "O que me fará descansar em ti, para que eu esqueça a minha ansiedade? Colocar-me em teus braços é a melhor coisa da vida".

Deus toma a iniciativa ao nos chamar e nos guiar para um lugar de descanso. Não somos nós que o buscamos. É ele quem nos busca! Deus chamou no Jardim do Éden pelos seus filhos desgarrados, Adão e Eva: Onde estás? (Gênesis 3:9). Esta pergunta nos faz entender que o Senhor sente solidão quando se separa de seus amados. Para o escritor G. K. Chesterton, a Bíblia toda revela "a solidão de Deus". Eu gosto de pensar que, de algum modo inexplicável, Deus tem saudades de mim; que ele não suporta separar-se de mim; que estou sempre em seus pensamentos; que ele incessantemente, e com muita paciência, me chama, me busca, não só porque preciso dele, mas pelo seu desejo de estar ao meu lado.

No mais profundo do nosso ser existe um lugar para Deus. Fomos criados por ele e, sem o seu amor, a dor e o vazio são quase insuportáveis. Davi colocou da seguinte forma: "A teu respeito diz o meu coração: Busque a minha face! A tua face, Senhor, buscarei" (Salmos 27:8). Deus segredou no mais profundo do coração de Davi o anseio para estar ao seu lado.

O Senhor nos convida a buscá-lo. Em Salmos 42:1-2, Davi respondeu ao desejo de Deus com seu próprio anseio pessoal pela companhia divina: "Como a corça anseia por águas correntes, a minha alma anseia por ti, ó Deus. A minha alma tem sede de Deus, do Deus vivo. Quando poderei entrar para apresentar-me a Deus?".

PENSE NISTO

E.W. Tozer escreveu: "Deus é uma pessoa e, como tal, aprecia cultivar seus relacionamentos. Deus é uma pessoa e na profundidade de sua natureza poderosa, ele pensa, se alegra, sente, ama, deseja e sofre, como qualquer outro. Deus é uma pessoa e pode ser conhecido em crescente intimidade, à medida que preparamos nosso coração para tal maravilha"

3 DE JANEIRO

DIRECIONE SEU LAZER

No sétimo dia Deus já havia concluído a obra que realizara,
e nesse dia descansou.
Gênesis 2:2

VOCÊ se recorda da revelação do anjo sobre o propósito para a vida de Sansão? Ele deveria ser juiz sobre Israel. Ele iniciou seu trabalho de livrar o povo do poder dos filisteus, contudo, aparentemente, algo o desviou desse caminho. Ele preferiu aproveitar seu tempo divertindo-se.

Sansão se esqueceu de seu chamado específico. Ele elaborou enigmas e charadas para jogar com os filisteus, apesar de eles serem seus inimigos. Sansão fazia questão de manter amizade com aqueles homens. Os filisteus não foram capazes de decifrar as charadas, então, chateados e embaraçados pelo fracasso resolveram ameaçar a esposa de Sansão (Juízes 14:15).

Tentem pensar em uma mulher choramingando e aborrecendo seu marido durante sete dias querendo descobrir algo. Finalmente, Sansão não aguentou e contou a ela a resposta do enigma.

Este homem de Deus, chamado para libertar Israel da servidão, não entendeu a importância de sua função e optou por imaginar brincadeiras de adivinhação. O que ele estava fazendo? Sansão não sabia administrar seu tempo de lazer.

Mas será que a situação melhorou depois? De modo nenhum! Leia Juízes 15:20: "Sansão julgou a Israel, nos dias dos filisteus, vinte anos" e 16:1: "Sansão foi à Gaza, e viu ali uma prostituta e passou a noite com ela".

Durante um tempo livre que dispunha, ele se envolveu com uma mulher desconhecida, uma prostituta de Gaza. Como se isso não bastasse, Sansão ficou completamente perdido de amores por outra jovem filisteia: "Depois dessas coisas, ele se apaixonou por uma mulher do vale de Soreque, chamada Dalila"(Juízes 16:4).

PENSE NISTO

Como você administra seu tempo de lazer? Você passa tempo com seu cônjuge e com seus filhos? O que vocês fazem juntos durante esse tempo? Lembre-se que esse tempo não é aquele que vocês passam na frente da televisão... é tempo reservado para a comunhão, conversas, brincadeiras, jogos. Crie situações de descontração com a sua família, e mais tarde seus filhos lembrarão com muita alegria desse tempo.

4 DE JANEIRO

VIVENDO, NÃO SÓ FALANDO!

... Toda a Escritura é inspirada por Deus e útil para o ensino, para a repreensão, para a correção, para a educação na justiça, a fim de que o homem de Deus seja perfeito e perfeitamente habilitado para toda boa obra.
2Timóteo 3:15-17

PARA que um pai possa ensinar a Palavra a seus filhos ele precisa, primeiramente, conhecê-la. Ela tem de ser real para mim, e só então, Deus poderá me usar para torná-la real para meus filhos.

Deus nos diz que devemos inculcar (ensinar com empenho) suas palavras a nossos filhos e falar delas sentados em casa, andando de um lugar para outro, quando vamos dormir e quando levantamos (Deuteronômio 6:7). Nossos filhos devem ficar impregnados da Palavra de Deus. Eles devem ouvi-la e vê-la em qualquer lugar em que estejam. Devem ser confrontados constantemente com sua sabedoria e filosofia.

Quando Deus diz que devemos ensinar sua Palavra a nossos filhos, não está falando de algo que pode ser feito em uma classe de Escola Dominical, durante uma hora por semana. Trata-se de um estilo de vida, um exemplo. Isto absorve tempo e esforço. Significa tornar a Palavra de Deus prioridade máxima.

Ele também não está falando de uma situação artificial numa sala de aula. Ele tem em vista uma vida diária com a Palavra de Deus, como uma coisa natural, procurando nela sabedoria para os problemas do dia a dia. E é essa sabedoria que, se passada aos filhos poderá levá-los ao amadurecimento e torná-los habilitados para a vida.

Nós também ensinamos as palavras do Pai pelo exemplo – nossa obediência a elas e nossa confiança em suas promessas. Meus filhos precisam ver que tenho fé na Palavra de Deus, mesmo quando ela parece ilógica.

Obediência à Palavra de Deus sempre traz as bênçãos dele. Nossos filhos precisam ver esta verdade ilustrada em nossas vidas.

PENSE NISTO

Seus filhos irão lembrar-se de você como alguém que amava a Palavra de Deus? Como você toma suas decisões? Você sabe o que o livro de Provérbios diz sobre finanças, educação de filhos, sobre a língua, sobre autoridade em sua vida, sobre tentação? Onde você tem procurado respostas?

5 de janeiro

Enquanto não se livra...

Não devam nada a ninguém, a não ser o amor de uns pelos outros, pois aquele que ama seu próximo tem cumprido a Lei.
Romanos 13:8

Quando tomamos conhecimento desse versículo e nos dispomos a saldar nossas dívidas, sentimos um grande alívio. Porém, normalmente, leva um tempo até conseguirmos colocar nossa vida financeira em dia.

E, durante o processo para "colocar a casa em ordem", há alguns princípios que devemos nos lembrar:

1. *Deus é capaz de suprir todas as suas necessidades na hora certa.* Em Filipenses 4:19, Paulo nos diz: "O meu Deus suprirá todas as necessidades de vocês, de acordo com as suas gloriosas riquezas..." Essa promessa foi feita aos Filipenses depois deles terem contribuído sacrificialmente para o suprimento das necessidades de Paulo.
2. *Deus quer que você seja liberal em dar para a obra.* Eu não conheço um versículo que transmita conceito mais penetrante do que Provérbios 11:24,25: "...O generoso prosperará; quem dá alívio aos outros, alívio receberá". Se você quiser saber mais sobre como dar e quais as atitudes que devemos ter, estude cuidadosamente 2Coríntios 8 e 9. Esse texto registra como os crentes da Macedônia contribuíram com sacrifício para suprir as necessidades de seus irmãos da Judeia e as bênçãos por eles desfrutadas como resultado dessa liberalidade.
3. *Trabalhe diligentemente* – "Todo trabalho árduo traz proveito, mas o só falar leva à pobreza" (Provérbios 14:23). Deus abençoou o trabalho. "No princípio criou Deus..." Tenho encontrado pessoas com sérios problemas financeiros porque são preguiçosas.
4. *Tome cuidado em ficar como fiador de alguém.* O livro de Provérbios está cheio de advertências nesse sentido. Se você está em dívidas, eu o aconselho a não ser fiador de ninguém. Veja estes versículos: "Tome-se a veste de quem serve de fiador ao estranho; sirva ela de penhor a quem dá garantia..." (Provérbios 20:16); "Quem serve de fiador certamente sofrerá, mas quem se nega a fazê-lo estará seguro" (Provérbios 11:15).
5. Deus não está proibindo ninguém de ser fiador. O que ele está dizendo é que devemos estar preparados financeiramente para pagar, se a pessoa em questão não o fizer!

Pense nisto

As dívidas que vocês contraíram, sejam elas por negligência, ou resultado de uma situação de desemprego, falta de dinheiro, é um meio de Deus estar agindo em suas vidas. Procurem livrar-se delas, pois esse conselho é bíblico e para o nosso bem.

6 de janeiro

Deus é fiel

Deus não é homem para que minta, nem filho de homem para que se arrependa. Acaso ele fala, e deixa de agir? Acaso promete, e deixa de cumprir?
Números 23:19

Confesso que, para mim é um mistério, mas não há como conhecer a Deus intimamente, se não passarmos por provações. A fé cresce na dor. As circunstâncias difíceis de nossas vidas tornam-se meios de ele manifestar-se a nós. E sendo a dor inevitável, o mais sábio é procurar aprender o quanto pudermos para sair melhor do que entramos, de forma que nosso sofrimento não seja em vão. Se dependesse de nós, por certo fugiríamos das adversidades! Por outro lado, há situações de dor que podem ser evitadas ou prevenidas. Lemos em Provérbios que o tolo sofre mais do que o sábio, por expor-se mais.

Em meio ao sofrimento, precisamos aprender que Deus é fiel!: "Busquei o Senhor, e ele me respondeu; livrou-me de todos os meus temores. Este pobre homem clamou, e o Senhor o ouviu; e o libertou de todas as suas tribulações. O anjo do Senhor é sentinela ao redor daqueles que o temem, e os livra. O justo passa por muitas adversidades, mas o Senhor o livra de todas". Estas são as palavras de alguém, que passou por horas muito duras, mas que experimentou a fidelidade de Deus.

Na realidade, no dia a dia, nem sempre as situações têm desfechos felizes. Mesmo entre os cristãos, maridos abandonam suas esposas, filhos se drogam, empresários perdem suas firmas etc. Será que Deus é menos fiel nesses casos? Às vezes, a fidelidade do Senhor não é reconhecida por não recebermos a resposta que gostaríamos. Nossa tendência é duvidarmos dele, ficando amargurados achando que ele nos deu as costas. Não raramente, Deus mostra sua fidelidade fortalecendo-nos para enfrentar o problema e não nos livrando dele. Em Hebreus 4:16, ele promete: Assim aproximemo-nos do trono da graça com toda confiança, a fim de recebermos misericórdia e encontrarmos graça que nos ajude no momento da necessidade.

Não sou diferente de ninguém. Naturalmente, preferiria que o Senhor me livrasse da adversidade do que me sustentasse nela. Preciso admitir, porém, que recebi magníficas lições através das prolongadas horas de provação. Há momentos em que ajo confiando em minha própria força. Quando isso acontece, desmorono diante das inúmeras pressões. Finalmente, quando compreendo que preciso depender de Deus e permito que ele me dê graça e força para superar as dificuldades de minha vida e ministério, consigo sentir paz.

Pense nisto

Meus amados, não sei a natureza da provação que você, ou alguém de sua família está passando agora, mas estou certo de que, se você deixar que o Senhor use essa tribulação, sua fé na fidelidade do Pai será aprofundada. Ele se revelará de maneira como você nunca imaginou. Espere nele. Ele é fiel!

7 DE JANEIRO

MEUS PAIS VÃO SE DIVORCIAR: O QUE SERÁ DE MIM?

Nunca o deixarei, nunca o abandonarei.
Hebreus 13:5b

HÁ MUITAS CRIANÇAS, adolescentes e jovens que são submetidos a forte estresse, pressões complexas, devido ao divórcio de seus pais. Os filhos se ressentem de atenção. A comunicação já não flui com naturalidade; e onde existiu amor e lealdade agora há mágoa e desconfiança. Antes da separação, os filhos procuravam o pai ou a mãe para ajudá-los, dependendo da necessidade. Diante do divórcio, porém, são obrigados a procurar apenas aquele com quem ficaram. Os desencontros dos pais se refletem nos filhos.

A criança, adolescente ou jovem começa a experimentar um redemoinho de sentimentos difíceis de entender e solucionar. Geralmente eles se sentem culpados – apesar de serem os menos culpados. Alguns pais até colaboram para que eles se sintam assim; outros, entretanto, até conseguem provar o contrário mas, apesar disso, eles não se desvencilham da culpa. Eles também se sentem inseguros por não saber como será sua vida dali em diante. Ainda há a depressão, a tristeza, a irritação, que passam a fazer parte de suas vidas. O que fazer para ajudar essas crianças e jovens?

Os pais precisam ser sinceros mostrando-lhes a realidade da situação. Devem ter muito cuidado para não responsabilizá-los pelo divórcio, como também para não interpor os filhos entre ambos. Os filhos não podem ser suporte emocional para nenhum dos dois. Eles sim, necessitam do apoio dos avós, tios, amigos etc.

O homem ou a mulher nunca deve inferiorizar seu cônjuge na frente dos filhos, mesmo que este não seja digno de uma imagem positiva. Ambos devem recusar-se a alimentar sua própria dor procurando resolver seus desapontamentos, desilusões o mais rápido possível para o seu bem e o bem de seus filhos. Na medida do possível, deve ser mantida uma rotina doméstica, tendo em vista evitar maiores transtornos às crianças.

Os pais devem se esforçar para dar atenção a cada filho em particular, mesmo em meio ao seu sofrimento pessoal. Às vezes estes demonstram reações e atitudes agressivas; às vezes ficam solitários e carentes. É dever dos adultos observar tais comportamentos e oferecer ajuda aos filhos. Finalmente, devem permitir que os filhos expressem sua dor e externem seu sofrimento.

O divórcio desestrutura e desestabiliza a família. Apesar do momento ser de dor, confusão e insegurança para os pais, eles precisam se superar para tentar ajudá-los.

PENSE NISTO

Em meio à tempestade do divórcio dos pais, um filho(a) sofre sensivelmente. Sua vida "vira de cabeça para baixo" e ele (a) precisa de toda a ajuda e compreensão para conseguir superar e ter uma vida emocional estável.

8 DE JANEIRO

PRAZER SEXUAL = SATISFAÇÃO MÚTUA

A mulher não tem autoridade sobre o seu próprio corpo, mas sim o marido. Da mesma forma, o marido não tem autoridade sobre o seu próprio corpo, mas sim a mulher.
1Coríntios 7:4

O SEXO é uma experiência a dois e, portanto, o prazer também deve ser. Ambos devem conversar e concordar quanto ao comportamento sexual, carícias, posições durante as relações, enfim, sobre todo procedimento erótico. Às vezes há barreiras sobre posturas a serem adotadas no ato sexual, mas na Bíblia não existe sequer uma proibição a respeito de qualquer posição específica. O importante é haver comunicação, diálogo entre o casal sobre o que produz mais prazer para ambos.

Quando um cônjuge exige que o outro tenha certo tipo de comportamento, imediatamente o amor ágape (não egoísta) é atingido. Havendo manipulação ou chantagem para obrigar o(a) companheiro(a) a fazer o que não deseja, o relacionamento sofrerá danos.

A relação íntima de um casal desenvolve-se através de um longo período. É necessário tempo para se conhecer, o que varia de casal para casal. Não é possível estabelecer regras, embora ocorram semelhanças.

A quem vê a intimidade como sendo um processo rápido uso a seguinte ilustração: se você possui uma carteira de motorista, ainda se recorda das horas que passou treinando. Talvez a maior dificuldade esteja em coordenar a embreagem com o acelerador. Lembra-se quando o carro começou a dar trancos? Atualmente tornou-se mais fácil, não é? Você aprendeu, mas foi necessário tempo. O mesmo ocorre com o sexo.

Mas não é só o tempo que faz a vida sexual de um casal ser um sucesso. É necessário haver compreensão. O apóstolo Paulo, em Coríntios 7:3-4, afirma que um cônjuge deve se preocupar em suprir a necessidade do outro. Portanto, se um dos dois estiver "caindo de sono" e considerar mais importante dormir, ao outro cabe aceitar o fato. Se, porém, for o prazer sexual, então... Em ambos os casos, a maior preocupação deve ser agradar o outro. Para isso, é necessário que haja adequação, coordenação e compreensão recíprocas.

PENSE NISTO

Faça essas perguntas ao seu cônjuge: Existe algo que eu esteja fazendo em nossa relação que revele egoísmo? Existe algo que você gostaria que eu fizesse para torná-lo(a) mais feliz e realizado(a) nessa área? Estou, de alguma forma, ofendendo você? Você está satisfeito(a) com nossa comunicação verbal no que diz respeito à vida afetiva e sexual? Tenho certeza de que, se as respostas forem sinceras sua vida sexual terá grande melhora!

9 de janeiro

Família – um campo de treinamento

Assim elas trazem condenação sobre si, por haverem rompido seu primeiro compromisso.
1Timóteo 5:12

É no ambiente familiar que deveríamos aprender a nos relacionar em cada uma das outras esferas da vida. Se como adultos temos dificuldade em nossos relacionamentos é porque, provavelmente, não aprendemos no lar o que deveríamos ter aprendido. Há duas mudanças importantes pelas quais a família tem passado e que precisam ser compreendidas para entendermos o que ocorre atualmente. Em primeiro lugar, houve a mudança de uma nação rural para urbana, provocando maior desintegração familiar, estresse, menos tempo de convívio etc. Em segundo lugar, o desaparecimento da família tradicional, em que o pai já não é o único supridor da família. Todos têm responsabilidades semelhantes e até crianças, mesmo precocemente, têm muitos afazeres. Há falta de tempo dos membros da família juntos e isto é algo muito sério!

Tais transformações provocaram o crescimento do *humanismo* (destronização de Deus e entronização do homem), do *secularismo* (eliminação do sagrado) e do *materialismo*. Tornamo-nos uma sociedade em busca obsessiva por autorrealização, por prazer (Hedonismo) e aquisição de bens. Se o homem (ser humano) é o centro do seu universo, toda sua atenção é canalizada para si. Quando o cônjuge deixa de satisfazê-lo e a família o atrapalha, ele (a) a abandona ou troca-a por outra, mais conveniente. Entretanto, podemos nos tornar melhores e mais realizados pelo complemento que recebemos de nossos cônjuges, filhos, pais, irmãos etc.

Quando Deus instituiu a família, em Gênesis 2 disse: Não é bom que o homem esteja só, ou seja, ele possui necessidades que podem ser parcialmente supridas no contexto familiar. Se ele se fecha, tornando-se egoísta, vivendo apenas para seus interesses, acaba se isolando e tornando-se muito só, mesmo em meio a multidões.

Portanto, o problema fundamental da família é a exacerbação do egoísmo motivado pela realização pessoal, pela busca de prazeres e obsessão pelo material, intensificados pela sociedade complicada em que vivemos. Se nos posicionarmos firmemente contra essas mudanças nocivas que deterioram a vida, o convívio e o relacionamento familiar; se tentarmos agir com equilíbrio e optarmos por incorporar à nossa vida o ideal familiar divino, certamente seremos exceção em um universo em ruínas.

Pense nisto

É muito fácil deixarmos de escutar a voz de Deus em meio ao burburinho alucinante do cotidiano moderno. É muito fácil esquecermos que, segundo Deus, existe mais valor em priorizar nossas famílias do que em uma vida bem-sucedida, principalmente se isto custar a paz emocional de quem nos ama e a quem devemos amar.

10 DE JANEIRO

DEUS TRABALHANDO

Como ribeiros de águas, assim [...] o seu querer, o inclina.
Provérbios 21:1

VAMOS imaginar que um marido chegue em casa faminto, cansado, aborrecido com o chefe, e diga para a esposa: "Querida, vamos mudar para Manaus. Vou ser motorista de caminhão lá". Se a esposa for esperta, ela vai deixá-lo falar e ouvi-lo. Após servir o jantar e aquela sobremesa que ele tanto gosta, quando os filhos já estiverem na cama e os dois sentados na sala, ouvindo uma música suave, talvez seja o momento adequado para falar sobre o assunto.

Vamos nos lembrar que submissão é uma questão de inteligência. A esposa pode começar perguntando: "Querido, você já parou para pensar que os nossos filhos estão na escola aqui na cidade e que pertencemos a uma boa igreja? Se mudarmos para Manaus, o que vamos fazer com nossa casa? Será que você vai encontrar serviço como motorista de caminhão lá?".

Essas perguntas darão a ele oportunidade de falar o que pensa e também ponderar um pouco mais sobre o assunto. Pode ser que o ajude a mudar de ideia, mas também pode ser que não.

Suponhamos que após a esposa ter apresentado, com a atitude correta, o seu ponto de vista, sendo clara e objetiva, positiva quanto a mostrar que não concorda com o marido, ele diga o seguinte: "Já pensei em tudo isso. Está decidido. Nós vamos para Manaus. Não vamos mais falar sobre este assunto".

Muito bem. Nesta hora, como uma mulher submissa deve reagir? "Então, vamos para Manaus. Você sabe qual é minha opinião sobre isso. No entanto, vou acatar a sua decisão porque quero ser submissa." Ela sabe que Deus vai trabalhar na situação. E a vida prossegue...

Chegando em Manaus, as coisas começam a ir mal. Os filhos não se integram bem na escola, não se adaptam na igreja. Venderam a casa por um valor muito baixo, a mudança foi muito cara, o marido não encontrou o sonhado emprego.

A esposa deve procurar não falar: "Não disse para você? Olha onde estamos agora!" Ela sabe que justamente na depressão em que o marido se encontra é que Deus pode atingir o coração dele.

PENSE NISTO

Se você for uma mulher dominante, agressiva, respondona, seu marido sempre terá razão para desobedecer o Senhor. Mas quando você é submissa, mansa, você está dando a Deus uma oportunidade de trabalhar diretamente no coração do seu marido.

11 de janeiro

Brincando com fogo!

Importunando-o o tempo todo, ela o cansava dia após dia, ficando ele a ponto de morrer. Por isso lhe contou o segredo.
Juízes 16:16,17

Sansão não levou Deus a sério. Provavelmente, ele se lembrou, em alguns momentos, dos conselhos e instruções de seus pais, da dedicação que eles devotavam a Deus. Mas, muito arrogante e autossuficiente, Sansão decidiu viver "na flauta".

Dalila insistia para saber de onde vinha a força de Sansão (Juízes 16:15), até que finalmente ele cedeu aos seus apelos e revelou seu segredo: "... Jamais se passou navalha em minha cabeça pois sou nazireu desde o ventre materno" (Juízes 16:17).

Por que Sansão não reconheceu o perigo a que estava se expondo? O que o levou a mais e mais aproximar-se do precipício? Como podemos explicar sua ingenuidade?

Nos membros de nosso corpo há uma inclinação adormecida, uma tentação de ser complacente a um desejo maligno. É como se fosse um fogo abafado que de repente, irrompesse em chamas.

Não importa se desejo sexual, ambição, vaidade, amor à fama, vingança, poder, ganância, quando nos curvamos a qualquer um deles, a alegria do Senhor se extingue dentro de nós e buscamos a alegria da criatura em detrimento à do Criador. Deus se torna, momentaneamente, irreal e Satanás, real. O diabo não nos sobrecarrega com ódio por Deus, mas faz com que nos esqueçamos dele.

Sansão se esqueceu de Deus e de seu chamado. Sua obsessão foi o prazer e o orgulho. Ele brincou com o seu lazer, com o inimigo e com sua sensualidade e chegou a um ponto de onde não foi mais possível retornar.

Um dos fatores de maior tristeza na vida de Sansão foi julgar que poderia destruir todos que vinham contra ele, como costumava fazer: "... Mas não sabia que o Senhor o tinha deixado" (Juízes 16:20b). O maior campeão dos israelitas estava reduzido a desempenhar o papel de palhaço no circo de horrores dos filisteus.

A história de Sansão demonstra que o estilo de vida do *playboy* sempre enfraquece. Se não nos afastarmos definitivamente da beira do abismo da tentação, mais cedo ou mais tarde seremos destruídos.

Pense nisto

Você se acha autossuficiente para se afastar do abismo a hora que quiser? Cuidado! Satanás pode usar as brechas que você lhe der para jogá-lo(a) no precipício, sem que você chegue a perceber. Será que você não tem buscado sua satisfação pessoal, esquecendo-se dos planos de Deus para sua vida, e do que Ele espera de você?

12 de janeiro

Sexo sem egoísmo

Ninguém deve buscar o seu próprio bem,
mas sim o dos outros.
1Coríntios 10:24

"Ele me usa e logo depois me joga fora." Desta maneira uma mulher descreveu seu problema sexual com o marido.

Já pude ver nos olhos de muitas mulheres frustração, desilusão e desapontamento por seus maridos serem egoístas durante a relação sexual. Ansiosos por seu prazer pessoal, nem ao menos pensam na esposa, nos sentimentos dela, preferindo fazer tudo rápida e bruscamente. Eles as usam para extravasar suas necessidades, tensões e desejos. Para elas, desmotivadas, inferiorizadas, conhecedoras apenas de um amor egoísta e deturpado que seus maridos lhes oferecem, a relação sexual se torna uma obrigação penosa. As reclamações que, em geral, escuto das mulheres que têm experimentado essa frustração, e que refletem o machismo e egoísmo de muitos homens são basicamente as mesmas:

– Meu marido só pensa nele mesmo, em dar vazão e satisfazer egoísticamente suas necessidades emocionais e físicas, independente do que eu sinta ou queira. O estímulo, o despertamento, o preparo para o ato sexual é mecânico e rápido, não me dando tempo para sentir-me parte dele física e emocionalmente. Ele está mais interessado em aperfeiçoar uma técnica física do que em alcançar intimidade física; a maior preocupação do meu esposo não é que eu chegue ao orgasmo para sentir-me realizada, mas para ficar provado que ele é um "sucesso" na cama, para alimentar seu ego. Ele é repetitivo, enfadonho, sempre desenvolvendo o ato sexual da mesma maneira. Meu marido leva a relação sexual mais a sério do que deve. Quando por algum motivo ela não é consumada, ele se sente frustrado, inseguro de sua masculinidade. Infelizmente, ele não é sensível às minhas preferências sexuais.

Este é o reflexo da ideia de que a mulher é um objeto, um simples brinquedo na mão do homem machista e egoísta. Talvez esta tenha sido uma das razões que levaram as mulheres a erguerem a bandeira da "libertação feminina". Não estou dizendo que isto seja o correto, já que o movimento foi muito desvirtuado em suas reivindicações básicas. Porém, não resta dúvida que foi um alerta para uma situação desmerecedora e sem a mínima consideração que lhes foi imposta. Quando as necessidades das esposas não são supridas, elas podem vir a ter um comportamento estranho e às vezes, até infiel, puro fruto de insatisfação e frustração.

Pense nisto

O Criador presenteou homem e mulher com o sexo para que ambos desfrutassem das alegrias e do prazer que ele oferece, desfrutando-o e conhecendo-o em todas as suas dimensões. Aproveitem-no ao máximo!

13 de janeiro

Quem deve ser o líder da casa?

Sujeitem-se uns aos outros, por temor a Cristo.
Efésios 5:21

Quem deve ser o líder da casa? Para responder a essa pergunta, devemos enfatizar o que Paulo escreveu à igreja em Éfeso: Sujeitem-se uns aos outros... Se conseguíssemos obedecer a essa ordem, haveria pouca discordância sobre quem deve tomar a decisão final no lar. Contudo, e infelizmente, somos imperfeitos, orgulhosos, teimosos e ...complicados.

O que uma esposa, decidida a agradar a Deus com sua vida, e casada com um homem passivo e indeciso, deve fazer? Esta é uma pergunta que ouço invariavelmente, por todo o Brasil.

Creio que o ideal em um casamento (quando o ideal não é possível, precisamos nos adaptar à realidade) é a submissão mútua, com o marido sendo a pessoa que toma a decisão final diante de um impasse. Para que isto funcione, o homem precisa se esforçar para ser um homem de "veludo". Mas... o que é isto?

– É um homem sensível, carinhoso, comunicativo e amável com sua esposa. A mulher quando se sente amada, valorizada e apoiada tem mais facilidade para colocar-se ombro a ombro ao lado de seu marido.

Entretanto, na realidade não é bem assim que acontece. Há milhares de mulheres casadas com homens passivos e omissos – então, alguém tem que decidir os rumos da família. Com isso em mente, gostaria de fazer algumas observações:

Equilíbrio. – Quando um cônjuge possui personalidade mais forte e o outro é passivo, acomodado, é necessário trabalhar em prol de um equilíbrio para que um não sufoque o outro.

Divisão de responsabilidades. – Há casais que baseiam sua relação no 50%; sua vez, minha vez; sua área de decisão, minha área de decisão; sua responsabilidade, minha responsabilidade. Pessoalmente, não me entusiasmo muito com este tipo de solução, pois não a considero muito eficiente. Acredito que o relacionamento na base de 90% a 90% seja mais produtivo. Isto é, quando ambos estão sempre mais dispostos a dar do que receber.

Palavra final. – Não é possível um país ter dois poderes decidindo suas questões. A decisão final sempre é do presidente. Não dá para ter um lar saudável e feliz com duas cabeças decidindo caminhos diferentes. Sabedor disso, o Senhor delegou ao homem a função de "líder" do lar – aquele que, perante um impasse se responsabiliza pela decisão final.

Suponho que o elemento mais importante desta problemática está na confiança mútua. Onde há confiança há tranquilidade para cumprir-se a ordem Sujeitem-se uns aos outros.

Pense nisto

Esta interação de submissão mútua é o caminho do Pai para um casamento duradouro e realizado.

14 DE JANEIRO

ADOÇÃO: DIFÍCIL, MAS VALE A PENA-1

Pois vocês não receberam um espírito que os escravizasse para novamente temerem, mas receberam o Espírito que os adota como filhos por meio do qual chamamos: 'Aba, Pai'.
Romanos 8:15

CERTA VEZ, em consequência de uma campanha para adoção feita pela equipe da revista que trabalhamos, recebemos uma carta de um irmão em Cristo, que fazia conjecturas sobre a adoção.

Ele e sua esposa estavam há sete anos tentando adotar uma criança, mas, até então, só tinham conseguido respostas tipo: "Sinto muito, não temos...", ou "É raro acontecer tal demora, mas quando aparecer etc..." A sua indignação devia-se ao fato de que no Brasil existiam muitas crianças abandonadas, sujeitas a vícios, ao relento, a perversidades. Eles não entendiam o motivo para tanta dificuldade para a adoção legal. Tantos empecilhos eram colocados, que não dava realmente para entender...

Jaime e eu somos pais adotivos de três garotas e já passamos por dissabores como esses.

Apesar do número crescente de abortos, do uso de anticoncepcionais e de mães solteiras que decidem ficar com seus filhos, ainda existem muitas crianças sem lar. E muitas delas, mesmo em orfanatos, não são órfãs.

As pessoas que trabalham nessas instituições e convivem com as crianças, conhecendo-as, poderiam sugerir o tipo de lar onde seriam felizes; mas toda adoção legal deve passar pelo Juizado de Menores. Existe uma lista enorme de candidatos, mas não há muitos bebês "disponíveis"!

A função dos juízes é proporcionar o melhor lar possível aos pequeninos. Eles partem do princípio de que muitos casais que procuram adotar crianças, o fazem por motivos errados. O que se confirma quando centenas de meninas e meninos ganham lar, comida, pseudopais, em troca de serem transformados em verdadeiros criados.

Porém nós, que já pertencemos à família de Deus através da adoção, sabemos o significado bíblico desta palavra. Em Efésios 1:4,5 lemos que Deus ...nos predestinou para sermos adotados como filhos... e em Romanos 8:15-17, constatamos que o Senhor nos escolheu, nos fez seus filhos e nos deu uma herança com Cristo, além da segurança de um amor permanente, sem o perigo de devolução.

PENSE NISTO

Somos filhos adotivos de Deus, através de Cristo. Somos herdeiros de Deus e co-herdeiros com Cristo. O que significa isso em sua vida? Você já parou para perceber que a adoção é uma forma de transmitirmos o amor que em nós foi gerado por essa atitude divina?

15 de janeiro

Adoção: difícil, mas vale a pena-2

A religião que Deus, o nosso Pai, aceita como pura
e imaculada é esta: cuidar dos órfãos e das viúvas
em suas dificuldades...
Tiago 1:27

Continuando nossa conversa sobre adoção, existem algumas coisas que gostaria de deixar com vocês, caso se interessem em adotar alguma criança.

Há muitas implicações para a adoção legal. A mãe precisa ter assinado um documento entregando seu filho ou filha ao juiz ou advogado encarregados do processo.

É importante que os pais adotivos não conversem diretamente com a verdadeira mãe. O advogado deve ser o intermediário entre eles.

É necessário cadastrar-se junto ao Juizado de Menores de sua cidade, onde você responderá a várias perguntas, pois o interesse das autoridades é proteger a mãe, a criança e os pais adotivos, de possíveis problemas futuros.

Você deverá provar que pode sustentar seu futuro filho ou filha.

É feito um histórico de doenças hereditárias e ascendência da criança.

Eu gostaria de ver muitas normas mudadas, facilitando assim os processos de adoção. Mas enquanto isso não ocorre, devemos obedecer ao proposto por lei.

Como cristãos, é nossa responsabilidade cuidar das viúvas e dos órfãos. É isto que Deus descreve como religião pura e sem mácula (Tiago 1:27). Existem muitas maneiras pelas quais podemos obedecer a essa colocação e afirmo, sem medo de errar, que adoção é uma delas.

Se Deus estiver tocando seus corações nessa direção, Ele mostrará a criança que já está preparada para vocês.

Algo prático a ser feito é orar e perguntar a pessoas de seu relacionamento da igreja, se conhecem orfanatos, médicos, ou alguém que possa ajudá-los.

Nossas filhas nos foram dadas por Deus, nascidas de outras mulheres, e digo com muita gratidão ao Senhor que somos uma família feliz.

Creiam, não perderíamos esta experiência por nada!

Pense nisto

Faça um propósito de estar orando regularmente, pelo menos uma vez por semana, por um órfão, um orfanato, um asilo etc. Procure visitar ou ofereça seu trabalho voluntário em uma instituição. Experimente! Você vai sentir o prazer de estar desenvolvendo a religião pura e imaculada diante de nosso Deus e Pai.

16 DE JANEIRO

UM TEMPO PARA A FAMÍLIA, UM TEMPO PARA DESCANSAR

Descobri que não há nada melhor para o homem do que ser
feliz e praticar o bem enquanto vive.
Eclesiastes 3:12

VOCÊ é uma pessoa viciada em trabalho? É difícil puxar o freio e parar? Você consegue perseguir sua identidade no Senhor e não no seu trabalho? Você se dá o direito de relaxar e parar? Em resumo, você pode ser considerado um modelo para seu cônjuge e filhos nessa área? Você dedica um dia da semana à sua esposa (marido) para saírem juntos, conversarem, se divertirem, namorarem – um dia só para os dois? Você separa um tempo para dedicar à sua família? É um grande investimento sair com um filho de cada vez, de quando em quando, dando atenção particular e específica a ele naquele dia.

Sou uma pessoa extremamente pragmática. Acredito que teoria sem aplicação não é muito útil. Gostaria de sugerir algumas atividades práticas. Analise-as para ver se elas se aplicam ao seu contexto, se há como adaptar algumas ao seu estilo de vida familiar:

- Dedicar uma noite por semana ao cônjuge
- Fazer um passeio com a família
- Visitar um museu com toda a família
- Fazer uma caminhada na praia, no campo ou no parque
- Passear em um shopping
- Pescar
- Brincar com jogos de mesa de interesse de toda família
- Ir ao cinema, ao teatro
- Acampar em um fim de semana
- Organizar um álbum de fotos
- Plantar, com toda a família, uma horta ou jardim (caso more em uma casa ou apartamento com varanda ou terraço)
- Andar de bicicleta no parque
- Ler um livro em família
- Ir a um estádio de futebol
- Passar um final de semana em um sítio, em contato com a natureza, e contemplar a obra de Deus.

Exercite sua criatividade. O lazer não depende necessariamente da carteira. O importante é que tenhamos força de vontade para parar o corre-corre diário e, conscientemente, priorizar e programar atividades com a família e para nós mesmos.

PENSE NISTO

Em Gênesis 1, 2 e 3, Deus demonstrou que administra Seu tempo com sabedoria e eficiência. Nós também podemos fazer o mesmo. Precisamos separar tempo para o lazer – para criar, comunicar, descansar e nos relacionar. Lazer também foi uma prioridade para Deus.

17 de janeiro

O cuidado no falar

Pois, quem quiser amar a vida, e ver dias felizes, guarde a sua língua do mal, e os seus lábios da falsidade.
1Pedro 3:10

O livro de Provérbios é muito rico em ensinamentos quanto ao nosso falar: o que falamos e como falamos. Tremo só de pensar que "a língua tem poder sobre a vida e sobre a morte" (Provérbios 18:21). Quando reflito sobre a seriedade disso tenho até medo de abrir minha boca!

Salomão nos avisa que a língua pode separar amigos íntimos e muitas vezes chega a separar casais. Ele até sugere que ficar calado não é má ideia: "Quando são muitas as palavras, o pecado está presente, mas quem controla a língua é sensato" (Provérbios 10:19). E enfatiza a importância de se encobrir um segredo ao invés de revelá-lo (Provérbios 11:13).

Tiago faz a comparação da língua com o fogo (Tiago 3:6) e com o veneno mortífero (Tiago 3:8). Ele nos mostra como é terrível, quando com a mesma boca bendizemos a Deus e amaldiçoamos os homens, feitos à sua semelhança (Tiago 3:9). Ele encoraja cada cristão a ser: "pronto para ouvir, tardio para falar, tardio para se irar" (Tiago 1:19).

No entanto manter-se calado, tem desvantagens! O "tratamento silencioso" pode transmitir irritação, ressentimento ou, até mesmo, em relação a nosso cônjuge. Quando não nos comunicamos deixamos de abençoar outros com nossos lábios. Palavras adequadas são chamadas "fonte de vida" e são mais valiosas do que a "prata escolhida". "A língua dos sábios torna atraente o conhecimento" (Provérbios 15:2) e "se expressa com elegância" (Provérbios 22:11).

Tenho pedido a Deus que mostre como posso ter graça em meus lábios. Somos bênçãos quando não revelamos confidências que nos são feitas; quando nosso cônjuge espera uma reclamação e, para sua surpresa, demonstramos gratidão. Devemos usar nossos lábios para orar por ele. Para beijá-lo! (talvez falemos demais e beijemos de menos!). Tenho pedido a Deus: "Coloca, Senhor, uma guarda à minha boca; vigia a porta dos meus lábios" (Salmos 141:3).

Pense nisto

Temos sido bênção e usado de graça para com nosso cônjuge e para com outras pessoas? Quanto temos sido gratos a Deus? Temos falado demais? Temos ouvido pouco? Nossas críticas são construtivas? Tomamos cuidado com as palavras que saem dos nossos lábios? Vamos pensar bem antes de falar algo que desagrade a Deus e aos outros.

18 DE JANEIRO

FOFOCA? DEUS ABOMINA!

Quem vive contando casos não guarda segredo; por isso,
evite quem fala demais.
Provérbios 20:19

FICO, algumas vezes, refletindo no por que do ser humano ser tão tentado a fofocar! É óbvio que, inicialmente, deve-se à nossa própria natureza pecaminosa. Somos maus! E sendo mais práticos, outra razão lógica é porque queremos ser importantes: "Sei de algo que vocês não sabem!"

Outro motivo é o orgulho. Dessa forma aparentamos importância, construindo um pseudorreconhecimento, utilizando para isso a desgraça alheia. Além disso, ao fofocarmos, tomamos como cúmplices de maledicência nossos melhores amigos.

Em 1Coríntios 13:7, lemos: Se você amar alguém, será leal para com ele, custe o que custar. Sempre acreditará nele, sempre esperará o melhor dele, e sempre se manterá em sua defesa (NTV).

Veja algumas sugestões que podem nos ajudar a fugir da fofoca:

1. Deus espera que você se detenha em: ... tudo o que for verdadeiro, tudo o que for nobre, tudo o que for correto, tudo o que for puro, tudo o que for amável, tudo o que for de boa fama, se houver algo de excelente ou digno de louvor, pense, nessas coisas (Filipenses 4:8).
2. Reconhecer que a fofoca nada mais é que pecado. Só para conhecer a avaliação divina sobre esse costume, leia Provérbios 6:16-19: Há seis coisas que o Senhor odeia, sete coisas que ele detesta: ... a testemunha falsa que espalha mentiras, e aquele que provoca discórdias entre irmãos.
3. A qualquer hora do seu dia, peça: Coloca, Senhor, uma guarda à minha boca; vigia a porta de meus lábios (Salmos 141:3).
4. Planeje adiante – Em situações perigosas, quando você perceber que a tentação para fofocar virá, peça sabedoria a Deus. Peça que ele lhe dê ideias positivas e criativas para reverter a conversa para um plano proveitoso. No entanto, se o rumo da conversação insistir em tomar o caminho errado, tenha coragem e corte-a em definitivo.

PENSE NISTO

Quem muito fala trai a confidência, mas quem merece confiança guarda o segredo(Provérbios 11:13).

19 de janeiro

A chave do perdão

Assim também lhes fará meu Pai celestial, se cada um de vocês não perdoar de coração a seu irmão.
Mateus 18:35

Neste texto Jesus conta uma história que vou transportar aos dias de hoje: Um rico fazendeiro de Minas Gerais chamou um de seus funcionários que lhe devia considerável quantia em dinheiro, com o propósito de cobrá-lo. Mas o pobre homem não tinha nenhuma possibilidade de saldar a dívida. Seu patrão ameaçou prendê-lo e confiscar seus bens em troca de débito.

O empregado, desesperado, implorou reverentemente ao fazendeiro que tivesse paciência, prometendo pagá-lo em breve.

Penalizado, o patrão perdoou aquela dívida, o que deixou aquele homem muito aliviado e feliz.

Saindo da casa do fazendeiro, ele encontrou um colega que lhe devia uma pequena soma, aliás irrisória. Após cobrá-lo e recebendo como resposta a impossibilidade do pagamento, o empregado tornou-se violento agarrando o colega devedor, tentando sufocá-lo.

O outro, coitado, humilhado, pedia paciência, um pouco mais de tempo, mas tudo inútil. Sem conseguir nenhuma piedade e clemência, viu-se denunciado e preso.

Algumas pessoas que presenciaram o ocorrido foram contar ao fazendeiro o modo implacável como aquele homem tratara seu colega. Sendo assim, este mandou chamar novamente o seu funcionário e lhe disse:

– Eu soube o que aconteceu e acho que você é um homem de índole má. Perdoei sua dívida porque você suplicou que eu o fizesse; penso que sua reação para com seu amigo, que lhe devia quantia tão pequena, deveria ser a mesma. Decidi voltar atrás e agora quero que me pague integralmente o que me deve, senão também o levarei à prisão.

Dentre tantas lições que podemos aproveitar desta história a respeito do perdão, a principal e mais importante, é a imensa quantia que o empregado devia ao seu patrão e que este generosamente perdoou. Por outro lado vemos a ínfima soma que este mesmo empregado se recusou a perdoar de um seu igual. Naquilo que quis ensinar com esta história, Jesus simboliza Deus como o patrão, e nós, como sendo o empregado. A chave do perdão incondicional no relacionamento é reconhecer o quanto Deus nos perdoou ao oferecer Cristo na Cruz para morrer por nós.

Pense nisto

Aceitação verdadeira requer uma disposição de ser vulnerável às dores e desilusões de um relacionamento imperfeito. Para alcançar esta aceitação, precisamos, continuamente, perdoar nosso marido, ou esposa.

20 de janeiro

Um bom motivo para ser feliz!

Tenho lhes dito estas palavras para que a minha alegria esteja em vocês...
João 15:11

Jesus era feliz, e ele deseja que seus discípulos também o sejam. Por isso nos deixou instruções de como obter essa felicidade. João 15:11 nos diz que a felicidade vem através da obediência à Sua Palavra. Em João 16:24, ele acrescenta: Peçam e receberão para que a alegria de vocês seja completa. Orações respondidas enchem nosso coração de alegria.

Não há dúvida que nosso maior motivo de felicidade é saber que somos dele; assim sendo, Ele cuida de nós, temos nossos pecados perdoados e o futuro garantido.

O cristão tem mais motivos para ser feliz do que qualquer outra pessoa no mundo – mas eu gostaria de saber quantas pessoas enxergam essa verdade. Nossos filhos notam isso?

Voltamos as costas aos prazeres deste mundo quando nos tornamos cristãos, e assim, participantes de "toda sorte de bênção espiritual nas regiões celestiais" (Efésios 1:3).

De todas as qualidades que um pai ou mãe devem ter, acho que o senso de humor é uma das coisas que mais devemos procurar adquirir. Crianças sempre nos dão muito motivo para rir! Com o que este mundo se pareceria sem elas?

Não consigo ficar sem rir ao me lembrar de uma experiência com Melinda, quando ela era ainda bebê, ao ser colocada no berço para tirar a sua soneca da tarde. Dentro do seu raio de alcance, em cima da cômoda, estava um pote com creme para assaduras. Eu estava me preparando para sair e fui certificar-me de que ela estava dormindo, antes de deixá-la aos cuidados da moça que iria tomar conta dela. O que encontrei foi uma máscara com dois olhos castanhos arregalados. Ela havia "pintado", além do rosto, o cabelo, a roupa, a cômoda, as fraldas e tudo o que estava ao seu alcance. Nem preciso dizer que não saí naquele dia. Depois de várias tentativas inúteis de limpar a roupa e as fraldas, tive de jogá-las fora. Não joguei a cômoda e o bebê, mas ambos, durante meses, cheiravam a óleo de fígado de bacalhau!

Pense nisto

Seus filhos conhecem sua alegria de tê-los como filhos? Eles conhecem as histórias que trouxeram alegria à sua vida? Você tem alegrado os corações da sua família? A alegria de Jesus é visível em você?

21 de janeiro

Obedecer olhando a quem

... como Sara que obedecia...
1Pedro 3:5,6

Sara obedeceu.

O conceito de obediência ao marido é superdifícil para a mulher e antes que você chegue a conclusão de que isso é impossível, veja o significado do verbo obedecer. No grego, significa prestar atenção cuidadosa a alguém. Ele encerra a ideia de suprir as necessidades do outro.

Se você é uma mulher ativa, sua tendência será de se envolver muito nas atividades da sua igreja, na escola de seus filhos, no clube e deixar de atender as necessidades do seu lar.

Muitas mulheres encontram disposição para atividades fora do lar, mas pouca ou nenhuma disposição para suprir as necessidades de quem deveria ser a pessoa mais importante para ela: seu marido.

Deus honra a pessoa que obedece a Palavra e faz aquilo que é certo. Deus não permitirá que seu marido se aproveite da sua atitude de dedicação e cuidado.

A mulher que age como as santas mulheres que esperavam em Deus, estando submissas a seus próprios maridos, é chamada filha de Sara.

A Bíblia relata vários dos fracassos de Abraão, que era um homem com defeitos, como qualquer outro, e para Sara foi difícil obedecê-lo chamando-o Senhor. Mas as Escrituras afirmam que ela desempenhou bem seu papel e se tornou a mãe de uma grande nação, da qual também nós recebemos as bênçãos de Deus.

Deus quer, à semelhança de Sara, abençoar seu marido, seus filhos e muitas outras pessoas, através de sua beleza interior.

Pense nisto

Esposa, reflita que através de sua obediência, Deus irá abençoar seu marido, seus filhos e muitas outras pessoas. Obedeça segundo os padrões de Deus e em amor.

22 DE JANEIRO

HONRANDO UNS AOS OUTROS

Dediquem-se uns aos outros com amor fraternal. Prefiram dar honra aos outros mais do que a si próprios.
Romanos 12:10

QUANDO refletimos sobre o que significa honrar alguém, muito possivelmente venha à nossa mente uma festa em homenagem a uma pessoa que conhecemos, ou uma multidão de torcedores aplaudindo seu time após a vitória. Contudo, quando a Bíblia se refere a honrar a Deus e aos entes queridos, apresenta uma definição mais abrangente e profunda. É um quadro extremamente claro de que honrar alguém implica vê-lo como um tesouro inestimável e tratá-lo com respeito amoroso. Ela também revela que, enquanto prestar honra a Deus se baseia em Sua pessoa, majestade, poder e soberania, honrar aos outros é algo que pode ser transmitido às pessoas amadas, sem levar em conta se elas merecem ou não.

Honrar quer dizer atribuir valor a alguém, considerando-o uma dádiva sem preço e concedendo-lhe, com nossa atitude e comportamento, um destaque digno de grande respeito. Deus ordena que o amemos em primeiro lugar, e depois aos outros. A demonstração desse amor autêntico é um presente que oferecemos. O marido honra a esposa e vice-versa; os pais honram os filhos e vice-versa, e assim por diante em todos os relacionamentos da vida.

Quando um cônjuge honra o outro, além de selar seu relacionamento, ele o edifica, encoraja e abençoa. Isto pode ser demonstrado através de uma palavra, um elogio, um gesto de carinho, uma pequena atitude de consideração, um olhar de apreciação. Como consequência natural, os filhos observam esse comportamento e recebem o exemplo que irá incentivá-los e desafiá-los a agir da mesma forma.

O relacionamento conjugal é como uma planta que precisa de cuidados para florescer. Por isso, valorizar os membros da família, o cônjuge em particular, é absolutamente imprescindível. Não deixe sua planta murchar. Cuide bem dela!

PENSE NISTO

Quando honramos nosso cônjuge comunicamos de forma sincera e real que ele é superamado e altamente valorizado. Isto transforma e revitaliza relacionamentos!

23 de janeiro

Sinal de amor

... A obediência é melhor do que o sacrifício, e a submissão é melhor do que a gordura de carneiros...
1Samuel 15:22b

Nos dias atuais, temos a nítida impressão de que as pessoas têm receio de falar sobre disciplina de filhos. Contudo, há uma forma certa e uma errada de se fazer praticamente tudo, incluindo disciplina de filhos.

Lembro-me de, um dia, quando eu era criança, em que meu pai estava deitado no sofá e pediu que eu levasse até ele seus sapatos. Minha resposta foi: "Não!" Ele desconsiderou e pediu uma segunda vez, e minha resposta foi: "Não!" Então, ele levantou e "esquentou" meu traseiro. Eu chorei. Ele chorou. Abraçando-me pediu novamente que lhe trouxesse os sapatos. E novamente eu repeti: "Não!"

Meu pai era novo cristão, desejoso de obedecer a Palavra. Seria mais fácil deixar passar aquela desobediência, mas eu ainda não havia obedecido! Então, apanhei de novo. Eu chorei. Ele chorou. E a cena se repetiu mais uma vez. E outras vezes mais, até que finalmente o obedeci. Naquele dia aprendi que meu pai cumpria sua palavra e que eu precisava respeitar sua autoridade. Nunca me esqueci daquela lição.

Anos mais tarde, quando me tornei mãe, também fui confrontada por um "Não" de minha desafiadora filhinha de dois anos. "Não", acabou sendo sua palavra preferida. Ao ser disciplinada, ela obedecia na hora, mas logo voltava à mesma desobediência. Aí, foi minha vez de fazer com que ela entendesse realmente o significado da palavra "Não!"

Houve uma época em que me preocupei com o que as pessoas iriam falar se soubessem que eu disciplinava minhas filhas. Daí lembrei-me que a Bíblia ensina que disciplina é um sinal de amor (Provérbios 13:24) e concluí que disciplina de filhos é um ato de fé nas promessas de Deus. Uma de suas promessas diz que o filho obediente aos pais terá uma vida longa. Certamente há alguma lógica nisso. Quantas crianças ao escaparem de seus pais e correrem para a rua são atropeladas por um carro, porque não pararam ao ouvir a palavra PARE!

Outra promessa de Deus é que os pais da criança disciplinada terão paz e grande prazer para a sua alma (Provérbios 29:17). Eu, sinceramente, não tinha muita paz quando minhas filhas eram pequenas. Mas conforme aqueles anos foram ficando para trás, passei a sentir saudades de cada momento ao lado delas.

Pense nisto

O tempo gasto em corrigir um filho trará retorno de qualidade de vida, no futuro! Vale a pena chorar agora, para sentir orgulho deles mais tarde!

24 DE JANEIRO

FUNDAMENTADO DO ÁGAPE

Maridos, ame cada um a sua mulher, assim como Cristo
amou a igreja e entregou-se por ela...
Efésios 5:25

O QUE você faria se um casal lhe dissesse: "Depois de 18 anos de casados, nós simplesmente não nos amamos mais". Você sugeriria que se divorciassem? Que dessem um tempo? Não, nada disso, porque Deus tem outra alternativa: o caminho do "ágape".

O papel do marido é amar. Não é uma opção, mas uma ordem. O amor não está condicionado à aparência, atitude, ou comportamento da esposa.

Infelizmente, há uma confusão geral sobre o papel do marido e da esposa. E se há confusão sobre o papel de cada um no lar, há maior confusão ainda sobre o que é amor.

Se há um elemento que, mais do que qualquer coisa, pode salvar os nossos casamentos é o amor de Deus, o amor "ágape". Foi este o amor mencionado por Jesus em João 3:16: "Porque Deus amou o mundo de tal maneira que deu..." A primeira característica deste amor é dar.

Um casamento que está fundamentado no amor "ágape" pode sobreviver a qualquer tempestade ou crise que a vida trouxer. Por quê? Porque está ligado à fonte eterna e poderosa que pode continuar operando quando todos os outros amores se acabarem. Deus é amor!

PENSE NISTO

Deixe o amor de Deus não só entrar, mas transbordar cada área de sua vida conjugal. Deixe-se encharcar com o amor "ágape".

25 DE JANEIRO

MUROS DE SEPARAÇÃO – JESUS PODE DERRUBÁ-LOS

Portanto, o que Deus uniu, ninguém o separe.
Marcos 10:9

MUITAS VEZES, em um relacionamento conjugal, erguem-se muros que separam o casal e não permitem que ambos desfrutem uma relação tranquila e amorosa. Isto acontece porque um dos cônjuges, por algum motivo, se sentiu ferido ou ameaçado. Um deles, ou ambos, recebeu a picada venenosa de uma violência verbal, sentiu a dor da negligência etc... . Então, o acesso para o ser interior de cada um se fechou, movido pela necessidade de defesa.

Eis algumas barreiras causadoras dos muros que se interpõem entre os cônjuges:

- *Medo*: "Tenho medo que meu cônjuge deixe de me amar, se me conhecer como realmente sou."
- *Abuso*: "Ainda me sinto ferida (o), prejudicada (o) pelos abusos dos quais fui vítima."
- *Culpa*: "Fiz algo do qual me envergonho imensamente. Não quero que meu marido (esposa) saiba."
- *Orgulho*: "Não estou disposto(a) a admitir minhas fraquezas, medos e preocupações."
- *Ressentimento*: "Não consigo superar uma ofensa que meu marido (esposa) me fez no passado. Meu rancor é tão grande que já escapou do meu controle."
- *Negligência*: "Meu marido (esposa) está sempre ocupado(a). Sinto que não sou a sua principal prioridade."
- *Ferimento*: "Meu cônjuge tem um implacável espírito crítico e por diversas vezes ele me feriu."
- *Medo de ser vítima de fofoca*: "Se eu compartilhar minhas emoções e desejos mais íntimos, será que meu marido (esposa) não comentará sobre eles com outras pessoas, me expondo?"
- *Egoísmo*: "Minha ânsia por poder, possessões, dinheiro, popularidade, sucesso etc., está deteriorando meu casamento."
- *Insulto*: "As palavras cruéis que meu cônjuge me disse (ou diz) têm arrasado minha autoestima."

Se o seu relacionamento está fragilizado, saiba que Jesus Cristo veio para destruir os muros que crescem entre os casais, entre as pessoas. Pela Sua morte e ressurreição, ele nos transforma em poderosos guerreiros que podem destruir muros, por maiores que sejam. Não importa quão altos ou impenetráveis esses muros possam parecer, Deus é maior que qualquer um deles e poderoso para colocá-los abaixo de forma definitiva.

PENSE NISTO

O projeto mais fascinante que podemos ter é o de sermos usados para eliminar sombrios e assustadores muros que possam crescer entre as pessoas (Marcos 10:7-9).

26 DE JANEIRO

CORTANDO O CORDÃO UMBILICAL

Honra teu pai e tua mãe – este é o primeiro mandamento com promessa – para que tudo te corra bem e tenhas longa vida sobre a terra.
Efésios 6:2,3

PARA que a nova vida dos recém-casados possa seguir seu curso normal, o cordão umbilical precisa ser cortado. Isto não significa que cortarão o contato com seus pais ou que irão abandoná-los. Mas ambos, homem e mulher, assumirão novas funções prioritárias: eles passam a ser, antes de filho e filha, marido e mulher. Eis algumas dicas práticas:

- Não morem com seus pais depois de casados. Tentem viver na sua própria casa, mesmo que seja alugada e humilde. Morar com os pais ou sogros geralmente é uma péssima maneira de iniciar a vida.
- Não assuma que os pais devem ajudá-los financeiramente.

Tome cuidado com a atenção excessiva dada aos pais. Isso pode criar ciúme e raiz de amargura em seu cônjuge. Ouvimos expressões como: "Para seus pais você sempre tem tempo, mas para mim, não". Essa atitude pode jogar os pais contra seu esposo(a), porque a tendência natural, consciente ou inconsciente, será rejeitá-los; afinal de contas... eles estão roubando algo que é seu...

Não use constantemente seus pais, ou sogros, como babás. Naturalmente os avós vão querer cuidar dos netos, mas há o perigo de abusar dessa boa vontade.

Não se esqueça do aniversário dos seus pais e sogros. Pode parecer uma coisa pequena, mas você é capaz de ganhar sua sogra com um ramalhete de rosas.

Expresse, de vez em quando verbalmente sentimentos positivos para com os pais. Eles precisam saber que são importantes em sua vida.

Descubra que tipo de relacionamento seus pais e sogros esperam de vocês. Por exemplo: com que frequência devem visitá-los ou telefonar-lhes? Até onde pode ir a influência deles na disciplina de seus filhos?

Procure demonstrar amor a seus sogros. De vez em quando, pergunte a si mesmo: "O que tenho feito, recentemente, para demonstrar que os aprecio e os amo?"

Seu sogro e sua sogra foram os canais para que a pessoa a quem você ama existisse. Se não conseguir enxergar nenhum outro motivo, isso já será motivo para tratá-los bem.

PENSE NISTO

Será que você tem desenvolvido um relacionamento saudável, com seus familiares e com os de seu cônjuge, permitindo um ambiente de crescimento, união, paz e harmonia, mas sem interferência direta em sua vida conjugal?

27 DE JANEIRO

APRENDENDO COM SARA

... A beleza de vocês [...] esteja no ser interior, que não perece, beleza demonstrada num espírito dócil e tranquilo...
1Pedro 3:3,4

SARA. Por que essa mulher era tão especial? Quem era ela realmente, e o que a fez ser tão abençoada?

Sara:
Seguiu a liderança de seu marido. – Abraão, por ordem de Deus, deixou seu país e sua parentela para ir à nova terra, "levou... Sarai sua mulher". Ela deve ter-se questionado muito: Para onde vamos? Qual será nosso endereço para correspondência? Quando voltaremos? Só vou poder levar isso? Não deve ter sido fácil ser esposa de Abraão. Hoje nós o conhecemos por "pai da fé", mas naquele tempo... Mesmo assim, Sara o seguiu e enfrentou, com certeza, situações difíceis. Ela deixou pai e mãe e dedicou-se ao seu esposo.

Sara:
Possuía uma beleza interior e exterior. – Sara era muito formosa! Quando eles chegaram ao Egito, Abraão pediu que Sara dissesse que era sua irmã, pois se falasse que era sua esposa, por causa da sua beleza eles poderiam querer matá-lo, para a desposarem. Ela o obedeceu, e o próprio Faraó se encantou com ela... Deus, porém, a livrou dessa delicada situação. Posteriormente, Abraão a colocou em outra situação semelhante: Sara tinha 90 anos quando Abimeleque se sentiu atraído por sua beleza e quase se casou com ela! Pedro a descreveu da seguinte maneira: Ela "vestia-se" de "um espírito dócil e tranquilo o que é de grande valor para Deus" (1Pedro 3:4).

Sara:
Aprendeu que não há impossíveis para Deus. – Sara escutou dois visitantes conversando sobre ela, ficou curiosa e então, procurou um lugar mais estratégico a fim de descobrir do que se tratava a conversa. Sara escutou que Ismael não era a semente escolhida e ela iria ter um bebê! Tudo lhe pareceu tão ridículo que Sara riu! Nesse mesmo momento "disse o Senhor a Abraão: Por que se riu Sara?... Acaso para Deus há cousa demasiadamente difícil? (Gênesis 18:12,13). Sara descobriu rapidinho a resposta: um ano mais tarde tornou-se mãe de Isaque, cujo nome significa "riso".

PENSE NISTO
Em sua opinião, existe algo difícil demais para Deus? Sara aprendeu que para o Senhor não há impossíveis. Pedro encoraja-nos a sermos "filhas de Sara", praticando o bem e não temendo nenhuma perturbação.

28 DE JANEIRO

QUEM CASA, QUER CASA!

... Por essa razão, homem deixará pai e mãe e se unirá à sua mulher, e eles se tornarão uma só carne...
Gênesis. 2:24

É COSTUME dizer-se que, se conselho fosse bom, não seria grátis. Apesar disso há um grande ensinamento no ditado popular: "Quem casa, quer casa!"

Quero ser realista. Sei que, na atual situação econômica do país, não é nada fácil para o rapaz que vai se casar, comprar ou alugar um apartamento (às vezes mais parecem "apertamentos"). para iniciar a nova vida, morando somente com a esposa. Mesmo assim, penso que seria preferível que os jovens, antes de se lançarem ao casamento aos 20 anos de idade, esperassem um pouco mais até terem suas convicções mais solidificadas e maior autonomia financeira, para evitar dependência futura dos pais.

Porque Deus fez esta afirmação: Por isso deixa o homem pai e mãe e se une à sua mulher... ? Ele queria que o homem assumisse o compromisso da própria família, providenciando-lhe sustento e bem-estar.

Enquanto vivem na casa dos pais, os filhos dependem deles para sua sobrevivência. Quando se casam, não devem mais esperar que eles supram suas necessidades financeiras. É possível que os sogros, até de forma inconsciente, queiram manipular genros e noras, filhos e filhas, porque dispõem mensalmente de dinheiro para auxiliar o casal (que por sua vez se sente tolhido em sua liberdade).

O homem, muitas vezes se sente incapaz de exercer o papel de provedor da família e sua auto-imagem fica prejudicada. A mulher sabe que seu marido não pode lhe dar o que deseja, mas seu pai sim, e então começa a depender mais de quem lhe dá maior segurança e estabilidade, sem notar que o esposo fica desmoralizado.

Portanto, a frase "quem casa, quer casa!" também vai ao encontro do plano de Deus para que o homem e a mulher deixem seus pais e se tornem seus próprios provedores.

PENSE NISSO

Querido casal, se vocês ainda dependem de seus pais, que tal começar a agir, conversando, procurando uma maneira de sair dessa situação e partir, com a ajuda do Senhor, para uma nova caminhada a sós, ambos, realmente, uma só carne?

29 de janeiro

Jejum sexual, que pena!

Não se recusem um ao outro, exceto por mútuo consentimento [...] Depois unam-se de novo para que Satanás não os tente por não terem domínio próprio.
1Coríntios 7:5

O marido precisa se controlar sexualmente em pelo menos três situações da vida conjugal:

- Em o período um pouco antes e depois do nascimento de um filho.
- Em o período menstrual da esposa.
- Em caso de algum problema fisiológico da esposa que, então, deve ser tratado e resolvido por um médico de confiança.

No versículo acima, Paulo dá uma outra exceção além das citadas acima. Vamos imaginar que você, que é casado, no domingo à noite ouve uma mensagem desafiadora sobre a necessidade de uma vida mais intensa de oração. Você se sentiu tocado. Chega em casa e fala para o seu marido ou esposa:

"Querido(a), a partir de hoje, vamos jejuar por um mês na área sexual do nosso casamento para que eu possa dedicar-me intensamente ao exercício espiritual da oração".

Paulo está dizendo que você não pode tomar uma decisão assim. Ele diz: "Por mútuo consentimento". Isso significa uma convicção dos dois e uma concordância completa quanto à necessidade de cessar a atividade sexual por algum tempo com um propósito espiritual, que é oração.

É preciso que cada um seja sensível às necessidades sexuais do outro, conversando sempre abertamente, antes de praticar qualquer ato, sem sentimento ou razão.

Pense nisto

Deve haver um compromisso de real seriedade quando o casal se decidir por um jejum sexual, dedicando-se com exclusividade ao objetivo proposto.

30 de janeiro

Mundo pequeno

Mas receberão poder, quando o Espírito Santo descer sobre vocês, e serão minhas testemunhas tanto em Jerusalém, em toda Judeia e Samaria, e até os confins da terra.
Atos 1:8

O mundo, e além dele, está instantaneamente disponível a esta geração através dos atuais avanços tecnológicos. O tempo já não separa os acontecimentos. Praticamente todas as pessoas podem saber o que ocorre em todo o mundo, no instante em que o fato acontece.

Consequentemente, as crianças de hoje, saibam disso ou não, são cidadãs do mundo. A dúvida, então, é a seguinte: será que nós, pais cristãos, estamos preparados para sermos responsáveis e conscientes cidadãos mundiais? Ao percebermos que essa é nossa meta, devemos enxergar "o mundo" como homens e mulheres criados à imagem de Deus, pessoas por quem Cristo morreu e a quem somos chamados a amar e a buscar.

Os valores básicos do ser humano, bem como a imagem que adquirem da vida, provém da formação que recebem ainda na mais tenra idade. É no lar que a visão do mundo é recebida e desenvolvida. Da mesma forma que nos preocupamos em passar a nossos filhos padrões de moral, boas maneiras e formação acadêmica, é necessário que aproveitemos as oportunidades para guiá-los no caminho a fim de que eles se tornem "cristãos mundiais", e tomem conhecimento de que existem povos que nunca ouviram falar de Cristo!

É preciso que, além da visão geográfica e histórica dos outros povos do mundo, também recebam uma visão cristã global. Há um livro excelente que fornece o histórico e dados sobre o andamento das missões mundiais. Chama-se "Operação Mundo", de Patrick Johnstone e apresenta fatos e pedidos de oração sobre cada nação do mundo inteiro.

A partir do momento que uma criança começa a adquirir essa ideia mais global do mundo, sua curiosidade também aumentará. Será necessário maior envolvimento pessoal de nossa parte a fim de manter aceso esse interesse. Como cristãos, temos o privilégio de ter acesso a famílias de missionários. Podemos convidá-los a uma refeição em nossa casa, ouvir as histórias do campo. Além disso, podemos incentivar nossos filhos desde pequenos a contribuir com missões.

Enquanto como família oramos por missões, também devemos estar abertos para o caso do Senhor chamar nossos próprios filhos para serem missionários em alguma parte do mundo.

Pense nisto

Como pais devemos cultivar em nossos filhos a percepção do cristão mundial, encorajando-os a enxergar as pessoas em seus variados ambientes, culturas e ver nesse pano de fundo as oportunidades que Deus nos dá para engrandecermos seu reino aqui na terra.

31 de janeiro

Preciso de mais tempo!

Porquanto há uma hora certa e também uma maneira certa de agir para cada situação...
Eclesiastes 8:6 a

Alguma vez você já desejou que seu dia tivesse 30 horas, em vez de 24? Essas horas extras seriam para aliviar a imensa pressão que pesa sobre os nossos ombros, não é? É comum deixarmos atrás um rastro de tarefas inacabadas. Precisamos desesperadamente atenuar a pressão que paira sobre nós. Será que 30 horas resolveriam seu problema? Será que não ficaríamos frustrados, da mesma forma, preenchendo essas seis horas a mais e caindo na mesma armadilha?

Vamos olhar ao nosso redor. A tarefa de uma mãe nunca termina. Acontece o mesmo com o professor, ministro, empresário, estudante, seja quem for. Mais horas no dia não seriam suficientes para cumprirmos todas as nossas obrigações e planos.

Passamos a viver nos submetendo ao urgente, abraçando um estilo de vida cada dia mais intenso, nos esforçando mais, sem tanta alegria em cumprir nossos compromissos.

Meditando sobre a vida e ministério de Jesus podemos ver como as multidões o incomodavam, estranhos disputavam para tocar em suas vestes, pessoas com grandes necessidades perturbavam seu sono e interrompiam seu ensino. Apesar disso, ele não se apressava.

Em apenas um dia, Jesus encorajou os discípulos, curou doentes, ensinou a multidão, alimentou cinco mil pessoas e ajudou um amigo que enfrentou uma tempestade no mar. Depois de tudo isso, ele ainda reservou um tempo para estar a sós com Deus (João 6:1-24).

Ao final de três anos de ministério, ele pôde dizer ao Seu Pai que o trabalho para o qual fora enviado estava terminado.

Em meio à nossa correria, devemos, enquanto é tempo:

- Parar e avaliar a qualidade do tempo de nossas vidas
- Pedir a Deus que nos mostre Suas prioridades para nossas vidas neste momento
- Estar abertos a mudanças drásticas.

Se amarmos o Senhor nosso Deus de todo coração e seguirmos suas orientações práticas teremos as perspectivas corretas para tomarmos decisões em nossas próprias vidas, e sermos bons mordomos do tempo precioso, que passa tão depressa por nossas mãos.

Pense nisto

Quando nos detemos para avaliar friamente, compreendemos que o nosso problema real não é escassez de tempo, mas sim prioridades erradas.

1 DE FEVEREIRO

O QUE FAZER? COMO FAZER?

Meu filho, não se esqueça da minha lei, mas guarde no coração os meus mandamentos.
Provérbios 3:11

Você já ouviu a história do menino que era tão levado, mas tão levado que, quando tinha 7 anos, seus pais fugiram de casa?!

Nós damos risada, mas, infelizmente, em muitos casos este é o quadro dos nossos lares "cristãos". Estamos vivendo em dias de permissividade e desrespeito às autoridades. A falta de obediência às leis e aos pais está causando muitos transtornos nos lares brasileiros.

Além disso, a juventude está enfrentando pressões que nenhuma outra geração enfrentou. Portanto, quando falamos sobre criar filhos nos caminhos do Senhor, estamos nos referindo a um desafio que vai exigir toda criatividade e energia possível por parte dos pais.

Em se tratando do assunto sobre o relacionamento entre pais e filhos temos de ter em mente alguns conceitos básicos. Do momento em que o nenê nasce até completar dezoito anos, Deus nos coloca como pais para treiná-lo e instruí-lo em seus preceitos. Este é o tempo de que dispomos.

Se nós, como pais, não conseguimos fazer esta tarefa em dezoito anos, num certo sentido, falhamos. Esta idade deve ser o alvo de todos os pais para com os seus filhos; a data de cortar o cordão umbilical. Isto significa que nossos filhos devem ter a maturidade suficiente para ser cristãos responsáveis, bem como a capacidade de tomar as suas próprias decisões. Devemos prepará-los para que sejam jovens que não se desviarão das verdades da Palavra do Senhor. Não é que vamos expulsar nossos filhos de casa depois dos dezoito anos, mas é esse o tempo legal a se atingir por lei, a idade da responsabilidade. É para termos um marco para avaliação e alvo para o nosso empenho.

Como podemos treinar nossos filhos com estes alvos em mente? Como podemos ensinar valores a eles? Como podemos ensinar a um filho de cinco anos como compartilhar seus doces com o coleguinha? Como podemos ensinar uma criança de sete anos a aprender a esperar sua vez? Como podemos ensinar um adolescente a cuidar do seu quarto? Como podemos desenvolver valores morais em um jovem? Como podemos incutir nos filhos virtudes como higiene, pontualidade, honestidade, lealdade, respeito aos direitos dos outros e obediência às autoridades? E mais do que tudo isso, como podemos treinar nossos filhos no caminho em que eles devem andar, para que quando chegarem à adolescência, possam assumir o compromisso sério de amar a Deus de todo o coração, toda a sua alma e todo o seu entendimento e não se desviar dele?

PENSE NISTO

As perguntas que foram feitas aqui e muitas outras que vocês pais devem fazer, têm respostas em um livro que nos dá orientação em todas as áreas da vida, a Palavra de Deus.

2 DE FEVEREIRO

FIQUE LIVRE DA AMARGURA

Sejam bondosos e compassivos uns para com os outros, perdoando-se mutuamente, assim como Deus os perdoou em Cristo.
Efésios 4:32

TUDO começou quando Regina tinha 12 anos de idade. Seu pai a violentou, e continuou a agressão durante um longo período. Em sua mente infantil, isto causou uma grande confusão: "por que meu pai está fazendo isto comigo?". Apesar de não reconhecer a gravidade total do que estava acontecendo, sentia algo errado, e isto foi lhe causando sentimento de culpa. Ao mesmo tempo, nutria raiva de quem a forçava a agir assim, medo de pensar em quantas vezes ainda passaria por isso, rejeição por ter sido traída e machucada por quem confiava e amava, vergonha e receio de que pudessem descobrir este segredo e, finalmente, atemorizada pelas ameaças do pai.

Um dia ele parou. Porém a vida daquela garota estava definitivamente marcada e ela atingiu a idade adulta sufocando em seu íntimo todos os traumas que aquilo lhe causara. Anos depois, ela recebeu uma ligação de sua mãe, avisando que seu pai estava muito doente, quase à morte. Nem mesmo diante da morte iminente, ela queria vê-lo. Assim que desligou o telefone, o Espírito Santo iniciou sua obra. Ela pensou e constatou que não era só com seu pai que seu relacionamento estava abalado, mas com seu marido, filhos, amigos, irmãos da igreja enfim, com todos. O seu problema não resolvido contaminou todos os seus relacionamentos.

Ao conscientizar-se disso, aquela mulher foi ao hospital. Dirigiu-se ao quarto do pai, pediu que todos se retirassem, fechou a porta, e sentou-se perto da cama. Seu pai a reconheceu. Então, ela pediu perdão por ter acalentado a amargura que a impossibilitou relacionar-se com ele. Ele sacudiu sua cabeça positivamente. Quando estava saindo do quarto, percebeu que ele estava se levantando da cama, quase caindo. Ela o amparou e ele lhe disse: "Filha, você sim precisa perdoar-me por tudo que fiz!" Ela o abraçou, ajudou-o a deitar-se e foi embora. Sentia-se leve e diferente, livre de um imenso fardo, que carregou durante anos. Dias depois seu pai faleceu.

Na realidade, o perdão nos livra do peso, da dor e da amargura que carregamos em nossos ombros e nos leva à cura emocional e espiritual. Jesus ensina que devemos estar sempre dispostos a perdoar e que não existe limite para isso (Mateus 18:21-35). A capacidade para isso, se baseia no perdão total oferecido por Deus em Cristo Jesus (Efésios 4:32; Colossenses 3:13).

PENSE NISTO

Muitas vezes é duro e conflitante perdoar. No entanto, devemos entender que o preço a ser pago pela decisão de não perdoar é maior ainda. Perdemos a paz, passamos a ter dificuldade para nos relacionar com outras pessoas, nosso coração e alma adoecem. Deus nos perdoou de todos os nossos pecados. Quem somos nós para negar perdão a um semelhante?

3 DE FEVEREIRO

A TV MANDA EM SUA FAMÍLIA?

Os olhos são a candeia do corpo.
Mateus 6:22a

É CAUSA de grande preocupação a mega influência que a mídia, especialmente a televisão, exerce em nossas vidas e famílias. Assim como eu, muitos consideram a TV um dos fatores responsáveis pelo naufrágio da seriedade de como devem ser encarados os valores morais, espirituais e familiares. Mais do que nunca é necessário que os filhos do Reino demonstrem no "laboratório" da família – que é a unidade básica da sociedade – o Reino de Deus na terra. As pessoas serão atraídas a Cristo ao verem as famílias cristãs funcionando harmoniosamente.

Com isso em mente, questiono se o televisor contribui para o crescimento do ser humano e para seu relacionamento familiar. A maioria das coisas em nossas vidas é utilizada tanto para o bem quanto para o mal, dependendo de quem a utiliza e como. Não há dúvida de que a TV possui aspectos positivos que contribuem para o desenvolvimento cultural e social do núcleo familiar, dependendo dos programas que são assistidos e do tempo que é utilizado diante da telinha. Ela estimula o diálogo, a percepção, promove a união geográfica das pessoas em torno dela. Por outro lado, há os aspectos negativos: ela contribui com o consumismo impensado, distorce a realidade, inibe a criatividade e o desenvolvimento de relações interpessoais, mostra, sem censura, a violência, a promiscuidade moral e sexual.

Livrar-se do televisor não resolve os problemas por ele causados. De alguma forma, tudo o que acontece na programação continuará chegando até você e seus filhos. Os pais devem ter um diálogo aberto com os filhos a respeito daquilo que passa na TV, sobre o que é "visível" ou não. Na verdade, assistir televisão deve ser feito com um propósito em mente, isto é, analisando o que determinado programa acrescentará ao crescimento da criança ou da família.

Pais, se vocês são viciados em TV, não esperem que seus filhos se controlem. Vocês devem ser exemplos de disciplina, demonstrando a teoria na prática.

PENSE NISTO

Se manter e enriquecer os relacionamentos em sua família é um item prioritário de sua lista, quando você for ver televisão, avalie bem o que sua família assistirá. Será que não existe uma maneira melhor, mais produtiva para passar o tempo? Talvez o televisor desligado e um criativo programa especial proporcionem momentos de mais união e crescimento à família. Que tal experimentar?

4 DE FEVEREIRO

EXPECTATIVAS MUITO ALTAS? CUIDADO!

Senhor, o meu coração não é orgulhoso e os meus
olhos não são arrogantes.
Salmos 131:1

A CADA casamento que se realiza, ocorre a união de duas personalidades, dois temperamentos, duas culturas, duas famílias, duas formas diferentes de encarar a vida etc. Algumas vezes essas características se chocam e o marido e/ou a esposa, se decepcionam.

Tendo por base motivações falsas, muitos casais entram no casamento com expectativas irreais, as quais, por não serem atingidas provocam decepções. Essas expectativas variam desde o desempenho sexual do casal até a educação dos filhos. São pressuposições concebidas na mente dos cônjuges e não verbalizadas. Essas desilusões e frustrações criam atmosfera tal que acaba desencorajando uma relação amorosa e carinhosa.

Quando essas esperanças frustradas não são comunicadas, mas guardadas com amargura no coração de um dos cônjuges, o casamento está em perigo. A razão é simples: a aceitação passa a basear-se n performance, que também se torna o elo que mantém o relacionamento.

Esse padrão, no entanto, é insuficiente para dar continuidade ao casamento. A experiência de doar-se não deve se basear no fato de o cônjuge merecer ou não. Se fosse assim, os casais só liberariam afeição um pelo outro caso fizessem por merecê-la. É muito fácil dar quando se recebe. Entretanto o amor ágape dispõe-se a dar mesmo quando não recebe nada em troca.

Durante o namoro, noivado, lua de mel, o clima é propício e o romantismo está à flor da pele. Porém quando o casal volta à rotina e à correria do dia a dia, há uma redução do tempo de cultivo do romantismo. E é exatamente nesse momento que o casal passa a focalizar sua atenção nos pontos fracos de cada um.

Mas, por que as expectativas não atingidas levam ao desapontamento? Entre outras, creio que há três razões:

1. Desconhecimento das expectativas do cônjuge.
2. Falta de condições para atingi-las.
3. Falta de vontade para realizá-las.

Muitos casais vivem desiludidos e frustrados por não saberem quais são suas esperanças mútuas na área sexual e emocional. É necessário haver muita comunicação e compreensão e, às vezes, até a ajuda de um conselheiro capacitado.

PENSE NISTO

Você conversa com seu cônjuge sobre suas expectativas? Vocês analisam juntos as possibilidades de realizá-las? Vocês cultivam o relacionamento no dia a dia?

5 de fevereiro

E o Senhor descansou...

... e nesse dia descansou. Abençoou Deus o sétimo dia e o santificou, porque nele descansou de toda a obra que realizara na criação.
Gênesis 2:2b;3

E Deus descansou!

Será que o Todo-poderoso ficou cansado? Será que Deus realmente precisou tirar um dia na semana para reparar suas forças? Creio que não! Penso que o Senhor descansou para estabelecer um modelo para seguirmos. Nós é que precisamos de um dia em cada sete para descansar, de férias anuais para renovar nosso ânimo e recarregar as baterias.

Algumas pessoas contam, orgulhosas e satisfeitas, que nunca tiram férias. Será que somos tão indispensáveis e insubstituíveis que não podemos ao menos cogitar em tirar alguns dias de lazer? Essa atitude não é saudável para nenhuma família.

A principal fonte de identidade do cristão não deve ser seu trabalho. Quantas vezes, quando somos apresentados a alguém, a primeira pergunta que fazemos ou que nos fazem é: "Qual é a sua área de atividade? Onde você trabalha?".

Preferimos ouvir dos membros de nossa família, e de outras pessoas, que somos muito ocupados, atarefadíssimos, do que enfrentar a possibilidade de sermos considerados acomodados.

Fomos programados para relacionar cansaço à santidade. Se ficamos exaustos é porque nosso compromisso com a causa é pra valer! As pessoas estão cada vez mais ocupadas e sem tempo para aprofundar suas relações, curtir a companhia um do outro, divertir-se, apoiar-se, viver como família. Acredito que muitos dos problemas familiares poderiam ser resolvidos, ou até evitados, se a família passasse mais tempo junto e aproveitasse esse tempo para aprofundar seus relacionamentos.

Será que somos tão mais ocupados que o Senhor a ponto de não arranjarmos tempo para dedicar um ao outro, nem à nossa família?

Pense nisto

Se compreendêssemos mais a importância do lazer e nos programássemos a desenvolvê-lo em família, teríamos mais saúde física, mental e emocional.

6 de fevereiro

Quando a dor nos alcança

Clamo a Deus por socorro; clamo a Deus que me escute.
Salmos 77:10

A dor faz parte da vida. Ela pode manifestar-se através de um corpo doente ou de um coração despedaçado. Seja como for, ela surge e invade nosso cotidiano. Contudo, nossa natureza, orgulhosa em sua essência, tenta manter sua independência e resiste em procurar ajuda até do Senhor que nos criou. Quando enfrentamos uma situação angustiante, precisamos buscar o Senhor, desabafar sinceramente e pedir seu auxílio.

Deus se preocupa com nosso sofrimento, e seu principal interesse é nos moldar para glorificá-lo, honrá-lo e louvá-lo. Às vezes, nossa dor escondida é tão dilacerante que não conseguimos compreender que o Senhor está atuando em nossas vidas. Apenas quando exaurimos nossas forças, é que aceitamos a sugestão Lancem sobre ele toda a sua ansiedade, porque ele tem cuidado de vocês (1Pedro 5:7).

Asafe, em Salmos 77:7-9, questiona Deus sobre a autenticidade de suas virtudes. Ele estava abalado pelo que, segundo seu entender, representava uma falha no amor, bondade, interesse e misericórdia de Deus; ele argumenta a respeito do próprio caráter do Criador. É importante observar a reação divina. Ele não o destruiu ao ouvir suas dúvidas, mas reconheceu a sinceridade de um coração necessitado.

Deus não fica enraivecido ou impaciente quando lhe pedimos explicação sobre seu procedimento. Devemos refletir racionalmente sobre a fidelidade, misericórdia e amor de Deus que já experimentamos no passado, mas que se tornam distantes e irreais em nossa provação atual (Salmos 77:11-12). O louvor é a arma mais poderosa contra forças e inimigos dispostos a nos derrotar. Se, pela fé, aprendêssemos a louvar a Deus, mesmo sem resposta imediata, obteríamos muitas vitórias em todas esferas da vida. Desviando nosso olhar do egocentrismo e tomando a decisão racional de louvar ao Senhor, ao final receberemos dele a vitória e teremos crescido através do sofrimento. Em meio a nossa maior dificuldade podemos ser transportados do desespero à adoração, se... formos honestos a respeito do que sentimos; questionarmos o Senhor sobre o que nos perturba interiormente; lembrarmos da sua atuação poderosa e misericordiosa no passado; louvarmos nosso Deus, mesmo antes de receber qualquer resposta.

Qualquer que seja minha angústia, sei que meu Deus vai adiante de mim. Confio nisso! E, pelo que ele já me concedeu no passado, sei que o futuro trará novas e grandes bênçãos.

Pense nisso

Quando a dor nos alcança, nada melhor do que buscar o Deus da nossa salvação e Senhor da nossa vida; confiar nele, ter esperança no seu amor e na sua bondade. Ter fé para louvá-lo verdadeiramente, apesar da dor que aflige nosso coração.

7 de fevereiro

Cuidado onde pisa!

Sede sóbrios e vigilantes...
1Pedro 5:8a

Li em algum lugar a história sobre como um esquimó mata um lobo. O fato ilustra poderosamente como o pecado é autodestrutivo. O esquimó espalha uma camada de sangue de animal sobre a lâmina de uma faca bem afiada. Depois a congela e repete o processo até que ela esteja totalmente coberta e imperceptível. Seu próximo passo é fixar essa faca no chão com a lâmina voltada para cima.

O lobo, seguindo seu faro, descobre a isca. Ele lambe o sangue congelado, e impelido pelo seu apetite voraz, lambe cada vez mais intensa e sofregamente. Em poucos minutos ele comeu todas as camadas, e a lâmina da faca já pode ser vista. Porém seu desejo por um banquete não o deixa perceber que a faca está cortando sua língua e garganta. Então, ele passa a devorar seu próprio sangue. Seu apetite carnívoro é tão incontrolável que o lobo se autodestrói. Pela manhã, seu corpo está inerte. Ele está morto sobre a neve.

De todas as lições interessantes e reveladoras que podemos aprender da vida de Sansão, ressalto cinco, as quais considero importantes para o enriquecimento de nossa vida espiritual.

Identificar nossa inclinação pecaminosa mais vulnerável e controlá-la. Todos nós temos ao menos uma. Confesse abertamente sua fraqueza a um amigo íntimo e de confiança preocupado com sua vida com Deus.

Tome cuidado com o local onde você detém seu olhar. Não podemos controlar o primeiro olhar, mas podemos retirá-lo daquilo que somente nos causará transtornos.

Administre bem seu tempo de lazer. Planeje cuidadosamente seu dia, suas horas. Escolha ponderadamente os vídeos e programas de TV que irá assistir.

Escolha suas amizades minuciosamente. Nosso círculo de amizades pode edificar ou destruir.

Cumpra suas promessas, seus votos (Romanos 2:1,2).

Vale a pena pagar o preço para dominar qualquer tipo de inclinação pecaminosa. O pecado pode nos destruir e conosco, nossa família.

Pague o preço! Faça a sua parte! Comece hoje!

Pense nisto

Qual é a área de tentação que tem afligido sua vida? Do que você necessita, um amigo ou um grupo que se comprometa a ajudá-lo? Peça a Deus que esteja colocando pessoas em sua vida que possam ajudá-lo(a) a lutar contra suas fraquezas e inclinações pecaminosas.

8 de fevereiro

Correndo atrás do vento

... quando avaliei tudo o que as minhas mãos haviam feito e o trabalho que eu tanto me esforçara para realizar, percebi que tudo foi inútil, foi correr atrás do vento...
Eclesiastes 2:11

Há homens respeitados, reconhecidos, afamados, mas muitos deles são solitários, sem amigos e sem família. São desconfiados de quem se aproxima deles, temerosos de ser traídos e enganados. Lamentavelmente, são homens que perderam o que há de mais precioso na vida.

Olavo Bilac reportou para seus versos a luta aguerrida de Fernão Dias Paes Leme, " O Bandeirante" , pela descoberta de suas sonhadas esmeraldas. Neste poema imortal, pode-se perceber a mesma luta de muitos homens de negócios de hoje em dia:

Foi em março, ao findar das chuvas...
Sete anos! Combatendo índios, febres, paludes,
Feras, répteis – contendo só sertanejos rudes,
Dominando o furor da amotinada escolta...
Sete anos! E ei-lo de volta, enfim com o seu tesouro!...
Com que amor, contra o peito, a sacola de couro
Aperta, a transbordar de pedras preciosas!... volta...
E o delírio começa. A mão, que a febre agita,
Ergue-se, treme no ar, sobe, descamba aflita,
Crispa os dedos, e sonda a terra e escava o chão:
Sangra as unhas, revolve as raízes, acerta,
Agarra a sacola, e apalpa-a e contra o peito a aperta,
Como para a enterrar dentro do coração.
Ah! mísero demente! O teu tesouro é falso!
Tu caminhaste em vão, por sete anos, no encalço
De uma nuvem falaz, de um sonho malfazejo!
Enganou-se a tua ambição! Mais pobre que um mendigo.
Agonizas, sem luz, sem amor, sem amigos,
Sem ter quem te conceda a extrema unção de um beijo.

Pense nisto
Avalie honestamente sua vida. Será que você está andando por esta estrada? Se assim for, saia na primeira oportunidade que tiver.

9 de fevereiro

Aprendendo com Lia

Engravidou ainda outra vez e, quando deu à luz mais outro filho, disse: 'Desta vez louvarei ao Senhor'. Assim deu-lhe o nome de Judá. Então parou de ter filhos.
Gênesis 29:35

Uma das histórias da Bíblia que eu mais gosto é a de Lia. Na narração bíblica compreendemos que o coração de Deus é compassivo com os que sofrem dor, solidão, tristeza.

Ao ler Gênesis 29:15-30, tentei imaginar os sentimentos de Lia. Em primeiro lugar, ela não era tão bonita e desejável quanto sua irmã, Raquel. Na noite de núpcias de Raquel, Labão, seu pai, enganou Jacó e mandou Lia no lugar da irmã. Certamente, não foi nada fácil para ela ter relações sexuais com quem não amava.

Você tem ideia de como Lia se sentiu ao ouvir Jacó repetir apaixonadamente: Raquel, Raquel, Raquel... Tente também visualizar o repúdio e a raiva de Jacó ao acordar no dia seguinte e constatar que tinha ao seu lado uma mulher que não era a que ele amava.

Gênesis 29:31 nos diz que Quando o Senhor viu que Lia era desprezada, concedeu-lhe filhos... Ao dar à luz o seu primeiro filho com Jacó, ela deu-lhe o nome de Rúben. Por quê? Porque ela considerou: ...O Senhor viu a minha infelicidade. Agora, certamente o meu marido me amará (Gênesis 29:32).

Quando o segundo filho, Simeão, nasceu, ela disse: ...Porque o Senhor ouviu que sou desprezada, deu-me também este (Gênesis 29:33). Lia concebeu pela terceira vez e, reiterou sua esperança: ...Agora, finalmente, meu marido se apegará a mim, porque já lhe dei três filhos. Por isso deu-lhe o nome de Levi (Gênesis 29:34).

Ao que parece, Lia desejava desesperadamente algo que nunca aconteceu: conquistar o amor de seu marido. Porém, é óbvio que algo começou a acontecer em seu coração, pois quando seu quarto filho, Judá, nasceu, ela disse: ...Desta vez louvarei o Senhor... Então parou de ter filhos (Gênesis 29:35).

David Seamands em seu livro "Se ao menos...", comenta: "Enquanto Lia baseou sua vida no "Ah, se fosse diferente!" (Ah!, seu eu fosse bonita como minha irmã; Ah!, se meu esposo me amasse...), sua identidade permaneceu inalterada como uma vítima. Quando ela adotou a atitude de louvor e fé e abriu-se para Deus, que lhe deu uma nova identidade – mãe do fundador da tribo da qual viria o Messias". Jesus era da tribo de Judá, o quarto filho de Lia.

A situação de Lia não mudou, mas seu coração sim. E é exatamente isso que acontece quando louvamos ao Senhor.

Pense nisto

Em alguma época de sua vida você duvidou do amor de Deus? Você é uma vítima ou um vencedor (a)? Você tem a tendência de reclamar? Passe algum tempo em oração, louvando ao Senhor.

10 DE FEVEREIRO

O EXEMPLO

Todos devem sujeitar-se às autoridades...
Romanos 13:1

Uma das maneiras mais comuns de os pais irritarem seus filhos é o uso impróprio da autoridade.

Deus coloca os pais como autoridade principal na vida dos filhos. A maioria dos pais não reconhece quão grande é essa responsabilidade! Eles são canais para que Deus dirija os filhos na vontade dele.

Como é importante os pais estarem em comunhão com o Senhor e conhecerem a Palavra de Deus, para poderem guiar seus filhos.

No entanto, quando o pai dá uma ordem ao filho sem, entretanto, dar o exemplo, ele está usando a sua autoridade de maneira imprópria.

Se os pais mantêm um exemplo consistente, torna-se mais fácil para o filho obedecer as ordens. Os filhos podem facilmente perceber qualquer hipocrisia ou fingimento em seus pais.

Os pais não têm que ser perfeitos, porque isto é impossível. Porém, como é importante, quando falharem, estarem dispostos a confessarem o erro e a pedirem perdão aos filhos!

Quantos pais dizem: "faça o que eu digo e não faça o que eu faço".

Muitos pais exigem um determinado comportamento de seus filhos que eles, como pais, não têm.

PENSE NISTO

Seja o exemplo de autoridade para seus filhos. Faça com que eles enxerguem em vocês a pessoa de Jesus Cristo.

11 de fevereiro

Lembrem-se... não se esqueçam...

No futuro, quando seus filhos lhe perguntarem: "O que significam estes preceitos, decretos e ordenanças que o Senhor, o nosso Deus, ordenou a vocês?" Vocês lhes responderão: "Fomos escravos do faraó do Egito, mas o Senhor nos tirou de lá com mão poderosa. O Senhor realizou, diante dos nossos olhos, sinais e maravilhas grandiosas e terríveis contra o Egito e contra o faraó e toda a sua família. Mas ele nos tirou do Egito para nos trazer para cá e nos dar a terra que, sob juramento, prometeu a nossos antepassados. O Senhor nos ordenou que obedecêssemos a todos estes decretos e que temêssemos o Senhor, o nosso Deus, para que sempre fôssemos bem sucedidos e que fôssemos preservados em vida, como hoje se pode ver. E, se nós nos aplicarmos a obedecer a toda esta lei perante o Senhor, o nosso Deus, conforme ele nos ordenou, esta será a nossa justiça.

Deuteronômio 6:20-25

Para assegurar a sobrevivência da família tanto quanto da nação, era necessário frequentes lembranças da fidelidade e graça de Deus para com eles. Quando os pais, pela fé, vivem vidas autênticas, os filhos têm muitas perguntas: o que significa a Bíblia? Por que cremos nela? Por que nos é ensinado lê-la e aplicá-la? por que nosso estilo de vida é diferente daquele das pessoas ao nosso redor?

Vocês, mãe e pai, terão as melhores respostas a essas perguntas e a outras, mediante a fidelidade e a graça do Senhor. Vocês simplesmente relatarão seu próprio testemunho da bondade desse Deus amoroso.

Quando Israel finalmente atravessou o rio Jordão para a outra margem, Deus ordenou que os anciãos pegassem doze pedras de seu leito, cada pedra representando uma tribo da nação. Elas se tornaram um memorial às futuras gerações da graça, fidelidade e provisão divina, desde o Egito até a conquista da Terra Prometida.

Todos os pais devem inculcar na mente e coração de seus filhos a indiscutível magnitude do Deus em cujas mãos depositamos nossas vidas e almas. Para a família sobreviver rodeada dos deuses da modernidade, atraentes, mas inoperantes, é fundamental que ela seja constantemente lembrada de que o verdadeiro Deus é grandioso e seu amor por nós, imensurável.

Pense nisto

Que importância você dá a que seu filho cresça aprendendo a honrar e celebrar a bondade e fidelidade de Deus em sua vida? Como você pode ensinar tradições que ofereçam base para mostrar o amor e fidelidade de Deus a seus filhos?

12 de fevereiro

Juntos para sempre!

"... e se unirá à sua mulher..."
Gênesis 2:24

Deus instituiu a família ao criar o homem e a mulher e entregando-os um ao outro. Essa entrega representou uma união: "... se une à sua mulher." A palavra une significa cimentar e indica a natureza permanente do casamento. As duas pessoas estão coladas uma à outra, extremamente próximas, por isso, qualquer tipo de separação é muito dolorosa. Por exemplo, tente separar duas folhas de papel coladas. É praticamente impossível. Deus planejou o casamento para que fosse uma instituição permanente e não até que a falta de dinheiro os separe, ou a sogra, ou os conflitos, ou a profissão, ou a amante, mas "até que a morte os separe".

Em nossa sociedade liberal precisamos bradar a importância e permanência do casamento. Aliás, é interessante observarmos como os relacionamentos liberais são defendidos entusiasticamente hoje em dia. Na verdade isto é uma contradição, porque amor que é liberal não é amor; e se é amor, não é livre de um compromisso com alguém.

É lamentável que o conceito de laços permanentes no casamento esteja sendo insidiosamente desmoronado. Mas não deveria ser assim. Eles não são como os laços de fitas que amarram os bonitos presentes de casamento. São "laços de aço", forjados pelo calor, forjados através das crises e conflitos e da confirmação constante dos compromissos e votos do matrimônio. Este "se une" é um processo crescente. Através da variedade de circunstâncias e situações de vida conjugal, há a oportunidade de se constatar esta realidade em detalhes.

Pense nisto

É impossível haver um relacionamento sério e profundo se não houver compromisso entre o casal. Esse compromisso implica em responsabilidades mútuas, que trazem segurança ao amor, cumplicidade, companheirismo, confiança e liberdade para que ambos expressem seu afeto um pelo outro.

13 DE FEVEREIRO

PEQUENOS DESENTENDIMENTOS, GRANDES DISCÓRDIAS

A sabedoria do homem lhe dá paciência;
sua glória é ignorar as ofensas.
Provérbios 19:11

ÀS VEZES, grandes tempestades são provocadas por uma ventania insignificante. E é exatamente isso que acontece em muitos relacionamentos conjugais. Pequenos desentendimentos, simples diferenças podem causar um conflito descomunal.

Esquecer de anotar o recado de uma ligação telefônica, esquecer de telefonar avisando que se atrasará para o jantar; não anotar no talão de cheques o quanto gastou e com o quê. Ou então, ela quer que ele vá com ela ao shopping, mas ele odeia esse tipo de passeio e raramente a acompanha. Em todo casamento há gostos e desgostos, diferenças de opinião, modos diversos de encarar os fatos, fraquezas e pontos fortes de ambas as partes, pequenas incoerências e pequenas ofensas.

Um dos segredos para um relacionamento tranquilo e bem-sucedido é deixar os desentendimentos menores para trás. Quanto maior o alvoroço feito pelas mínimas infrações às regras que nós mesmos estipulamos (às vezes irrelevantes), menor será o tempo desfrutado expressando carinho e apreciação.

É possível relevarmos essas diferenças pouco importantes. Na maioria das vezes essa disposição não exige muito esforço. Deus nos agraciou com a bênção da criatividade e ela deve ser sempre utilizada quando estivermos num impasse.

Cada pessoa reage de uma maneira aos fatores externos. Cada um cria suas manias e costumes. Durante o namoro, o noivado e nos primeiros dias de casamento, a paixão é tão significativa que as falhas mútuas não são percebidas. Mas, com o passar dos anos, na convivência e no cotidiano a dois, essas idiossincrasias tornam-se foco de irritação, desentendimentos e desavenças entre o casal. Então, é necessário haver a sabedoria que leva à paciência. Por isso, Provérbios 19:11 é tão importante: A sabedoria do homem lhe dá paciência.

A segunda parte deste versículo diz: ... sua glória é ignorar as ofensas. Esta glória a que o versículo se refere não pertence a Deus, mas ao homem. Para Deus, o conceito de perdão frente aos insultos é tão essencial que ele promete honra e glória ao ser humano que agir desse modo. À medida que conseguimos enfrentar e perdoar as pequenas ofensas, gradativamente estaremos nos tornando aptos a esquecer e perdoar injustiças maiores.

PENSE NISTO

É melhor, mais racional e mais gratificante concentrar nossa energia em perdoar e não em nos irritarmos. Certamente, com o benefício do perdão, a vida é bem mais calma.

14 de fevereiro

O real significado da vida

Cada um cuide, não somente dos seus interesses, mas também dos interesses dos outros.
Filipenses 2:4

O real significado da vida não pode ser unicamente "felicidade", pois a mesma não é encontrada quando se torna um fim em si mesma. Há uma lenda que diz ser possível encontrar no fim de cada arco-íris, um pote cheio de ouro. Lá, a felicidade também pode ser encontrada, porém jamais ninguém conseguiu achar nenhum dos dois.

Quando os compromissos de lealdade, fidelidade etc., feitos no casamento, são colocados como prioridade, a felicidade é um subproduto que vem como decorrência.

A máquina da propaganda promete sucesso, realização: Seja feliz numa Cherokee – Com Hollywood rumo ao sucesso etc. Porém, em nenhum dos produtos recomendados, essas características podem ser encontradas em definitivo. E quando essas promessas irreais são transferidas para o relacionamento mais íntimo da terra, é impossível elas se concretizarem. Sem compromisso não há felicidade. No dia a dia, onde a busca pela autossatisfação é exacerbada, entregar os próprios direitos ao cônjuge soa estranho, fora de moda.

Por experiência já aprendi, que quando forço minha esposa a agir do meu modo, sempre saio perdendo. Porém, se voluntariamente abro mão, reconheço minha falha e dou espaço para que ela coloque seu parecer, recebo em troca uma reação semelhante. Você acha que no seu casamento houve tantas falhas nesse sentido, que chegou a hora de "pendurar as chuteiras"? Se você estiver nessa situação, pare para pensar um pouco, de mente aberta, que talvez tenha se enganado: em não arcar com as decisões e atitudes tomadas; em fazer da sua felicidade o alvo principal do seu casamento; em não estar preparado para passar por conflitos; em querer desistir ao invés de investir; em exigir seus direitos ao invés de entregá-los.

A dignidade humana também se baseia na responsabilidade assumida em relação às próprias ações e atitudes. Prestar contas a alguém do que se faz e fala não é tarefa fácil, mas é um ótimo exercício para o desenvolvimento do caráter.

Para haver compromisso sério e permanente, é fator primordial o ser humano, como criatura, em primeiro lugar prestar contas ao seu Deus, o Criador. Somente assim, os compromissos poderão ser honrados, mesmo que o preço seja alto.

Pense nisto

Um relacionamento só pode ser profundo e oferecer segurança quando há compromisso. Quando, deliberadamente o homem escolhe casar com determinada mulher, e vice-versa, ambos devem escolher selar um compromisso de união indissolúvel. E este compromisso também envolve algumas vezes ceder, em benefício do cônjuge e da estabilidade do casamento.

15 DE FEVEREIRO

TEMPO PARA VIVER

Há um tempo certo para todo propósito debaixo do céu.
Eclesiastes 3:1

NO CAPÍTULO 1 do livro de Gênesis podemos ver o próprio Deus padronizando o lazer. Gênesis 1:2-31 mostra o Senhor tomando tempo para criar. Em Gênesis 1:26 e 28-30, ele comunica suas intenções a respeito do homem. Em Gênesis 2:2, Deus descansa, e nos capítulos 2 e 3, ele se relaciona com o homem. O Todo-poderoso tinha tempo para criar, comunicar, descansar e se relacionar.

Tempo para Criar

Quando minha filha mais velha, Melinda, era pequena, eu a colocava no colo e desenhava para ela numa folha de papel, uma casinha com traços simples e infantis. Fiz isso inúmeras vezes. Certo dia, Melinda pegou uma folha de papel e ela mesma, sozinha, sem a minha ajuda, repetiu o desenho, que ficou praticamente igual ao meu (se é que não ficou melhor!).

Minha esposa, que é muito habilidosa e criativa, bordou aquela casinha em ponto-cruz, mandou colocar uma moldura e a enviou de presente à sua mãe, avó de Melinda. As duas se divertiram muito preparando aquele presente.

Durante mais de 30 anos, aquele quadrinho fez parte da decoração da casa de minha sogra.

Tempo para se comunicar

Quer queiramos, quer não, estamos o tempo todo nos comunicando com as pessoas que nos rodeiam. Conscientes disto, devemos ser sábios e aproveitar nossas oportunidades de contato com a família para direcionar conceitos, verdades e sentimentos, tais como amor (o quanto cada membro da família é amado e especial), limites, alegria, tristeza, a bondade de Deus, a identificação e o elogio às qualidades do cônjuge e dos filhos, ensinamentos variados – enfim, comunicar vida.

PENSE NISTO

Você reserva tempo para você e para sua família e percebe as oportunidades para ser criativo com eles? Você fica atento às oportunidades de comunicar vida à sua esposa (marido) e filhos?

16 de fevereiro

Virtuosa, a mulher de verdade

Casas e riquezas herdam-se dos pais, mas a esposa prudente vem do Senhor.
Provérbios 19:14

A mulher virtuosa é mais valiosa do que finas joias. Observe as qualidades desta mulher "joia":

- Uma mulher de confiança, leal, fiel, dedicada ao seu próprio marido e cuidadosa em todos os sentidos.
- Ela reconhece que este relacionamento requer cuidados especiais para que possa sobreviver. Então, ela:

1. Faz bem ao seu marido todos os dias da sua vida será elogiada publicamente por suas obras. Ela é uma mulher feliz, realizada e amada. O sucesso do marido é o sucesso da esposa. É fácil notar que atrás de um homem próspero e bem-sucedido há uma mulher contribuindo para este sucesso.
2. Não é egoísta. Ela é sensível às necessidades das pessoas ao seu redor. Ela ama os outros como a si mesma. Tem uma autoimagem equilibrada.
3. É uma mulher que reconhece o seu próprio valor e pontos fortes. Ela valoriza seu trabalho, cuida de sua aparência, está consciente do seu valor, mas não é egoísta.
4. Tem tempo para Deus; tempo para seu marido; tempo para os seus filhos; tempo para o seu próximo; e tempo para si mesma. E tudo isso contribui para o bom andamento do seu lar.
5. Uma mulher que teme ao Senhor, é uma mulher de força, dignidade, sem preocupação, sábia e bondosa. É aquela que busca a direção de Deus para cada situação em seu lar e não confia no conselho instável do mundo.
6. Atende ao bom andamento da casa. É importante que a mãe também esteja em casa. Ela não deve estar presente somente para cuidar da limpeza e alimentação, mas para proporcionar um ambiente agradável à sua família.

Pense nisto

Ser mulher virtuosa, não é ser perfeita. Ela tem falhas, mas procura acertar e busca em Deus as forças em cada área de sua atuação. Mulher, você tem sido motivo de orgulho para seu marido e seus filhos? E para o Senhor, tem feito tudo como se fosse para Ele?

17 de fevereiro

Respeitando sua esposa

... Maridos, sejam sábios no convívio com suas mulheres e tratem-nas com honra, como parte mais frágil...
1Pedro 3:7

A Palavra de Deus exorta o marido a respeitar sua esposa. A expressão honra neste trecho significa dar valor, estimar em alto grau, mostrar dignidade. Por que Deus considerou tão importante ponderar com os maridos sobre isto?

Na história humana, a parte mais fraca sempre tem sofrido na mão da parte mais forte. Em termos gerais, a esposa é considerada a parte mais fraca. A palavra frágil, no grego, na verdade quer dizer sem força. Ela pode ter diversas aplicações, mas, com certeza o que vem à nossa mente, em primeiro lugar, é a força física.

A tendência do parceiro mais forte é "dominar" o mais fraco, quer seja física, emocional ou intelectualmente. Como usualmente a mulher é apontada como a parte mais fraca, o Senhor a defende e protege. Ele diz: "... tratem-nas com honra..." .

Como um homem pode demonstrar respeito e honra por sua esposa?

1. Ouvindo cuidadosamente suas sugestões, observações e valorizando suas opiniões.
2. Não a forçando a fazer seja o que for, porque fisicamente o homem é mais forte e leva vantagem sobre ela.
3. Honrando-a em público e na privacidade. Elogiando-a publicamente por suas qualidades.
4. Considerando-a superior a si mesmo (Filipenses 2:3).
5. Afirmando que a ama, fazendo isso diariamente e reforçando suas palavras, dizendo-lhe o quanto ela é importante em sua vida.

Pense nisto

Marido, destas cinco sugestões mencionadas, qual você não tem praticado? Qual delas você precisa melhorar? Responda sinceramente e depois peça que sua esposa avalie suas respostas. Escreva em um papel as ideias que ambos tiveram, coloquem-nas na Bíblia, ou na carteira, enfim, em um lugar que o lembre de sua responsabilidade para com ela.

18 de fevereiro

Um elemento fora de questão

As muitas águas não poderiam apagar o
amor, nem os rios afogá-lo.
Cânticos dos Cânticos 8:7a

Periodicamente, minha esposa Judith e eu reafirmamos os votos assumidos muitos anos atrás. Passamos um dia juntos em algum lugar, somente os dois. Ali, verbalmente, tornamos a repetir a disposição e o desejo de sermos leais um ao outro.

Aproveitamos ocasiões especiais, momentos significativos e através de bilhetes, flores, cartas, pequenas lembranças e palavras, enfatizamos o juramento que fizemos.

Entre Judith e eu, a palavra divórcio não é citada ou cogitada, especialmente quando a ocasião é de impasse, de desentendimento.

Não usamos a possibilidade de divórcio como uma ameaça a que lançamos mão quando a pressão é muito forte, ou uma "carta escondida" que mostramos como trunfo para conseguir o que queremos. Para nós, o divórcio não é alternativa – é elemento fora de questão.

Quando o casal desiste, leva consigo do primeiro casamento as incompreensões, mágoas e incoerências. Elas, por certo, aparecerão de alguma forma na segunda tentativa. As estatísticas provam que o segundo casamento, em geral, dá menos certo que o primeiro.

Não é possível esquecermos dos filhos, que além de sofrerem várias consequências negativas, absorvem o exemplo, para no futuro talvez, também desistirem de seus próprios casamentos quando passarem por conflitos e tensões.

Toda união conjugal atravessa conflitos. Não existe um lar que não sofra um transtorno, uma desavença, um desentendimento. Mesmo que seu compromisso para com seu marido ou esposa seja total, haverá momentos de irritação, impaciência, discussões e lágrimas.

Pense nisto

Se os conflitos forem aproveitados corretamente, poderão colaborar para o aprofundamento do compromisso mútuo. À sua primeira aparição, eles não podem provocar dúvidas, mas sim desafios.

19 de fevereiro

A trilha do amor ágape

Porque Deus tanto amou o mundo que deu o seu Filho...
João 3:16

A palavra de Deus diz que o amor nunca acaba. Não importa quão desagradável a pessoa seja. Não importam as circunstâncias, crises ou dificuldades. Este amor vence tudo. Por quê? Porque:

- É um amor proposital: é um amor racional. Na eternidade passada Deus decidiu nos amar. Ele não foi motivado ou manipulado por sua emoção ou sentimentalismo. E na hora da briga, ou da crise em sua vida conjugal é este amor proposital que vai firmar como uma rocha o seu casamento;
- É uma experiência de aprendizagem: o amor "ágape" precisa ser aprendido; esta aprendizagem exige esforço e diligência. No começo do casamento o amor é imaturo e precisa crescer. À medida que vamos conhecendo nosso cônjuge e através das experiências da vida, vamos aprendendo a amá-lo(a);
- É um amor sacrificial: precisamos aprender a dar de nós mesmos para nosso parceiro. Muitas vezes precisaremos sacrificar nossos próprios planos e interesses pelo bem-estar do cônjuge. Esta é uma entrega diária; sem este amor sacrificial, não existe a possibilidade de um casamento feliz;
- É um amor que ama sem ser amado: o amor "ágape" é o amor que supera desentendimentos, crises financeiras, dificuldades com os sogros, mudanças na época da menopausa, o esvaziamento do ninho etc.

Pense nisto

Que tal trilhar seu casamento com o amor "ágape"? Quando reconhecemos que nosso amor não é assim, devemos correr ao Senhor e pedir do seu amor. Sigam o Mestre nas diversas trilhas de seu casamento.

20 de fevereiro

Saber ouvir

Meus amados irmãos, tenham isto em mente: Sejam todos prontos para ouvir, tardios para falar e tardios para irar-se.
Tiago 1:19

Costumo dizer que a comunicação é uma rua de mão dupla, de um lado está o falar, e do outro o ouvir. Você já parou para pensar que Deus nos criou com dois ouvidos e somente uma língua? Por que será? A pura verdade é que é bem mais fácil (e requer menos disciplina) falar, do que ouvir (atenta e interessadamente). Tiago disse: pronto para ouvir. É impossível um casal resolver seus conflitos sem dispor-se a ouvir com interesse, concentração e amor, respectivamente. No tocante ao desenvolvimento da intimidade conjugal, ouvir é imprescindível.

Por que temos dificuldade para ouvir? Antes de tudo, é preciso esclarecer que o homem e a mulher possuem maneiras diferentes para se comunicar. Para ele é um exercício racional, prático, funcional. Para ela é fator emocional, psicológico e interpessoal, com o qual tenta proporcionar alegria, calma e paz ao seu mundo. É importante reconhecer que o Senhor nos criou diferentes, com necessidades e propósitos diferenciados. Entretanto, apesar dessas diferenças, quando nossas necessidades não são supridas por não saberem nos ouvir, podemos ficar frustrados, feridos, machucados e, gradativamente até incorrer em um distanciamento mútuo.

O segundo motivo porque achamos tão difícil ouvir é a falta de tempo e assunto. Nossas vidas são hiperativas, desordenadas, um corre-corre sem fim. O maior problema, então, é não fazer do relacionamento conjugal uma prioridade. Há casais que, simplesmente, não têm assunto quando estão a sós, não conseguindo conectar-se e ter uma conversa agradável e proveitosa. Podem estar na mesma sala, assistindo televisão, sem trocar palavra alguma. De certa forma, isto não é errado, se eles costumam ter uma comunicação favorável em outros momentos. Muitos, ao voltar para casa à noite, levam tanto preocupações quanto trabalho para fazer. A TV e, mais atualmente o computador, também consomem totalmente sua atenção. Mas... e o cônjuge? Será que ele se contenta apenas com um "boa-noite!"?

Como se diz popularmente, "ouvir é uma arte" e, sendo assim, é necessário aprimorarmos o máximo possível essa faceta da comunicação.

Pense nisto

Você tem se esforçado para ouvir atentamente, com os ouvidos, com a razão e, principalmente com o coração, o que seu cônjuge tem a dizer?

21 DE FEVEREIRO

QUERO FAZER VOCÊ FELIZ

Não temos o mesmo Pai? Não fomos todos criados pelo
mesmo Deus? Por que quebramos a aliança...
sendo infiéis uns com os outros?
Malaquias 2:10

ATUALMENTE, os conceitos sobre o casamento são outros. Em consequência disso, as pessoas ao se casarem iniciam a "nova vida" com algumas convicções e atitudes preocupantes. Possivelmente isto esteja contribuindo para o aumento do índice de tantas separações e divórcios.

Em um passado não muito distante, as mulheres encaravam seus problemas e conflitos conjugais como normais. Quando a situação se tornava mais tensa, elas procuravam a ajuda e conselho na experiência de suas mães. Nesse movimento descobriam que estas pouco podiam ajudá-las, pois tinham os mesmos problemas com seus próprios maridos. Atravessar crises, sentir-se infeliz, não era motivo suficiente para precipitar uma separação. Grande parte das mulheres acomodava-se no seguinte raciocínio: "Ele não bebe muito, não bate em mim, não anda atrás de outras mulheres, não deixa faltar nada em casa, o que posso querer mais? Em certas áreas é muito difícil conviver com ele, mas em outras ele é bonzinho, então tudo bem. Vou aguentar firme".

Entretanto, hoje em dia, as mulheres e os homens encaram felicidade, autorrealização, valorização do seu potencial, como os principais alvos de seu casamento. Se a pessoa que escolheram não preencher estas expectativas, o divórcio se torna plenamente justificável. Os meios de comunicação, a literatura, a própria filosofia de vida atual, algumas vezes incentivam tanto o homem como a mulher a cometerem um sério engano.

Afinal de contas, o que é felicidade, autorrealização, valorização? Segundo os padrões vigentes, será que podemos basear estes sentimentos apenas em um belo apartamento em um bairro nobre, e vários carros na garagem? Uma vida cheia de aventuras e encantamentos? Uma igreja supostamente interminável? Uma posição profissional invejável, porém envolvente a ponto de nos consumir dezoito horas por dia?

O compromisso de continuar o casamento somente para salvar as aparências, sem ter o "elo do amor" a fortalecer realmente as promessas assumidas é, definitivamente, uma maneira errada de encarar a vida em comum. No casamento, a pessoa deve se esforçar para fazer seu cônjuge feliz, valorizado e realizado, e não o contrário.

PENSE NISTO

Que tal começar a vivenciar o amor outrocentralizado e não autocentralizado? Você perceberá como é agradável satisfazer o cônjuge antes de pensar em si mesmo(a). Experimente... Funciona!

22 de fevereiro

Liberdade para voar

... não procura seus interesses...
1Coríntios 13:5

Querida mamãe
Tenho, ultimamente, pensado muito em você! Agora que nossas filhas estão bem longe de nós, pude entender melhor o que você passou. Quando Jaime e eu nos casamos e nos colocamos nas mãos de Deus como missionários, não sabíamos que viríamos para o Brasil, mas você e papai devem ter sentido que seria um lugar bem longe!

O que vocês pensavam enquanto nos ajudavam a empacotar as coisas, a orar pelo nosso sustento, e quando nos levaram ao porto para tomarmos o navio? Vocês nunca nos fizeram sentir culpados por deixá-los. Simplesmente, nos deixaram partir, e ainda sorriram acenando adeus.

Quanto mais o tempo passa, mais eu aprecio os dons preciosos que vocês nos ofertaram: liberdade e independência. O processo teve início bem antes. Lembro-me de um acampamento em que íamos os 4 irmãos, e eu me preocupei com você sozinha e perdida sem nossa presença. Quando lhe contei, você sorriu e disse: "Você está brincando! Vai ser o "maior barato" seu pai e eu ficarmos aqui sozinhos! Mal posso esperar!"

Fui ao acampamento e me diverti muito. Você conseguiu deixar-me sossegada! Mesmo agora posso imaginar você em casa – não somente vivendo, mas encontrando um modo de "curtir" a vida, mesmo não tendo mais o papai ao seu lado.

Isso faz com que me sinta rejeitada? Não! Muito pelo contrário, sinto-me livre para ser eu mesma, para seguir a orientação de Deus e de meu marido. A mensagem é que o seu bem-estar emocional não depende de minha presença. Você me ama, mas não é necessário que eu esteja sempre presente para que você seja feliz.

A Bíblia orienta os filhos a deixarem pai e mãe. Algumas vezes, o problema não está nos filhos, mas nos pais. Nós pais, muitas vezes pensamos que amar seja proteger, querer estar perto e expressar quão importante os filhos são para nosso bem-estar. Mas, o amor não é egoísta, não faz cobranças nem manipulações emocionais.

Lembrei-me de um livro de Rubem Alves que conta a história de um passarinho de estimação que estava para ser libertado. A menina o segurava, e travava a maior batalha emocional para deixá-lo partir. Ela abriu a gaiola e o pássaro voou. Mas, porque a amava, ele sempre voltava para ela.

Cada vez que sinto saudades das minhas meninas, lembro-me do exemplo de vocês, agradeço a Deus e tento imitá-los. Ore por mim. Tenho certeza que você sabe como me sinto.

Com muito amor,
Judith

Pense nisto
Liberdade e independência! Amor sem manipulação, sem cobrança! Liberdade para voar...

23 DE FEVEREIRO

FORA SOLIDÃO!

... é melhor ter companhia do que estar sozinho...
Eclesiastes 4:9

DEUS quer que vivamos em família. Nossa grande necessidade é ouvir de Deus, o Arquiteto do lar, como ter uma família feliz. Afinal de contas, o Senhor é a autoridade mais qualificada no assunto, porque a família foi invenção dele.

Realmente não há possibilidade de se estabelecer um casamento nas bases de Deus, se não soubermos o que ele tem a dizer a respeito do lar.

Viver só não é fácil para a maioria das pessoas. O casamento foi instituído por Deus para resolver o primeiro problema da raça humana: a solidão! Então o Criador tomou a iniciativa de solucionar o problema, criando um outro ser semelhante ao homem, embora diferente deste.

O primeiro título que Deus deu à mulher foi auxiliadora ou ajudadora, pois esta é sua função básica, alguém que complementa outra pessoa, ou seja, Eva seria absolutamente necessária para a realização total de Adão.

O casamento começou a partir de uma necessidade básica de companheirismo e complementação. No plano de Deus, o casamento foi instituído para que duas pessoas pudessem completar uma à outra.

Deste modo, quando você está suprindo as necessidades físicas, emocionais, intelectuais e espirituais de seu cônjuge, vocês estão sendo um; e quando você não supre essa necessidade você está sozinho, como se fosse solteiro.

Por isso, de vez em quando precisamos parar e reviver este momento de ternura e beleza do casamento. É necessário frequentemente dizer ao seu cônjuge: "Querido(a), eu agradeço o Senhor por que ele me deu você. Você é a única pessoa a quem vou dedicar minhas emoções e, procurar me empenhar o máximo para suprir suas necessidades.

PENSE NISTO

Seja como Adão, alegre-se com a vida de sua esposa, louve a Deus por ela ser sua companheira e amiga por toda a vida.

24 de fevereiro

Os 10 mandamentos dos sogros

Por essa razão, o homem deixará pai e mãe e se unirá à sua mulher, e eles se tornarão uma só carne.
Gênesis 2:24

Como os sogros podem estabelecer um bom relacionamento com os recém-casados?

- A tendência dos pais é dar palpites, por isso é bom não dar conselhos, a não ser que o casal peça. Mesmo nesse caso, pode-se dar uma sugestão, mas deve-se deixar o casal livre para aceitar ou rejeitar o conselho.
- Não imponha padrões e valores de vida aos seus filhos. Eles estão iniciando seu novo lar e devem ter o privilégio de estabelecer seus próprios padrões e desenvolver suas tradições independentemente de seus pais.
- Se seus filhos falarem alguma coisa confidencial com você, não passe para a frente, especialmente para amigos e parentes. Se quebrar essa confiança, não espere que haja uma próxima vez.
- Não use o dinheiro como uma arma contra os seus filhos. Também não ofereça ajuda financeira se eles não pedirem. É importante que o casal estabeleça sua independência financeira.
- Não tome partido nas discussões entre o novo casal. Lembre-se: "A lealdade primeiramente deve ser de um para com o outro e não para com os pais".
- Não imponha suas ideias sobre como criar filhos. Procure aceitar a maneira como eles estão criando seus netos.
- Trate o casal com respeito e não critique suas decisões.
- Procure manter uma comunicação aberta com eles.
- Não viva sua vida através da vida dos seus filhos.
- Não trate seu genro ou nora como ladrão que roubou o amor de seu filho(a), mas aceite-o(a) como membro de sua família.

Esses são os dez mandamentos dos pais em relação a seus filhos. Somente pela força do Senhor conseguiremos segui-los.

Pense nisto

Avalie neste momento seu relacionamento com seu genro (nora). As ideias acima podem ajudá-lo? Então, vá em frente.

25 DE FEVEREIRO

AS ESTAÇÕES DA VIDA

Para tudo há uma ocasião certa.
Eclesiastes 3:1a

POUCAS pessoas se aventurariam a viajar em um território totalmente desconhecido, sem antes consultar um mapa. Apesar disso, muitos casais não aplicam a mesma lógica no percurso através das várias fases do casamento. Se falharmos em prever e identificar as mudanças típicas pelas quais atravessamos nos ciclos da vida adulta, tal atitude poderá destruir severamente nossos casamentos. E isso é muito triste!

A meu modo de ver, a melhor forma de conciliar as "estações da vida adulta" com o casamento é identificando as atitudes adequadas a serem tomadas em cada fase. Os desafios são diferentes em cada época da vida. Apesar disso, não é possível confinarmos uma ocorrência à sua própria fase. O fato de uma situação ocorrer enquanto se tem vinte e poucos anos, não assegura que outra semelhante não aconteça 15 anos depois!

Quando os casais estão na casa dos vinte costumam alimentar expectativas irreais a respeito do cônjuge e sobre si mesmos. A resposta para esse problema está em identificar e enfocar os pontos positivos do cônjuge ao invés de tentar modificá-lo. Isso evitará profundos desapontamentos e decepções.

Já nos 30 anos, muitos casais permitem que seus alvos profissionais suplantem seu compromisso conjugal e familiar. Não há nada de errado em crescer profissionalmente. O empenho exacerbado na concretização desse alvo, entretanto, é perigoso e prejudicial, para a família.

Aos 40 anos, tanto o homem como a mulher sentem-se sufocados pelo peso das decisões a serem tomadas, as quais podem afetar o resto de suas vidas. Há o impulso de "cair fora", em busca de "pastos mais verdes". É importante, então, haver uma renovação do compromisso mútuo que foi assumido no casamento.

Entre os 50 e 60 anos, os casais já mais experientes e sofridos, ainda precisam prosseguir solidificando seu relacionamento de profunda amizade.

Muitas pessoas negligenciam sua vida conjugal durante anos a fio e depois esperam que a mesma lhes forneça realização e aconchego na velhice. Se desenvolvemos intimidade no casamento, memórias afetuosas, atitudes positivas e gentis, poderemos desfrutar um ótimo relacionamento conjugal nos anos dourados.

PENSE NISTO

Existe uma lei na vida, onde colhemos o que semeamos. Você tem se esforçado para desenvolver um casamento onde exista aceitação mútua genuína, renovação sistemática do compromisso conjugal e pessoal, e busca de uma amizade profunda?

26 de fevereiro

Aproveite o outono da vida

Até os jovens se cansam e ficam exaustos, e os moços tropeçam e caem; mas aqueles que esperam no Senhor renovam suas forças.
Isaías 40:30,31

Temos de reconhecer que uma das realidades irremediáveis para todos os seres humanos é o envelhecimento. Ele não apenas acontece, mas sobrevém bem mais rápido do que a gente pensa.

Às vezes noto que a maioria dos idosos abriga maior sentimento de desapontamento do que de aceitação. Quando a pessoa caminha para essa fase de sua vida, geralmente é assaltada pelo medo. Medo de problemas econômicos, de perder o cônjuge e ficar sozinha, de ficar doente e não ter quem a ajude, da solidão, de ser levada para um asilo etc. Ela também é acometida pelo sentimento de autopiedade, a síndrome do "coitado(a) de mim". É duro dizer isso, mas, na verdade, ninguém gosta de ficar perto de uma pessoa assim! Há também o sentimento de inutilidade, que sempre vem acompanhado da seguinte indagação: "Viver para quê, se não sirvo para nada?"; o sentimento de culpa – quando a idade vai diminuindo gradativamente os passos e torna a mente mais sensível, quando a pessoa está só, com todo tempo do mundo disponível, o diabo consegue enredar o idoso na armadilha da autoacusação, que vem da insatisfação pelos alvos não alcançados, pelos sonhos não realizados, pelo arrependimento que agita as emoções.

Contudo, nada disso procede de Deus. São emoções que precisam ser neutralizadas para não transformar a velhice, que pode ser tranquila e prazerosa, em um tempo de amargura e tristeza.

À medida que envelhecemos devemos relembrar que é preciso investir em nosso casamento, para desfrutar da beleza do "amor idoso", que passou pela prova do tempo e foi preservado; que triunfou diante das tempestades da vida. Amor que ignora rugas, cabelos grisalhos, ombros arcados, músculos flácidos e ainda vê a mesma pessoa a seu lado no altar.

Os casais precisam ter sempre vontade de amar, necessitam desenvolver um bom senso de humor entre si, divertir-se e rir juntos; devem aprender a exercitar o perdão mútuo e descobrir atividades agradáveis para fazer juntos. Finalmente, o toque é o melhor modo de comunicar que se ama o parceiro.

Minha oração sincera e fervorosa é que você possa envelhecer ao lado do seu cônjuge fazendo de suas vidas uma sucessão de doces e felizes momentos, ao invés de horas infelizes e amargas.

Pense nisto

Nunca se entregue ao medo, à autopiedade, à inutilidade ou culpa. Empenhe-se em amar seu cônjuge, em desenvolver o perdão mútuo, o senso de humor, em descobrir atividades prazerosas para se divertirem juntos. Observe como seu amor enriquecerá através dos anos.

27 DE FEVEREIRO

INTIMIDADE ESPIRITUAL, POR QUE NÃO?

Antes, seguindo a verdade em amor...
Efésios 4:15

SER ÍNTIMO do cônjuge também implica em intimidade espiritual. A intimidade espiritual ajuda a desenvolver a intimidade física. Um casal pode ter trinta anos de casado e por isso estar pensando que já é tarde demais para desenvolver uma intimidade assim! Não, nunca é tarde demais! Como então começar? Em primeiro lugar, decidam ir por esse caminho. A seguir, tracem um trajeto para chegar no alvo:

- Estudem a Bíblia juntos: fazendo pelo menos uma leitura bíblica diária. Fazendo disto um hábito em sua vida.
- Orem juntos diariamente: a oração favorece a intimidade com seu cônjuge e com seu Deus. Isto pode representar uma ameaça, porque, às vezes, você terá que confessar um pecado a Deus e seu cônjuge estará ouvindo. Outras vezes você terá que pedir forças a Deus porque está sendo tentado em determinada área de sua vida e tem medo de compartilhar isso com Deus na frente de seu cônjuge.
- Cante com seu cônjuge: a Palavra de Deus nos diz que devemos louvá-lo com salmos, hinos e cânticos espirituais. A música pode mudar seu estado de espírito; o louvor transformará o ambiente de seu lar, o relacionamento com o cônjuge e levantará seu espírito quando você estiver abatido;
- Ouçam juntos músicas cristãs, leituras bíblicas em audiolivros e mensagens edificantes.

O preço da intimidade espiritual é abertura, transparência, sinceridade e honestidade. Faz parte da famosa história de "cultivar a plantinha". Quando a regamos... ela cresce!

PENSE NISTO

Preocupe-se com a vida espiritual de seu cônjuge, tente ver como está a vida dele com Deus e ajude-o a crescer e amadurecer no Senhor. Amém?

28 de fevereiro

Eu estava errado!

... e perdoem as queixas que tiverem uns contra os outros.
Perdoem como o Senhor lhes perdoou.
Colossenses 3:13

Você promete não contar para ninguém uma pequena falha na minha vida familiar? Então, vamos a ela: certa vez, quando minhas filhas ainda eram adolescentes, cheguei em casa louco para assistir à partida final do campeonato de futebol, onde meu time, o Palmeiras, era um dos finalistas. O jogo estava para começar e ao ligar a TV, percebi que as meninas haviam mexido nela pois a imagem estava horrorosa. Fiquei fulo da vida! Comecei a esbravejar, a resmungar e exigir imediatamente uma chave de fenda para tentar consertar o estrago. Eu estava muito irritado e isso me custou o isolamento das meninas e da minha esposa, que foram para os seus quartos – e até do cachorro, que tratou de ir para sua casinha. Passado o "vendaval", já assistindo ao jogo com uma imagem ótima na TV, o peso de minha consciência tornou-se insustentável. Eu, um pastor que ensina sobre a necessidade de relacionamentos amorosos no lar, perder o controle daquele modo!? Chamei Judith, as meninas e disse com muita humildade e arrependimento três frases: Eu estou errado! Por favor, me perdoem! Eu amo vocês! Elas me perdoaram, nosso relacionamento foi restaurado e o ambiente ficou mais leve e agradável. Já vi muitos relacionamentos restaurados entre familiares e irmãos em Cristo pelo uso honesto destas três frases:

- *Eu estava errado.* Esta frase exige honestidade. Ninguém é perfeito. O primeiro passo para consertar um relacionamento é o reconhecimento de que sou pecador, que também erro e devo confessar o meu fracasso.
- *Por favor, me perdoe!* Todo relacionamento exige perdão. Perdoar não é voltar ao passado. Algumas pessoas guardam uma lista das ofensas recebidas e em determinada situação jogam na cara do outro. Perdoar é difícil. Custou para Deus seu próprio filho. Custa nosso orgulho; será preciso abrir mão da autodefesa, da exigência dos direitos pessoais, do desejo de vingança. Perdoar é responder ao ódio com amor, à raiva com compreensão. É perdoar a dívida.
- *Eu Amo Você.* o amor é expressivo. Deus nos amou tanto que entregou seu único filho, Jesus, a comunicação verbal do amor de Deus. Maridos, esposas, filhos, precisam ouvir uns dos outros que são amados. O amor pode ser expresso de mil maneiras: um presente, uma palavra de carinho ou encorajamento, um abraço inesperado – tudo isso faz parte dessa maravilhosa expressão: "Eu amo você!"

Pense nisto

Quem sabe hoje você precisa iniciar uma reconciliação. Deixe de lado o seu orgulho. Fale que você errou, peça perdão ou perdoe, demonstrando amor por essa pessoa.

29 DE FEVEREIRO

"FELIZ FOI ADÃO QUE NÃO TEVE SOGRA..."

Por essa razão, o homem deixará pai e mãe e se unirá à sua mulher, e eles se tornarão uma só carne.
Gênesis 2:24

"FELIZ foi Adão que não teve sogra..." é uma das frases nos para-choques dos caminhões e reflete o que o homem pensa da sogra. Estou consciente de que, para a maioria das pessoas, é muito difícil abordar o assunto "sogros". Em muitas famílias esse tipo de relacionamento representa um verdadeiro campo de batalha.

Gênesis 2:24 é um versículo muito importante, pois nos dá as bases para a edificação da família. Neste versículo, Deus dá uma "dica" importante para nosso relacionamento com os sogros. Por essa razão, o homem deixará pai e mãe... . Esse é um "deixar" emocional. O homem assume uma nova função: passa a ser marido da sua esposa. O mesmo acontece com a mulher que passa a ser esposa de seu marido. Para que esse novo relacionamento familiar seja desenvolvido normalmente, o cordão umbilical precisa ser cortado. Isso não significa que os filhos não terão mais contato com os pais, ou que irão abandoná-los, ou ignorá-los. Significa, que os filhos vão se desligar emocionalmente da dependência dos pais, que durante a vida lhes deram segurança, proteção e apoio financeiro. Se isto não acontecer, o "unir-se", que quer dizer "cimentar", será prejudicado.

Um marido é marido e não pai da esposa. A esposa é esposa e não mãe do marido. Os cônjuges não podem procurar no seu companheiro um de seus progenitores.

É salutar para a vida do casal:

1. Não morar na casa dos pais ou dos sogros.
2. Não imaginar que os pais ou sogros têm obrigação de ajudá-los financeiramente.
3. Tomar cuidado com a excessiva atenção dada aos pais, que pode gerar ciúmes no cônjuge.
4. Não usar os pais e sogros constantemente como babás.
5. Não esquecer dos aniversários dos pais e dos sogros.
6. Verbalizar, de vez em quando, seus sentimentos positivos em relação a eles
7. Descobrir o tipo de relacionamento que eles esperam de você e de sua esposa/marido.
8. Demonstrar amor para com os pais e sogros.

PENSE NISTO

Um clima de abertura e franqueza, com verbalização dos limites e demonstrações amorosas pode cooperar grandemente para que os sogros sejam bênçãos aos seus filhos e, por outro lado, que estes sejam o mesmo a eles.

1 de março

Valorizando as diferenças

Suportem-se uns aos outros e perdoem as queixas que tiverem uns contra os outros.
Colossenses 3:13

Muitas pessoas casadas ficam apavoradas com as diferenças entre si, e fazem o possível para igualá-las, chegando até a ter fisionomias parecidas e a raciocinar de forma semelhante. No entanto, muitas vezes, o colorido de um relacionamento pode ser dado exatamente pelas diferenças entre os cônjuges. Com esse enfoque em mente, as diferenças detectadas e entendidas podem se tornar fascinantes e ser utilizadas para o bem do casal.

De todas as diferenças entre um casal (temperamento, personalidade, cultura etc.), a área da comunicação é a mais importante, pois é consequência das outras.

Em média, uma mulher tem para falar aproximadamente 25 mil palavras por dia, enquanto que a média dos homens raramente supera a 10 mil! Sendo assim, vemos que a maioria dos homens utiliza suas 10 mil palavras no trabalho durante o dia e, quando chega em casa, sua esposa ainda está no início das suas.

Também se conclui que, de forma geral, os homens conversam sobre assuntos mais racionais, fatos, acontecimentos, negócios etc. e as mulheres, sobre assuntos mais emocionais, compartilhando seus sentimentos, tristezas e alegrias. Se não houver a compreensão desse fato, a comunicação pode ser seriamente afetada. Cabe acrescentar aqui que, uma área que os homens precisam de ajuda, é quanto a compartilhar emoções, sentimentos, sonhos e frustrações com suas esposas.

O estudo e a observação de seu cônjuge são tarefas que perduram por toda vida. Como indivíduos, somos seres dinâmicos. Se aplicarmos os princípios de "um ao outro" em nossos casamentos, será possível desenvolvermos cada dia os princípios chaves de relacionamento: "amai uns aos outros"; "honrai uns aos outros"; "perdoai uns aos outros"; "considerai uns aos outros superiores a si mesmo"; etc.

Que Deus nos ajude em nosso mútuo caminhar!

Pense nisto

Você tem conversado com seu cônjuge e ouvido o que ele tem para falar? Você respeita as características individuais do seu cônjuge?

2 DE MARÇO

DÚVIDA CRUEL: IGREJA, ESCOLA OU LAR?

... Reúna o povo diante de mim para ouvir as minhas palavras a fim de que aprendam a me temer enquanto viverem sobre a terra, e as ensinem a seus filhos.
Deuteronômio 4:10

CERTO médico bem conhecido falou o seguinte: "Não iniba seu filho; deixe-o ser criativo; ele está desenvolvendo a sua personalidade". Em outras palavras, o que ele está dizendo é que se o Joãozinho quiser jogar uma pedra na janela do vizinho, não o restrinja, porque ele está-se desenvolvendo! "Crianças não são más nem boas, são influenciadas totalmente pelo seu ambiente e pela hereditariedade." Este tipo de ensinamento está causando a destruição da família, desrespeito às autoridades em geral e anarquia na sociedade.

Não sou contra a Psicologia, pois a utilizo em meus aconselhamentos. Porém, quando parte dela esse tipo de afirmação, que vai diretamente contra as diretrizes da Palavra de Deus, fico com a Palavra de Deus!

A família precisa voltar aos princípios eternos da Palavra de Deus para saber como construir um lar feliz. Foi Deus quem instituiu a família. A família é invenção de Deus. Por isso Ele sabe melhor do que ninguém como criar filhos.

A responsabilidade principal na educação e disciplina dos filhos é dos pais; não da igreja, nem da escola. Um casal, certa vez, veio para mim e lamentou o seguinte: "Pastor, não sabemos no que erramos. Nossos três filhos são muito rebeldes, não querem saber dos caminhos do Senhor. Não podemos entender isto; eles nasceram na igreja, nós os levamos para a Escola Dominical, eles frequentaram todas as atividades da igreja.

A Bíblia não promete, em Provérbios 22:6, "ensina a criança no caminho em que deve andar e ainda quando for velha não se desviará dele"? Pastor, em que nós erramos?

Depois de ter conversado algum tempo com aquele casal, descobri que eles haviam dependido totalmente da igreja e da escola para treinar os filhos "no caminho do Senhor". Mas quando Deus fala aos pais a respeito das suas responsabilidades, ele está, principalmente, dizendo em que os filhos devem ser treinados no contexto do lar. Uma criança de cinco anos, entrando no Jardim de Infância, já tem sua personalidade delineada. Portanto, a idade de um a cinco é a mais importante na vida de todo ser humano.

PENSE NISTO

Pais, nós somos instrumentos essenciais e fundamentais nas mãos de Deus, para que a criança seja ensinada nos caminhos do Senhor.

3 DE MARÇO

AMAR É PEDIR PERDÃO E PERDOAR

Suportem-se uns aos outros e perdoem as queixas que tiverem uns contra os outros. Perdoem como o Senhor lhes perdoou.
Colossenses 3:13

PERDÃO: o que é, o que não é, o que nos causa e seu benefício a cada um de nós. Vamos ver esses pontos?

- *Perdão não é esquecer.* Há quem realmente perdoe, mas não consegue esquecer mentalmente e, por isso, acha que nunca perdoou. Na realidade, o que aconteceu conosco está arquivado para sempre em nossa mente. Por isso é necessário distinguir entre esquecimento emocional e mental. Lembrar a ofensa de tal modo que ela continue a afetar o relacionamento não é perdoar. Porém, lembrar a ofensa como um fato consumado, sem efeito negativo, isso é perdoar.
- *Perdão não é sentimento.* Deus nos dá uma ordem (Colossenses 3:13) e, ela precisa ser obedecida. É uma decisão proposital, que nos leva a ter atitudes e comportamentos que demonstrem nosso perdão. Perdão é um ato de fé baseado em uma ordem de Deus.
- *Perdão não é voltar ao passado.* Trazer o passado de volta é um exercício destrutivo, porque não há nada que se possa fazer para mudar o que já aconteceu.
- *Perdão não é exigir mudanças da outra pessoa antes do nosso perdão.* Você está julgando quem o ofendeu? Você não acha que isso seja falta de confiança na capacidade de Deus em mudar o coração dela? Cuidado, a amargura é destrutiva Lembre-se de Hebreus 12:14,15.
- *Perdoar é difícil.* Mesmo sendo difícil é o que Deus quer. Você já meditou atentamente no quanto custou para Deus perdoar você e a mim? – O seu Filho! Seu único Filho! Que alto preço!
- *Perdoar vai custar seu orgulho.* É não exigir seus direitos. É não se vingar. É não querer que o ofensor pague pelo seu pecado. Liberte a pessoa que o ofendeu! Dê liberdade a você mesmo! Alguém o ofendeu e pediu perdão, e você não perdoou. Agora, você é o responsável pela ofensa. Prosseguir como se nada tivesse acontecido, é falta de maturidade e falta de entendimento sobre o perdão de Deus em sua vida.
- *Perdoar é considerar o outro.* É tirar os olhos de si mesmo, de sua dor, sua autocomiseração e ver o ofensor em sua miséria e sentimento de culpa. É dar amor em vez de ódio. É dar compreensão, liberdade. Para isso, é preciso tempo e permitir que o Espírito Santo faça sua obra em nosso coração e o preencha de graça.
- *A consequência de não perdoar é desastrosa!* Leia Salmos 32:1-5. Não queira provar dessas consequências. Elas são muito duras.

PENSE NISTO

Há alguém em sua família a quem você precise pedir perdão ou perdoar? Não procrastine. Jesus lhe dará a força necessária para fazer isso! Obedecer a Deus é o mais importante.

4 DE MARÇO

POR QUE DEUS PERMITIU QUE ISSO ACONTECESSE?

Porque sou eu que conheço os planos que tenho para vocês, diz o Senhor, planos de fazê-los prosperar e não de lhes causar dano, plano de dar-lhes esperança e um futuro.
Jeremias 29:11

NO CAPÍTULO 11 de Hebreus encontramos uma lista de tragédias ocorridas com nossos irmãos no passado. Alguns foram torturados, presos, apedrejados, serrados ao meio, mortos ao fio de espada. Eram peregrinos, afligidos e maltratados. Eles permaneceram firmes em sua fé até a morte, sem receber explicação pelo que lhes ocorrera.

Como equacionar situações semelhantes em nosso século 21? Não pretendo trazer medo, ansiedade, ou tristeza ao seu coração, porém o imprevisível pode ocorrer a mim, a você, ou a alguém próximo a nós. O imprevisível é extremamente doloroso e ninguém está isento de que ele nos sobrevenha: um súbito ataque cardíaco; a perda de um ente querido, um acidente, um divórcio, a notícia da gravidez de uma filha adolescente, a perda de emprego etc.

Há os que pregam que Deus só dá felicidade e tira toda a dor. Mentira! O que dizer da imensa fila de heróis da fé, mártires da igreja que sofreram e deram suas vidas à causa de Cristo? Ninguém gosta de sofrer, mas o sofrimento tem o seu lugar nesta vida. Os graus de intensidade e duração variam de pessoa a pessoa. Não sei porque algumas são mais "premiadas" que outras. Um dia, nem que seja na eternidade, entenderemos os porquês de nossas vidas!

Por outro lado, não podemos cair no extremo do fatalismo. Devemos avaliar nossas vidas, confessar nossos pecados e andar em integridade diante de Deus. Uma consciência sistematicamente lavada possibilita um caminhar mais solto diante das armadilhas do inimigo e de nossa própria natureza pecaminosa. Quando alguém, como os amigos de Jó, nos apontar o dedo atribuindo nossas tragédias a consequências de pecado, a consciência limpa diante de Deus e dos homens trará segurança e alívio.

O sofrimento inicialmente causa um choque tão forte que temos a tendência de nos culpar, de recusar a realidade e de exigir uma explicação do ocorrido. O que devemos fazer é aceitar que vivemos em um mundo corrupto e cruel. Devemos correr para Deus e não de Deus. A maioria das pessoas quer suas bênçãos, mas nem tanto sua pessoa. Questionam sua bondade quando as coisas não vão bem. Devemos procurar viver o melhor possível, de forma que agrade a Deus, desfrutando o que ele nos dá de bom.

PENSE NISTO

A vida não é sempre um mar calmo. As ondas sacudirão o nosso barco. Algumas vezes Deus irá acalmá-las, outras vezes, o barco poderá afundar. Mas ele não desperdiça nenhuma situação em nossas vidas. Tudo acontece para a glória dele e para o nosso bem.

5 de março

A verdadeira beleza

Reveste-se de força e dignidade, sorri diante do futuro.
Provérbios 31:25

Recentemente tive o privilégio de passar a tarde com uma pessoa muito especial. Ela não é mais uma mulher jovem, porém a beleza que irradia de seu interior é incomparável, o que me faz apreciar cada minuto que passo com ela.

O apóstolo Pedro fala sobre mulheres como ela, em 1Pedro 3. Ele diz que a beleza da mulher cristã não deve ser cabelos trançados e joias de ouro ou roupas finas (v. 3). Sei que esse versículo tem sido usado para dizer que é errado a mulher cristã usar joias ou fazer permanente no cabelo. Esses ornamentos são os únicos recursos que uma mulher que não conhece a Jesus tem para tornar-se bela. Contudo, há mulheres que apesar de utilizarem-se de tudo isso, não conseguem ficar bonitas. Apesar de todas as joias, roupas de grife, maquiagem, não têm o poder de modificar a expressão de seus rostos preocupados, irados e amargurados.

Uma mulher que conhece ao Senhor é mansa, gentil, humilde, obediente a Deus e respeita seu marido, não por natureza, mas porque entregou seus direitos nas mãos do Senhor. Pelo fato de saber que Deus a aceita, ama, valoriza e retribui sua fidelidade, ela se torna capaz de, quando necessário, colocar os direitos dos outros acima dos seus. Ela sabe que o Pai está no controle e que Ele está trabalhando para o seu bem, porque ela o ama e foi chamada segundo seu propósito. (Romanos 8:28).

Estou dizendo, com tudo isso, que a aparência exterior não importa? Será que essa passagem está afirmando que não devo investir tempo e dinheiro em minha aparência física? Certamente não foi isso que Pedro quis dizer. A mulher virtuosa de Provérbios 31Com certeza deve ter feito muita aeróbica e musculação. Ao estudarmos as necessidades básicas dos casais, aprendemos que um marido aprecia ter uma esposa atraente.

O tempo investido em beleza exterior (fazendo dieta, cortando o cabelo ou tomando um gostoso banho de espumas) é um tempo muito bem gasto, mas não deve ser nossa maior preocupação. Que Deus nos capacite a nos tornarmos mais belas à medida que olhamos para ele!

Pense nisto

Minha querida amiga, você só tem se preocupado em cuidar do seu interior, não se importando com sua aparência? Ou é ao contrário? Tente, a partir de agora, empenhar-se para que tanto interna, quanto externamente, sua beleza seja do tipo que consegue resistir ao tempo.

6 DE MARÇO

UMA MULHER SÁBIA E DESTEMIDA

Seja você abençoada por seu bom senso...
1Samuel 25:33

NOS TEMPOS de Abigail, a grande maioria das pessoas que trabalhavam no campo, pastoreava rebanhos de ovelhas e cabras que pertenciam a ricos senhores. Durante o longo período em que permaneceu escondido, Davi conquistou a lealdade de centenas de homens, guerrilheiros fortes, destemidos e hábeis, dispostos a lutar até a morte pelas causas de seu líder. Paralelamente às lutas oficiais, eles combatiam as contendas internas do país contra as tribos selvagens que atacavam as vilas de pastores.

Quando chegava a época da tosquia, conforme era de costume, os donos de rebanho separavam uma parte de sua renda e ofereciam a seus protetores como reconhecimento.

Davi, que esperava receber por seu trabalho sem desconfiar das dificuldades que o aguardavam, enviou alguns homens até Nabal, para cobrar. Nabal era abastado e uma pessoa dura e maligna; isto quer dizer, que talvez a desonestidade fosse uma de suas características. Por outro lado, sua esposa Abigail era muito bonita, inteligente, corajosa e sábia. Podemos afirmar que era uma mulher formosa externa e interiormente. Ela não se deixava controlar por suas emoções, e utilizava sua sabedoria para solucionar seus problemas.

Davi calculou que o fazendeiro pagaria a parte que lhes cabia, como todos os outros tradicionalmente faziam. Entretanto, Nabal era avarento e recusou-se a pagar. Davi ficou indignado! Ele e seu exército estavam famintos, já que o alimento não era abundante para aqueles fugitivos. Davi estava completamente descontrolado e determinado a matar Nabal.

Coloque-se no lugar de Abigail. Não seria essa a oportunidade ideal de livrar-se de um marido insensível e intratável? No entanto, ela não repreendeu o marido por sua irascibilidade, egoísmo, desonestidade; nem mesmo por ele não ter pensado no conflito que aquilo poderia causar à sua família, seus servos, sua casa. Ela tratou de proteger o esposo da fúria de Davi: "Imediatamente Abigail pegou duzentos pães, duas vasilhas de couro cheias de vinho, cinco ovelhas preparadas, cinco medidas de grãos torrados, cem bolos de uvas passas e duzentos bolos de figo prensados, e os carregou em jumentos. E disse a seus servos: Vocês vão na frente; eu os seguirei. Ela porém, nada disse a Nabal, seu marido" (1Samuel 25. 18,19).

Ela não trabalhou secretamente contra seu esposo, simplesmente tomou providências sem que ele soubesse exatamente o que ocorria, para poupá-lo e protegê-lo. Ela salvou a vida de Nabal.

PENSE NISTO

Você, quando faz algo em favor do seu cônjuge, faz questão de falar para todos o que você fez, para que ele (a) possa ser grato(a) a você? É assim que Deus age conosco?

7 de março

Uma linda mulher

... beleza demonstrada num espírito dócil e tranquilo,
o que é de grande valor para Deus...
1Pedro 3:4

Pedro em sua primeira carta, no capítulo 3, cita Sara como exemplo de mulher bonita. Ele diz: A beleza de vocês não deve estar nos enfeites exteriores, como cabelos trançados ou roupas finas. Ao contrário, esteja no ser interior, que não perece, beleza demonstrada num espírito dócil e tranquilo, o que é de grande valor para Deus. Pois era assim que também costumavam adornar-se as santas mulheres do passado, que colocavam sua esperança em Deus. Elas se sujeitavam cada uma a seu marido, como Sara, que obedecia a Abraão e o chamava de senhor (1Pedro 3:3-6a). Note que nesta passagem o que Sara vestia que a deixava tão bonita: um espírito dócil e tranquilo.

Vemos em Provérbios 31 que a mulher virtuosa gastava tempo com sua aparência. Ela costurava roupas bonitas para si. Fazia até aeróbica: "seus braços são fortes e vigorosos". Ela cuidava de seu corpo, e é importante que façamos o mesmo. Nossa saúde depende de uma alimentação equilibrada e de exercícios. Nós mulheres temos a responsabilidade de nos manter atraentes para nossos maridos.

Por que meu marido precisa de uma mulher atraente? Porque ele precisa ter orgulho de mim. O que sou revela algo sobre seu gosto, seu estilo, sua masculinidade. Os homens são estimulados pelo que veem.

O fato de eu me manter bonita e saudável contribuirá para meu relacionamento conjugal e também para a minha própria autoestima.

É natural que, com o passar do tempo as rugas surjam, os cabelos percam a cor, e a aparência perca parte do viço.

Conheço mulheres que não querem aceitar o inexorável correr dos anos. Compram cremes caríssimos, experimentam todo novo tratamento para celulite, e estão sempre fazendo plástica a cada ruga que aparece. A Bíblia diz que nós cristãos devemos ser conhecidos por nossa moderação. Devemos trabalhar nas coisas que podem ser mudadas, mas não permitir que elas se tornem a principal ênfase de nossa vida.

A beleza dos produtos é corruptível, as roupas caem de moda, as joias são roubadas. A beleza de Sara era incorruptível. Ela "vestia" um espírito dócil e tranquilo, e o preço era o tempo passado com o seu Deus. Sua beleza não dependia do que tinha, mas do que era. E o que era, dependia de seu relacionamento com Deus que torna bela todas as coisas.

Pense nisto

Você continua cuidando da sua aparência como na época de namoro? O que você deveria fazer para se tornar mais atraente ao seu marido? Quanto tempo você gasta com Deus? Você leva mais tempo cuidando do seu corpo ou da sua alma?

8 DE MARÇO

O QUE DEUS VALORIZA

... que é de grande valor para Deus.
1Pedro 3:4c

JÁ É TEMPO de nós, filhas de Deus, reconhecermos o quanto significamos para Ele. Dá-se muita ênfase ao fato de que devemos amar a nós mesmas para termos uma auto-imagem positiva. Acredito, porém, que o segredo da boa auto-imagem encontra--se mais em reconhecermos o quanto somos amadas por Deus.

Quando Deus criou a mulher, ele a fez da costela do homem, retirando-a de perto do coração de Adão. Não usou parte da cabeça pois a mulher não deveria dominar o marido; nem dos pés, para que não a pisasse. Ele a fez de uma costela para que, quando a devolvesse a Adão, pudesse ser cuidada, protegida e amada.

É inegável o fato de que, através da História, têm ocorrido muitas injustiças contra mulheres. Os homens têm abusado de sua autoridade e as mulheres têm sofrido.

O evangelho de Jesus Cristo tem feito mais para elevar a posição da mulher, do que qualquer outra coisa em toda a História. Ele colocou o homem e a mulher no mesmo nível e deixou bem claro que veio à terra morrer por ambos.

A Palavra de Deus diz que as mulheres são "co-herdeiras do dom da graça de vida" (1Pedro 3:7), com os homens. É ordenado aos maridos que amem suas esposas "como Cristo amou a igreja". Quanto Cristo amou a igreja? Ele morreu por ela.

Quando pensamos no ministério da mulher na igreja, devemos lembrar que Deus pede que tenhamos nossas prioridades em ordem. Nós, mulheres cristãs, temos a tendência de pensar que aquilo que fazemos na igreja é trabalho cristão, mas o que fazemos em casa é simplesmente trabalho. Estamos "comprando" a filosofia do mundo, que afirma não haver nada mais degradante do que ser "apenas esposa e mãe".

Deixe-me lembrá-la de que Sara foi "esposa e mãe", mas Deus atribuiu importância tal a esta tarefa, que colocou seu nome na lista dos homens e mulheres de fé.

Como já foi dito: "A mão que embala o berço dirige os desígnios do mundo". Está na hora de pararmos e reconhecermos a influência positiva que podemos exercer na vida de nossos maridos e filhos.

PENSE NISTO

Você, mulher, considera a vida de seu marido e filhos um ministério? Você tem dado mais importância às suas realizações profissionais ou à sua família? E você, marido, tem reconhecido o valor da sua esposa dentro de casa, e a amado como Cristo amou a igreja?

9 de março

O prazer aprovado por Deus

O casamento dever ser honrado por todos; o leito conjugal, conservado puro; pois Deus julgará os imorais e os adúlteros.
Hebreus 13:4

Deus não é contrário ao sexo. Ele mesmo o idealizou, criou, e até incentivou o ser humano, homem e mulher, a praticarem-no sob sua bênção, no casamento. Ciente da beleza do sexo, e de que Deus quer que homem e mulher o desfrutem com prazer, o apóstolo Paulo em 1Coríntios 7:1-5, responde às indagações feitas pelos cristãos de Corinto. Nos versículos 3 a 5, ele nos dá três lindos conceitos para proteger o casal contra as investidas satânicas nessa área.

Em 1Coríntios 7:3, Paulo aponta primeiramente para nós, homens, colocando sobre nossos ombros a responsabilidade primordial de suprir as necessidades de nossas esposas. Mulheres, vocês também têm sua grande parcela de dever. A ordem é para agirem semelhantemente com seus maridos.

Já em 1Coríntios 7:4, as mulheres são as primeiras a serem citadas. O sexo para vocês, apesar de importante, não é imprescindível como para o homem. O trabalho, a casa, os filhos, o marido, as tensões, costumam tirar a prioridade de uma relação sexual. Cuidado, Satanás sabe de todas as suas tensões e que o princípio de "entregar-se" é importante para o sucesso de um casamento. Não deixe que o inimigo use isso contra você. Homens, de igual modo, seus corpos não são seus, mas de suas esposas. Saibam entregar-se a elas.

Paulo ordena que o casal não se prive mutuamente, porém há exceções (1Coríntios 7:5). Somente por mútuo consentimento, convicção de ambos e concordância completa quanto à necessidade de cessar a atividade sexual por algum tempo com um propósito espiritual da oração.

Lembre-se, uma das armadilhas do inimigo é alienar e quebrar, de forma efetiva, o relacionamento entre marido e mulher.

Pense nisto

– Você se entrega inteiramente a seu cônjuge, sem reservas, sem medo, sem inibições, sem egoísmo? Você acredita que é esse o tipo de amor romântico que Deus planejou para o casal? Não permita que o diabo roube o que Deus lhes deu tão carinhosamente, para ser desfrutado com toda intensidade.

10 DE MARÇO

PALAVRAS QUE FEREM – 1

Irmãos, não falem mal uns dos outros...
Tiago 4:11 a

UMA DAS causas elementares dos conflitos interpessoais está em nossa reação perante comentários maldosos. Assim como a contaminação física passa por estágios até atingir o clímax da doença propriamente dita, o mesmo acontece ao nosso espírito, fazendo-o definhar.

Em primeiro lugar, há o desconhecimento da doença: Assim também, a língua é um fogo; é um mundo de iniquidade. Colocada entre os membros do nosso corpo, contamina a pessoa por inteiro, incendeia todo o curso de sua vida, sendo ela mesma incendiada pelo inferno (Tiago 3:6).

A Bíblia é veemente quanto à posição divina sobre comentários maldosos. Há inúmeros versículos que não deixam dúvidas sobre a condenação de Deus a tal procedimento. Levíticos 19:16; Provérbios 6:19, 11:19, 16:28, 18:8, 26:22; Salmos 52:2, 41:7, 109:20; Romanos 1:30; 1Timóteo 5:13; Tiago 4:11,12. O próprio diabo utiliza-se de comentários maldosos para desacreditar os cristãos, criar inimizade entre eles e fazer com que os incrédulos desprezem e rejeitem a Cristo devido ao testemunho falho.

As pessoas que são adeptas à fofoca, em geral têm um certo critério para iniciar seus comentários maldosos. A aproximação é feita cautelosamente, às vezes perguntando a opinião do interlocutor sobre alguém ou acontecimento; outras vezes pedem conselhos para ter a chance de citar determinada situação etc. A melhor maneira de lidar com pessoas assim é confrontá-las abertamente, perguntando se já conversaram com as pessoas envolvidas.

A partir do momento que ouvimos os comentários maldosos sobre alguém e consideramos que eles podem ser verdadeiros, somos contaminados pela maledicência. Isto demonstra que compactuamos com quem fez o referido comentário. Ao reagirmos às fofocas induzidos pela emoção humana, ao invés de utilizar o conhecimento espiritual e amor genuíno, somos infectados por elas. Então, damos crédito e julgamos os motivos com base nos comentários maldosos, formamos opiniões negativas baseadas nesses comentários, focalizamos apenas os aspectos negativos da pessoa envolvida e interpretamos suas palavras e ações como evidências de culpa. Finalmente, construímos uma barreira interior no relacionamento com a pessoa em questão e passamos a fofoca adiante.

PENSE NISSO

Ouvir e fazer comentários maldosos são uma doença que contamina e infecta nossos corações e nossas vidas. Trata-se de uma enfermidade que compromete a saúde espiritual e física. Você está atento a esse tipo de tentação e se utiliza da medida preventiva da Palavra de Deus para mantê-lo(a) longe desse mal?

11 DE MARÇO

PALAVRAS QUE FEREM – 2

Quem quiser amar a vida e ver dias felizes, guarde a sua língua do mal e os seus lábios da falsidade.
1Pedro 3:10

HÁ PESSOAS que estão acostumadas a comentar a vida alheia. Parece ser uma incoerência, mas entre os cristãos é um hábito muito comum, apesar de Deus ter deixado bem claro na Palavra que abomina tal conduta (Provérbios 6:19). Tal hábito é uma enfermidade que controla nossa mente e emoção e desperta em nós um espírito que pode nos destruir (Provérbios 26:24,25).

Tal enfermidade é gradativa. Há sintomas que se alastram e que podemos reconhecer claramente; são sinais de alerta que devem nos levar ao arrependimento e à busca de cura.

Pouco a pouco desenvolvemos uma amargura e revolta contra determinada pessoa, às vezes mesmo sem ela ter nos ferido diretamente. Assumimos postura de juízes em um assunto que é inteiramente da responsabilidade de Deus. Não contentes com isso, procuramos recrutar outros e tentamos descobrir mais fatos, atitudes, palavras negativas envolvendo a pessoa que é nosso desafeto, com o objetivo de deturpar ainda mais sua imagem. Por fim, no auge da contaminação do coração, aquietamos nossa alma com a justificativa arrogante e equivocada de que estamos fazendo a vontade de Deus, ao invés de reconhecer que estamos abrindo uma enorme brecha para que seu santo nome seja blasfemado entre os não-cristãos.

Há cura para este mal? ... para Deus não haverá impossíveis. Ele deixou em Sua Palavra o antídoto para esse veneno, citado na Palavra como maledicência.

O que o Senhor quer dos seus santos, daqueles que pretendem ter uma vida séria com ele?

Que resguardem suas línguas do mal, evitando falar dolosamente (Tito 3:1,2); que rechacem os comentários maldosos com firmeza (Provérbios 25:23 e 1Pedro 2:12). Se acontecer uma calúnia, sempre se deve procurar a reconciliação (1Coríntios 4:13).

Sabemos que não é fácil controlar a língua, e que essa é uma área da vida que temos de cuidar com muito zelo. É necessário estar sempre atento para não cair nas ciladas de Satanás (Apocalipse 12:10). É gratificante e compensador saber que os santos são abençoados por suportarem comentários maldosos (Mateus 5:11).

PENSE NISTO

O desafio de Salmos 15:1-3 deve estimular-nos a obedecer ao Senhor, lutando para resguardar nossa língua da tentação satânica da injúria, da calúnia, da maledicência: Senhor, quem habitará no teu santuário? Quem poderá morar no teu santo monte? Aquele que é íntegro em sua conduta e pratica o que é justo, que de coração fala a verdade e não usa a língua para difamar, que nenhum mal faz ao seu semelhante e não lança calúnia contra o seu próximo.

12 DE MARÇO

MAS HAVIA ORAÇÃO...

... mas a igreja orava intensamente a Deus por ele.
Atos 12:5 b

MAS HAVIA ORAÇÃO – este é o elemento crucial e decisivo em uma situação crítica. No princípio do cristianismo, por um lado havia um mundo hostil e perplexo atacando a igreja que se iniciava e, por outro, a igreja orava incessantemente. Sobre ambos havia um Deus soberano no controle de cada detalhe.

Na época da igreja primitiva, o mundo todo aparentemente era contra os seus primeiros passos. Existia o poder do Império Romano, a sinistra violência do rei Herodes, a autoridade civil e a afiada espada real que derramara o sangue do apóstolo Tiago. Enquanto isso, Pedro, o líder da igreja em seus primórdios havia sido preso e esperava para ser julgado. Ele estava acorrentado e isolado de todos, totalmente incomunicável, por trás de vários portões cerrados e guardado por uma escolta de 16 soldados. E o único recurso que os cristãos primitivos possuíam contra estes ataques era a oração.

O resultado? Anjos de prontidão entraram em ação. Correntes se quebraram, as portas da prisão se abriram, Pedro foi milagrosamente liberto. Herodes teve uma morte medonha, a igreja cresceu e a Palavra de Deus se espalhou.

O que todos nós precisamos aprender hoje, seja como pessoa, casal ou família, é que através da oração, nossa audiência diária com Deus, secreta e íntima, ou em comum com outros irmãos, temos o potencial de superar as deliberações conduzidas por governantes, ditadores, diplomatas internacionais ao redor de suas mesas.

Nossa tendência é dar crédito às multidões, às manchetes de destaque, a nomes importantes etc. Pode ser difícil acreditar que um simples e humilde cristão, de joelhos em seu quarto, seja capaz de exercer uma influência muito maior do que os grandes mandatários políticos que julgam decidir os destinos do mundo.

Não se deixe intimidar pelo problema que está enfrentando hoje em sua vida, com sua família, em seu emprego, em seus estudos. Seja o que for, não se esqueça de que você tem ao seu lado um Deus presente e participante, totalmente disposto a empregar todos os seus recursos para resolver qualquer crise que esteja lhe tirando a paz. E, se essa crise não for solucionada, o Senhor lhe dará graça para viver em abundância de vida, apesar dela.

Busquem ao Senhor, como pessoa, como casal e como família, e experimentem como seu Deus é um socorro bem presente em momentos de dificuldade.

PENSE NISTO

A oração abre todos os silos do poder e da graça de Deus. Eles estão disponíveis a você hoje!

13 de março

Uma questão de escolha

... mas livrou Ló, homem justo que se afligia com o procedimento libertino dos que não tinham princípios morais.
2Pedro 2:7

Havia no corredor de minha casa um quadro com os seguintes dizeres: "A vida logo passará; somente o que é realizado para Cristo permanecerá". Sem dúvida, esse pensamento tem causado impacto significativo em minha vida até hoje.

Alguns anos atrás, a revista Time relatou a história do governante de um pequeno país do Oriente Médio. Ele era milionário e poderoso, no entanto, a camada socialmente desfavorecida do seu povo jamais recebeu qualquer benefício. Educação e Saúde simplesmente não existiam. Ele vivia apenas para si, pensava somente em seu bem-estar. Após haver esbanjado o dinheiro público como quis durante anos, esse ditador foi deposto por um golpe de Estado e assassinado. O correspondente da Time definiu assim a vida desse homem: "Ele desapareceu como uma folha murcha levada pela chuva, deixando uma mancha sombria na História". Oro ao meu Senhor para que estas palavras nunca sejam ditas a meu respeito.

Em 2Pedro 2:7,8, podemos ver a descrição de um homem justo, Ló. Ele foi um homem bom! A Bíblia testemunha esse fato. Merece nosso respeito, pois vivia numa sociedade degenerada e deturpada. Sodoma, onde ele, sua esposa e duas filhas moravam, era uma cidade abastada, onde as pessoas tinham muito tempo para o lazer. Era um lugar caracterizado por toda espécie de perversão, promiscuidade e permissividade.

Certa vez ele hospedou dois estranhos, que na realidade eram mensageiros de Deus. Como costume da época, eles estavam sob a sua proteção.

Uma pequena multidão de cidadãos dominados pela lascívia postou-se frente à casa de Ló e exigia, aos brados, que este os entregasse, para que pudessem praticar toda espécie de perversão sexual com os dois.

Ló, corajosa e firmemente, não os ouviu e negou-se a entregá-los, mesmo colocando em sério risco sua própria família. E, se não fosse pela intervenção miraculosa dos anjos, ele e sua família seriam impiedosamente seviciados.

Deus nos mostra sua vontade para nossas vidas, mas não nos obriga a cumpri-la. Podemos escolher se vamos viver para Ele ou para nós. Como gostaríamos que os outros se lembrassem de nós?

Pense nisto

Você tem aproveitado as oportunidades que Deus lhe dá para servir o Reino?

14 de março

O que realmente vale a pena?

... acumulem para vocês tesouros nos céus, onde a traça e a ferrugem não destroem, e onde os ladrões não arrombam nem furtam.
Mateus 6:20

Certo pastor foi convidado para dirigir uma cerimônia fúnebre. Para isso, ele precisaria usar um terno escuro. Por infelicidade, não possuía nenhum e também não dispunha de dinheiro para comprar. Sendo assim, resolveu ir a uma loja de roupas usadas para ver se encontrava algo aproveitável.

Para sua surpresa havia um terno, do seu número, preto, a um preço razoável e o que era melhor, muito bem conservado.

Empolgado, ele imediatamente o comprou e, enquanto pagava, perguntou ao funcionário que o atendia como podiam vender uma peça tão boa a preço tão baixo? Encabulado, esboçando um sorriso sem graça, o homem confessou que todos os ternos da loja anteriormente haviam pertencido a uma agência funerária, que os usava nos defuntos, "desvestindo-os" instantes antes do sepultamento.

O pastor ficou em dúvida se deveria ou não vestir um terno que um morto usara, mas como nunca ninguém descobriria de onde viera sua roupa, resolveu utilizá-lo.

Tudo correu bem, até que na metade do ato fúnebre, enquanto falava, distraído ele procurou enfiar a mão no bolso da calça. Depois de algumas tentativas frustradas, percebeu que ela não tinha bolsos!!!

Esta é uma ótima e prática lição! Para onde todos nós iremos um dia, bolsos, carteiras, dinheiro e bens são totalmente desnecessários. Mesmo que consigamos acumular muita riqueza, não teremos nisto uma razão para viver.

No fim de nossos dias, mais importante que olhar para trás e contabilizar as terras compradas, os imóveis adquiridos, a poupança economizada, é olhar para trás e ver uma família estável e unida ao nosso redor, dando-nos amor, levando-nos à certeza de que nossa vida realmente teve sentido.

Pense nisto

O maior segredo da existência humana é investi-la naquilo que vai perdurar além dela. Você está acumulando tesouros onde a traça e a ferrugem corroem, ou está investindo na eternidade?

15 de março

O que é um discípulo?

Um novo mandamento lhes dou: Amem-se uns aos outros.
Como eu os amei, vocês devem amar-se uns aos outros.
João 13:34

Para fazermos discípulos, precisamos ser discípulos. Jesus estabeleceu quatro importantes características que seus discípulos devem possuir:

O discípulo verdadeiro ama Jesus acima de tudo (Lucas 9:23; 14:26,27,33). Estas passagens bíblicas ensinam claramente que devemos amar a Jesus mais do que a nós mesmos, mais do que nosso próprio conforto, nossas posses, e até mesmo mais do que nossa família. Se não for assim, nunca seremos seus discípulos. A maneira pela qual investimos tempo e dinheiro falarão alto a nossos filhos, demonstrando se realmente amamos o Senhor.

O discípulo verdadeiro ama a Palavra de Deus

Disse Jesus dos judeus que haviam crido nele: 'Se vocês permanecerem firmes na minha palavra, verdadeiramente serão meus discípulos. E conhecerão a verdade, e a verdade vos libertará (João 8. 31,32).

Em Deuteronômio 6, Deus disse ao seu povo que suas palavras deveriam ser prioridade em seus corações, e que eles precisavam transmiti-las a seus filhos. Nossos filhos não serão impactados se dissermos a eles que obedeçam a Palavra, mas eles não nos virem fazendo isso.

O discípulo verdadeiro ama seus irmãos: "... Como eu os amei, vocês devem amar-se uns aos outros (João 13:34b).

Em João 17, Cristo disse que o mundo saberia que Deus o enviou quando visse o amor que temos uns pelos outros. Se nossos filhos nos ouvem ofendendo outro irmão, eles também devem nos ouvir pedindo perdão por ter falado aquilo.

O discípulo verdadeiro ama as almas perdidas

Eu sou a videira verdadeira; vocês são os ramos. Se alguém permanecer em mim e eu nele, esse dará muito fruto (João 15:5).

Este fruto ao qual o versículo se refere pode ser o fruto do Espírito mencionado em Gálatas 5, ou também o fruto colhido pela conversão através do evangelismo.

Os incrédulos certamente se aproximarão do Salvador quando virem o fruto do Espírito frutificando em nossas vidas.

Pense nisto

Se você fosse avaliado(a) por seu marido, esposa, filhos, qual seria sua classificação como um verdadeiro(a) discípulo(a) de Cristo?

16 DE MARÇO

TEM LIMITE PRA TUDO

Tenho constatado que toda perfeição tem limite; mas não há limite para o teu mandamento.
Salmos 119:96

É DE SUMA importância que os filhos saibam quais os seus limites. Isto cria segurança na criança. Uma das razões pelas quais os filhos são tão inseguros é porque não os conhecem.

Os pais devem comunicar claramente aos filhos "as regras do jogo". O processo de treinamento possui regras a serem seguidas.

O filho precisa entender que, se ele viola uma regra, a disciplina vem ao seu encontro. Os pais desejam ajudar seus filhos a viver por convicção e não somente pelas regras. A convicção vem como resultado de uma compreensão do por que da regra.

Por isso é importante explicarmos as razões da lei. A comunicação é difícil, leva tempo e esforço por parte dos pais. Se o pai aplicar disciplina sem uma boa comunicação, ele poderá criar raiva e provocar ira em seu filho.

Coerência na educação é imprescindível. Se você disciplinar seu filho por uma certa desobediência, mas não o fizer em outra ocasião, pelo mesmo motivo, talvez por achar que não está em um ambiente apropriado, eles criarão outras situações semelhantes para escapar da correção. Os filhos são muito espertos e sabem quando os pais não vão discipliná-los.

Há pais que exigem obediência de seus filhos e quando não a recebem, prometem discipliná-los, porém... não o fazem. Este também é um caso de incoerência.

Muitas vezes, por trás da rebeldia de uma criança há um pedido para ser disciplinada e um teste dos limites estabelecidos.

Pais, saibam usar as estratégias divinas para saber como e quando corrigir seus filhos. Não deixem de fazê-lo, pois é melhor uma criança chorar agora, do que os pais chorarem mais tarde!

PENSE NISTO

Queridos pais, saibam colocar limites na vontade e nas rebeldias de seus filhos, comuniquem isso a eles, dizendo que são amados e precisam ser corrigidos.

17 DE MARÇO

PELA GRAÇA, ATRAVÉS DA FÉ

Pois vocês são salvos pela graça, por meio da fé, e isto não vem de vocês, é dom de Deus; não por obras, para que ninguém se glorie.
Efésios 2:8,9

ACREDITO, sinceramente, que uma das grandes necessidades atuais da família são a compreensão e a prática diária da graça de Deus nos relacionamentos interpessoais: maridos e esposas, pais e filhos, irmãos, sogros, genros, noras, tios, primos etc.

Graça significa favor imerecido, isto é, conceder favor especial a alguém que não mereça, que nunca tenha se empenhado em merecer e que jamais poderá retribuir o que está recebendo.

Apesar de termos chegado a Cristo pela fé, confiando apenas na graça de Deus para a salvação, prosseguimos cometendo os mesmos erros dos gálatas cristãos do primeiro século: "Será que vocês são tão insensatos que, tendo começado pelo Espírito, querem agora se aperfeiçoar pelo esforço próprio?" (Gálatas 3:3)

Como cristãos, geralmente nos voltamos a Deus apoiados em obras no que se refere à conduta diária e, especialmente, a nossos relacionamentos familiares. Todas as expectativas sobre as bênçãos divinas para nossa vida pessoal dependem de nosso desempenho na vida cristã.

Somos desafiados a sermos fiéis quanto às devocionais, ao estudo e meditação da Palavra, à oração, à assiduidade na igreja, ao testemunho etc... Porém, como é próprio da natureza humana, somos legalistas. Temos a impressão de que se cumprirmos corretamente todas as "obrigações" para as quais somos exortados, aí então receberemos as bênçãos do Senhor. Da mesma forma pressupomos que, se não satisfizermos esses "deveres cristãos", deixaremos de receber as bênçãos de Deus.

Precisamos ter a convicção e a lembrança de que cada bênção nos chega somente pela graça, através dos méritos do nosso Senhor Jesus Cristo.

Somos pecadores vulneráveis e não conseguimos, por nosso esforço e vontade, atingir os padrões de Deus.

"Nada do que você faça, ou deixe de fazer, fará com que Deus o ame mais ou menos. Ele nos ama unicamente pela graça demonstrada através de Jesus" (Dr. Howard Hendricks, professor do Seminário Teológico de Dallas, Texas – EUA).

PENSE NISTO

Você acredita que o amor de Jesus por você independe de suas atitudes? Você acredita que Jesus Cristo já fez tudo o que deveria ser feito para que você fosse salvo?

18 DE MARÇO

ESCOLHI AMAR VOCÊ!

... cada um de vocês também ame a sua mulher como a si mesmo, e a mulher trate o marido com todo respeito.
Efésios 5:33

Nosso país está se tornando cada vez mais urbano, com um povo que se locomove de um estado para outro, não fixando raízes profundas em um só lugar que possibilite convivência prolongada com seus familiares que muitas vezes, não se conhecem ou, o que é pior, não querem se conhecer.

Solidão e alienação estão presentes nos grandes centros fazendo com que o ser humano se transforme dia a dia numa espécie de "ostra". Toda essa problemática cria uma atmosfera propícia para uma incursão ao relacionamento extraconjugal, especialmente se as necessidades emocionais e sexuais não têm encontrado satisfação no casamento.

O envolvimento infiel nem sempre acontece porque a pessoa resolve se rebelar à lei imposta por Deus, nem para burlar as promessas feitas no altar ou pela aventura de fazer algo condenável e não ser descoberto, mas porque sua personalidade, sua sexualidade não está encontrando realização.

Um dos motivos que leva a uma relação extraconjugal é a tentativa de provar a si mesmo que ainda se é desejável, atraente e valioso(a) ao sexo oposto. O marido ou a esposa que, constantemente recebe afirmações e atitudes carinhosas do seu parceiro, não precisa recorrer a esta estratégia. Às vezes, o que falta é uma pessoa com quem conversar, um bom ouvinte, um companheiro(a), um amigo(a), não obrigatoriamente um parceiro sexual. Tão-somente alguém que se interesse pelo que acontece em nossa vida.

Quando Deus criou Eva, a fez atraente aos olhos de Adão, que ficou encantado com aquela mulher! Não há relato nas Escrituras que indique que ele se relacionava com ela por obrigação. Eva era sua companheira. Ambos satisfaziam-se emocional, intelectual, física e espiritualmente. Deus criou o homem e a mulher para isso: para serem amigos, companheiros e realizarem-se mutuamente.

PENSE NISTO

Querido casal, entenda que os conflitos, as contrariedades, podem ser utilizados no processo de aprofundamento da relação, desde que bem trabalhados e direcionados. Saiam do cotidiano, encorajem-se um ao outro, tratando-se com respeito, compreensão e carinho.

19 DE MARÇO

NÃO VÁ PARA A CAMA COM ELA!

Quando vocês ficarem irados, não pequem. Apaziguem a sua ira antes que o sol se ponha, e não *deem* lugar ao diabo.
Efésios 4:26,27

VOCÊ já sentiu raiva do seu cônjuge? Eu já senti e é claro que você, que é casado(a), já passou por isso também. Todos experimentamos os mesmos sentimentos uma vez ou outra, afinal, somos humanos! O próprio Jesus sentiu-se assim!

As Escrituras desafiam: Quando vocês ficarem irados, não pequem... . O princípio chave aqui não é que não devemos nos enraivecer mas, quando isto acontecer, não devemos pecar. Precisamos expressar nossa ira de maneira construtiva. Penso que existem muitos crentes que consideram a ira pecado. É por isso que diversas pessoas tentam reprimi-la. Ficamos irados com alguma coisa no trabalho, no trânsito maluco da cidade ou quando um amigo falha conosco. Finalmente, chegamos em casa fervendo de raiva e semelhantemente a um vulcão em erupção, lançamos toda lava de nossa ira sobre os mais próximos, geralmente nossos filhos e, principalmente, nosso cônjuge. A ira nos leva a pecar expressando a raiva dessa forma, que é o oposto do que Paulo nos aconselha.

Existem maneiras de se lidar com a ira, sem pecar:

1. Reconhecer que a ira existe.
2. Refletir calmamente no motivo que a provocou.
3. Verbalizar adequadamente essa ira ao ofensor.
4. Entregar a questão ao Senhor.
5. Não insistir no assunto, não se deter tempo demais nisso, prosseguir a vida normalmente.

Há um enfoque todo especial na frase: "Apaziguem a sua ira antes que o sol se ponha. Isto quer dizer que não devemos ir dormir com raiva. Quando permitimos que a amargura permaneça em nosso coração durante dias ou até meses e anos, ela se infiltra em nossa alma, tentando perpetuar-se. Paulo diz que ao adiarmos o arrependimento e o perdão, favorecemos Satanás (Efésios 4:27).

Você está com raiva de algo ou de alguém? Se sua resposta for sim, você pode identificar por quê? Se não consegue fazer isso por si mesmo, estaria disposto(a) a buscar ajuda de um conselheiro?

É minha oração que vocês durmam diariamente um sono realmente tranquilo no tocante à certeza de que... o sol não está se pondo sobre sua ira.

PENSE NISTO

Se vocês ofenderam ou feriram seu cônjuge durante a última semana, aproveitem a oportunidade para pedir perdão a ele (a) e em seguida orem juntos.

20 de março

Um depoimento

Venham a mim, todos os que estão cansados e sobrecarregados, e eu lhes darei descanso [...] aprendam de mim, pois sou manso e humilde de coração. E vocês encontrarão descanso para as suas almas.
Mateus 11:28,29b

Certa vez recebi uma carta de uma senhora que dizia o seguinte:

Prezado Jaime Kemp, estou lhe escrevendo esta carta porque estou totalmente confusa.

Sou casada há 23 anos, mas as coisas não estão nada bem entre nós. Meu marido e eu não nos amamos mais! Não sentimos ódio ou raiva um do outro, simplesmente o relacionamento esfriou. Na verdade, ficou enfadonho. Não temos mais diálogo. Um não sabe absolutamente nada do outro. Conversamos apenas o necessário para conviver na mesma casa. Costumávamos trocar ideias, conversar bastante, principalmente a respeito dos nossos filhos. Mas, agora eles também estão casados e parece que nossa comunicação partiu com eles.

Se o senhor me perguntar se há alguma queixa em relação ao meu marido, devo ser sincera e dizer que não. Ele não me bate, nunca se excedeu na bebida, não deixa que alguma coisa falte em nossa casa e, até onde possa saber, é fiel a mim.

Nossa vida em comum se resume a tomarmos as refeições e assistirmos televisão juntos. Quando alguns amigos estão conosco, ainda trocamos algumas frases a mais, no entanto, quando ficamos novamente a sós, o mutismo retorna. Não temos relação sexual faz anos. Sendo bem honesta, dormimos em quartos separados. Não há mais nenhum encantamento em vivermos juntos!

Em sua opinião há algo que possa ser feito para que o amor, o romantismo, a alegria que sentíamos no início do nosso casamento retornem hoje, talvez não com a mesma intensidade, com tantas ilusões, mas mais fortalecidos e estáveis pelo passar dos anos? Questiono-me se há alguma motivação para continuar um relacionamento assim. Se não puder encontrar uma saída para minha situação, vou me separar. Como vê, preciso de sua ajuda e vou aguardá-la com ansiedade. Grata desde já, Ana Cristina.

Essa carta é o retrato de muitos casamentos. Pessoas sofrendo suas incertezas, tristezas, e fracassos conjugais sem falar sobre eles a ninguém. Apenas levando adiante, quietas, a carga de uma grande desilusão.

Pense nisto

Tenho boas notícias aos casais que estão enfrentando esta dificuldade: há possibilidade de esquentar um casamento frio, descongelar uma relação que está congelada. O essencial para reativar tal relação é o amor *fileo*, descrito em várias mensagens nesta coletânea dirigida exclusivamente aos casais.

21 de março

"Ele os guardou do mal"

Não rogo que os tires do mundo, mas que
os protejas do **Maligno.**
João 17:15

Além de orar pela proteção de nossos filhos, temos a responsabilidade de guardá-los do mal. Analisando os versículos de João 17:11-12,15, uma palavra surge em minha mente: disciplina. Estou falando de disciplina com a vara, em amor.

Provérbios 23:13,14 diz que a vara da disciplina afastará a alma de seu filho do inferno.

Isto é difícil de engolir, não é? Faz com que a vara da correção (ou chinelo, ou colher de pau, ou seja lá o que for que você use) quase pareça uma coisa santa – e ela certamente deve ser usada com isto em mente.

Quando falo em disciplina, me lembro de Eli, o sacerdote que foi incumbido do treinamento espiritual de Samuel. Deus trouxe juízo sobre sua casa porque "seus filhos se fizeram execráveis e ele não os repreendeu" (1Samuel 3:13). Ele falou com eles sobre sua maldade, advertiu-os, mas não os disciplinou. Os filhos de Eli eram "filhos de Belial, e não se importavam com o Senhor" (1Samuel 3:19,20;2:12) e trouxeram juízo sobre si, sua família e sua nação.

A Palavra de Deus nos diz que a disciplina é um sinal de amor (Provérbios 13:24). A disciplina coerente e amorosa é imensamente benéfica para a criança, pois produz nela segurança, auto-aceitação – e até sabedoria: "a estultícia está ligada ao coração da criança, mas a vara da disciplina a afastará dela" (Provérbios 22:15).

A disciplina também é benéfica para os pais: "Corrige o teu filho, e te dará descanso, dará delícias à tua alma" (Provérbios 29:17). Provérbios 29:15 acrescenta: "A vara e a disciplina dão sabedoria, mas a criança entregue a si mesma vem envergonhar a sua mãe".

Não deve haver dúvidas de que esta correção sempre deve ser aplicada com amor. A carta aos Efésios adverte os pais para não provocarem raiva em seus filhos. A disciplina aplicada com raiva, de maneira incoerente, ou sem razão, provocará a ira e não produzirá "fruto pacífico de justiça, como desejamos" (Hebreus 12:11).

Pense nisto

Você tem corrigido seus filhos? Como tem feito isso? Você demonstra seu amor quando os corrige? Como você reage após a correção?

22 DE MARÇO

O QUÊ? COMO?

A língua tem poder sobre a vida e sobre a morte; os que gostam de usá-la comerão do seu fruto.
Provérbios 18:21

COMO já dizia um conhecido apresentador de TV já falecido, quem não se comunica...

Vida ou morte, felicidade ou infelicidade. Estas coisas dependem de sua disposição e capacidade de comunicar-se.

A comunicação, sem dúvida, é o centro de todo relacionamento familiar. Nunca é demais frisar a importância de uma boa comunicação. Ela é a chave para o desenvolvimento de um relacionamento saudável entre marido e mulher.

Existem várias diferenças entre um casal feliz e um infeliz. Uma delas se baseia no fato de o casal se comunicar ou não.

Mas o que é comunicação?

Comunicação é o processo verbal, ou não-verbal, de transmitir uma informação a outra pessoa, de maneira que ela entenda o que você está dizendo.

Comunicação é uma arte. Gastamos a vida inteira para aprender a ser eficiente nessa arte. Uma das necessidades mais prementes da família é aprender a comunicar-se.

Muitas famílias, infelizmente, estão se comunicando muito superficialmente, quase que um telegrama verbal, onde não há abertura e profundidade no relacionamento.

PENSE NISTO

Será que a comunicação, ou a falta dela, entre vocês está sendo motivo de discussões sem necessidade?

23 de março

Uma palavra aos maridos

"... pois o marido é o cabeça da mulher,
como também Cristo..."
Efésios 5:23

Ser o cabeça do lar não quer dizer ser o tirano, o autoritário, a força coercitiva dominante. Também não significa passividade feminina submetida ao controle masculino, nem a voz determinante subjugando a parceira silenciosa. Em sua atuação, ele deve criar uma parceria de igualdade, sob um cabeça inteiramente soberano e responsável, que é Cristo. Ele desempenha seu papel recebendo ordens e orientação do cabeça. Seu modelo é Jesus e ele caminha em direção à semelhança ao caráter de Cristo.

O apóstolo Paulo nos ensina que ele, o marido, deve amar sua esposa como Cristo amou sua igreja. Este é o seu maior desafio. Amar sua mulher quer dizer providenciar oportunidades para que ela cresça em experiência pessoal para atingir todo potencial dado e planejado por Deus a seu respeito. Vejo, então, a função de pastor que um marido precisa exercer, esforçando-se para que ela se torne uma pessoa realizada.

Qual deve ser a resposta da esposa diante da liderança amorosa de seu marido? Há muitas que não têm esse privilégio, e para elas também darei, em outra devocional, uma palavra. Neste momento, porém, vamos falar à mulher que tem o privilégio de ter o amor e afeto de seu esposo e seu empenho em fazê-la uma pessoa melhor. Ela deve louvar a Deus por isso:

"Sou casada. Sou casada e meu coração está feliz. Dou graças ao meu Senhor pelo amor e proteção de meu marido. Sou grata pela harmonia e paz que existe em nossa casa. Agradeço porque meu esposo me ajuda, me conforta, me ama."

"Meu marido está ao meu lado quando preciso dele. Ele está por trás de mim, me sustentando e encorajando naquilo que preciso realizar. Não tenho de enfrentar minhas lutas e dificuldades sozinha. Não importam quais sejam as nossas diferenças e tribulações, eu louvo a Deus pelo meu marido e pelo meu casamento. Junto de meu Deus e de meu esposo sou uma mulher realizada, não estou só."

Pense nisto

"Oh, Senhor! Deus de toda graça, nos ensine como viver em harmonia conjugal. Ajude os maridos a encararem suas esposas com honra e como parceiras de alto valor. Ajude as esposas a cultivar sua beleza interior e seguir a liderança de seus maridos com sabedoria. Senhor, sabemos que o suprimento de sua graça nunca se esgotará, pois confiamos e conhecemos Jesus Cristo, que é cheio de graça. Ajude o casal a apropriar-se dessa graça hoje. Amém".

24 de março

Um amor surpreendente

Eu pertenço ao meu amado...
Cântico dos Cânticos 7:10

Fiquei comovido ao ler no livro The First Circle, de Alexander Solzhenitsyn, a história de Nadya e Nerzhyn, que ilustra perfeitamente o que é um compromisso permanente.

Não estavam casados há muito tempo. Ela, uma universitária procurando iniciar carreira, de repente é privada da companhia de Nerzhyn que foi feito prisioneiro político. As pressões que lhes foram impostas faziam com que o cumprimento dos votos conjugais se tornasse praticamente inviável. O futuro brilhante que se delineava na carreira de Nadya poderia ser obscurecido pela prisão do marido.

Nerzhyn, atrás daqueles muros, não via possibilidade de rever Nadya, retomar seu relacionamento afetivo e sexual. Talvez os dois se tornassem velhos e nunca mais pudessem sequer trocar um beijo.

Na universidade, Nadya teve oportunidade de iniciar um novo romance, mas rejeitou-o com determinação. Nerzhyn também travava sua luta pessoal no compromisso assumido para com sua esposa. Havia uma oficial do governo que várias vezes insinuara a intenção de manter um relacionamento amoroso com ele, o que lhe traria melhores condições como prisioneiro e, quem sabe, a liberdade. Mas ele também rejeitou essa possibilidade.

Em um momento de muita emoção e coragem, Nerzhyn explica àquela oficial que mesmo sentindo a necessidade e o desejo de envolver-se com ela, não poderia fazê-lo, pois estava eternamente comprometido com sua mulher.

– Eu amo somente Nadya. Ela sacrificou sua juventude por mim. Se puder, quero voltar para ela sem que minha consciência me acuse em nada, pois sei que ela tem se mantido fiel.

Enquanto morreram para qualquer eventual relacionamento amoroso, Nerzhyn e Nadya ressuscitaram para outro mais sólido e puro.

Uma infidelidade nessas circunstâncias, poderíamos argumentar, seria perdoável de ambas as partes, afinal a situação era extremamente difícil e inusitada. No entanto, a realidade do exemplo deste casal citado no livro de Solzhenitsyn atravessou fronteiras e enriqueceu, desafiou, confrontou um mundo de egoísmo e hedonismo contumazes.

Pense nisto

Onde podemos nos apoiar para aprender a desenvolver um compromisso como este, duradouro, total, permanente, apesar do bombardeio das circunstâncias contrárias e oportunidades favoráveis? Somente em Deus pódemos encontrar esta força.

25 de março

Um tapinha não dói

Compre a verdade, e não abra mão dela, nem tampouco da sabedoria, da disciplina, e do discernimento.
Provérbios 23:23

"Nossa filha é quem manda lá em casa! Ninguém mais aprecia nossa companhia por causa dela! – Estas são algumas das queixas de pais que relaxaram na disciplina de seus filhos.

Nossa filha Melinda é mãe de um lindo menino que tem cara de anjinho, mas que também desobedece a seus pais. Um dia o vovô Jaime e eu presenciamos uma desobediência dele. James apanhou, chorou, depois ganhou um abraço. E com uma vozinha cheia de arrependimento disse: "Papai, me perdoe!" Mas no instante seguinte, ele simplesmente retomou exatamente ao objeto de sua desobediência. Foi disciplinado novamente. Eu me senti honrada ao ver que minha filha estava disciplinando seu filho, confiando nas promessas do Senhor, como também fazíamos com ela!

Gostaria de compartilhar algumas dicas que me ajudaram com minhas filhas ao longo dos anos:

- Não tente ensinar tudo de uma só vez. Comece com ordens simples – não, pare, venha aqui.
- Não bata na criança com as mãos. Elas devem ser usadas para carinho. Use chinelo, varinha etc.
- Não discipline quando estiver nervoso(a).
- Olhe nos olhos da criança quando falar com ela. Demonstre amor com seu olhar.
- Explique sua ordem ou proibição de forma bem clara e qual será a punição, se houver desobediência.
- Não ceda ao desejo de seu filho coagido por um "ataque de histeria" (jogar-se no chão, prender a respiração, jogar objetos na parede etc.).
- Deixe claro que seu filho(a), é muito amado(a) – utilize o toque, encorajamento, elogios e gaste tempo com ele (a).
- Procurem trabalhar em equipe. Papai e mamãe devem estar unidos em suas decisões e estabelecer regras de comportamento, trabalhando juntos para que as regras sejam obedecidas.
- Não puna uma criança por ela ter atitudes infantis. A correção deve ocorrer em casos de rebelião, falta de respeito, mentira e agressão.

Sim, educar lindos bebezinhos não é fácil! Dá trabalho. Leva tempo. Consome nossas energias físicas e emocionais. Mas como vale a pena!

PENSE NISTO

Não evite disciplinar a criança; se você a castigar com a vara, ela não morrerá. Castigue-a, você mesmo, com a vara, e assim a livrará da sepultura (Provérbios 23:13,14).

26 DE MARÇO

CORPOS IGUAIS

Da mesma forma, os maridos devem amar [...] e dele cuida
como também Cristo faz com a igreja.
Efésios 5:28,29

A PALAVRA de Deus não somente fala que o marido deve amar a sua esposa como também Cristo amou a igreja, mas também que o marido deve amar a sua esposa como ele ama o seu próprio corpo.

Duas coisas demonstram o amor do marido para com seu próprio corpo: alimentar e cuidar. Ele se alimenta. Aquelas três refeições diárias são importantes para ele (mais para alguns do que para outros!).

Da mesma maneira, o marido deve alimentar a sua esposa porque a ama. Isto significa que ele deve se preocupar com a parte material, ou seja, a sua parte física. Ele é responsável por trazer "pão e leite" para casa e em cuidar de todas as suas necessidades físicas, inclusive as sexuais.

O marido é responsável pela espiritualidade de sua esposa, tanto quanto por suas necessidades emocionais e físicas. Se ela não está crescendo nas coisas de Deus, se ela reage negativamente a certas situações no lar, quem é o responsável? A tendência do marido é lançar a culpa sobre a sua mulher, como foi lá no Éden, mas o marido é o sacerdote do lar. Ele é responsável pela alimentação material e espiritual de sua esposa e filhos.

Quantos maridos pensam que é suficiente suprir as necessidades materiais de sua família. Sem dúvida, isto leva muito do seu tempo, mas ser marido e pai implica em muitas outras responsabilidades e exigências.

O amor não é somente alimentar mas também cuidar!

PENSE NISTO

Será que seu relacionamento conjugal está frio? Marido, você tem "aquecido" sua esposa, isto é, dado atenção e carinho a ela? Você cuida da emoção em seu casamento? Quando foi a última vez que disse "eu amo você", a seu cônjuge?

27 de março

Ouvir é uma arte

Quem responde antes de ouvir comete
insensatez e passa vergonha.
Provérbios 18:13

Saber ouvir, como diz o sábio ditado, é uma arte. Com isso em mente vamos agora nos ater a três de seus aspectos:

1. Concentração: É comum enquanto uma pessoa está falando, a outra formular mentalmente seu ataque ou defesa, ao invés de ouvir atentamente. É proveitoso, para qualquer diálogo, que as pessoas se esforcem para concentrar-se no que lhe está sendo dito.
2. Compreensão: Você não precisa aceitar tudo o que lhe dizem, mas deve ouvir com a razão e com a emoção, tentando compreender o que vai no coração da pessoa que está falando com você.
3. Respeito: Todo ser humano precisa e merece respeito, principalmente quando verbaliza o que está em seu íntimo.

Quando não sabemos ouvir, a comunicação fica comprometida pelos obstáculos que prejudicam sua aceitação e fluência.

As pessoas que não estão acostumadas, ou mesmo não sabem ouvir com qualidade, têm a tendência de concluir prematuramente o que o outro está tentando dizer, ou então não sabem evitar uma resposta dura, impensada, sarcástica, que fecha as portas para qualquer entendimento. Outra característica que fecha a porta da comunicação é o preconceito, pois faz com que rejeitemos a pessoa e suas ideias.

Penso que todos nós conhecemos pessoas que conseguem comunicar-se com muita calma, com palavras pausadas. Se o interlocutor não for paciente, interrompe seu pensamento, ou até mesmo conclui antecipadamente o que a outra pessoa vai dizer, isso poderá causar uma séria barreira entre ambos.

É preciso ter sensibilidade para escolher o momento e a maneira correta para se comunicar. Não é sábio tentar colocar um problema a alguém quando a pessoa está quase dormindo, tarde da noite ou quando ela está fisicamente esgotada.

É sempre bom trazer em mente as palavras do sábio em Provérbios 15:23b: "e como é bom um conselho na hora certa"!

Que as diferenças que existem entre cada um de nós não sejam intransponíveis a ponto de perdermos a bênção de ouvir e sermos ouvidos.

Pense nisto

Você tem conseguido seguir o conselho de Tiago: ...Sejam todos prontos para ouvir, tardios para falar e tardios para irar-se (Tiago 1:19)?

28 de março

O solo apropriado

O marido deve cumprir os seus deveres conjugais para
com a sua mulher, e da mesma forma a mulher
para com seu marido.
1Coríntios 7:3

Quem não sonha encontrar no casamento todas as almejadas experiências interessantes e emocionantes? Sentir-se amado, valorizado, ter espaço para crescer em suas potencialidades, explorando ao máximo a criatividade pessoal?

Tomemos por ilustração uma árvore frutífera plantada em um pomar. Seu propósito é crescer e frutificar. Se o solo em que foi plantada não lhe dá condições de se tornar bonita e exibir os seus frutos, ela é arrancada e plantada em outro lugar.

Se o casamento não proporciona a um dos cônjuges a liberdade de ver frutificada a sua criatividade, suas raízes serão arrancadas daquele solo e plantadas em outro, na esperança de se sentirem felizes através da nova tentativa. No entanto, há o perigo de também este pomar ir pouco a pouco perdendo seus nutrientes. A repetida procura por um solo propício desgasta a árvore, prejudicando a qualidade de seus frutos.

Não há amor que resista a tal modelo. Ao casar, um dos dois, ou ambos, tem em mente uma meta egoísta, autocentralizada, que o(a) faz ser muito exigente. Apesar de toda determinação, o sucesso não é garantido, com a agravante do amor ir murchando até morrer.

No casamento, o alvo prioritário não deve ser somente a autorrealização, mas o esforço para procurar enriquecer, valorizar o cônjuge, vê-lo também satisfeito em seus ideais. Certamente, isso contribuirá para sua felicidade pessoal e a do relacionamento.

Pode ser que você esteja ponderando se deve arrancar suas raízes do pomar em que estão plantadas e experimentar outro solo, porque afinal, seu casamento está péssimo, monótono, atravessando uma crise tão difícil que não deixa antever nenhuma perspectiva de solução. Antes de tomar esta decisão, saiba que há o risco de ocorrer outro fracasso em uma nova relação.

"A grama é sempre mais verde do outro lado da cerca", até chegarmos perto e descobrirmos que ela é artificial.

Pense nisto

Aposte em seu relacionamento. Lute para que ele vença a crise pela qual está passando. Não desanime, apesar das circunstâncias serem desfavoráveis e desanimadoras. Renove seu ânimo e confie, pois você tem o Senhor como aliado.

29 de março

A sogra de meu marido

Por essa razão, o homem deixará pai e mãe...
Gênesis 2:24

Sou a filha da sogra do Jaime Kemp. Apesar de ela morar muito longe, já está ficando conhecida no Brasil. Além de escrever sobre ela, Jaime fala a seu respeito em seus cursos para casais. Depois de dizer que a sogra é maravilhosa, mãe de sua esposa, ele sempre diz: "Mas o que mais gosto em minha sogra, é o fato de ela morar a 10.000 quilômetros de distância!" Ele tem uma grande lista de piadas sobre sogra, e foi minha mãe quem lhe passou algumas delas. Existe muito amor entre os dois.

Ultimamente tenho me preocupado mais com as sogras porque já faço parte desse time. Duas de minhas filhas estão casadas e moram a 10.000 quilômetros daqui... Será que foi por isso que meus genros me escolheram como sogra?

Quando meus pais souberam que eu gostaria de ser missionária, ficaram muito contentes. Minha mãe, porém, gostaria que eu não fosse sozinha para o campo missionário. Portanto, meu marido é a resposta de suas orações.

Nestes anos em que estamos no Brasil, ela nunca reclamou do fato de morarmos tão longe, e sempre deixou muito claro que, por eu ser mulher casada, minha primeira responsabilidade é seguir meu marido.

Não me recordo de nem uma vez em que minha mãe tenha tomado partido ficando do meu lado contra o Jaime. Quando tinha algum problema com o genro, resolvia diretamente com ele. Agora percebo a sabedoria dela. Quanto mais forte fosse o relacionamento entre eles, haveria mais possibilidades de nosso casamento dar certo. Dá para imaginar o sofrimento de alguém que tenha que ficar entre duas pessoas a quem ame – a mãe e o cônjuge?

O sólido casamento de meus pais, o fato de se amarem e gostarem da companhia um do outro, contribuiu para o bem do meu casamento. Quando o relacionamento dos pais não vai bem, a tendência é colocar toda atenção e carinho nos filhos. E, quando os filhos saem de casa, ele desmorona.

Ouço pais dizerem que jamais concordariam que seus filhos morassem longe. Sufocar e segurar não é amor. Às vezes é uma forma sutil de egoísmo.

A Bíblia diz para o casal deixar pai e mãe e também para honrar e cuidar dos pais. Parece difícil conciliar as duas coisas, mas Deus nunca pede algo sem nos dar sabedoria e força para "darmos conta do recado".

Um dia, minha mãe poderá precisar de nós. Devido a nosso relacionamento, sei que ela será bem-vinda em nosso lar, ou nos lares de minhas cunhadas.

Às vezes penso que hoje mamãe é uma boa sogra porque foi primeiramente uma boa nora. E, apesar das piadas, Jaime também é um bom genro. Ele tem dado à minha mãe o melhor presente que uma sogra poderia desejar – ele não somente a chama de mãe, mas também a trata como tal.

Pense nisto

Você tem sido uma boa sogra ou sogro? Tem orado pelo cônjuge de sua filha ou filho? Avalie sua atitude em relação a seus filhos: é de amor, sabendo respeitar os espaços ou é de egoísmo, não permitindo aprendizado.

30 de março

Cuidado!!

O invejoso é ávido por riquezas, e não
percebe que a pobreza o aguarda.
Provérbios 28:22

O dinheiro é bom, pois é fruto do suor do rosto, mas, devemos tomar cuidado... se não soubermos lidar com ele, pagaremos um alto preço!

Entre outros, há quatro perigos que a família cristã moderna enfrenta ao lidar com o dinheiro:

1. Querer ficar rico rápido demais: há muitos casais que pensam ser fácil ganhar a vida no início da sua carreira profissional. Alguns acabam caindo nas malhas de pessoas sem escrúpulos e muitas vezes ficam com a vida "enrolada", causando grandes prejuízos à família.
2. Seguir os padrões financeiros da sociedade: nossa tendência é querer aquilo que o nosso vizinho, ou amigo, tem. A falta de contentamento com o que se tem e a aceitação dos padrões da sociedade levam o casal a se enrolar muito em sua vida financeira.
3. Comprar coisas desnecessárias: estamos sujeitos a comprar coisas que não são absolutamente necessárias com o dinheiro que não temos. A técnica da propaganda moderna acaba criando em nós uma necessidade que, na realidade, não existe. Os produtos são apresentados de tal maneira que as pessoas acabam comprando, mesmo que o orçamento familiar não permita. Isto gera um conflito entre marido e mulher porque um coloca o outro em situação financeira difícil ou priva a família de outras necessidades básicas do lar.
4. Comprar a prazo: é possível comprar a prazo, desde que não haja juros. Precisamos, porém, tomar muito cuidado, porque podemos nos tornar escravos do cartão. Corremos o risco de chegar ao final do mês e não termos recursos para pagar as contas.

Somos um povo de propriedade exclusiva de Deus. Somos peregrinos e forasteiros neste mundo. Por isso não devemos nos comprometer, adotando os conceitos de uma sociedade consumista.

Pense nisto

Quantos lares estão sendo destruídos porque seus membros têm seguido ideias e conceitos do "deus" desse mundo!

31 de março

Mantendo a temperatura certa

É melhor ter pouco com o temor do Senhor do
que grande riqueza com inquietação.
Provérbios 15:16

Quando alguns homens começam a progredir em seu emprego e, este passa a ocupar muito tempo de sua vida (tempo este que poderia ser dedicado à esposa), os problemas começam a surgir no casamento. Ele chega em casa tarde, trabalha nos finais de semana, raramente tira férias. Como compensação presenteia a esposa constantemente, no entanto ela não quer presentes, mas sim a companhia do marido. Por outro lado, há a mulher que trabalha fora, que quer seguir carreira e se empolga com suas atividades. Seus compromissos são numerosos, estendendo-se até o final da noite. Por isso, consegue ver seu esposo apenas duas ou três horas por dia.

Não estou querendo dizer que as pessoas não devam trabalhar, ao contrário. Porém, a carreira, o emprego, os estudos, não devem prioritariamente, invadir o espaço e o tempo que deveria ser dedicado ao casal. Marido e mulher não podem ser apenas colegas de quarto. Precisam de tempo para crescer em conhecimento e em intimidade.

Há, entre outros, um perigo que sutilmente assedia os casais. Quando, por algum conflito, o relacionamento com o cônjuge é abalado muito constantemente, um deles, ou ambos, passa a concentrar toda a sua atenção aos filhos. Esta é uma maneira de fugir do problema. Pergunto: se seus filhos lhe fossem tirados hoje, como ficaria sua vida conjugal? Vocês têm interesses em comum? Existe compreensão e respeito para diálogo e para tentar melhorar sua qualidade de vida?

Chamo sua atenção para esta verdade: ao se casarem vocês se comprometeram a deixar certas prioridades individuais para se dedicar a uma união cimentada em convivência e companheirismo. Aí, vieram os filhos que crescem, se casam (pois não nasceram para ser exclusivamente dos pais) e, novamente vocês estarão a sós.

Muitos casais chegam ao divórcio depois de vinte e tantos anos de casados porque perdem o elã para viver juntos depois que os filhos se vão. Eles se esquecem que os filhos existem para ter sua própria vida ao passo que o casal foi feito para viver um para o outro.

Pense nisto

Querido casal, será que cada um de vocês está tomando a decisão certa ao buscar o próprio interesse, correndo atrás de seus sonhos sem priorizar o casamento e a família? Lembre-se, no aconchego amoroso, sereno, seguro de sua família, você poderá encontrar a verdadeira realização. Deus planejou que fosse assim!

1 DE ABRIL

A TERAPIA ESPIRITUAL

Misericórdia, ó Deus; misericórdia, pois em ti a minha alma se refugia. Eu me refugiarei à sombra das tuas asas, até que passe o perigo. Clamo ao Deus Altíssimo, a Deus, que para comigo cumpre o seu propósito.
Salmos 57:1,2

Você já experimentou uma época em sua vida em que se sentiu capaz de "vencer um gigante", após ler a Palavra, meditar e orar? Nesses momentos você não colocou nas mãos do Senhor todos os seus receios e questionamentos?

O salmo 57 ilustra este processo de modo maravilhoso. O título do capítulo, na edição da NVI é "Poema epigráfico davídico. Quando Davi fugiu de Saul para a caverna". O texto de 1Samuel 24 é o registro histórico da cena. O rei Saul, perseguindo Davi, com seu exército muito bem equipado, cercou completamente Davi e seu pequeno bando de homens. Encurralados, eles se abrigaram em uma caverna. O salmo que ele escreveu nessa situação deixou transparecer toda sua ansiedade e medo. Contudo, ele termina com um imperativo triunfante: ê exaltado, ó Deus, acima dos céus! Sobre toda a terra esteja a tua glória (Salmos 57:11). De alguma forma, mesmo estando numa situação extrema, acuado em uma caverna úmida e escura, ele conseguiu erguer seus olhos e afirmar "Deus reina!" Talvez tenha sido na manhã seguinte que Davi saiu desarmado da caverna, enfrentou Saul e seu exército de mãos limpas e apelou para sua consciência. Não sei quantos de nós já se viram frente a um perigo tão grande e iminente. Você já foi assaltado? Eu já! Que medo eu senti! No entanto, há ocasiões em que receios, medos se insinuam sutilmente em nossas vidas, sem motivo aparente. Nós até tentamos lidar com o temor, mas parece ser em vão. A impressão que temos é que o Senhor se afastou de nós. Em tais circunstâncias, é preciso buscar nos Salmos a terapia espiritual para acalmar nossos espíritos vacilantes e nossas emoções descontroladas.

Hoje, séculos mais tarde, você pode usar a mesma oração para fortalecer sua fé e tranquilizar seu coração na presença de Deus, quando estiver diante de momentos aterrorizadores em sua vida.

Com seu cônjuge, leia o salmo 57 e personalize a experiência e a oração do rei Davi para qualquer problema que vocês, como casal e família, possam estar atravessando. Faça como suas as palavras ditas por Davi a Deus e permita que elas envolvam sua alma e suas emoções.

PENSE NISTO

Não há uma "caverna" tão escura onde Deus não possa estar ao nosso lado. "Deus sussurra em nossos prazeres e grita em nossas dores" (C. S. Lewis).

2 de abril

Viva a diferença!

Com a costela que havia tirado do homem, o senhor
Deus fez uma mulher e a levou até ele...
Gênesis 2:22

Biblicamente falando, o primeiro casamento foi a união de duas pessoas semelhantes (osso dos meus ossos e carne da minha carne – Gênesis 2:23), mas, ao mesmo tempo, distintas (Homem e mulher os criou – Gênesis 1:27). Deus, ao criar a mulher disse que ela seria "alguém que o auxiliasse e correspondesse" (Gênesis 2:18).

Fisicamente, homens e mulheres diferem em cada célula de seus corpos, e muitas diferenças influenciam nos sentimentos e comportamentos de cada sexo.

Duas pessoas casadas representam mais do que a soma de duas pessoas distintas. Cada um, apesar de ser completo em si (não são duas metades), leva ao casamento características que enriquecem um ao outro. Quando um permite que o outro seja como é realmente, a interação entre ambos torna-se quase que completa. No entanto, se há sufocação de uma ou ambas as partes, sem aceitação e apoio, o casamento é praticamente boicotado, não chegando a ser o que potencialmente poderia se tornar.

É claro que nem todas as diferenças são facilmente aceitáveis ou trabalháveis. Há realmente algumas difíceis de serem ajustadas, mas não impossíveis. É preciso uma grande dose de tolerância, e que o casal lide positivamente com o conflito. Se ambos não olharem seriamente para esse assunto, a tendência será de um forçar o outro a ficar parecido consigo mesmo, perdendo assim, a oportunidade de apreciar, desfrutar e crescer com o outro, como realmente é.

Enxergar, entender e aceitar as diferenças pode vir a ser uma das grandes alegrias do casamento e fator de um relacionamento mais profundo, em vez de uma constante causa de atrito.

Pense nisto

Como você lida com as diferenças entre você e seu cônjuge? Peça a Deus amor e sabedoria para aceitar e apreciar suas diferenças com seu cônjuge.

3 DE ABRIL

O MAIS DIFÍCIL EXERCÍCIO DA VIDA CRISTÃ

... pois vocês sabem que a prova da sua
fé produz perseverança.
Tiago 1:3

ESPERAR... talvez seja o exercício mais difícil da vida cristã, em especial quando enfrentamos adversidades. Sabemos que a espera faz parte da vida. Alguns esperam que seu futuro financeiro e profissional se resolva através da carreira. Espera-se pela casa própria, pelo ingresso na faculdade, pela mudança de comportamento das pessoas, pela atuação mais eficaz dos governantes, por uma resposta de Deus que dê sentido à provação que se enfrenta etc. No auge da aflição, quando não recebemos qualquer resposta divina sentimos como se algo estivesse errado conosco. Pressupomos, erroneamente, que se tudo estivesse certo, nossos desejos seriam satisfeitos. Relacionamos espera com incapacidade de resolver os problemas e achamos que isso leva o Senhor a nos abandonar. E é quando somos forçados a esperar, precisamos de perspectivas.

Certamente você já experimentou a frustração de esperar algo ou alguém. Você já deve ter perguntado ao Senhor: "Por que, Deus? Por que essa espera? Será que o Senhor me abandonou? É por causa de algum pecado que cometi ou o Senhor é insensível?" A dúvida surge em nossa mente e coração. Nesse momento, é importante termos sabedoria diante da adversidade que se apresenta. Foi isso que Tiago pretendeu ensinar quando escreveu sobre as provações que enfrentaríamos e a sabedoria que precisaríamos ter para passar por elas com a perspectiva correta (Tiago 1:2-5). Às vezes questionamos como um Deus de bondade pode ficar de braços cruzados diante de uma criança estuprada, de uma mulher espancada, de pais que tiveram seus filhos assassinados? Estas perguntas são feitas não só por cristãos convictos, mas também por incrédulos.

Queridos, tenham absoluta certeza do amor de Deus e de seu interesse e empenho em ajudá-los em meio às provações. Deus é sensível ao que estamos sentindo (Hebreus 4:15). Seus alvos são: (1) a sua glória – João 11:4; e (2) para que creiam que Jesus foi enviado por Deus-Pai João 11:41-42.

Além disso, seja qual for o processo para atingir seus alvos (profundos e elevados)., o resultado também será em nosso benefício.

Na dificuldade temos duas opções: confiar que Deus receberá glória, ou fixar atenção e forças na perda, tornando-nos derrotados e amargurados. É você quem deve fazer a escolha, mas lembre-se: o Senhor sente profundamente sua dor e, seja qual for seu problema, ele estará sempre ao seu lado e transformará sua perda em benefício.

PENSE NISTO

De todas as boas promessas do Senhor à nação de Israel, nenhuma delas falhou; todas se cumpriram (Josué 21:45). E este mesmo Deus cumpre suas promessas hoje em nossas vidas. Confie nele!

4 de abril

Mutualidade para a unidade

Esforçando-vos diligentemente por preservar a
unidade do Espírito no vínculo da paz
Efésios 4:3

Jesus queria que seus discípulos "fossem um" para que o mundo pudesse crer que Deus O enviara. A unidade, a marca dos discípulos de Jesus, deveria também distinguir nossas famílias cristãs.

Nossas igrejas somente serão fortes se nossas famílias forem fortes. O lar é o campo de treinamento prático, a universidade da experiência, o melhor lugar para aprender os princípios da vida do corpo de Cristo. O melhor, e o mais difícil.

Esclarecer mal-entendidos e conservar a atmosfera pacífica tomam muito tempo. Descobrir quem está errado exige a sabedoria de um juiz.

Está se tornando cada vez mais raro encontrar famílias unidas. O sistema mundial não tende para a unidade. Lares desfeitos estão se tornando regra, e não mais exceção.

Manter a unidade é responsabilidade de todos: "Esforçando-vos diligentemente por preservar a unidade do Espírito no vínculo da paz" (Efésios 4:3).

O que significa "preservar a unidade"? Na Bíblia, há mais de 30 relacionamentos recíprocos, responsabilidades que tenho para com meu irmão e ele para comigo.

Devemos edificar uns aos outros (Romanos 14:19); suportar uns aos outros (Efésios 4:2); instruir uns aos outros (Colossenses 3:16); encorajar uns aos outros (Hebreus 10:24,25); orar uns pelos outros (Tiago 5:16); levar as cargas uns dos outros (Gálatas 6:1,2); servir uns aos outros (Mateus 20:20-28); perdoar uns aos outros (Efésios 4:32). Nosso lar é uma pequena representação da igreja local, deve ser o lugar onde todos os membros experimentam estes relacionamentos mútuos.

As Escrituras dizem, também, que não devemos julgar uns aos outros (Romanos 14:3,4); falar mal uns dos outros (Tiago 4:11); mentir uns aos outros (Colossenses 3:9,10).

Tudo isso pode ser resumido em uma só ordem: "Amar uns aos outros".

Atualmente, o testemunho de um lar cristão unido talvez seja o instrumento mais eficaz para alcançar o mundo perdido.

"Olhem como eles se amam." Era o que as pessoas diziam dos discípulos de Jesus. Será que as pessoas dizem o mesmo sobre nós e nossa família?

Pense nisto

Sua família tem sido exemplo de um lar cristão? O que as pessoas dizem da sua família?

5 de abril

A inquestionável vulnerabilidade do ser

Pois vocês são salvos pela graça, por meio da fé, e isto não vem de vocês, é dom de Deus; não por obras, para que ninguém se glorie.
Efésios 2:8,9

Mesmo tendo nos achegado a Cristo pela fé, confiando somente na graça de Deus para nossa salvação, continuamos a cometer os mesmos erros dos gálatas, cristãos do primeiro século. O apóstolo Paulo os confrontou: Será que vocês são tão insensatos que, tendo começado pelo espírito, querem agora se aperfeiçoar pelo esforço próprio? (Gálatas 3:3).

Efésios 2:8,9 é uma de minhas passagens prediletas: Pois vocês são salvos pela graça, por meio da fé, e isto não vem de vocês, é dom de Deus; não por obras, para que ninguém se glorie. Como cristãos, sempre voltamos a Deus na esfera de um relacionamento por meio das obras, tanto em nosso viver diário como, especialmente, no que se refere a nossos relacionamentos familiares.

Nossa expectativa sobre as dádivas de Deus em nossa vida pessoal, acadêmica, profissional, acaba dependendo de nosso desempenho na vida cristã. Somos incentivados a desenvolver uma hora devocional diária, a estudar a Bíblia, a memorizar versículos, a orar, a ir à igreja regularmente, a testemunhar e muitas outras formas de boas obras. Porém, como faz parte da natureza humana sermos legalistas, ficamos com a impressão de que, se fizermos todas essas "obrigações" cristãs, receberemos mais bênçãos de Deus. Da mesma maneira também assumimos que, se deixarmos de praticá-las, deixaremos de receber suas bênçãos.

O que precisamos saber é que cada dádiva que recebemos de Deus chega até nós somente por sua graça, através dos méritos de Jesus Cristo. Nada que façamos ou deixemos de fazer fará com que Deus nos ame mais ou menos. Não há nada que possamos fazer para merecer o favor de Deus. Jesus Cristo já fez tudo o que deveria ser feito.

Esse amor e essa graça incondicionais devem existir em nosso relacionamento com nossos filhos. Eles precisam de um ambiente assim para crescer e desenvolver conceitos corretos sobre Deus. No entanto, para que possamos comunicar esse tipo de amor e aceitação, é necessário que os experimentemos em nossas próprias vidas.

Pense nisto

No Reino de Deus não se opera em bases de recompensa, mas sim, e unicamente, pela graça do Senhor!

6 de abril

Quando a grama do vizinho parece mais verde...

Beba das águas da sua cisterna, das águas que
brotam do seu próprio poço.
Provérbios 5. 15

Um dos maiores fatores do desmoronamento familiar é o chamado caso extraconjugal que, em geral, é o escape de uma realidade solitária frustrante e decepcionante. Essa situação favorece uma busca de aconchego em outros relacionamentos que não no próprio casamento.

Nem sempre a infidelidade conjugal ocorre a nível sexual, mas de qualquer forma atinge dolorosamente o casamento.

Há muitos tipos de traição. Pode ser trabalho, carreira, dinheiro, hobbies, viagens, riquezas, outros membros da família, certas amizades e até mesmo a igreja, a religião etc.

Por que as pessoas se envolvem em casos extraconjugais? Basicamente pela necessidade de reafirmação e fuga das pressões, frustrações e desapontamentos. O surgimento de um relacionamento mais "leve", descontraído, descomprometido, onde haja uma identificação de afinidades e ouvidos dispostos a ouvir, pode levar a um "desgostar" de um lado e a um gostar do outro.

Esse escape é encorajado por nossa cultura. Há uma onda crescente de falta de compromisso, infidelidade e sensualidade envolvendo a sociedade. Essa onda é intensificada pela corrente humanista que basicamente destrona Deus e coloca o homem no centro do Universo, como senhor soberano. Suas necessidades, então, passam a ser lei. Os roteiros dos filmes, novelas e programas em geral, com mensagens hedonistas, narcisistas, proclamam o suprimento imperioso da autossatisfação.

Os cônjuges com esse tipo de programação mental tenderão a fazer comparações e a fantasiar relacionamentos mais fáceis.

É óbvio que tudo isso resulta em um ataque frontal ao relacionamento sexual. Porém, não é de se admirar que diversas pessoas busquem realização em relações fora do casamento em vez de se esforçarem para desenvolver mais intimidade e felicidade em seu mundo real, com o cônjuge, os filhos, e Deus. Muitas vezes partem em busca de um colorido arco-íris que não passa de ilusão. No final dele não existe um pote de felicidade, mas sim, frustração, desilusão e dor.

Pense nisso

Você está olhando para o outro lado do muro e acha que a grama ali é mais verde? Ou você tem se esforçado para cuidar mais da grama do seu próprio jardim para que ela fique cada vez mais viçosa?

7 DE ABRIL

COMPAIXÃO RESTAURADORA

Não quebrará o caniço rachado e não
apagará o pavio fumegante...
Isaías 42:3

ESTA PASSAGEM faz referência ao ministério de Cristo na terra. Trata-se de uma profecia, e ela é definitivamente confirmada em Mateus 12:15-21. As expressões caniço quebrado e pavio fumegante são um modo cativante de comunicar a empatia e a compaixão do Senhor para com os fracos.

O que poderia demonstrar mais adequadamente a fragilidade humana do que a figura de um caniço, uma cana quebrada? A cana cresce reta, ereta e aparenta ser forte. Entretanto, ela é na realidade uma das plantas mais frágeis que existem. Ela não suporta uma tempestade muito forte, um vento impiedoso, nem ser pisoteada por um pequeno animal. Ela é indefesa, por isso pode ser esmagada e quebrada facilmente.

A criatura humana, pobre e pecadora, assemelha-se à cana quebrada. Quando a vida flui por águas calmas e não há nuvens ameaçadoras no céu – as pessoas são autoconfiantes e aparentemente invulneráveis. No entanto, quando as nuvens escurecem anunciando uma tempestade, e o mundo parece querer desabar, a cana subitamente enverga e se quebra com facilidade.

O pavio fumegante é utilizado no Oriente como tocha para lampiões a óleo. Se a tocha não for cortada e aparada constantemente, produzirá uma luz falha e fraca, da mesma maneira que nossos esforços humanos. Somos tão facilmente enganados, desanimados e desencorajados, mas o Senhor não quebra o caniço e não apaga a tocha que está fraca e falhando. Ele perdoa, restaura e encoraja. Portanto, quando estivermos frágeis e/ou falharmos, que essa vulnerabilidade nos impulsione para ele e não para longe dele.

Pobre Pedro! Na noite em que traiu Jesus, não passava de um caniço quebrado. Ele negou o seu Senhor diante de todos, com juramentos e blasfêmias.

Por covardia, João Marcos também se tornou um caniço quebrado ao abandonar Barnabé e Paulo e voltar sozinho para Jerusalém.

Que pavios fracos, trêmulos foram os apóstolos de Jesus Cristo que o abandonaram e fugiram no momento de sua prisão, no Getsêmani!

Eu pergunto: Jesus esmagou as canas quebradas que foram Pedro, João Marcos ou os apóstolos que o esqueceram em sua hora de maior necessidade? Alguma vez ele já abandonou o fraco, o frágil, o necessitado, mas sincero de coração?

PENSE NISTO

Talvez seu casamento possa ser descrito como um caniço quebrado ou um pavio fumegante. Sim? Não? Isso não tem a menor importância. Corra para Jesus levando as suas dificuldades. Você encontrará compaixão e a possibilidade de restauração para o seu relacionamento conjugal.

8 de abril

Sofrendo por Jesus

Irmãos, tenham os profetas que falaram em nome do Senhor como exemplo de paciência diante do sofrimento. Como vocês sabem, nós consideramos felizes aqueles que mostraram perseverança. Vocês ouviram falar sobre a perseverança de Jó e viram o fim que o Senhor lhe proporcionou.
Tiago 5:10-11

Não podemos ficar cegos e surdos, sobre o sofrimento, a dor, a adversidade e seu significado na vida do cristão.

A história nos mostrou a perseguição que a igreja enfrentou nos dois primeiros séculos. Ainda hoje temos tido notícias de nossos irmãos em Cristo, que estão sendo perseguidos por amor a Jesus. E tudo isso, a Bíblia já previra que aconteceria. Mateus nos fala sobre perseguição no capítulo 5, versículos 10-11 e Timóteo se refere a ela em 2Timóteo 3:12. O livro de Atos fornece as informações mais antigas da oposição e vingança dos líderes judaicos contra o início do cristianismo. Os cristãos foram advertidos sobre a futura perseguição, mas eles não compreenderam a seriedade da situação.

A maioria da população brasileira, criada sob a influência do consumismo moderno, nunca enfrentou as barbaridades de uma guerra mundial e desconhece o que é perseguição. Não se tem ideia do preço pago por alguns, para favorecer a muitos, com a liberdade religiosa.

Para os que entendem o evangelho, a cruz representa a maior demonstração de amor de todos os tempos. Cristo, o Deus encarnado, morreu para libertar milhões de pessoas da escravidão do pecado. Milhares morreram porque não renunciaram sua crença nesse amor. Eles são homens e mulheres dos quais o mundo não é digno (Hebreus 11).

Embora, muitas vezes, nos esqueçamos delas, as perseguições são reais e continuam acontecendo no mundo atual. O que o amanhã trará só Deus sabe. De qualquer forma estou certo de que, como cristãos, precisamos estar bem atentos e sensíveis para orar e socorrer nossos irmãos que sofrem.

Lembrem-se, não é porque moramos no Brasil que estamos isentos das perseguições, e das dores. Nunca se sabe o que poderá ocorrer. Acima de tudo, não podemos esquecer que um dia estaremos perante o Senhor prestando contas da nossa fidelidade ao servi-lo e, também, aos nossos irmãos, principalmente aos que estão sofrendo.

Pense nisto

Se viermos a enfrentar sofrimento, adversidade, dor nos dias que estão por vir, seja como igreja ou como indivíduos, que tenhamos a mesma coragem, confiança e fé de nossos irmãos que dedicaram sua vida em favor do evangelho.

9 DE ABRIL

CEGOS PELAS PRÓPRIAS LÁGRIMAS

... pensando que fosse o jardineiro...
João 20:15

AH, se Maria reconhecesse Jesus no homem ao seu lado, enquanto chorava junto ao túmulo vazio do Mestre! Realmente: O Senhor está perto dos que têm o coração quebrantado e salva os de espírito abatido (Salmos 34:18). Que pena! Muitas vezes nós não percebemos a presença do Senhor porque nossos olhos estão cegos por nossas próprias lágrimas. Mas... por que Maria não reconheceu a Jesus?

Ela não esperava vê-lo. – Os discípulos também não esperavam vê-lo andando sobre o mar naquela noite tempestuosa. Quantas vezes perdemos as bênçãos porque não esperamos ver o Senhor em determinadas situações de nossa vida?

Ela estava em choque devido ao desespero. – Alguém havia aberto o sepulcro, o corpo havia sumido e ela estava completamente paralisada por esses fatos e pela crucificação e morte de Jesus – e não viu o Mestre. Às vezes Jesus vem até nós, mas estamos tão tristes, tão preocupados e desapontados que não percebemos sua presença.

Ela estava cega pelas lágrimas. – Avalie o sofrimento dessa mulher. Ouça o seu choro incontido: Levaram embora o meu Senhor... e não sei onde o puseram (João 20:13). Mesmo depois de Jesus ter se aproximado e falado com ela, Maria não o reconheceu porque seu desespero dominara sua razão.

Será que isto já aconteceu com você?

Maria pensou que fosse o jardineiro (João 20:15). As dores, as tragédias, os sofrimentos, as decepções, muitas vezes impedem que raciocinemos com lucidez e nos levam a suposições erradas.

Jacó também viveu tal experiência. Muito angustiado, ele clamou: ...Tudo está contra mim! (Gênesis 42:36b). Porém, na realidade, o patriarca estava para desfrutar um final de vida maravilhoso, proporcionado por seu filho José, que naquela época era o segundo homem mais poderoso na hierarquia egípcia.

Quando, enfim, Jesus revelou-se a Maria, toda dor e angústia se transformaram em alegria. Cristo deu a ela uma nova fé e esperança. E não somente isso. O Mestre designou-lhe uma tarefa sublime, que a destacou por toda a História: Ela foi a primeira pessoa a anunciar que Jesus estava vivo! O Mestre ressuscitara! A morte fora vencida! E nos olhos de Maria já não havia lágrimas.

PENSE NISTO

Depois da ressurreição Jesus apareceu, em primeiro lugar, a Maria. Esta foi a maneira do Mestre expressar seu amor por ela. O que não permite que você veja o Senhor hoje? Ele está trabalhando em sua vida, em seu relacionamento conjugal e em sua família.

10 de abril

Alguém para ficar ao seu lado

Quando vier o Conselheiro, que eu enviarei a vocês da parte do Pai, o Espírito da verdade que provém do Pai, ele testemunhará a meu respeito.
João 15:26

Quando o Senhor Jesus estava encerrando seu ministério na terra, ele avisou os discípulos sobre a sua partida. Essa revelação os consternou profundamente, mas Jesus os consolou revelando que enviaria outro Consolador, o Espírito Santo. Os discípulos ficaram impressionados porque Jesus usou o termo *parakleo* reportando-se ao Espírito Santo. A palavra *parakleo* refere-se a alguém que é chamado para ficar ao lado de uma pessoa com o intuito de ajudá-la.

Sim, o Espírito é o nosso *parakleo.* Ele veio para ficar conosco (João 14:16), para habitar em nós (João 14:17), para ensinar-nos e lembrar-nos de tudo o que Jesus ensinou (João 14:25) e nos convencer do nosso pecado. Mas, acima de tudo, ele veio para nos confortar (João 16:8).

Certa manhã, bem cedo, eu viajei até a praia para ficar tranquilo e preparar um sermão, cujo tema era encorajamento. A paisagem, linda, prazerosa e calma, o ruído das ondas quebrando na arrebentação, faziam com que eu me sentisse ainda mais próximo do Senhor. Então, comecei a meditar na Palavra.

Mais ou menos às 8h30, um carro parou bem perto de onde eu estava. Dele desceram uma jovem senhora com seu filhinho de três ou quatro anos. Ela abriu o porta-malas e tirou uma bicicletinha de dentro dele. Em seguida, no calçadão da praia, a mãe tentava pacientemente ensinar seu filho a andar no brinquedo.

Ela segurava a bicicleta e, ao mesmo tempo, servia de apoio ao garotinho. Ambos iam e vinham pelo calçadão. Pareciam não se cansar. O menino caiu algumas vezes, desequilibrou-se outras, e a mãe sempre ao seu lado.

De repente, como que por encanto, ele começou a pedalar, equilibrou-se sobre a bicicleta e saiu andando sozinho, sem a ajuda de sua mãe, que ficou olhando de longe, deslumbrada.

Foi então que senti o Espírito Santo falando ao meu coração que aquela era a ilustração que eu precisava para o meu sermão sobre encorajamento. Aquela jovem desempenhara a função de um *parakleo*" para o seu filho.

Pense nisto

Será que uma pessoa de sua família necessita de alguém ao seu lado para ajudá-la? Houve momentos no decorrer destes 36 anos de ministério no Brasil que Judith segurou pacientemente "minha bicicleta". Quem sabe você, que hoje está lendo esta devocional, também precise de um *parakleo.* Oro para que você encontre alguém para ficar ao seu lado.

11 DE ABRIL

A CRUZ E O TÚMULO VAZIO

... Eu sou a ressurreição e a vida. Aquele que crê em mim, ainda que morra, viverá.
João 11:25

NUNCA ANTES, nem depois, ocorreram duas cenas tão contrastantes na História humana! Na sexta-feira santa, Jesus Cristo foi pregado na cruz do Calvário e ali aviltado, humilhado e perfurado. Morreu como um ladrão. Aparentemente, um trágico final! Porém... três dias depois, ele foi em glória devolvido da morte. Ressurgiu dos mortos e está vivo para reinar para todo o sempre! Há nessas duas cenas, lições importantes e duradouras!

"Parece, mas não é!" – Na sexta-feira santa, Jesus foi vítima inocente do ódio dos religiosos e das autoridades de Roma. Sua causa parecia ter sofrido derrota total e sua vida fora destruída. Nesse clima, ocorreu a ressurreição, que colocou em foco o fato de que ele não era um fracassado, mas sim um vitorioso! No Calvário, entre aparente escuridão, derrota e tragédia, ele cumpriu sua suprema missão ao estabelecer a pedra angular da redenção, sobre a qual permanece seu reino eterno.

Precisamos nos lembrar sempre da lição que podemos tirar do contraste entre a sexta-feira santa e o domingo da ressurreição. Em nossas vidas, somos confrontados com dificuldades aparentemente intransponíveis, fracassos e desapontamentos. Muitas vezes isso aparenta um retrocesso; portas parecem se fechar, o mal parece estar prevalecendo. Você e eu chegamos a imaginar se Cristo é mesmo o Senhor Soberano sobre todas as coisas! Não podemos permitir que nada disso nos tire do alvo. "Nem tudo o que parece ser, é!"

O Atual Nem Sempre é o Final – Aprisionaram Jesus. Imediatamente Ele passou às mãos do inimigo. No mesmo dia morreu e antes que a noite chegasse já estava enterrado. Outro capítulo da História estava sendo escrito. Aquele pôr-do-sol foi somente um prelúdio para a nova e radiante manhã. Quando a página foi virada, a situação já estava diferente. Jesus triunfara contra seus inimigos e estava totalmente vivo...

Quero, agora, me dirigir a você que se encontra frustrado, sentindo-se derrotado atravessando pressões financeiras, crises conjugais, profissionais, com ministérios fadados a não progredir, ou seja lá mais o que se enquadre nesta lista, ligado a retrocesso, aflição emocional, perda humana ou material etc. Não se esqueça dos dois maiores contrastes das páginas da História humana: A cruz do Calvário e o túmulo vazio!

PENSE NISTO

O poder que ressuscitou a Jesus Cristo da morte é o mesmo poder que habita em nós e há de nos capacitar a enfrentar as dificuldades e circunstâncias da vida.

12 de abril

Uma vida feliz começa com Deus

Porque Deus amou tanto o mundo que deu o seu Filho Unigênito, para que todo o que nele crer não pereça, mas tenha a vida eterna.
João 3:16

A Palavra de Deus afirma que ao aceitarmos Cristo como Salvador pessoal e Senhor de nossa vida, o Espírito Santo vem habitar em nós e nos capacita a viver segundo a sua vontade. Como fazer isso? Talvez você ainda não tenha compreendido bem toda esta questão de acertar seu relacionamento vertical (com Deus). Pois bem, quero colocar aqui 4 verdades que o ajudarão a habilitar-se a ter uma vida estável em seu lar.

1. Uma vida realizada e feliz começa com Deus: Ele oferece uma vida com propósito, amor, paz, segurança e vida eterna – (João 10:10).
2. O homem é pecador e o seu pecado o separa de Deus: pecado é não ser o que Deus quer que nós sejamos e não fazer o que Deus quer que façamos. Obviamente, todos temos cometido pecado, consciente ou inconscientemente – (Romanos 3:23; Isaías 59:1,2).
3. Deus nos ama e deu seu Filho Jesus para que pudéssemos conhecer seu amor e seu plano: Deus, em Cristo Jesus, nos perdoa e oferece vida eterna e realização completa – (Romanos 5:8; 1Pedro 3:18).
4. Você precisa entregar sua vida a Cristo: Este é o fato mais importante. É provável que você conheça as 3 primeiras verdades, mas nunca as tenha experimentado em sua vida. Para receber esta vida abundante, você precisa arrepender-se dos seus pecados e colocar sua fé em Cristo Jesus (João 14:6; Romanos 5:1).

Portanto, fé no Senhor Jesus Cristo é confiar que ele perdoa os seus pecados e o leva a ter um relacionamento com Deus. Isto pode ser feito através de uma simples oração.

Se você quiser entregar sua vida a Jesus, diga, com sinceridade, palavras semelhantes às que seguem abaixo:

"Querido Pai, confesso que sou um pecador. Creio que Jesus Cristo morreu na cruz por mim. Obrigado por ter perdoado os meus pecados. Convido Jesus Cristo para entrar em meu coração. Quero ter uma vida nova e eterna a partir de hoje. Em nome de Jesus, amém!"

Se você fez esta prece, Jesus Cristo veio para a sua vida e agora vive em você, através do Espírito Santo. Bem-vindo à família de Deus!

Pense nisto

Agora vocês têm capacidade de ser os pais, o marido, a esposa que desejam ser e que Deus gostaria que vocês fossem. Submetam diariamente a sua vontade ao Espírito Santo e Deus lhes capacitará a viver como nunca viveram antes, recebendo dele toda orientação necessária para desenvolverem seu casamento.

13 DE ABRIL

CALAR É PRATA, OUVIR É OURO!

Quem responde antes de ouvir comete
insensatez e passa vergonha.
Provérbios 18:13

UMA das maneiras mais comuns de provocar a ira de nossos filhos é não ouvi-los. Comunicação é uma via de duas mãos. Não é somente dar ordens, exortações e advertências aos filhos, mas também ser sensível às necessidades deles.

A disciplina, por si só, não altera a estrutura da personalidade da criança. Apenas a comunicação pode fazer isso. A comunicação é essencial para demonstrar amor. É um pré-requisito para se adquirir conhecimento. Para que ajudemos nossos filhos a atingir maturidade, precisamos melhorar nossa habilidade de comunicação.

Quantas vezes ouvimos os jovens dizer: "Não tenho mais papo com meu velho" ou "meus pais não me ouvem".

Quando os pais demonstram desinteresse ou uma atitude de "Filho não me incomode!", isto cria desprezo e rebeldia no coração da criança. O princípio é: pais que ouvem seus filhos, quebram as barreiras de comunicação; pais que não procuram ouvir e entender seus filhos, criam enormes barreiras que dificilmente serão derrubadas na adolescência.

A comunicação é grandemente preventiva. Quando pais e filhos se respeitam mutuamente e se comunicam bem, comportamentos inadequados são evitados. Ou, se ocorrerem, são mais facilmente resolvidos através de uma boa comunicação.

Portanto, comunique-se com seu filho, porque a comunicação demonstra respeito e conduz ao caminho da autoestima amadurecida.

PENSE NISTO

Queridos pais, ouçam seus filhos hoje! Façam do relacionamento "pai e filho", momentos de prazer e comunicação, pois se investirem hoje nesse relacionamento,amanhã poderá ser tarde demais!

14 DE ABRIL

MARAVILHOSA GRAÇA!

Deu-nos vida em Cristo, quando ainda estávamos mortos em transgressões – pela graça vocês são salvos.
Efésios 2:5

EM ROMANOS 5:6-8, Paulo nos descreve como seres sem qualquer atrativo, indignos, fracos, incapazes, rebeldes, filhos da desobediência. E é para esse tipo de pessoas a quem o Senhor oferece sua maravilhosa graça. Louvado seja o Seu Santo Nome!

A melhor ilustração que encontramos no Antigo Testamento dessa graça discorrida até aqui é um acontecimento que envolve o grande rei Davi.

Durante um longo período, Davi fugiu exaustivamente do rei Saul, que oprimido por Satanás, doente de ciúmes, perseguiu incansavelmente aquele que fora ungido pelo Senhor para substitui-lo no trono de Israel.

> E Jônatas disse a Davi: Pelo Senhor, o Deus de Israel, prometo que sondarei meu pai, a esta hora, depois de amanhã! Saberei se as suas intenções são boas ou não para com você, e mandarei avisá-lo. E se meu pai quiser fazer-lhe mal, que o Senhor me castigue com todo o rigor, se eu não lhe informar disso e não deixá-lo ir em segurança... Se eu continuar vivo, seja leal comigo, com a lealdade do Senhor... (1Samuel 20:12-15).

Era costume daquela época, nas dinastias do leste, que quando um novo rei assumia o trono, todos os membros da família de seu antecessor fossem mortos para evitar a possibilidade de uma conspiração. Por isso, Jônatas formulou tal pedido a Davi.

Sem hesitar, Davi selou uma aliança indissolúvel com seu querido amigo.

Os anos se passaram. Jônatas e Saul já estavam mortos. Davi, então rei, soberano intrépido e amado por seu povo, jamais se esqueceu do compromisso que fizera no passado. Em 2Samuel 9:1 lemos: "Certa ocasião Davi perguntou: Resta ainda alguém da família de Saul a quem eu possa mostrar lealdade, por causa de minha amizade com Jônatas?"

Note que ele não perguntou se havia alguém qualificado, merecedor. Apenas quis saber se havia algum descendente de Jônatas vivo.

Isto é graça! Não importa quem você é. A graça aceita o desqualificado, o que não merece. Ela é baseada no incondicional.

PENSE NISTO

Você tem agido com graça em relação a sua família, ou age de acordo com o comportamento e atitude deles? Como Deus age com você? Você é merecedor da graça dele?

15 de abril

Renascendo a cada dia

Para tudo há uma ocasião certa; há um tempo
certo para cada propósito debaixo do céu.
Eclesiastes 3:1-8

Há uma certa época na vida, em que as pessoas buscam entender o significado de sua existência. A pergunta que fazem é: Por que e para que estou vivendo? É um período de questionamentos, dúvidas, lutas interiores e inseguranças. Diante de tantos conflitos, muitos se sentem impulsionados a desistir do casamento.

Uma vida a dois, depois de 15, 20 anos, pode mostrar-se insípida, sem sabor. Isto acontece porque ambos não cultivaram seu amor e a relação se transformou em uma mesmice.

Na revista *Veja*, nº. 1004, há um artigo intitulado: Casamento – como mantê-lo – como terminá-lo. Nele, li uma pesquisa editada pela revista americana *Psychology Today*, onde estão alistadas por homens e por mulheres, 15 razões prioritárias na "química" de um casamento estável e equilibrado. Nas duas listas, por ordem de importância, o ponto 6 é: meu marido (minha mulher) está cada vez mais interessante.

Analisando sinceramente, você acha que ainda é uma pessoa interessante ou até mesmo mais interessante, do que era anos atrás? Estou certo de que, se os casais entendessem as tensões, pressões, dúvidas desta época e se esforçassem para compreender a si mesmos, o divórcio não precisaria nem ao menos ser cogitado.

Algumas gramas de orientação podem evitar quilos de confusão. Obviamente, é muito mais produtivo construir casamentos equilibrados, harmoniosos e sólidos desde o início, do que tentar reajustá-los depois de muito tempo de vida em comum, onde as carências de ambas as partes não foram supridas.

Todo casamento precisa de uma manutenção diária: carinho, atenção, comunicação, amor etc. Sua tarefa é descobrir quais são as necessidades de seu cônjuge e não só isso, mas também quais as circunstâncias marcantes, importantes na vida dele (a); a herança social, cultural, afetiva que recebeu dos pais, seu crescimento, as habilidades e talentos.

Pense nisto

Empenhe-se em conhecer o esposo, a esposa que você escolheu. É um modo construtivo e benéfico para ambos desenvolverem uma vida em comum agradável.

16 de abril

Ló, um homem justo

Quando Deus arrasou as cidades da planície, lembrou-se de Abraão e tirou Ló do meio da catástrofe...
Gênesis 19:29

Quando Abraão e Sara saíram de Harã levaram consigo seu sobrinho Ló. Aconteceu, porém, que após algum tempo de convívio, começaram a surgir conflitos. Ló e Abraão possuíam muitos animais e era difícil saber "o que era de quem". Finalmente Abraão decidiu que seria melhor que se separassem, e deixou que Ló escolhesse o lugar onde quisesse morar. Ló, então, mudou-se para a cidade de Sodoma.

Os anos se passaram e Ló se tornou uma pessoa influente na cidade. Possivelmente ficou mais rico pois a terra era fértil e havia muita água. Porém, Sodoma não era um bom lugar para criar filhos. O pecado de seus moradores espalhou-se a tal ponto, que Deus resolveu destruí-la.

Pelo fato de Abraão ser "amigo de Deus", ficou sabendo do plano, e começou a clamar por misericórdia. Depois de muito clamar, Deus lhe disse que não destruiria a cidade se ali houvesse dez pessoas justas.

Quando os dois mensageiros de Deus foram pessoalmente ver a situação de Sodoma, Ló os convidou a se hospedarem em sua casa. Mas, ao invés de aceitar a hospedagem, disseram que prefeririam dormir na praça para que pudessem sentir claramente o clima da cidade. Ló conseguiu dissuadi-los e foram finalmente à sua casa. Não houve tempo suficiente, porém, para que os mensageiros saíssem da casa de Ló. Os homossexuais estavam batendo à porta pois tinham ouvido sobre os recém-chegados e queriam abusar deles. Ló, em sua obrigação de hospedeiro, sabia que deveria proteger seus convidados.

Nesse meio tempo, os mensageiros de Deus disseram a Ló que saíssem da cidade, pois o juízo de Deus estava prestes a cair.

Não havia sequer dez pessoas justas em Sodoma. Somente quatro saíram naquele dia – Ló, sua esposa e duas filhas. Foi-lhes dito que se apressassem e que não olhassem para trás. Contudo, a esposa de Ló desobedeceu, olhou para trás e foi transformada em uma estátua de sal.

Você já parou para pensar por que ela olhou para trás? Chego a imaginar se ela não teve saudades de sua posição social, amizades e posses. O que ela deixava para trás deve ter sido mais importante do que a nova perspectiva à sua frente. Será que nós também não somos tentados a dar mais valor às coisas materiais do que às espirituais? Será que estamos sacrificando o bem de nossos filhos por nossas próprias ambições?

Pense nisto

Se Deus destruísse sua cidade e você estivesse entre as pessoas salvas por ele, quais as três coisas que levaria consigo? Fazendo um balanço da última semana, sua vida exerceu, em seus familiares, influências mais positivas ou negativas?

17 DE ABRIL

NÃO SE ESQUEÇA DE AGRADECER

Tu, Senhor e Deus nosso, és digno de receber a glória, a honra e o poder, porque criaste todas as coisas, e por tua vontade elas existem e foram criadas.
Apocalipse 4:11

GRATIDÃO é uma das qualidades que mais quero ver em minhas filhas e é, também, uma das que meu Pai Celeste mais quer ver em mim.

Você já fez algo por um de seus filhos em que tenha gasto muito tempo e ele reagiu com ingratidão? Eu me lembro de uma ocasião em que me empenhei muito para fazer um vestido para Melinda usar em uma festa da escola. Produzi uma "obra de arte"! Estava tudo muito bem até que Cristina, uma menina que era nossa vizinha, saiu para a rua com seu vestido. Quando minha filha viu os lindos babados, seus olhos se arregalaram de espanto e ela suspirou: "Oh!, mamãe, a senhora não gostaria de costurar tão bem quanto a mãe da Cristina?"

A experiência mexeu comigo e me fez concluir que, provavelmente, alguma vez eu tenha feito a mesma coisa com minha mãe, por isso escrevi-lhe contando o ocorrido e pedindo-lhe perdão por ofensas semelhantes que eu pudesse ter cometido contra ela.

E, quantas vezes feri meu Pai Celestial da mesma forma? Eu lhe peço coisas e me esqueço de agradecer. Ele me ajuda a passar por uma crise e já estou preocupada com a seguinte. Ele permanece fiel porque não pode negar a si mesmo, mas eu continuo duvidando dele.

Às vezes me identifico com os filhos de Israel. Deus me tira do Egito e fico com medo que ele me deixe morrer na margem do Mar Vermelho. Ele faz o mar secar, afoga os meus inimigos e eu fico achando que ele vai me deixar morrer de fome.

Você já percebeu quantas vezes Deus manda o povo se lembrar? Deus estabeleceu algumas cerimônias que deveriam passar de pai para filho, a fim de ajudar seu povo a lembrar-se de sua fidelidade. A festa da Páscoa é um bom exemplo. Até mesmo a comida lembrava suas experiências difíceis e a ajuda de Deus. Precisamos gastar mais tempo nos lembrando da bondade, provisão e proteção do Senhor.

O Senhor também deu ao povo de Israel marcos concretos que os ajudariam a lembrar de sua bondade, como as pedras do rio Jordão.

Passem adiante da arca do Senhor, o seu Deus, até o meio do Jordão. Ponha cada um de vocês uma pedra no ombro... Elas servirão de sinal para vocês... Essas pedras serão um memorial perpétuo para o povo de Israel (Josué 4:5-7).

Seria maravilhoso se em cada família cristã houvesse uma coleção de lembranças da bondade de Deus.

PENSE NISTO

Lembre-se! Não se esqueça! Conte a seus filhos! Temos uma memória muito curta, e por isso não damos ao nosso Deus os méritos e a confiança que ele merece.

18 de abril

Há esperança!

Entretanto, o firme fundamento de Deus permanece inabalável e selado com esta inscrição: 'O Senhor conhece quem lhe pertence' e 'afaste-se da iniquidade todo aquele que confessa o nome do Senhor'.
2Timóteo 2:19

No mundo em que vivemos é fácil nos tornarmos amargos, confusos, desconfiados, desencorajados e até deprimidos. Será que não haverá coisas boas pelas quais possamos ser gratos?

Contudo, ainda podemos sentir o aroma das flores que nascem no campo, podemos ouvir o choro de um recém-nascido. Coloridos pores de sol podem ser admirados e Deus ainda se assenta em seu trono!

Enquanto ouvimos notícias sobre guerras, sobre as constantes crises financeiras mundiais, sobre catástrofes etc., somos encorajados pela declaração de Paulo, na segunda carta a Timóteo 2:19: Entretanto, o firme fundamento de Deus permanece inabalável... Isso é demais! O fundamento que o Senhor estabeleceu não será destruído. Não importa quão pior fique a situação, Deus não muda!

E, se Deus não muda, quem está mudando? Eu e você, é claro! A última parte do versículo diz: "afaste-se da iniquidade todo aquele que confessa o nome do Senhor". Portanto, devemos nos cuidar para que nos tempos difíceis não façamos ou nos associemos a atividades duvidosas.

Para que nossas famílias sobrevivam em tempos cada vez mais imorais, devemos:

Reconhecer que o Senhor permanece no trono e no controle total. Ele nos ama e absolutamente nada pode nos acontecer sem sua permissão.

Nunca nos esquecer de que Deus é bom e, portanto, não há como ele ser cruel.

Lembrar que Deus é sábio demais para cometer erros. Nós pecamos e cometemos erros, o que resulta muitas vezes em sofrimento e dor. Além disso, ele está totalmente comprometido com o nosso bem-estar e com sua glória e sempre pronto a nos ajudar em momentos de crise.

Pense nisso

Seja qual for a crise pela qual você e sua família estejam passando, o fundamento de Deus permanecerá. Ele é imutável. Sua Palavra é rocha sólida e nosso referencial em tempos de tempestade.

19 de abril

Muito mais que amigos

Mas o homem casado preocupa-se com as coisas deste mundo, em como agradar sua mulher [...] a casada, preocupa-se com as coisas deste mundo, em como agradar seu marido.
1Coríntios 7:33,34c

É triste perceber que muitos casais cristãos não são em nada diferentes dos que não conhecem a Cristo como Salvador. Será que há justiça, amizade e harmonia nos casamentos cristãos? Será que existe cumplicidade entre os cônjuges? Uma identificação da alma, que vai além do companheirismo e da camaradagem? Com tantos casamentos morrendo ao nosso redor, julgo importante ressaltar alguns pontos para quem busca uma comunhão mais profunda.

Tenha prioridades: Unidade, harmonia e amizade são provenientes do Espírito de Deus. Portanto, separe um tempo para gastar com a Palavra de Deus em meditação e oração. Quanto mais nos aproximamos do Senhor, mais perto ficaremos de nossos cônjuges.

Reavalie sua agenda: Quanto tempo você gasta compartilhando aberta e sinceramente sua vida com seu cônjuge? É preciso não só passar tempo junto, mas aprofundá-lo. Desenvolva um conluio, uma conspiração e uma afinidade na qual, às vezes, um olhar diz tudo.

Reafirme seu amor: Um casamento pode morrer por falta de carinho. O amor pode ser demonstrado através de pequenos gestos e palavras de carinho.

Lembre-se do passado: Lembre-se do tempo de namoro, das experiências vividas ao longo dos anos e, da fidelidade de Deus em meio às diversas situações enfrentadas.

Respeite as diferenças: Nossas diferenças devem completar as do outro, e não se tornar motivo de desacordo e desarmonia.

Admita quando errar e peça desculpas: As palavras, "eu estava errado, você me perdoa?", podem curar muitos casamentos! Ninguém é perfeito. Se não aceitarmos as limitações de nosso cônjuge, criamos um ambiente artificial, onde o ideal suplanta o real. Às vezes, demonstramos mais misericórdia a um desconhecido do que a nosso próprio cônjuge.

Reveja seus objetivos de vida: Há graça à nossa disposição. Nosso objetivo nesta vida é testemunhar de Jesus Cristo e sua ressurreição. E não há maior testemunho disso, do que um lar unido. União não quer dizer perfeição! União significa convergência para um mesmo propósito de vida.

Pense nisto

Nesta época do ano estamos celebrando a ressurreição de Cristo e a nova vida que ele nos trouxe. Imagino, muitas vezes, se as pessoas que nos rodeiam *veem* esta novidade de vida em nossos relacionamentos e, especialmente em nosso casamento.

20 de abril

Passando o bastão

... Assim poderão orientar as mulheres mais jovens...
Tito 2:3-5

Mulheres recém-casadas precisam da ajuda de esposas mais amadurecidas para estabelecerem prioridades e serem desafiadas a obedecerem a Palavra de Deus. Na carta de Paulo a Tito, Deus deixou claro o que as mulheres experientes devem ensinar às mais jovens:

- *Elas devem amar seus maridos e seus filhos.* As características do amor estão alistadas em 1Coríntios 13:4-7: "O amor [...] é paciente, é bondoso, não é invejoso, não se vangloria, não se orgulha, não maltrata, não procura seus interesses. O amor [...] Tudo sofre, tudo crê, tudo espera e tudo suporta". Em João 13:35, Jesus disse: "Com isso todos saberão que vocês são meus discípulos, se vocês se amarem uns aos outros". É provável que não exista na vizinhança um testemunho mais eloquente do que uma família unida e carinhosa. Viver em um lar assim também vai preparar o coração de seus filhos para receber a Jesus.
- *Elas devem ser sensatas e honestas.* Provérbios 14:1 diz: A mulher sábia edifica a sua casa, mas com as próprias mãos a insensata derruba a sua. Esta sabedoria vem de Deus através dos momentos de oração e de estudo da Palavra.
- *Elas devem ser boas donas de casa.* Será que uma casa desmazelada, descuidada pode ser um mau testemunho para o marido, os filhos e os vizinhos? Aparentemente, sim. Precisamos seguir o exemplo da mulher virtuosa em Provérbios 31:27, em que ela "cuida dos negócios de sua casa e não dá lugar à preguiça".
- *Elas devem ser bondosas.* Fala com sabedoria e ensina com amor (Provérbios 31:26). Que tipos de som seus vizinhos escutam vindos de sua casa? Será que seus vizinhos ouvem gritos, discussões, xingamentos ou palavras de bondade? Não se esqueça que a bondade é um dos frutos do Espírito.
- *Elas devem estar sujeitas a seus maridos.* Efésios 5:22-24 e 1Pedro 3:1 não dão lugar à dúvida sobre o plano de Deus. Submissão não é uma das palavras prediletas das mulheres que não conhecem a Jesus. Contudo, para a mulher de Deus, a obediência à Palavra é o melhor caminho às bênçãos do Senhor.

Um dos objetivos da mulher que age com amor, sensatez e honestidade, bondade, submissão e de ser boa dona de casa é "a fim de que a Palavra de Deus não seja difamada" (Tito 2:5b). Ela tem a responsabilidade de ministrar com bondade seu lar. Ela pode, com seu testemunho, aproximar pessoas de Cristo, ou afastá-las.

Pense nisto

A Palavra de Deus tem sido exaltada ou difamada em seu lar?

21 de abril

"Não se esqueçam de mim"

O Senhor, o seu Deus, os conduzirá à terra que jurou aos seus antepassados, Abraão, Isaque e Jacó, dar a vocês, terra com grandes e boas cidades que vocês não construíram, com casas cheias de tudo o que há de melhor, de coisas que vocês não produziram, com cisternas que vocês não cavaram, com vinhas e oliveiras que vocês não plantaram [...] Quando isso acontecer, e vocês comerem e ficarem satisfeitos, tenham cuidado! Não esqueçam o Senhor que os tirou do Egito, da terra da escravidão. Temam ao Senhor, o seu Deus, e só a Ele prestem culto, e jurem somente pelo seu nome. Não sigam outros deuses, os deuses dos povos ao redor.
Deuteronômio 6:10-14

Inesperadamente Israel não era mais um povo pobre e peregrino, e sim uma nação rica e abastada! A vida não se restringiria à dieta de maná e codornizes. De repente havia à disposição o banquete de uma terra de onde fluía leite e mel. Canaã seria a cornucópia dos sonhos realizados: casas grandes e luxuosas, jardins babilônicos, terras férteis etc.

Após os israelitas terem recebido tantas bênçãos, Deus os exortou: "Não se esqueçam de mim". Como é fácil, depois de receber bênçãos materiais adotar um espírito presunçoso e arrogante. Com a indulgência inicia-se a contaminação que leva à indiferença, que culmina com a independência. Passamos a não ter mais necessidade de Deus. Este é o comportamento marcante da autossuficiência. O segredo de nos preservar desse erro é temer ao Senhor Deus. Quando o temor cresce no seio de uma família inibe o orgulho e a presunção. A família precisa honrar a fonte verdadeira de todas as bênçãos: "Toda boa dádiva e todo dom perfeito vêm do alto, descendo do Pai das luzes, que não muda como sombras inconstantes" (Tiago 1:17).

O segredo está em desenvolver um coração humilde e grato pelo cuidado de Deus.

O Senhor não disse ao povo que não desfrutasse as alegrias e bênçãos maravilhosas que Ele estava lhes fornecendo, mas que fossem cuidadosos e não permitissem que isto os afastasse dele.

Pense nisto

Você tem deixado que a situação econômica que Deus está lhe proporcionando no momento, o afaste dele? Como você lida com o dinheiro (ou a falta dele)? Você acredita que Deus é dono de tudo o que você é e possui? Você realmente vive essa verdade?

22 DE ABRIL

DE NAVIO PARA O BRASIL!

Nele passam os navios.
Salmos 104:26

MINHA esposa e eu aportamos, 36 anos atrás, nesta bela terra e aqui estamos já a maior parte de nossas vidas.

Saímos do porto de San Pedro, ao sul da Califórnia, em um navio japonês. Chegamos 25 dias depois ao porto de Santos, no litoral paulista. Que experiência impactante! Quantas emoções! Era nossa primeira viagem de navio e curtimos cada minuto do início da aventura que nos levaria ao Brasil, nosso futuro lar.

Com essa cena em mente, gostaria de fazer uma alegoria: O mar sendo a vida e os navios os seres humanos. Os ventos e as ondas são as provações que surgem em nossas vidas. O leme é nossa liberdade e o poder de decisão. O timoneiro é Jesus.

"Nele passam os navios." Seres humanos e navios têm muito em comum. Como os navios, nós temos o objetivo de cumprir as metas de nosso Proprietário. Temos que navegar neste imenso e perigoso mar da vida, com suas imprevisíveis e variáveis correntes. Ao largarmos do porto, já temos um rumo e um futuro ancoradouro a nossa espera. Nos deparamos com temperaturas extremas e com tempestades devastadoras. Podemos navegar em mares tranquilos, encapelados, e também ir ao encontro de inesperados rochedos, que inevitavelmente causam avarias às embarcações. Como os navios, precisamos de segurança e controle.

"Nele passam os navios." Também se sucedem alterações de clima, às vezes bonança – céu azul, e brisa suave. Outras vezes o dia chega a parecer noite com chuvas fortes, trovões e vagalhões que quase levam as embarcações a pique. Muitas vezes, o clima muda repentinamente, devido a fortes ventos de tentação que surgem ameaçadores. Não conseguiríamos sobreviver, não fosse o fato de Jesus ser nosso capitão!

"Nele passam os navios." Em meio a tantas alterações, o navio muitas vezes fica à deriva. Como é fácil incorrer em erros fatais que podem custar nossa vida e a de nossa família! Nosso destino está nas mãos de quem estiver no comando do navio. Precisamos desesperadamente que Jesus seja nosso capitão.

PENSE NISTO

Querido casal: Quem está no leme de sua vida? É Jesus? Se não, peça a Ele que assuma o timão e leve sua vida e a de sua família ao Porto Seguro.

23 DE ABRIL

FELIZES PARA SEMPRE... SERÁ?

Que a paz de Cristo seja o juiz em seu coração visto que vocês foram chamados para viver em paz...
Colossenses 3:15 a

NÃO é raro ficarmos sabendo que desentendimentos azedaram a lua-de-mel de um casal. Nem tudo é mar de rosas na vida a dois. Somos egoístas por natureza e nossa tendência é nos colocarmos no centro de todas as atenções. Os conflitos surgirão constantemente se um casal basear sua relação na autogratificação, em vez de "servir um ao outro", que é o princípio cristão para todo relacionamento humano. Estes conflitos levarão à frieza e indiferença. Se não forem bem trabalhados poderão eventualmente resultar em separação, pois o marido não estará suprindo a necessidade da esposa e vice-versa.

Há algumas considerações a serem feitas que poderão ajudar na construção de uma vida conjugal mais feliz. Considere importante:

Ter expectativas corretas – "Desilusão" é a palavra que melhor descreve o sentimento de alguns casais. É preciso tentar identificar as expectativas um do outro e obter uma visão real do casamento. É saudável conversar sobre o assunto. Sonhos não realizados podem trazer frustrações e a amargura pode destruir uma relação (Hebreus 12:15). Os cônjuges devem comprometer-se a procurar suprir as carências um do outro, porém é imprudente depositar expectativas muito altas sobre qualquer pessoa. Ninguém é capaz de suprir nossas carências integralmente, a não ser Deus (Salmos 62:5,6).

Aceitar um ao outro – A aceitação do cônjuge não pode ser baseada no que ele (a) faz ou deixa de fazer. Se alguém entra no casamento esperando moldar o outro do jeitinho que deseja, está caminhando ao encontro de sérios problemas. O amor incondicional é a base da aceitação completa. Isto quer dizer que não importam quais sejam as atitudes do cônjuge, seu companheiro(a) está comprometido(a) a amá-lo(a) até a morte. Certamente, com o tempo, com a maturidade e pela graça de Deus, mudanças ocorrerão. A aceitação baseia-se no fato de que Deus nos aceita e nos ama como somos, incondicionalmente. Como resultado, nos sentimos valorizados e capacitados para também aceitar os outros, principalmente nosso cônjuge. E é muito importante verbalizar-lhe essa aceitação.

Disposição para mudar – Há pessoas cientes de seus problemas conjugais que não estão dispostas a mudar. Um fato inevitável da vida é que tudo muda, nada permanece, e isso é especialmente verdade no casamento. Há a adaptação à convivência, à chegada dos filhos, e inúmeras situações diferentes a serem enfrentadas. Se o casal recusar a se adaptar terá sérias dificuldades. Trabalhe nesse sentido e peça a Deus flexibilidade.

PENSE NISTO

Você está pressionando seu cônjuge com suas expectativas? Está aprendendo a aceitá-lo(a) incondicionalmente? Está disposto(a) a mudar?

24 de abril

Pontes que aproximam

A sabedoria o fará andar nos caminhos dos homens de bem
e a manter-se nas veredas dos justos.
Provérbios 2:20

Milhares de séculos atrás, os primitivos colocavam pedras, uma após a outra, para atravessar os riachos que dificultavam sua locomoção. Foi assim que surgiu a primeira ponte. Desde o princípio da civilização, as pessoas vêm construindo pontes, tentando transpor abismos e obstáculos, para assim se aproximarem uns dos outros.

Pontes de madeira, de pedra, de tijolos, de cimento, de ferro e aço. Pontes extensas como a Rio-Niterói a Golden Gate em São Francisco (EUA). Pontes reais como essas que acabei de citar ou imaginárias, que deram nome a filmes (Ponte do Rio Kwai) ou músicas famosas (Bridge Over Troubled Waters). Enfim, elas aproximam pessoas.

Tanto as pontes quanto os muros existem em toda parte. Construir um ou outro depende do propósito que temos em mente.

No relacionamento conjugal erguemos muros para excluir nossos cônjuges da nossa intimidade e pontes para trazê-los para mais perto de nós.

A ponte mais importante do casamento é a comunicação. Marido e esposa têm vida própria, responsabilidades e afazeres diferenciados e diversos em seu dia a dia. Seu cotidiano não é idêntico. Sendo assim, é necessário que haja uma ponte que os una. Ela é a comunicação. As pedras utilizadas pelos homens primitivos para atravessar riachos, neste contexto são as palavras. Não importa qual o obstáculo que está interferindo no sucesso de seu relacionamento conjugal. A ponte da comunicação pode transpô-lo.

Quando um dos cônjuges não está disposto a ouvir o outro e aceitar o fato incontestável de que ele também está errado e que parte da culpa lhe pertence, um muro se ergue entre o casal e dificilmente será derrubado para em seu lugar erguer-se uma ponte.

Apenas a intervenção poderosa do Senhor pode transformar genuinamente qualquer situação e derrubar qualquer obstáculo.

PENSE NISTO

Cada um de nós precisa trazer na mente e selado no coração o desejo sincero de permitir que Deus erga pontes de aproximação em nosso relacionamento conjugal ou fraterno, sempre que se fizer necessário.

25 de abril

Encorajar o irmão é glorificar a Deus – 1

O Deus que concede perseverança e ânimo dê-lhes um espírito de unidade, segundo Cristo Jesus...
Romanos 15:5

Será que reconhecemos o poder proveniente de uma vida bonita, de um amor verdadeiro e de um sério compromisso de encorajamento? Vocês não imaginam quanto poder reside numa palavra, num gesto, num sorriso, num choro! Henry Drummond diz: "Quantos filhos pródigos estão afastados do Reino de Deus por atitudes de pessoas não amorosas!!".

Vocês conhecem a história de Barnabé? Está no livro de Atos dos Apóstolos. Ele foi um encorajador sem igual! Ajudou a igreja que passava necessidade vendendo uma propriedade, distribuindo tudo aos necessitados (Atos 4:37). Foi ele quem "colocou sua cabeça a prêmio" para apoiar Paulo, um recém-convertido (Atos 9:26,27). Foi ele, também, que foi em busca de João Marcos, dando-lhe uma segunda chance (Atos 15:36-39).

Ao encorajarmos alguém, cumprimos o propósito para o qual fomos criados: a glória de Deus. ... todo o que é chamado pelo meu nome, a quem criei para minha glória, a quem formei e fiz (Isaías 43:7). Quando demonstramos essa qualidade, refletimos sua glória. Esta é uma das maiores tarefas da igreja. Em vez dela se preocupar com prédios bonitos, programas bem elaborados, preconceitos e regrinhas intransigentes, deveria se ater à restauração das almas feridas e no encorajamento dos abatidos. A igreja deveria ser um hospital e não um museu. Como precisamos de uma boa dose de encorajamento terapêutico! Por isso Deus nos ordenou: exortem-se e edifiquem-se uns aos outros (1Tessalonicenses 5:11).

O encorajamento como medicina preventiva, é indispensável no combate à devastação do pecado na vida de uma pessoa. É muito fácil alguém endurecer-se pelo engano do pecado e cair na armadilha de Satanás. Salomão disse: A morte e a vida estão no poder da língua (Provérbios 18:21). Temos usado palavras de vida para retirar alguém do caminho enganoso preparado pelo Diabo?

Pense nisto

Busque a presença do Senhor, e encoraje o irmão que estiver passando por algum problema. Comece por sua família, ouvindo, caminhando e orando com eles.

26 DE ABRIL

ENCORAJAR É TRANSMITIR GRAÇA – 2

Orem também por mim, para que, quando eu falar, seja-me dada a mensagem a fim de que, destemidamente, torne conhecido o mistério do evangelho, pelo qual sou embaixador preso em correntes. Orem para que, permanecendo nele, eu fale com coragem, como me cumpre fazer.
Efésios 6:19,20

MUITAS vezes quando estamos atravessando algum problema sério, escutamos conselhos um tanto superficiais. São as famosas frases feitas e repetidas: "Olha, você precisa confiar no Senhor", "Tenha fé em Deus", "Não fique ansioso" – ou até mesmo – "Para estar com um problema desses, você certamente está em pecado!".

Encorajar é saber escolher com cuidado as palavras e, no tempo certo, pronunciá-las com o propósito de influenciar o ouvinte a uma vida mais comprometida ao senhorio de Cristo. Um dos maiores estorvos do encorajamento é o medo de ser descoberto, de permitir que outra pessoa veja quem realmente somos. A tendência humana, pecaminosa, é de esconder-se como fizeram nossos primeiros pais, ao pecarem. O medo da rejeição é inerente ao ser humano.

Para que o ministério de encorajamento ocorra, faz-se necessário um ambiente onde as pessoas sejam aceitas e amadas como são, sem discriminação. Uma comunidade madura que se encoraja mutuamente, assume um compromisso com o bem-estar do outro.

Paulo salienta que o compromisso concernente ao encorajamento é transmitir graça. Nossas palavras devem ser inspiradas pelo amor e direcionadas "aos temores" do outro. Deus nos convida a sermos carne, osso e sangue àqueles que necessitam de nós. Devemos nos alegrar com os que se alegram, chorar com os que choram, e restaurar os caídos e fracos. Nossa única motivação deve ser o amor. Nossas palavras devem refletir a verdade da Palavra de Deus.

O encorajamento é verdadeiro e eficaz quando existe um equilíbrio entre o relacionamento caloroso de aceitação/amor e uma confrontação aberta com a verdade. Para confrontar alguém faz-se necessário um ambiente de confiança e amor. O encorajado precisa ter plena certeza que suas confidências não serão reveladas a ninguém.

Perderemos muitas oportunidades, se não nos conscientizarmos sobre a verdadeira motivação ao encorajarmos. Nossa motivação deve ser unicamente o amor, a aceitação incondicional e a confiança mútua. Estamos fazendo isso com nossos familiares?

PENSE NISTO

Esteja sempre pronto(a) para exercer o ministério de encorajamento. Ouça atentamente, responda com brandura. Seja sensível em relação às palavras, gestos e expressões faciais da pessoa. Seja natural, descontraído(a). Ore e permaneça disponível à vontade do Pai.

27 DE ABRIL

CRESCER EM VERDADE E SANTIDADE

Tornem-se meus imitadores como eu sou de Cristo.
1Coríntios 11:1

COMO mãe, deveria poder dizer esse versículo a meus filhos, mas se eu o disser, também terei de admitir quando não o estiver imitando.

"Eu errei." Em qualquer língua, estas são as palavras mais difíceis de dizer, especialmente quando uma mulher crescida precisa dizê-las a uma criancinha.

Não sou perfeita e meus filhos também não serão. Eles também pecam e precisam saber como um cristão deve lidar com o pecado.

Todos nós gostaríamos de viver de tal modo que nossos filhos nunca nos vissem pecando. As crianças não devem ver, nem ouvir seus pais brigando. Mas se isto acontecer, elas também devem participar da reconciliação. Elas devem estar presentes quando a mamãe procura o papai e lhe diz: "Perdoe-me", ou vice-versa. Muitas vezes, as brigas ocorrem diante de todos, enquanto a reconciliação é feita atrás de portas fechadas. Isto não é certo.

Também preciso admitir quando ajo errado com eles. Jesus usou palavras pesadas para os que fazem "tropeçar a um destes pequeninos" (Mateus 18:6).

Creio que tudo isto faz parte do "santificar a mim mesmo, para que eles também sejam santificados na verdade". Eu gosto da paráfrase feita deste versículo no Novo Testamento Vivo: "E eu me dedico a atender às suas necessidades de crescimento, tanto na verdade como na santidade".

Não adianta nada ensinar o que não estou praticando. Meu marido e eu trabalhamos muito com jovens, e a reclamação que ouvimos com mais frequência sobre os pais é referente ao pecado da hipocrisia. Nós podemos enganar o mundo. Podemos até enganar a igreja. Mas não podemos enganar nossos filhos. E não podemos enganar o Senhor.

Quanto à atenção que dedicamos a nossos filhos, estou consciente que não se deve cuidar de uma criança com um olho nela e o outro num livro, na TV, ou na costura etc. Ela precisa saber que recebe atenção total.

Em cada área da vida, precisamos encontrar o equilíbrio que agrada a Deus. Procure em tudo ser moderado(a). Tome cuidado para não dar mais ênfase a um princípio, em detrimento de outro. Eu sei que Deus lhe dará sabedoria para ser o pai ou a mãe que Ele deseja que você seja, caso esteja dando ouvidos a Ele.

PENSE NISTO

Você tem pedido a ajuda de Deus para viver em verdade e santidade e assim, influenciar a vida de seus filhos, ajudando-os a crescer em verdade e santidade? Ore a Deus pedindo que o(a) ajude a tornar isso prioridade em sua vida.

28 de abril

Como está sendo a comunicação?

... andem pelo caminho do entendimento...
Provérbios 9:6

"Ois" e mais "ois". "Tudo bem com você?". É só isso que se "dialoga"? Há pelo menos quatro níveis de comunicação e, para ser feliz no casamento, o casal deve estar comprometido a aprofundar seu relacionamento até chegar a viver o nível mais elevado. Ao tomar conhecimento desses níveis de comunicação, avalie onde você está em seu relacionamento familiar.

- *Nível quatro:* comunicação superficial, do tipo que traz impressão de segurança. A pessoa usa expressões como "bom dia", "como vai você?", "será que vai chover?", permanecendo segura atrás de sua máscara;
- *Nível três:* o casal está satisfeito em simplesmente relatar fatos sobre os outros; reportar o que outras pessoas disseram, sem comentários substanciais sobre os fatos. A comunicação é muito limitada. Não há possibilidades de sucesso em um casamento onde um não se abre para o outro;
- *Nível dois:* aqui o indivíduo começa a relatar suas ideias e pensamentos. Este é o início de uma comunicação real. A pessoa está disposta a correr o risco de expor suas ideias e soluções próprias. Se você está se comunicando a este nível, há esperança de poder aprofundar sua intimidade ainda mais;
- *Nível um:* é uma comunicação total. A pessoa está disposta a compartilhar seus sentimentos, ideias e pensamentos. Esta comunicação está baseada na honestidade e na abertura completas.

PENSE NISTO

"Oi" é só o que vocês dizem um ao outro? Opa... há algo errado! Vamos pensar sobre isso? Como podemos aprofundar nosso nível de comunicação?

29 DE ABRIL

APRENDENDO O SEGREDO DE VIVER

Sei o que é passar necessidade e sei o que é ter fartura.
Aprendi o segredo de viver contente em toda e qualquer situação, seja bem alimentado, seja com fome, tendo muito, ou passando necessidade.
Filipenses 4:12

ELE sempre teve um ótimo emprego, sempre demonstrou gratidão e alegria pela provisão divina. De repente, depois de vinte anos, foi demitido por contenção de despesas, assim disseram na empresa. Com 50 anos de idade, nunca havia ficado desempregado. Com a recessão do mercado, como retomar o controle de suas finanças e o sustento de sua família?

Uma semana sucedeu a outra, e nada! As semanas se tornaram meses. Às vezes ele se sentia desanimado, desencorajado, abatido pela agonia da frustração e pela expectativa que gera ansiedade. Em seus momentos a sós com Deus clamava com gemidos, sem conseguir encontrar palavras apropriadas. Depois de seis meses, começou a esquecer quem realmente foi um dia. Sua identidade pessoal foi se perdendo cada dia, pois feliz, ou infelizmente, o homem encontra essa identidade em seu trabalho.

Sua esposa não compreendia o por que dele não conseguir outro emprego. Ela sabia que ele dedicava várias horas comparecendo a entrevistas em busca de trabalho, porém em meio à dúvida, insegurança, medo e confusão, ela se perguntava: Por quê? Por que as entrevistas não se concretizam em emprego? Então, cada pergunta, cada dúvida, cada preocupação verbalizadas feriam o coração dele como uma espada afiada. Sua autoestima vacilou, a autoconfiança esmoreceu; seu sentimento de valor foi atingido impiedosamente. Por um lado, perda de identidade, pelo outro, desconfiança da esposa. Estresse e tensão cresciam entre o casal.

Quando um homem e uma mulher amarram misticamente os laços de sua união, comprometem-se a estar juntos, lado a lado, na alegria e na tristeza, na fartura e na escassez, na doença e na saúde, no bem e no mal, até que a morte os separe. Infelizmente, nenhum de nós compreende, antes da hora, o profundo significado dessas palavras. Para alguns, a dificuldade se revela massacrante demais.

O apóstolo Paulo testemunhou: ... aprendi a adaptar-me a toda e qualquer circunstância (Filipenses 4:11). Qual foi o segredo de Paulo? Render todo desejo do coração a Jesus Cristo, sabendo que ele está no controle de toda e qualquer situação.

PENSE NISTO

Portanto, não se preocupem dizendo: Que vamos comer, ou que vamos beber? ou que vamos vestir? Pois os pagãos é que correm atrás dessas coisas; mas o Pai Celestial sabe que vocês precisam delas (Mateus 6:31-32). Maridos e esposas devem estar lado a lado na luz e na escuridão!

30 de abril

"Adeus papai; adeus mamãe!"

... o homem deixará pai e mãe e se unirá à sua mulher, e eles se tornarão uma só carne.
Gênesis 2:24

Alfredo e Juliana haviam acabado de se casar. Certa tarde, Juliana estava na cozinha preparando o jantar, quando pensou:

– Que vou fazer para sobremesa? Ah, já sei... pudim de caramelo!

Ela nunca havia feito esse prato antes, mas achou que estava na hora de aprender. Abriu o livro de receitas e seguiu fielmente as instruções. Alfredo chegou e os dois jantaram. Então, o grande momento, a sobremesa! Com todo orgulho ela retirou da geladeira seu primeiro pudim de caramelo e o serviu com todo carinho. Ele levou a primeira colherada à boca, fez uma careta e falou:

– Querida, você precisa aprender a fazer o pudim de caramelo igual ao da minha mãe. Peça a receita dela!

Diante destas "sábias" palavras, Juliana pôs-se a chorar e aquele casal teve a sua primeira briga. Na verdade, Alfredo não havia se desligado de sua mãe (pelo menos não se desligara de suas virtudes culinárias).

Maridos, quando vocês escolheram a mulher que agora é sua esposa, vocês também casaram com: o pudim de caramelo que ela faz, o bife que sempre fica duro, o café morno que ela serve, o suco geralmente gelado demais e sem açúcar, os costumeiros arroz empapado e feijão queimado.

Lembre-se: você não casou com a mamãe, a titia, a vovó, e, segundo seu modo de entender, a comida deliciosa que elas preparavam.

Para ser justo, não posso esquecer de dizer algumas coisas às esposas. Ao aceitá-lo como esposo, você casou com: o salário dele (não queira fazer compras todos os dias – restrinja-se ao orçamento).; com a calvície e a barriga que estão se tornando cada dia mais visíveis, ou com o ronco ensurdecedor de todas as noites.

Pense nisto

Há muitos homens e mulheres que, mesmo depois de adultos, não conseguem cortar o cordão umbilical, isto é, não se desligam dos pais para viver sua própria vida. Ser dependente dos pais, já adulto e solteiro, não é saudável; o que dizer, então, daqueles que depois de casados, não sabem continuar suas vidas longe do papai e da mamãe? Não há marido ou esposa que suporte essa concorrência. O Senhor diz que devemos honrar nossos pais e não sermos dependentes deles.

1 DE MAIO

A TIRANIA DO URGENTE

... O homem prudente vê bem onde pisa.
Provérbios 14:15b

APESAR de haver ainda muitos doentes necessitando ser curados, endemoninhados esperando por libertação, gente com fome e lugares para pregar, ao final de três anos de ministério, Jesus disse ao Pai que seu trabalho neste mundo estava terminado. Como ele podia dizer que a obra havia acabado, se havia ainda tanto por fazer? O próprio Jesus dá essa resposta:

Dependência – João 8:28
Jesus disse: ... nada faço por mim mesmo; mas falo como o Pai me ensinou. Jesus andou em perfeita harmonia, e em total dependência do Pai.

Obediência – João 15:9,10
Como o Pai me amou, também eu vos amei; permanecei no meu amor. Se guardardes os meus mandamentos, permanecereis no meu amor; assim como também eu tenho guardado os mandamentos de meu Pai e no seu amor permaneço. Jesus alinhou a sua vida com a do Pai e obedeceu a Palavra, o que lhe trouxe total realização.

Propósito – João 8:14
... porque sei donde vim e para onde vou.
Toda ação de Cristo foi baseada no seu propósito. Ele não discutiu se tinha tempo ou não para aceitar suas atividades. Sua atitude foi deliberada: Por essa razão eu vim!. É óbvio que Jesus conhecia suas prioridades e as colocava na ordem correta.

Somos envolvidos pela tirania do urgente. O urgente luta por atenção. Grita e berra como qualquer criança mimada que, se atirando ao chão, esperneia quando seus desejos não são satisfeitos.

O urgente ataca ferozmente o lar e, por conta disso, acabamos negligenciando o que é realmente importante. Se pararmos para avaliar veremos claramente seus efeitos em nossos relacionamentos familiares, sem mencionar nossas vidas pessoais.

PENSE NISTO

Trabalhamos cada vez mais, para alcançar cada vez menos significado no que fazemos. Nossos relacionamentos com nossos cônjuges e filhos diminuem assustadoramente em qualidade e quantidade. Você está se sentindo assim? Além de orar, o que você pode fazer para melhorar a qualidade e a quantidade de tempo com sua família?

2 DE MAIO

AS PRIORIDADES DE DEUS

Assim fixamos os olhos, não naquilo que se vê, mas no que
não se vê, pois o que se vê é transitório,
mas o que não se vê é eterno.
2Coríntios 4:18

PARA desenvolver relacionamentos estáveis e bem-sucedidos precisamos conhecer as prioridades de Deus para nós e para nossas famílias. O Senhor deixou dicas bem claras nas Escrituras a esse respeito:

Pessoas antes de coisas - Nossa prioridade é que, primeiramente, nos dediquemos ao nosso cônjuge, nossos filhos ou pais, deixando para depois as coisas materiais.

Lar antes da profissão - Muitas pessoas se casam com a profissão, esquecem suas famílias e acabam arruinando seus lares.

Cônjuge antes dos filhos - Conheço pais que se devotam tanto aos filhos que colocam seus cônjuges em segundo lugar. O elo principal em uma família não é entre pais e filhos, mas sim, entre marido e mulher.

Filhos antes de amigos - Pais, talvez seja necessário que vocês abram mão de seus compromissos sociais pessoais para dar mais atenção aos seus filhos. Tal atitude, sem sombra de dúvida, mostrará a eles o quanto vocês os consideram importantes.

Cônjuge antes de si mesmo - Esta é realmente a essência do ponto de vista bíblico, no que diz respeito ao casamento. O amor ágape (amor que se origina em Deus) é outrocentralizado e não autocentralizado. Mesmo no tocante à relação sexual, Paulo diz, em 1Coríntios 7:3-5, que não há lugar para egoísmo nesse tão importante, sublime e íntimo relacionamento. Em nossa sociedade voltada para o egocentrismo, os casais cristãos precisam se conscientizar de que o amor ágape é o único que pode fazer com que um casamento seja bem-sucedido.

Espírito antes da matéria - Mesmo sinceros e bem intencionados, somos impelidos pelos clamores do que há por fazer e confundimos o material com aquilo que é essencialmente do espírito. As coisas eternas são invisíveis. A alma, o galardão celestial, a fé, a esperança e o amor não podem ser vistos, mas são os mais importantes elementos do tempo e da eternidade.

PENSE NISTO:
As suas prioridades pessoais e familiares estão compatíveis com as prioridades de Deus?

3 DE MAIO

PRIORIDADES DEFINIDAS=ESTILO DE VIDA

Tudo o que fizerem, seja em palavra ou em ação, façam-no em nome do Senhor Jesus, dando por meio dele graças a Deus Pai.
Colossenses 3:17

LÓ INICIARA sua caminhada como peregrino compartilhando os benefícios das promessas de Deus feitas a Abraão. Tristemente, a previsão de provável prosperidade distorceu sua escolha anterior.

Ló transformou-se em um homem de sucesso, próspero, residindo em Sodoma. Popularmente, como se diz entre a comunidade evangélica, "Deus o abençoou". Ele alcançou status, armazenou riquezas e, aparentemente, ainda assim, continuou sendo uma pessoa justa.

Não há dúvida que Deus coloca homens e mulheres em posição de destaque, de autoridade e poder financeiro para a Sua glória. Há homens que ocupam posições de autoridade, que trabalham com grandes somas de dinheiro, possuem uma linguagem evangélica, bonita, mas são obcecados pela ambição pessoal e alto ganho monetário. Seus corações estão completamente distanciados do Senhor. Creio que este foi o caso de Ló; mas Deus não o abandonou devido ao erro de suas decisões. Se não fosse Abraão, seu tio, Ló teria perdido tudo o que tinha.

Será que através desse episódio, Deus não tentou sacudir os valores, a mente, a razão de Ló para fazê-lo enxergar o que realmente valia a pena ser ambicionado? Será que o Senhor não queria que Ló reassumisse a peregrinação interrompida?

Infelizmente Ló não estava sintonizado com Deus e não pôde ouvir e entender Sua voz. Sendo assim, decidiu voltar a Sodoma, e lá tornou-se um líder. Ele alcançou destaque e, em decorrência, honra, estima, status. Podemos supor que, ele aproveitou sua notoriedade para provocar um impacto naquele povo em benefício do reino de Deus. Errado! Aparentemente não havia muitos justos em Sodoma, talvez nem dez pessoas podiam ser qualificadas assim. De fato, parece-me que apenas Ló, sua esposa e duas filhas eram os únicos citados como tais. Isto quer dizer que durante os longos anos que viveram em Sodoma, eles não conseguiram influenciar uma só pessoa para Deus.

A mentalidade secular instalou-se em toda a família de Ló. O fato de ele ser justo não foi relevante o suficiente para influenciá-los. A mesma verdade deve ser aplicada às nossas famílias. Podemos ser bons, mas isso não é o bastante para desafiar nossos filhos a andarem nos caminhos do Senhor. Nossos filhos precisam saber que seus pais têm suas prioridades bem definidas e estabelecidas. Eles reproduzirão nossos esforços para encontrar significado e segurança na vida.

PENSE NISTO

Você tem suas prioridades bem definidas e estabelecidas? Seus filhos conhecem quais são essas prioridades? Agradar a Deus tem sido o primeiro item de sua lista?

4 de maio

Qual é sua prioridade?

Busquem, pois, em primeiro lugar o Reino de Deus e a sua justiça, e todas essas coisas lhes serão acrescentadas.
Mateus 6:33

Quando eu cursava a faculdade, recebi o chamado missionário bem como vários outros colegas. Infelizmente, até o dia da formatura, muitos esqueceram de sua decisão optando por uma "boa vida", por lutar pelos bens materiais e aproveitar de muitos prazeres. Contudo, a maior tristeza para muitos deles, hoje em dia, é concluir que seu empenho não teve o sucesso esperado, pois estão no terceiro ou quarto casamento, seus filhos distanciaram-se deles e suas vidas financeiras não alcançaram a estabilidade desejada.

Francamente, não há absolutamente nada de errado em optar por algo bom e prazeroso em detrimento do que é ruim e desagradável.

O que Ló, sobrinho de Abraão, vislumbrou moveu seu coração a decidir por uma vida confortável. Abraão também olhou, mas a provável fartura que ele prognosticou não o encantou; antes desafiou-o a prosseguir em sua peregrinação, com os olhos fixos nas promessas de Deus.

Deus determina algumas prioridades para seus filhos. Uma delas, talvez a maior, encontramos em Mateus 6:33. Se busco em primeiro lugar alcançar o Reino de Deus e Sua justiça, então todas as minhas decisões devem convergir para este alvo: sobre a pessoa com quem vou me casar; ou se pretendo ficar solteiro(a). Toda ação deve ser filtrada, analisada sob a perspectiva de Mateus 6:33: onde aplico meu dinheiro; como gasto meu tempo; o que compro, o que vendo, o que dôo. Essa reflexão me ajuda a conduzir minha vida sob o prisma dessa prioridade.

Todas as deliberações que tomamos a nosso respeito e para nossa família trazem consequências. Alguns escolhem permanecer em casa aos domingos, dormindo até tarde ao invés de levantar mais cedo e ir com a esposa e filhos à igreja; mas um dia acordam e percebem que seu casamento está fragilizado, que necessitam de apoio e terapia emocional e espiritual. Há, também, a possibilidade de planejar uma agenda sobrecarregada, ficar à mercê de um intenso ativismo, sem qualquer brecha de horário para orar, meditar na Palavra de Deus. Outros resolvem não participar de um grupo de estudos para casais semanalmente, pois a rotina diária já é muito exaustiva, e um compromisso a mais seria demasiado; porém, futuramente, perceberão que fizeram a opção errada porque o convívio com outros casais enriqueceria seu próprio casamento e lhes aumentaria inclusive, o círculo de relacionamentos.

Pense nisto

Onde você tem colocado seus olhos, nos bens materiais, realização unicamente pessoal, como Ló fez? Ou você visualiza o eterno assim como Abraão, e tem optado em buscar o Senhor em primeiro lugar porque todas as outras coisas lhe serão acrescentadas?

5 DE MAIO

POR QUE DEUS, POR QUÊ?

... quando ouviu falar que Lázaro estava doente,
ficou mais dois dias onde estava.
João 11:6

CONFORME o relato bíblico, Abraão esperou para ser "pai" das nações. Moisés esperou 40 anos para deixar de pastorear ovelhas e assumir a condição de comandante do povo israelita. Jacó trabalhou 14 anos, esperando durante todo esse tempo para casar com sua amada Raquel. Um dos melhores exemplos encontrados na Palavra de que devemos ter perspectiva na espera, está no livro de João capítulo 11.

Lázaro estava enfermo, e suas irmãs, Marta e Maria, mandaram avisar a Jesus que aquele a quem amava, estava morrendo (João 11:1-3). Marta e Maria tinham fé no Mestre e criam em seu ministério. Isso fica patente quando elas mandam chamá-lo para vir em socorro do irmão.

Lázaro adoecera gravemente, mas Jesus ainda permaneceu dois dias onde estava (João 11:4-6). Do nosso ponto de vista, isto é um contra-senso, pois pensamos: se estou sofrendo, Deus precisa correr em meu socorro. Para nós, a espera não traz expectativa. E é aí que nos enganamos. Por que Jesus não tomou uma atitude imediata em favor de Lázaro?

É muito complicado para o ser humano entender que, a partir do momento que pedimos auxílio, Deus já inicia uma obra, que é mais abrangente do que imaginamos e que, apesar de nos forçar a uma espera, redunda em bem para o nosso espírito, testemunho, edificação para muitos e glória para Deus.

Marta e Maria aguardavam ansiosas por Jesus. Será que o recado não havia chegado até ele? Por que Jesus não aparecia, não vinha socorrer os amigos que lhe eram tão fiéis?

Lázaro morreu. Sem dúvida, nessa hora, as irmãs sentiram dor, desapontamento e desilusão. As esperanças terminavam ali. Tudo estava acabado. Sepultaram-no e já eram passados quatro dias, quando Jesus chegou! Então, o Mestre ordenou que tirassem a pedra que lacrava o túmulo de Lázaro e, declarou à Marta: Não lhe falei que, se você cresse, veria a glória de Deus? (João 11:40). Se a pedra do túmulo não fosse removida, todo sofrimento daquelas três pessoas seria em vão. Elas não teriam visto a glória de Deus e a multidão não testemunharia o poder de Jesus através daquele milagre. Se Deus consegue obter glória na morte de um amigo de seu querido Filho, será que não podemos confiar que ele fará o mesmo através das provações em nossas vidas?

PENSE NISTO

O Senhor é especializado em transformar mal em bem. De fato, a tragédia insere o maior potencial para o triunfo. Encoraje sua família a confiar nesse Deus que é poderoso para fazer surgir vida das cinzas.

6 DE MAIO

PROMESSA É DÍVIDA!

Seja o seu sim, sim, e o seu não, não.
Mateus 5:37

ALGUNS pais exigem obediência de seus filhos e quando não a recebem, prometem disciplíná-los.

Imagine a seguinte situação: o pai chega à casa, depois de um árduo dia de trabalho, deita-se no sofá e começa a ler o jornal. A esposa está na cozinha preparando o jantar. Os três "moleques" estão brigando no corredor. O pai está ouvindo a briga toda, mas levantar-se nessa hora é um sacrifício muito grande.

Então ele grita: "Parem de brigar ou arrebento vocês!" Mas os filhos já estão programados para desobedecer, porque o pai já falou isso mil vezes e nunca cumpriu a sua palavra. De repente, porém, depois de ficar cansado com aquela situação, o pai levanta-se e sai correndo para o corredor. Ele dá um tapa no rosto de um dos filhos, que cai no chão. No outro, dá um pontapé. E o terceiro, mais vivo do que todos, corre para o banheiro onde se tranca.

O pai, nesse caso, cometeu vários erros: fez uma promessa indevida; não cumpriu a sua promessa totalmente; não disciplinou seus filhos, mas descarregou sobre eles a sua ira. Consequentemente, deixou seus filhos revoltados contra ele.

Certa ocasião fui dar um seminário em uma cidade do interior. Fiquei hospedado na casa de uma família cristã. O marido estava tomando banho, a esposa preparando o jantar e o Joãozinho estava na sala brincando, onde eu estava lendo o jornal.

Da cozinha, a mamãe chamou o filho: "Joãozinho, venha cá!" Eu olhei por cima do jornal para ver a reação do Joãozinho e logo descobri que o Joãozinho estava surdo, pelo menos ao meu ver. Pela segunda vez a mamãe gritou: "Joãozinho, venha cá!" Ele não deu a mínima atenção.

Na terceira vez, ela falou o seguinte: "Eu vou contar até dez, se você não vier, você vai ver só. Um, dois, três..." Eu fiquei observando Joãozinho, que continuou 'na dele'. "Cinco, seis, sete, oito..." Quando a mãe falou oito, Joãozinho começou a se mexer e quando ela disse dez ele já estava na cozinha.

O que esta mãe estava fazendo? Programando seu filho para desobedecer e criando nele um espírito de rebeldia e irritação.

PENSE NISTO:

Tenha determinação ao disciplinar seu filho. Pense antes de dar sua palavra e não seja como alguns políticos que só prometem, mas na hora "H" não cumprem o que prometeram.

7 de maio

O abuso da inocência

Eu mesmo tomarei conta das minhas ovelhas e as farei deitar-se e repousar. Palavra do soberano, o Senhor. '... Enfaixarei a que estiver ferida e fortalecerei a fraca...
Ezequiel 34:15,16b

Existem crianças que choram secretamente no escuro de seus quartos, com o coração destruído pelo mal que um adulto lhe afligiu. Incesto e molestação ocorrem em todos os níveis da sociedade, sendo mais comum entre pai e filha. Tal ato pode chegar até a destruir a vida de quem sofreu a agressão. A invasão não se limita somente ao corpo, mas também à alma. Há um abalo no ser integral da pessoa, afetando-a física, emocional, intelectual, psicológica e espiritualmente.

Por que isso acontece? Há várias razões e algumas delas são: relacionamento conjugal desequilibrado; a ideia de que o incesto só ocorre em famílias não cristãs, pobres ou incultas; quando acontece um divórcio e novo casamento; e o simples fato do homem, ou mulher decidir praticá-lo. Há dois tipos de ofensor: o agressivo – que subjuga, usa a força; o gentil – que usa palavras amáveis aproveitando a carência e ingenuidade da criança.

É evidente que o abuso é uma carga emocional grande demais para uma criança carregar. As consequências às vezes perduram pelo resto de suas vidas e causam traumas graves. Quem foi molestado sente medo de amar, desconfia de tudo e de todos; enfrenta sério constrangimento e medo quando começa a namorar pois projeta seu passado na relação atual; sente culpa, rejeição, tem uma autoimagem negativa a ponto de considerar o suicídio; muitas vezes nega sua sexualidade – porque ela lhe causou muita dor e sofrimento. Em alguns casos a vítima aprende a "negociar" procurando trocar o sexo por algo que deseja ou precisa. Já o molestador cauteriza de tal forma sua mente que chega a acreditar que a criança aprecia essa terrível experiência. Ele (a) deseja tanto praticar o ato, apesar de ter receio, que não freia sua compulsão. Por viver sob medo e pressão constantes, seu relacionamento conjugal e com a vítima em questão ficam profundamente prejudicados.

Há algum modo de reverter esse mal? A entrega da vida a Jesus pode modificar qualquer procedimento e curar toda dor. O perdão de Cristo vem pelo reconhecimento de que o ocorrido foi errado e, para quem foi molestado, acontece o reconhecimento de que houve um ofensor. A vítima questionará o amor divino, depois de tudo o que sofreu, mas ela precisa ser amparada e ajudada a reagir. Não será fácil e nem rápido, mas ela precisa ser incentivada a perdoar seu ofensor. A cura se inicia com a conscientização de que é preciso perdoar.

Pense nisto:

Os cristãos precisam ser incentivados a ajudar as pessoas que foram vítimas de atos de violência. Elas precisam saber que não estão sozinhas e que Deus pode lhes dar cura e libertação.

8 DE MAIO

FILHOS E DISCÍPULOS

E as palavras que me ouviu dizer na presença de muitas testemunhas, confie-as a homens fiéis, que sejam também capazes de ensinar outros.
2Timóteo 2:2

O DISCIPULADO é um aprendizado mútuo (isto é, entre discípulo e discipulador) e constante. É muito gratificante vermos a pessoa que discipulamos produzindo novos frutos. Cristo destacou quatro características básicas para quem quiser ser seu discípulo.

Um discípulo permanece na Palavra de Deus: "sentado em casa, quando estiver andando pelo caminho, quando se deitar e quando se levantar" (Deuteronômio 6:7). Este versículo não está falando de um culto doméstico, mas de um estilo de vida. Fala de viver a Palavra de Deus e ensinar seus princípios a outros de forma natural e espontânea à medida que as situações se apresentam.

Um discípulo tem amor pelos outros: Com isto todos saberão que vocês são meus discípulos, se vocês se amarem uns aos outros (João 13:35). Não há melhor lugar para aprender a amar outros, do que o próprio lar. Os princípios do corpo de Cristo devem ser colocados em prática dentro da própria família, para que o mundo à nossa volta possa ver nosso "amor em ação", e assim ser atraído para o Senhor. Não existe, provavelmente, instrumento evangelístico mais poderoso do que um lar unido e cheio de amor.

Um discípulo coloca Cristo em primeiro lugar: "Se alguém não aborrecer o pai e a mãe, a mulher e os filhos, os irmãos e irmãs, e ainda a própria vida [...] não carrega a sua cruz e não me segue [...] não renuncia a tudo o que possui [...] não pode ser meu discípulo" (Lucas 14:26,27-33). Jesus nos diz que, se recusarmos obedecer, não poderemos ser seus discípulos.

Nossos lares devem expressar a importância dos valores espirituais, em vez dos temporais e materiais. Devemos aprender a amar a Deus mais do que qualquer coisa ou pessoa. Nesta área, como em todas as outras, não podemos ensinar o que não é uma realidade em nossa vida.

Um discípulo produz frutos: Meu Pai é glorificado pelo fato de vocês darem muito fruto; e assim serão meus discípulos (João 15:8). O propósito do discipulado é produzir fruto. Pode ser o fruto do Espírito, ou o fruto de novos convertidos. Tornamo-nos discípulos quando fazemos discípulos. O discípulo é um evangelista.

PENSE NISTO

Jesus ordenou que fizéssemos discípulos de todas as nações (Mateus 28:19,20). Gostaria de desafiá-los a, como casal, dedicarem um pouco de seu tempo a outro casal, orientando-os no seu caminhar com o Senhor.

9 de Maio

Você já pensou em fazer de seu filho um discípulo?

Pela recordação da tua fé sem fingimento, a mesma que habitou em tua avó, Loide, e em tua mãe Eunice...
2Timóteo 3:5

Discípulo? A palavra não me era estranha, pelo contrário, era muito familiar, porque estava casada com um missionário. Tinha até viajado mais de 10.000 quilômetros para "fazer discípulos de todas as nações"! Mas nunca pensara em fazer de minhas filhas discípulas.

Sem dúvida a responsabilidade de disciplinar os filhos ainda recai sobre o pai, o líder espiritual da família, o sacerdote do seu lar; contudo as Escrituras também dão muita importância ao papel da mãe.

Um exemplo disso é Timóteo. Ele sempre serviu de modelo do que significa discipular. Todos nós gostaríamos de realizar na vida de outras pessoas o trabalho que Paulo fez na vida de Timóteo.

Mesmo assim, Paulo não quis assumir todos os méritos pelo treinamento de Timóteo. Em 2Timóteo 1:3-5, ele escreveu ao seu filho na fé:

Dou graças a Deus, a quem desde os meus antepassados, sirvo com consciência pura, porque sem cessar me lembro de ti nas minhas orações, noite e dia. Lembrado das tuas lágrimas, estou ansioso por ver-te, para que eu transborde de alegria, pela recordação que guardo da tua fé sem fingimento, a mesma que primeiramente habitou em tua avó Loide, e em tua mãe Eunice, e estou certo de que também em ti.

Antes mesmo de Paulo conhecer Timóteo, sua mãe, Eunice, já estava lhe dando a base dos princípios da fé cristã.

O plano de Deus é que suas verdades sejam passadas de uma geração a outra, de pai para filho.

Pense no princípio da multiplicação! Imagine o impacto que poderíamos causar no mundo se cada cristão discipulasse seus filhos, e estes filhos, por sua vez, fizessem o mesmo com os seus, tornando-os capazes de também ensinar outros.

Pense nisto:

Você já pediu a Deus para ajudá-la (o) a fazer de seu filho um discípulo? Você tem sido um discípulo do Senhor, incentivando, assim, seu filho a também se tornar um discípulo?

10 de maio

Tal mãe, tal filha!

E a favor deles eu me santifico a mim mesmo, para que eles também sejam santificados na verdade. Santifica-os na verdade; a tua palavra é a verdade.
João 17:19,17

Como posso me santificar, para que meus filhos também sejam santificados? Eu ainda não sabia, mas o Senhor tinha uma lição a me ensinar em relação a isso.

Eu estava saindo da igreja em um domingo pela manhã, quando a professora da classe de Escola Dominical de Melinda me chamou de lado. Aparentemente, Melinda havia brigado com um menino de sua idade. A professora, querendo usar o acontecimento para ensinar uma lição, mandou que Melinda pedisse perdão à outra criança. A resposta foi: "não". Então lhe pediu que orasse e pedisse perdão a Deus. Outro "não" foi a resposta.

Você pode imaginar como eu fiquei sem jeito. Voltamos para casa, e quando estávamos quase terminando de almoçar, Melinda sem querer derrubou o Nescau com o cotovelo, que se esparramou pela mesa, pelo assoalho e em nós duas.

Enquanto limpava a sujeira, ralhava com minha filha. Até que ela disse: "Mamãe, a senhora não está falando muito bonito", e isso me deixou com mais raiva ainda.

Finalmente, ela não aguentou mais e começou a chorar. "Mamãe, eu s-s-s-into muito", ela gaguejou, em meio às lágrimas. Quando olhei para ela, meu coração se quebrou. Comecei a chorar também. Como eu queria apagar os dois últimos minutos da minha vida! Mas era tarde demais. O estrago estava feito e eu tinha em meus braços uma menininha muito ferida e emocionalmente arrasada.

Depois de também pedir desculpas, disse: "Você não é a única que está triste comigo, Melinda. Quando eu ajo assim, Deus também fica triste. Ele nunca deixa de me amar, mas fica sentido quando sou má. Eu preciso orar para pedir perdão a Ele também. Você quer orar comigo?"

Você não pode imaginar o que aconteceu depois! Melinda orou e pediu que Jesus a perdoasse por ter brigado na Escola Dominical. E, à noite, na igreja, ela também pediu ao menino que a perdoasse.

Não demorei muito a compreender o que Deus estava me ensinando. Às vezes, quando é necessário, Deus também pode usar erros. Ele não pede que eu seja perfeita. Ele só pede que eu seja honesta.

PENSE NISTO

Você tem sido honesto(a) com Deus? De que forma você acha que pode melhorar sua vida para ser um bom exemplo para seus discípulos? Peça a Deus ajuda para levar uma vida santa e que honre a Palavra de Deus.

11 DE MAIO

QUANDO A MÃE É MÃE E PAI! OU VICE-VERSA...

Não tenham medo. Fiquem firmes e vejam o livramento que o Senhor lhes trará hoje...
Êxodo 14:13

É COM respeito profundo à dor que passam as famílias fragmentadas, que ouso dizer algumas palavras na esperança de levar um pouco de alívio e orientação aos que estão passando por esse tipo de experiência.

O ser humano acerta e erra, como parte normal da vida. Porém, acredito que, em relacionamentos quebrados, há maiores chances de cometermos erros, pois, em geral, as emoções se encontram desequilibradas. Pais sozinhos, como qualquer outro pai ou mãe, não são perfeitos.

A culpa, de uma forma geral, pode levar o pai/mãe a ser permissivo demais. No intuito de adquirir a aprovação dos filhos e não ter que enfrentar cara feia, os pais/mães esquecem-se de impor limites. Na realidade estão inculcando insegurança devido à falta de firmeza e ausência de limites estabelecidos.

Outro problema é cair no extremo oposto, e ser extremamente repressivo(a). Pais inseguros reagem demonstrando poder. Enrijecem em suas decisões, refletindo falta de confiança em si mesmos e, consequentemente, em seus filhos.

Existem os pais que vivem a vida através de seus filhos. Não há um perfil definido, podem ser tanto permissivos, quanto repressores, amorosos e dedicados, frios ou indiferentes. Esse tipo de atitude pode ser ocasionado por um profundo medo de enfrentar a própria vida sem o cônjuge. Então, de forma simulada, abdicam dela e assimilam a vida de seus filhos, em geral adolescentes, tentando até realizar-se através deles. Tanto os pais precisam dos filhos, quanto os filhos precisam dos pais, porém num relacionamento normal, sem sufocamentos.

Outra tentação a que pais sozinhos estão sujeitos é tentar impedir que o "ninho" se esvazie. Já houve muitos "shows" por parte de pais que seguraram tanto seus filhos, fazendo até com que se sentissem culpados por desejarem viver suas próprias vidas.

Acreditem, Deus não os abandonará com essa difícil tarefa de criar seus filhos sozinho(a). Não fiquem recordando o passado com um enfoque mórbido, nem projetem o futuro de forma irreal. Vivam um dia de cada vez; tratem seus sentimentos de forma realista.

PENSE NISTO

Adaptar-se à vida de solteiro, após ter sido casado(a) não é fácil. Solidão, sentimentos de culpa, de rejeição, tristeza, angústia, sensação de perda generalizada etc., farão parte de seu "cardápio" emocional. Busque consolo e paz nos braços do Pai Celeste que compreende o que você está sentindo e certamente estará lado a lado com você, ajudando-a (o) a criar e educar seus filhos.

12 de maio

Seguindo o líder

... levou Abraão consigo a Sarai, sua mulher.
Gênesis 12:5

Nosso primeiro encontro com Abraão e Sara ocorre no dia em que eles estavam ocupados, preparando a mudança. Deus tinha aparecido a Abraão e lhe dito: "Sai da tua terra, da tua parentela e da casa de teu pai, e vai para terra que te mostrarei" (Gênesis 12:1).

A passagem não nos fornece nenhuma pista da reação de Sara a esse acontecimento, mas qualquer que tenha sido, o que sabemos é que ela o seguiu. Seguir o marido, implicaria muitas aventuras, novas experiências mas também muitas dificuldades. Não acho que tenha sido fácil para Sara seguir seu marido, mas ela o fez.

1Pedro 3:5 nos diz que Sara foi uma das mulheres piedosas que "esperavam em Deus, estando submissas a seus próprios maridos".

Deus estabeleceu para a família, e para toda sua obra, o princípio de chefia (Efésios 5:22-24). Ele deu para o marido o privilégio de liderar. Mas, como todo privilégio implica responsabilidade, como sacerdote espiritual de seu lar, terá um dia de prestar contas diante de Deus, pelo investimento que fez – ou deixou de fazer – em sua família. Como líder, ele é responsável pelo clima espiritual e emocional de seu lar, pela provisão das necessidades físicas e pela educação e disciplina dos filhos. Deve também amar sua esposa como Cristo amou a igreja, dando sua vida por ela.

Muitas vezes, o marido tem uma ideia totalmente errada de liderança, chegando a abusar de sua autoridade. Ele deve se basear no exemplo de Cristo em relação à igreja, que se caracterizou pela atitude de servo.

Sei também que muitos maridos não assumem suas responsabilidades de líder. É difícil uma esposa seguir quando não há ninguém liderando, mas também é difícil o marido liderar se não tiver ninguém seguindo!

Com a liderança de um marido (e pai) sujeito a Cristo, é possível ter harmonia no lar, firmeza para os filhos, segurança para a esposa e um testemunho para o mundo.

Quando pensamos na ajuda que a mulher dá a seu marido, no sentido de obter sucesso, talvez sejamos tentados a pensar que Deus não está sendo justo. Ela faz o trabalho e ele recebe reconhecimento e prestígio? Mas com Deus as coisas não funcionam assim! Deus não elevou somente a Abraão, mas também a Sara.

Pense nisto

Você conhece os sonhos e alvos do seu marido? Já perguntou a ele se existe algo que você possa fazer no sentido de ajudá-lo a atingi-los? E você, marido, tem liderado sua família sendo sujeito a Cristo? Tem amado sua esposa como Cristo amou a igreja?

13 de maio

Lembrando as vitórias

... tenham ânimo! Eu venci o mundo.
João 16:33

Eu venci o mundo. Afinal de contas, o que Jesus Cristo venceu? Para começar, ele venceu as lisonjas do mundo. Ninguém teve poder tão grandioso e envolvente, sabedoria total, eloquência incomparável e autoridade incontestável sobre os poderes das trevas. Ele poderia ter conquistado o universo. Não é surpresa que, quando Satanás procurou tentar nosso Senhor, logo de início usou a lisonja para conquistá-lo (Mateus 4:3,6). No entanto, nenhum elogio do diabo ou de qualquer homem poderia suscitar um grama de orgulho naquele que era ... manso e humilde de coração (Mateus 11:29); aquele que ... assumiu a forma de servo... (Filipenses 2:7).

Em segundo lugar, Jesus venceu as hostilidades do mundo. Ninguém foi tão "venenosamente" odiado pelos religiosos hipócritas, pelos políticos corruptos e pelos adoradores do dinheiro que, como cães farejadores, perseguiram seu objetivo de matar a Cristo. Mesmo no momento mais alucinante e extremo da ira demoníaca, não conseguiram ouvir outra palavra do homem na cruz, senão estas: ... Pai, perdoa-lhes, pois não sabem o que estão fazendo (Lucas 23:34).

Em terceiro lugar, ele venceu os princípios do mundo. Jesus nunca usou seu poder visando fins egoístas ou pessoais, nunca modificou sua mensagem para evitar oposição, ou sacrificou sua integridade absoluta para acomodar qualquer tipo de diplomacia.

Finalmente, ele venceu o príncipe deste mundo, o diabo. Desde o encontro no deserto até a luta no Jardim de Getsêmani, o inimigo implacável descobriu, enfim, que lutava contra alguém mais poderoso do que ele. Ao entrar no Getsêmani, Jesus pôde dizer: ... o príncipe deste mundo está vindo. Ele não tem nenhum direito sobre mim (João 14:30). Naquele jardim da agonia, quando Cristo clamou a Deus com gotas de sangue escorrendo pelo rosto, ele reafirmou seu compromisso divino: ... contudo, não seja feita a minha vontade, mas a tua (Lucas 22:42). Com estas palavras, Lúcifer foi definitivamente derrotado!

Você está vencendo o mundo com suas lisonjas, seus preconceitos, seu egoísmo e vaidade, como Jesus fez? Devemos caminhar tão próximos de Jesus e da sua vontade manifestada na Palavra escrita, que as influências do mundo não consigam nos seduzir, nem à nossa família.

Pense nisto

A maravilha suprema da experiência cristã é que o coração consagrado ao poderoso e vitorioso Filho de Deus pode participar da sua vitória. O que o impede hoje, e à sua família, de experimentar vitória em Cristo Jesus?

14 de maio

Quando somos disciplinados

Embora sendo Filho, ele aprendeu a obedecer
por meio daquilo que sofreu.
Hebreus 5:8

Todos nós já nos deparamos com crianças que jamais foram disciplinadas pelos pais. A Bíblia as define como "entregues a si mesmas" (Provérbios 29:15). Além de ser uma vergonha para seus pais, tornam-se indesejáveis. A ausência de disciplina também possibilita uma inclinação para o comportamento autodestrutivo.

Tenho certeza de que algumas vezes disciplinei minhas filhas injustamente. Em algumas ocasiões eu estava com raiva. Também aconteceu de eu estar irritado, então disciplinei-as para que se comportassem bem, preocupado com meu sossego e minha imagem diante das pessoas. Contudo, nosso Pai Celestial nunca disciplina com alvos errados, mas para criar um caráter firme e equilibrado em cada um de nós. O argumento de Hebreus 12:9-10, é que se nós, que somos imperfeitos, aplicamos a disciplina para o bem de nossos filhos, o que se dirá de Deus, que é perfeito? Nenhuma disciplina parece ser motivo de alegria no momento, mas sim de tristeza. Mais tarde, porém, produz fruto de justiça e paz para aqueles que por ela foram exercitados (Hebreus 12:11). O propósito divino não é nosso bom comportamento imediato. O alvo é a longo prazo. É criar um caráter semelhante à imagem de Jesus Cristo em nossas atitudes, personalidades e almas.

O escritor de Hebreus conhecia a tendência humana de não encarar Deus com seriedade. Sendo assim, era preciso alertar-nos sobre a necessidade da disciplina. A firmeza da severidade de Deus deve ser suficiente para não tentarmos desobedecê-lo. Um dos motivos de cairmos em pecado é esquecermos que o Senhor nos disciplinará por isso. O total conhecimento de Deus sobre o pecado e suas consequências destrutivas impele-o a utilizar tais medidas drásticas.

Podemos ter certeza de que a disciplina não é motivo de alegria, mas de tristeza. Tristeza para o pai, para a mãe que a administram e para os filhos que a recebem. Mas, como a Bíblia afirma: Mais tarde, porém, produz fruto de justiça e paz.

Para que Paulo lhe prestasse atenção, Deus o cegou temporariamente; quase matou Jonas, que foi engolido por um grande peixe. Acho que até podemos afirmar que Deus fará qualquer coisa para nos motivar a obedecê-lo. Certamente, ele não sente satisfação em submeter-nos ao sofrimento, mas Deus odeia o pecado e está disposto a aplicar-nos a disciplina visando a livrar-nos do mal.

Pense nisto

Se Deus Pai não evitou que seu próprio Filho, perfeito em todas as formas, sofresse (Hebreus 5:8), por que nós, pecadores, seríamos poupados? Deus nos ama de igual modo, e com certeza nos disciplinará por amor, para aprendermos através desse processo.

15 DE MAIO

NA HORA MAIS ESCURA DA VIDA

Davi, porém, fortaleceu-se no Senhor, o seu Deus.
1Samuel 30:6b

SAMUEL, o profeta havia ungido Davi para ser rei depois de Saul. Ele se tornara harpista e escudeiro do rei. Quando matou Golias, as mulheres de Israel cantaram: "Saul matou milhares, e Davi, dezenas de milhares" (1Samuel 18:7b).

Daquela data em diante, acontecimentos bizarros passaram a ocorrer na vida de Davi: Saul tentou duas vezes matar a Davi atirando nele uma lança. Em seguida Davi fugiu e foi perseguido por Saul como um leão caça sua presa. Davi e seus soldados, um bando de renegados, fugiram para a terra dos filisteus. Lá o rei Aquis deu a ele a cidade de Ziclague, onde Davi e seus seguidores viveram por 16 meses. E lá ocorreu a tragédia: os filisteus declararam guerra a Israel. Novamente Davi viu-se na obrigação de lutar ao lado deles. Porém, os filisteus insistiram para que Davi e seus homens voltassem para Ziclague. E que choque eles tiveram! Ao invés de serem saudados por suas mulheres e filhos, a cidade havia sido destruída, e mulheres e crianças haviam sido raptadas e escravizadas pelos amalequitas.

Essa situação, no entanto, foi o ponto a partir de onde a sorte de Davi começou a mudar. E foi aí que ocorreu o versículo chave deste texto: "Davi, porém, fortaleceu-se no Senhor, o seu Deus" (1Samuel 30:6b). Deus fez a Davi uma nova promessa: Esposas, filhos, posses foram recuperados. Saul morreu no campo de batalha e Davi foi saudado como novo rei de Judá.

Todos esses acontecimentos fazem paralelo com o que Deus está fazendo em nossas vidas! Aflições, provações são muitas vezes permitidas por Deus e se acumulam, porém sem explicações. E vão, e vão até que chega o ponto em que se houver mais uma única pressão poderemos simplesmente explodir. E nesse ponto, providencialmente, surge uma intervenção que transforma todo o quadro e... que lições maravilhosas acabamos aprendendo!

O auxílio humano é muitas vezes inútil, e só encontramos conforto e força, na presença do Pai.

Isso não acontece com todos nós? Como podemos com mil combater aquele que vem até nós com 20.000? Como podemos escapar da nossa cadeia de provações com portões de ferro trancafiados à nossa frente e com guardas ao nosso lado com espadas desembainhadas?

PENSE NISTO

Quando morte, fracassos, perda de bens materiais, infidelidade de pessoas queridas, ou qualquer outro tipo de situação de derrota nos ocorrer, façamos o que Davi fez em seu desespero: "Davi, porém, fortaleceu-se no Senhor, o seu Deus".

16 DE MAIO

UM RETRATO DE DEUS

O Senhor é o meu pastor; de nada terei falta.
Salmos 23:1

UM dos problemas que a maioria de nós enfrenta é que não temos um retrato claro de Deus. Nossa imagem dele é turva, enevoada pela lembrança de catedrais frias e lúgubres, padres e pastores severos, distantes e impessoais. Quem sabe se por termos sofrido nas mãos de um pai ausente, emocionalmente distante, embrutecido ou simplesmente fraco, transferimos essa imagem ao Senhor? Todos temos noções incorretas de Deus. Surge, então, a pergunta: Afinal de contas, quem é ele?

Davi nos oferece uma resposta reconfortante e estimulante: O Senhor é o meu pastor... . A declaração que inicia o seu salmo, introduz a imagem central que se revela através do poema. Cada verso elabora um símbolo, preenchendo o quadro sobre como o pastor – Deus – nos leva para as águas de descanso pelas veredas da justiça. Nada nos faltará!

O próprio Davi era um pastor. Ele passou uma parte de sua juventude no deserto cuidando das ovelhas de seu pai (1Samuel 17:28). O deserto se mostrou um excelente refúgio para meditação sobre a bondade de Deus. Um dia, pastoreando o rebanho, veio à sua mente a ideia de que o Senhor era semelhante a um pastor. Ele pensou nos cuidados incessantes que as ovelhas necessitavam, em como eram indefesas e dependentes; como se desgarravam do restante facilmente, escapando dos trilhos seguros e exigindo atenção e desvelo constantes para serem guiadas. Lembrou-se como resgatara algumas delas dos caminhos dos predadores. Nunca qualquer uma de suas ovelhas teve consciência de como foi tão bem cuidada pelo seu pastor. Então, Davi concluiu que Deus é semelhante a um bom pastor.

Mais ou menos 600 anos depois da composição daquele poema de Davi, Jesus disse com tranquila segurança: Eu sou o bom pastor. O bom pastor dá a sua vida pelas ovelhas (João 10:11). Este é o Senhor Jesus Cristo! O seu coração de pastor palpita com amor genuíno e puro por nós, suas ovelhas, e seu sangue precioso foi oferecido por cada um de nós Ele nos conhece perfeitamente e nos convida: Venham a mim, todos os que estão cansados e sobrecarregados, e eu lhes darei descanso (Mateus 11:28).

PENSE NISTO

O clamor de um mundo visível e audível é tão persistente que a voz tranquila e suave de Deus pode não ser ouvida. Mas a todos que a distinguirem no turbilhão de agitação em que vivemos, ele promete: Tomarei conta delas numa boa pastagem, e os altos dos montes de Israel serão a terra onde pastarão; ali se alimentarão, num rico pasto nos montes de Israel (Ezequiel 34:14).

17 de maio

Equilíbrio para não cair!

Não se recusem um ao outro, exceto por mútuo consentimento e durante certo tempo, para se dedicarem à oração. Depois, unam-se de novo...
1Coríntios 7:5

A maioria dos casais sabe como desenvolver uma relação sexual, mas a penosa constatação é que as esposas, em geral, não entendem as necessidades físicas de seus maridos e estes não compreendem suas mulheres no que diz respeito à necessidade de afeto. Acrescento ainda que a ideia ilusória dos filmes, da TV, da literatura sobre o amor, acrescida de tabus e preconceitos que o casal recebe, é transportada para o casamento. Somados, tais problemas se tornam excelente chance para os incansáveis e determinados ataques satânicos.

Do ponto de vista feminino, a afeição do marido é essencial para o sucesso do relacionamento. Sem esse elemento, ela se sentirá distante e como um simples objeto. Seria maravilhoso se todos os homens compreendessem essa necessidade de suas esposas e se esforçassem com afinco para supri-la. Por outro lado, creio que, se as mulheres entendessem como é importante e séria a necessidade sexual de seus maridos e se dispusessem a atendê-los, muitos atritos e desentendimentos seriam evitados.

Já observei que um homem com valores morais e religiosos bem definidos e firmados consegue permanecer fiel à sua esposa, embora não inclua nessa afirmação, a fidelidade mental e emocional.

Ao casar-se, o homem geralmente tem a intenção de ser inteiramente fiel. No entanto, às vezes esse desejo condiciona-se à capacidade dela supri-lo sexualmente. Ele acredita, confia até, que ela estará sempre pronta todas as vezes que tiver necessidade de "amor".

Quando acontece a infidelidade, em geral o marido se autojustifica citando a incompreensão da esposa e o fato dela não estar sexualmente disponível para ele.

A Palavra de Deus afirma: O ladrão vem apenas para matar, roubar e destruir... (João 10:10). O alvo principal do ataque inimigo é a família. Se ele conseguir destruí-la, atingirá toda a sociedade, conduzindo-a ao caos.

Creio que havendo a mútua compreensão de que o equilíbrio do casamento se estabiliza na determinação do casal em procurar fazer o seu companheiro feliz e suprido em suas necessidades, deverá haver uma diminuição dos divórcios atuais.

Pense nisto

Você tem respeitado as necessidades do seu cônjuge? Você tem entendido que ele tem necessidades diferentes das suas e tem procurado supri-las?Vocês têm uma conversa franca sobre suas necessidades e o que esperam da relação sexual?

18 de maio

Vamos lá, você consegue!!!

A língua tem poder sobre a vida e sobre a morte...
Provérbios 18:21

Pai, sua liderança no lar é caracterizada pelo encorajamento ou pela crítica? É muito mais fácil criticar pois faz parte da natureza humana. Precisamos ver a área de elogios. Você sabia que são necessárias três palavras de elogio para apagar uma crítica?

Muitos filhos estão desanimados e chegam a desistir da vida, porque receberam tantas palavras de crítica e nenhuma de encorajamento. Eles precisam receber afirmação dos pais e o encorajamento é uma das formas mais eficaz.

Não deveria passar nem um dia na vida de uma criança, sem que ela não recebesse uma palavra de incentivo de seus pais.

Há pais que estabelecem alvos muito elevados para seus filhos, alguns, são praticamente inatingíveis. Por mais que os filhos se esforcem, os pais nunca ficam satisfeitos.

Pais, procurem saber quais são os alvos de Deus para a vida de seus filhos e não simplesmente incutir os seus alvos neles. Muitos pais procuram se realizar por meio dos filhos.

Precisamos ter em mente que as crianças são sensíveis e desanimam facilmente. Precisamos apoiá-las, encorajá-las e elogiá-las livremente. Devemos criticar o menos possível para proteger-lhes a autoestima.

E lembrem-se: Os filhos esquecem suas "broncas", mas nunca esquecerão sua aprovação.

Pense nisto

Incentivem seus filhos, elogie-os, porque "o Ministério de Deus Celeste adverte: o elogio faz bem a saúde tanto física quanto espiritual e emocionalmente".

19 de maio

Descansando e confiando

Lancem sobre ele toda a sua ansiedade,
porque ele tem cuidado de vocês.
1Pedro 5:7

Será que existe alguém que nunca tenha sentido medo? Talvez, mas eu não conheço! Em vista disso, é muito confortante saber que o próprio Deus pode nos equipar com coragem! Ele é o Deus que transforma covardia em ousadia. Nele podemos superar nossos temores!

A pessoa medrosa é desprovida de autoconfiança e se torna vítima da ansiedade e do medo. Deus possibilita que nos tornemos destemidos, determinados e corajosos. Mas será que essa é uma prerrogativa exclusivamente masculina? Se não, como se aplica às mulheres?

Em 1Pedro 3:1-6, o apóstolo diz que o Senhor valoriza muito na mulher um coração firme em suas convicções. Isto implica em que ela deve descansar confiantemente em Deus e lutar contra a ansiedade e o temor.

O oposto de um espírito de covardia, como todos nós sabemos, é exatamente um espírito corajoso. A palavra coragem tem sua raiz no latim "cor", que quer dizer coração. Ter coragem significa enfrentar perigo e oposição com tranquilidade e confiança interior. O medo faz parte de nossa natureza caída, mas no Senhor podemos encontrar a coragem para enfrentar o que vier ao nosso encontro!

A mulher moderna, envolvida pelas pressões do cotidiano, quer sejam elas financeiras, profissionais, relativas à educação de seus filhos ou ao trato com seu marido, necessita de uma boa provisão de coragem para superar tais obstáculos.

Segundo as palavras de Pedro, podemos deduzir que uma mulher corajosa é aquela que sabe se relacionar com o marido de forma calma, tranquila e confiante.

Pense nisto

Você, marido, tem sido compreensivo e atencioso com a sua mulher? E você, mulher, tem se relacionado com seu marido de maneira calma e tranquila? Peçam que Deus lhes ajude a colocar essas características em prática em seu casamento.

20 de maio

Três frases que curam

Dar resposta apropriada é motivo de alegria...
Provérbios 15:23

Lembro-me bem. Era sábado de manhã e eu estava em minha casa, em São Paulo, onde moro, trabalhando no jardim, pois para mim a jardinagem é uma terapia. Naquele dia eu estava muito irritado. De repente, entrei pela porta da cozinha e em 30 segundos descarreguei sobre minha mulher toda minha raiva. Depois, sem esperar resposta, bati a porta e voltei à jardinagem. Porém, minha consciência atrapalhou a "terapia". Pensei comigo mesmo: É este o homem que tem se especializado em aconselhamento familiar? E a vergonha uniu-se à minha consciência pesada. Arrependido, voltei à cozinha e disse à minha esposa três frases: "Eu estou errado". "Por favor, me perdoe". "Eu amo você"!

Apesar de parecer simples demais, essas frases são difíceis de serem ditas. No entanto, posso afirmar que, quando a intenção é sincera, funcionam. Essas frases têm um significado muito profundo:

- "Eu estou errado" – humildade em reconhecer o erro.
- "Por favor, me perdoe" – o perdão é importantíssimo para cicatrizar qualquer ferida no relacionamento.
- "Eu amo você" – em minha experiência tenho comprovado que a falta de verbalização e atitudes de amor e carinho, deteriora mais rapidamente a vida conjugal.

As célebres palavras: "... e viveram felizes para sempre", não exclui o fato de que até Cinderela e seu príncipe, se realmente fossem reais, teriam passado por conflitos.

Na verdade, ao invés da verbalização dessas frases representarem uma derrota no relacionamento de um casal, elas poderão contribuir eficazmente para a maturidade e aprofundamento da relação.

Pense nisto

Dependendo da maneira como os conflitos são enfrentados e encarados, eles podem se tornar aliados valiosos. Aprenda a lidar com eles, direcionando-os para que seu casamento cresça ainda mais.

21 DE MAIO

ENTREGA TOTAL

Entregue o seu caminho ao Senhor, confie
nele e ele agirá.
Salmos 37:5

VOCÊ se lembra da história de Ló e a provação que a vida de peregrinação constituía para ele, mesmo diante do desaparecimento de Sodoma? Depois de ter escapado às pressas dali, ele rogou ao anjo para não mandá-lo para o monte, mas sim para uma pequena cidade, Zoar (Gênesis 19:21-27). A tendência materialista deste "homem de Deus", fortalecida e desenvolvida durante os anos em que viveu em Sodoma, fizeram--no uma pessoa amedrontada e acomodada.

Abraão e Ló eram dois homens ricos, ambos líderes astutos e acostumados aos grandes negócios. A Palavra diz que eles viviam uma vida justa, porém somente Abraão é citado na lista dos heróis e heroínas da fé cristã, em Hebreus 11. Por que o nome de Ló não aparece na lista? Deixo que você mesmo responda a esta pergunta.

Ou você vive em obediência, confiante nas promessas de Deus, ou você pode desaparecer como uma folha murcha levada pela chuva, sem deixar marca na História.

Decida-se sobre seu estilo de vida. Você prefere viver pela fé, tendo a visão da eternidade, como Abraão, ou a mentalidade imediatista e hedonista, como a visão do que é temporário, como Ló?

Certa família resolvera dedicar sua vida a Missões. Ao serem designados para trabalhar em outro país, embalaram todos os seus pertences e despacharam para aquele determinado lugar. Restaram apenas roupas e objetos pessoais, coisas de mais valor do que as guardadas nas malas.

A caminho do aeroporto pararam para jantar em um restaurante. Aproveitando-se da oportunidade de encontrar um carro vulnerável e repleto de malas, um ladrão, como se costuma dizer, "fez a festa!" Ao saírem do restaurante, a amarga surpresa os esperava. Algum tempo depois, com a cabeça mais fria e os nervos mais controlados, o chefe da família confessou: "Eu segurava aquelas coisas ferozmente, com as mãos fechadas. Mas o Senhor deu um tapa bem forte em cada uma delas e tive de abri-las. Então, tudo aquilo caiu nas mãos de Deus".

O que você está segurando, ou melhor, o que o segura, o prende? Qual a sua muleta? O que o escraviza? No que você está enroscado? Algum título? Sua reputação? Um bom emprego? Sua carreira? Algum bem material? Uma pessoa? Um alvo de vida? Uma lembrança? Se você não consegue abrir mão de algo, então isso se torna sua prioridade.

PENSE NISTO

"Não é tolo o que perde o que não pode reter, para ganhar o que não pode perder" (John Elliot).

22 de maio

Converti-me depois de casado. O que fazer?

... Se um irmão tem uma mulher descrente, e ela se dispõe a viver com ele, não se divorcie dela. E, se uma mulher tem marido descrente, e ele se dispõe a viver com ela, não se divorcie dele. Pois o marido descrente é santificado por meio da mulher, e a mulher por meio do marido...
1Coríntios 7:12-14

Deus não quer que você termine seu casamento por estar agora sob jugo desigual. O que o Senhor deseja é utilizá-lo(a) para conquistar seu cônjuge para Cristo.

Em 1Pedro 3:1,2, o apóstolo exorta as esposas a serem submissas a seus maridos. Ele é muito cuidadoso, deixando claro que a mulher não deve pregar a seu marido descrente. Talvez você já tenha se sentido tentada a expor o evangelho ao seu cônjuge ou, quem sabe, surpreendida pelo sentimento de considerar-se superior a ele espiritualmente. Cuidado!

É importante que você creia que pelo fato de ter Cristo em sua vida, sua fé deverá contribuir para o bom relacionamento sexual e não prejudicá-lo. Você possui algo maravilhoso para enriquecer seu casamento: o amor e o poder de Deus atuando em sua família. O fato de ter um novo vínculo com Deus através de Jesus Cristo a torna uma nova criatura, uma pessoa mais paciente, bondosa, compreensiva, mais sensível ao seu marido. Isso deverá influenciar positivamente o convívio.

Desenvolva uma comunicação aberta, pois ela é essencial para o seu casamento. Quem sabe você imagina que daqui para a frente seu cônjuge não o(a) entenderá mais. Surge então, a tendência de aprofundar as amizades na igreja e cortar a comunicação com o cônjuge. Não permita que isso ocorra!!! A quebra de intimidade de vocês poderá ser sua culpa.

Pare e pense nas qualidades de seu cônjuge, naquilo que o(a) atraiu nela (e) durante anos atrás. Concentre sua atenção e emoção em seus pontos positivos. Não se detenha ao fato de ele não ser cristão. Louve a Deus e agradeça-o pelos atributos que ele mesmo deu ao seu cônjuge. Tenha sempre em mente que o coração de seu cônjuge está nas mãos do Senhor (Provérbios 21:1).

Desfrute a alegria de ser esposa e mãe e usufrua a felicidade de viver do lado do homem que Deus escolheu para que você vivesse "até que a morte os separe".

Pense nisto

Você já entregou a vida do seu cônjuge nas mãos de Deus? Não se esqueça que você não é o Espírito Santo na vida dele. Convencer um homem de sua necessidade de aceitar Jesus e levá-lo ao arrependimento é obra do Espírito Santo, não sua. Espere no Senhor, ore muito, mas não conte ao seu cônjuge que está orando por ele.

23 DE MAIO

O AMOR QUE FAZ A DIFERENÇA (AMOR *FILEO* 1).

Assim permanecem agora estes três: a fé, a esperança e o amor. O maior deles, porém, é o amor.
1Coríntios 13:13

TEMPOS ATRÁS, a revista americana Redbook publicou uma pesquisa sobre os principais problemas que levam um casal à separação. Com o auxílio de 730 conselheiros em assuntos conjugais, foram destacados dez motivos:

1. Quebra de comunicação.
2. Perda de interesse e alvos entre o casal.
3. Incompatibilidade sexual.
4. Infidelidade.
5. Desaparecimento do companheirismo, da alegria, da cumplicidade e encantamento de viverem juntos.
6. Dinheiro.
7. Discordâncias em relação aos filhos.
8. Uso de álcool e drogas.
9. Igualdade e direitos da mulher.
10. Os sogros.

Achei muito interessante que, ressaltado em quinto lugar, está o problema do relacionamento ter se tornado desmotivado, "sem graça".

Será que há possibilidade de esquentar um casamento frio, descongelar uma relação congelada?

Tenho boas notícias! Creio que é plenamente possível e para prová-lo, recorro ao que considero essencial para reativar uma relação: o amor *fileo*.

Este tipo de amor se concentra na amizade. É um amor emocional, que implica em duas pessoas dividirem, em clima de sincera camaradagem, alegrias, tristezas, sonhos, alvos, julgamentos, decepções etc.

Posso dizer, sem medo de errar, que em grande parte dos casamentos atuais, esta é a forma mais defasada de demonstrar amor. Se fosse mais considerado pelos casais, certamente os divórcios decresceriam acentuadamente.

Sem esse aspecto do amor, um casamento não tem colorido algum!

PENSE NISTO

Experimente desenvolver compreensão, atenção, camaradagem, comunicação com seu cônjuge. Você se surpreenderá ao perceber que as pequenas atitudes, às vezes tão menosprezadas por todos, realmente funcionam.

24 de maio

Quando o amor é comunicativo (amor fileo 2).

... se eu não tiver amor, nada serei...
1Coríntios 13. 2

Dificilmente esquecerei uma palestra que fiz tempos atrás no Rio de Janeiro. Eu estava justamente falando sobre algumas características do amor *fileo*, explicando que esse tipo de amor é emocional, quando resolvi sugerir algo novo e prático.

Pedi a todos os maridos e noivos que estavam no auditório, para olharem para suas esposas e noivas com um sorriso, afirmando: "Querida, eu te amo!" Houve um zum, zum, zum e eu vi vários homens se levantando para atravessar o salão. Pensei: "Puxa, nem ao menos estão sentados com suas mulheres e noivas?"

Ao final, um casal veio falar comigo. Estavam casados há vários anos. Com lágrimas nos olhos ele tentou dizer-me algo, mas não conseguiu. Então, sua esposa falou: "Jaime, eu sei o que ele quer dizer. Somos casados há 30 anos e esta foi a primeira vez, desde que nos casamos, que ele afirmou que me ama. Acho que, com isso, conseguimos começar a quebrar o gelo em que temos vivido".

Às vezes o amor morre justamente porque não fazemos nada. O amor é dinâmico, não é estático. Ele é como uma planta que deve receber cultivo para se tornar bonita e viçosa. Ela tem que receber sol, água, luz, fertilizante, enfim, precisa ser cuidada.

A melhor contribuição para que um casamento esfrie e o amor morra, é não fazer nada. Muitos casais agem assim e quando isto acontece, a vida conjugal passa a ser chata, monótona, cheia de contrariedades e brigas. Não economize demonstrações de afeto ao seu cônjuge.

PENSE NISTO

O amor se expressa de maneiras práticas como uma palavra de elogio, um presente de aniversário, uma refeição especial, um inesperado botão de rosa etc... Sem essas pequenas demonstrações cotidianamente, o relacionamento pode murchar.

25 DE MAIO

EM BOCA FECHADA NÃO ENTRA MOSCA!

Quem tem conhecimento é comedido [...]
parecerá que tem discernimento.
Provérbios 17:27,28

NÃO DEVEMOS utilizar o silêncio como forma de frustrar o cônjuge. O silêncio, especialmente por parte do marido, representa uma resposta negativa para a esposa.

Se você hesitar em responder, explique com calma o por quê. Quando esta arma é usada frequentemente no relacionamento conjugal ela pode ser extremamente desanimadora.

Às vezes, é questão de não saber como se comunicar. Em outros casos, a pessoa, por natureza, é quieta; se for o caso, o cônjuge precisará de muita paciência.

O problema oposto é quando a pessoa fala demais. Espere até seu cônjuge terminar tudo o que queira dizer.

Quantas vezes nós pensamos que sabemos o que o outro vai dizer e, sem consideração e educação, o cortamos no meio da conversa. Somente depois descobrimos que não era nada daquilo que o outro estava pensando em falar.

Seja no caso do cônjuge silencioso ou do que fala demais, o casal precisa submeter seu problema à obra do Espírito Santo, pois só ele poderá solucionar qualquer tipo de problema, quer sejam muito quieto ou barulhento!

PENSE NISTO

Nem tanto cá, nem tanto lá. Silêncio demais, palavras demais. Nenhum extremo é proveitoso.

26 de maio

Desejo de realização

... pois sem mim vocês não podem fazer coisa alguma.
João 15:5

Hoje, logo cedo, estava lendo João 15:1-5: Eu sou a videira verdadeira, e meu Pai é o agricultor. Todo ramo que, estando em mim, não dá fruto, ele corta; e todo o que dá fruto ele poda, para que dê mais fruto ainda. Vocês já estão limpos, pela palavra que lhes tenho falado. Permaneçam em mim, e eu permanecerei em vocês. Nenhum ramo pode dar fruto por si mesmo, se não permanecer na videira. Vocês também não podem dar fruto, se não permanecerem em mim. Eu sou a videira; vocês são os ramos. Se alguém permanecer em mim e eu nele, esse dará muito fruto, pois sem mim vocês não podem fazer coisa alguma (João 15. 1-5).

Deus tocou-me novamente das palavras de Jesus: Sem mim vocês não podem fazer coisa alguma. Segurança interior, a autorrealização, identidade pessoal não podem ser alcançadas pelo esforço próprio de uma pessoa em suas realizações. A identidade de um ser humano está intimamente ligada à verdadeira videira. Precisamos nos lembrar constantemente de que sem ele, nada pode ser feito.

Três estupendos fatos bíblicos nos oferecem encorajamento e libertação para enfrentar e vencer nossa luta:

1. *Sou aceito, amado incondicionalmente e valorizado por meu Pai Celestial* – Esta verdade me liberta do jugo de ter que convencer os outros de meu valor, através do sucesso de minhas realizações.
2. *O perdão opera em minha vida agora e futuramente* – 1João 1:8,9 afirma que não preciso viver escorado em ações e atividades bem-sucedidas ou tentando disfarçar minhas fraquezas e incapacidades. Desse modo, sou livre para admitir meus erros e falhas.
3. *Como Filho de Deus tenho um santo e sagrado chamado* – Aquilo que realizo não tem apenas valor temporal ou superficial, mas eterno. Sou livre para ser servo; para levar Deus mais a sério do que levo a mim mesmo, para ser compassivo, liberto para agir corretamente em meu mundo e, especialmente livre para permitir que o poder de Deus flua através de mim, como a seiva flui pela videira.

Pense nisto

"Senhor Jesus, tu me deste energia, dons espirituais e capacidades naturais. E confesso, Senhor, que é muito fácil tornar-me ativista, não dando prioridade ao meu relacionamento com minha família. Por favor, Deus, ajude-me a compreender quando devo dizer não! Guarda-me perto de ti para que eu encontre meu significado, minha identidade e minha realização, na tua presença e no teu poder. Em nome de Jesus, Amém!"

27 DE MAIO

O VAZIO DA AUSÊNCIA

Será inútil levantar cedo e dormir tarde,
trabalhando arduamente por alimento.
Salmos 127:2

Depois de um dia de trabalho, um certo empresário estava voltando a sua casa com uma surpresa para sua esposa. Era aniversário dela e o presente que ele mandara comprar o deixava ansioso para presenciar que reação ela teria.

– Feliz Aniversário, meu bem! – disse ele quando chegou, estendendo-lhe as chaves de um carro novinho e reluzente.

A mulher olhou bem para o marido, pegou as chaves e as jogou no chão. Depois, deu-lhe as costas, subiu para o quarto onde arrumou uma mala com algumas roupas e objetos e, em seguida, deixou aquela casa.

O homem ficou estupefato, pasmo! O que acontecera? Depois de alguns dias, já mais calma e querendo dialogar, ela telefonou para ele.

– Preciso que você saiba como me sinto, disse ela ao marido. Sempre, desde que nos casamos, você tem me dado uma variedade de presentes caríssimos: nossa casa enorme e luxuosa, a casa da praia, iate, roupas e joias valiosíssimas, mas nunca – preste atenção – nunca você se preocupou em perguntar o que eu realmente queria. Lógico que aprecio todos os presentes, mas minha maior necessidade é ter você perto de mim. Quase não o vejo, quase não temos tempo para conversar. Você não consegue encontrar horário para me dar um pouco de atenção, carinho, amor. Vivo praticamente sozinha, rodeada por toda essa riqueza. Nos raros momentos que você tem de folga, nossa casa se enche de gente por causa das festas e reuniões que você promove. Chego a pensar que o nosso casamento está chegando ao fim.

O riquíssimo empresário sentiu-se desapontado consigo mesmo. Ele amava muito sua esposa e pensava que todos aqueles presentes demonstravam isso, mas esqueceu--se de algo muito importante... dar de si mesmo a ela!

PENSE NISTO

Ás vezes as pessoas se confundem achando que amar é sinônimo de presentear. Outras vezes, elas presenteiam o cônjuge ou os filhos, na tentativa de preencher o vazio de sua ausência. Um dos segredos para obter-se um relacionamento bem-sucedido é estar atento(a). às necessidades do parceiro(a). e também disposto(a). a supri-las, na medida do possível. Não é possível pretender que coisas materiais substituam a presença do marido ou da esposa no lar, ou que exerçam seu papel de cônjuge e pais.

28 de maio

"Venha ao meu jardim!"

Você é um jardim fechado, minha irmã, minha noiva; você é
uma nascente fechada, uma fonte selada.
Cântico dos Cânticos 4:12

Um dos maiores mal-entendidos entre alguns casais ocorre na área sexual. É a ideia de que o sexo não foi criado para o prazer conjugal. Mas, enfim, existe alguma orientação bíblica sobre o assunto? Fico feliz em poder responder afirmativamente.

Quando duas pessoas se amam e estão comprometidas com o Senhor, e uma com a outra até que a morte as separe, não há limite ao prazer sexual que podem experimentar. O sexo foi criado por Deus não somente para propagar a raça humana, mas também para a satisfação sexual do casal. O livro Cântico dos Cânticos apresenta o amor erótico e o prazer que o rei Salomão e a moça Sulamita experimentaram no casamento. O prazer sexual está baseado na:

Atração do marido em relação à sua esposa. No livro Cântico dos Cânticos 4:12-15, Salomão compara as delícias sexuais experimentadas com sua esposa a um jardim. Plantas e flores são símbolos eróticos que descrevem os prazeres entre os cônjuges. Salomão sente-se atraído pela fidelidade dela, que se guardando, protegeu seus frutos sexuais e os aromas agradáveis de outros, reservando-o exclusivamente para seu marido na noite de núpcias. "Venha para o meu jardim", é a canção oferecida por ela.

Atitude da esposa em relação a seu marido. Em Cântico dos Cânticos, 4:16, a Sulamita demonstra o desejo por seu marido através do convite: Levanta-te e vem... A paixão flui livremente, pois estão no lugar abençoado por Deus. Para que se derramem os seus aromas..., referindo-se à entrega sexual ao marido. Desta vez, ela o convida com as mesmas palavras por ele utilizadas. Que lindo quadro! ...coma dos seus frutos excelentes – Demonstra o desejo dela para que seu marido desfrute suas carícias. Quantos maridos sonham ter uma esposa assim!

Aceitação da satisfação sexual e unidade marido-esposa. É uma experiência a dois, portanto o prazer também. Ambos devem decidir as carícias, as posições, enfim, todo o procedimento erótico. Há problemas em seu relacionamento sexual? Conversem sobre isso, e tenham coragem para as mudanças, se necessárias.

Aprovação de Deus. Comei e bebei amigos; bebei fartamente, oh amados (Cântico dos Cânticos 5:1b). Creio pessoalmente que este convite foi feito pelo próprio Deus ao casal, para que eles se "intoxicassem" com os desejos, paixões e carícias um do outro.

Pense nisto

Que relacionamento lindo! Marido e esposa entregando-se inteiramente sem reservas, sem medo, sem inibições, sem egoísmo, desfrutando a exclusividade da mesma relação.

29 DE MAIO

SER SUBMISSA NÃO É SER CAPACHO!

Pois era assim que também [...] cada uma a seu marido.
1Pedro 3:5

A PALAVRA submissão está mais ou menos fora de moda. Muitas mulheres rejeitam os conceitos modernos sobre submissão. Infelizmente esta palavra submissão é mal-entendida, havendo muitos conceitos errados sobre ela.

A Bíblia não ensina que a mulher...

- É a única pessoa que tem que se submeter: um dos frutos do Espírito é a submissão mútua no temor de Cristo, ordem dada ao marido, esposa e filhos. Submissão é uma das maiores expressões do senhorio de Cristo em nossas vidas, atitude esta que todo crente deve ter perante o seu irmão, seu empregado ou seu chefe;
- Seja inferior ao homem: no corpo de Cristo não existe superioridade ou inferioridade. Todos somos iguais aos pés da cruz. Os dons de Deus pertencem à mulher tanto quanto ao homem;
- É incapaz de realizar grandes coisas: não há dúvida de que a mulher realiza grandes coisas. E uma de suas maiores realizações está no fato de ser auxiliadora e ajudadora do seu marido. As Escrituras falam de algumas santas mulheres que realizaram grandes obras: Débora, Áquila, Priscila e muitas outras;
- Tem que ficar em silêncio na igreja: a Palavra de Deus diz que ela não deve ensinar ou exercer autoridade sobre os homens. As Escrituras são claras que a mulher tem um grande ministério de ensino. Como membro do corpo de Cristo, ela deve exercer o ministério de instrução e aconselhamento.

PENSE NISTO

Submissão é um "guarda-chuva" de proteção da mulher.

30 de maio

Uma vida plena

... eu vim para que tenham vida, e a tenham plenamente.
João 10:10b

Nós não compramos óculos – compramos visão; não compramos toldos – compramos sombra; não compramos jornal – compramos informação. Não é o produto em si que queremos e até nos esforçamos ao máximo para conseguir, mas o que ele pode nos oferecer.

Para a maioria das pessoas, em geral, uma vida plena é a realização de um, ou de todos os desejos a seguir: ser rico; ser poderoso; ter um propósito de vida; amar e ser amado – Riqueza, Poder, Propósito, Amor. Quando dizemos que temos uma vida plena é porque alcançamos esses desejos. Se pararmos para pensar, os substitutos eventuais de tais desejos tentam nos satisfazer. Em vez de riqueza, corremos atrás de dinheiro; no lugar de poder, aceitamos ter influência; a ambição pode muito bem substituir o propósito de vida, e o sexo o amor. Não importa o quanto o substituto seja atraente ou apelativo, ele nunca satisfaz.

Imagine-se em um barco em alto-mar. O motor está avariado; você está sem rádio e o celular está fora de área. Você não tem qualquer recurso. A água fresca acabou, a comida também. O oceano o conduz a seu bel-prazer. Depois de horas sob um sol escaldante, você olha para um horizonte de água sem fim, mas não pode beber uma gota sequer, porque se beber água salgada, logo morrerá desidratado(a). O corpo humano precisa de água; em caso de longa abstinência, ele reclama por água doce e pura. Semelhante a esse desejo incontrolável por água ao sermos privados dela, é a atração que sentimos por riqueza, poder, propósito e amor. Estes desejos não são necessariamente errados, porém os substitutos são insuficientes, incompletos e não satisfazem.

Deus, ao nos criar, colocou a eternidade em nossos corações, de forma que ele, e somente ele, satisfizesse todos os nossos desejos. Riqueza verdadeira, poder, propósito e amor são dons que Deus quer nos dar em seu Filho, Jesus Cristo. Quando almejamos por essas coisas, na verdade ansiamos por um relacionamento íntimo e especial com Jesus, mas não reconhecemos isso.

Leia o que Deus quer nos dar:

- Riqueza: Efésios 1:3-7
- Poder: Efésios 3:20
- Propósito de vida: Efésios 2:1-10
- Amor: Romanos 5:8.

Pense nisto

Somos criaturas ambíguas, brincando com bebida, sexo, ambição etc... Quando nos é oferecida alegria infinita, como uma criança inexperiente queremos continuar brincando e nos sujando na lama, sem imaginar como seria maravilhoso passar o dia em uma linda praia, brincando na areia branca e limpa. Satisfazemos e convencemos a nós mesmos, com muito pouco.

31 DE MAIO

QUANDO O AMOR É COMPREENSIVO

Ainda que eu dê aos pobres tudo que possuo e
entregue o meu corpo para ser queimado, se não
tiver amor, nada disso me valerá.
1Coríntios 13:3

ALGUÉM disse que é uma pena a vida de casado durar mais ou menos 50 anos, pois quando se consegue compreender o cônjuge, a morte já está rondando um dos dois. Compreender seu esposo ou esposa envolve um longo processo.

Cada um de nós necessita de alguém extremamente confiável e compreensivo com quem possa ser autêntico, com quem consiga tirar "a máscara" e mostrar quem realmente é.

Qual a pessoa mais adequada para nos oferecer este tipo de compreensão do que nosso cônjuge? Penso que seria proveitosa uma simples avaliação pessoal para tentar perceber se o nível de amizade e intimidade com seu marido ou mulher tem sido profundo:

1. Você consegue compartilhar abertamente com seu cônjuge, sem constrangimento?
2. Você se sente incondicionalmente aceito por ele (a), mesmo quando está muito deprimida (o)?
3. Você se sente totalmente livre para ser o que realmente é diante de seu marido ou mulher, sem precisar lançar mão do recurso da "máscara"?
4. Você tem liberdade e intimidade suficientes com seu esposo ou esposa, a ponto de cobrar atitudes e ações dele (a) e permitir que ele (ela) faça o mesmo?
5. Você é capaz de discordar das opiniões do seu cônjuge, sem rejeitá-lo?
6. Você se preocupa em ser sensível e demonstrar carinho e atenção para com seu parceiro, mesmo que seja em pequenas coisas?
7. Você dá espaço para que seu marido, sua esposa, desenvolva amizade com outras pessoas?

Você já pode avaliar se o amor *fileo* está ou não fazendo parte do seu casamento?

PENSE NISTO

O fator emocional não deve jamais ser negligenciado. No mundo contemporâneo, quando os relacionamentos estão cada vez mais enveredando para o individualismo, os casais devem lutar para conscientizar-se e desenvolver este importantíssimo aspecto do amor.

1 DE JUNHO

O FRUTO DA SOLIDÃO

Mas para vocês que reverenciam o meu nome, o sol da justiça se levantará trazendo cura em suas asas. E vocês sairão e saltarão como bezerros soltos no curral.
Malaquias 4:2

SENHOR, recordo-me de momentos solitários de minha vida, e hoje posso te agradecer por eles. Se eu não tivesse, por um tempo, passado a dor de ser solteira, de enfrentar uma vida sozinha, não poderia entender o que minhas amigas solteiras sentem. Também não apreciaria tanto o marido que o Senhor me deu.

Se eu não tivesse deixado meus pais para vir a uma terra distante, não poderia entender a dor do estrangeiro. Se eu não tivesse tido a dor de um lar sem filhos, nunca teria pensado em adoção, e três meninas órfãs não teriam hoje um pai e uma mãe. Quanta alegria elas nos têm dado!

Se meu marido não viajasse muito, talvez eu não apreciasse tanto o tempo precioso que temos juntos. Se fossem outras circunstâncias, será que verbalizaria tanto que o amo? Também, depois que Deus me deu um marido com um coração missionário, como poderia dizer não quando o Senhor o quer na ativa? Obrigada pelos ministérios realizados através dessas viagens, pelas vidas tocadas. Obrigada por ter cuidado dele nas estradas e nos ares. Obrigada por preencher os meus momentos vazios com a tua presença. Obrigada pelas famílias sensíveis à minha solidão, que me convidam para compartilhar momentos gostosos com elas.

Se hoje meu ninho não estivesse vazio, será que eu teria tanto tempo para escrever, ler, ter um ministério próprio, viajar com meu marido, investir na vida de outros? Sei que minhas filhas tiveram que deixar pai e mãe para se unir a seus maridos (mas não precisavam morar tão longe!!)

A solidão dolorosa causada pela morte de entes queridos, eu também já experimentei; tenho chorado com mulheres viúvas, ou com pais que perderam seus filhos, ou filhos que perderam seus pais. Esta separação deixa um vazio que, aparentemente, nesta vida, jamais será preenchido.

Mas essa não é a maior solidão. A maior foi aquela que o Senhor Jesus sofreu na cruz quando clamou: "Deus meu, Deus meu. Por que me desamparaste?" O Senhor sofreu a separação do Pai, levando meus pecados na cruz para que eu nunca tivesse que me separar dele.

Como é bom saber que nunca estou sozinha, que o Senhor não me deixará órfã, que nada pode me separar do seu amor.

Ó Pai, faça-me sensível às pessoas solitárias que precisam de uma palavra carinhosa, de um abraço, de um convite para jantar. Não me deixe esquecer que a "religião pura é cuidar das viúvas, órfãos e estrangeiros".

PENSE NISTO

Qual é a sua dor, sua solidão? Procure em Deus o conforto, a esperança e agradeça o fato de ter nele o pai que nunca o(a) deixará órfão (ã), o companheiro que nunca o(a) deixará sozinho(a), o amigo sempre pronto a confortar.

2 DE JUNHO

OS PAIS, AUTORIDADES DE DEUS

Todos devem sujeitar-se às autoridades governamentais, pois não há autoridade que não venha de Deus; as autoridades que existem foram por ele estabelecidas. Portanto, aquele que se rebela contra a autoridade está se colocando contra o que Deus instituiu, e aqueles que assim procedem trazem condenação sobre si mesmos.
Romanos 13:1,2

DEUS deu aos pais autoridade na vida de seus filhos. Quando os filhos aprendem a respeitar essa autoridade, torna-se mais fácil aceitar a autoridade de Deus em suas vidas.

Não é raro ouvirmos sobre pais que abusam dessa autoridade. Por isso, Deus estabeleceu limites. Ele falou que os pais não devem provocar os filhos à ira (Efésios 6:4) e não irritá-los para que não fiquem desanimados (Colossenses 3:21).

Os pais podem provocar ou irritar os filhos quando:

Dão ordem sem exemplo. – "Faça o que eu digo, mas não faça o que eu faço." Isso não funciona, é preferível dizermos: "Tornem-se meus imitadores, como eu o sou de Cristo " (1Coríntios 11:1).

Disciplinam em momentos de irritação ou raiva. – O propósito da disciplina é educar em justiça, e não dar vazão à nossa frustração.

Disciplinam sem boa comunicação. – Nossos filhos precisam entender que a disciplina será aplicada sempre que houver uma desobediência específica.

Mostram incoerência na disciplina. – A criança é disciplinada por uma desobediência em um dia e no outro não. Temos que ser fiéis na disciplina, ou criaremos confusão nos corações dos nossos filhos.

Não cumprem o que prometem. – "Se você fizer isso, será disciplinado!", mas ele (a) nunca apanha. Às vezes falamos demais, e os chateamos em vez de educá-los.

Não admitem que possam estar errados. – Três frases que podem salvar qualquer situação: "Eu errei." "Por favor, me perdoe!", e "Eu amo você!" Não somos perfeitos. Nós erramos e precisamos admitir isso diante de nossos filhos.

Não encorajam os filhos. – As autoridades são enviadas por Deus tanto "para punir os que praticam o mal" como também para "honrar os que praticam o bem" (1Pedro 2:14). A nossa disciplina não terá o efeito desejado, se não encorajarmos nossos filhos.

PENSE NISTO

Criar filhos não é fácil! Deus nos diz que não é para provocá-los à ira, mas criá-los na disciplina e admoestação do Senhor. Ele nos deu a ordem e Ele nos dará a graça e a força para obedecer.

3 de junho

E agora? Passei o sinal vermelho!

Suportem-se uns aos outros e perdoem...
Colossenses 3:13

"Puxa, como me precipitei... e agora?" Relacionamentos íntimos antes do casamento podem trazer consequências muito sérias no casamento, criando muitos atritos e perturbações emocionais, além de uma consciência pesada!

A noiva se casa frustrada porque permitiu que seu noivo fosse além dos limites. Com isso, a tendência dela é tornar-se dominante e agressiva, assumindo o papel do marido. Ela faz isso consciente ou inconscientemente, por causa de sua mágoa e ressentimento.

O marido fica com sentimentos de culpa e decepcionado consigo mesmo, só que sua tendência é de tornar-se cada vez mais passivo. Ele não gosta quando a esposa assume a liderança do lar, mas, porque perdeu a autoridade, não reage, tornando-se mais ausente e sentindo-se mais culpado.

Quando o marido torna-se incapaz de liderar o lar, que pode ser um dos resultados do excesso de intimidade física antes do casamento, o casal passa a ter sérios problemas.

Há esposas que sentem repulsa pelo seu marido com um simples toque dele. Qual a causa disto? pode ser um ressentimento provocado pelo excesso de intimidade física antes do casamento.

"Não adianta chorar sobre o leite derramado", se vocês passaram por esse excesso de intimidade física antes do casamento, Deus está disposto a perdoá-los. Caso ainda não tenham pedido perdão, não deixem de fazê-lo. Pode não parecer importante, mas é... e muito!

Pense nisto

Se você ultrapassou o sinal vermelho da intimidade física antes do casamento, não fique triste e nem angustiado, pois sempre é tempo de pedir perdão! (a Deus e um cônjuge ao outro!).

4 DE JUNHO

TECIDOS PUÍDOS

Portanto, não permitam que o pecado continue dominando
seus corpos mortais, fazendo com que vocês
obedeçam aos seus desejos.
Romanos 6:12

Você já reparou como um tecido é confeccionado? Os fios são regularmente entrelaçados. Com esse enfoque, vamos dizer que cada família é um ponto do tecido que forma a sociedade. Quando um fio escapa, o tecido fica com um pequeno rombo. Quando vários pontos escapam, provocando um grande desfiado, o tecido fica enfraquecido e rasga facilmente. E, quando a maioria dos pontos se solta, o tecido simplesmente se desintegra.

Ouvimos, diariamente, o som desse tecido se rasgando em nosso ministério com a família: a esposa descobre, em desespero, que o marido a está traindo; a adolescente sedenta de amor, acaba engravidando; o casal já divorciado vai até o juiz porque o pai se recusa a dar pensão ao filho; a garota de 15 anos tenta o suicídio porque o namorado a deixou por outra; o garoto tem uma crise nervosa, mata os pais e depois, percebendo o que fez, comete suicídio.

Você consegue ouvir as vozes do "tecido se rasgando" em desespero? Eu as ouço em alto e bom som! Algumas são mais lancinantes, são vozes que causam um sentimento de urgência e agonia. São famílias se separando... mais pontos desfiando o tecido de nossa já desintegrada cultura!

Acredito firmemente, que é ardente desejo de Deus que as famílias cristãs façam diferença no nosso mundo. Da mesma forma que foi preciso ocorrer uma reforma na igreja e no mundo no século 16, temos hoje todos os indícios de que nossa cultura também precisa desesperadamente de uma reforma. E essa reforma espiritual tem início em nosso lar. Nossos países, nossas leis, nossos lares precisam ser pautados em princípios bíblicos.

Precisamos ter o desejo e a esperança em nossos corações para nos encorajarmos, de forma tal que possamos começar a fazer diferença em nosso mundo através de nossos lares.

PENSE NISTO

Orem, como família, pedindo que Deus possa usá-los para fazer diferença na sociedade em que estão envolvidos, de forma que "os rasgos do tecido" dos relacionamentos familiares sejam cada vez menores.

5 de junho

A dinâmica do amor

... Façam tudo com amor...
1Coríntios 16:14

Se o seu relacionamento esfriou, foi porque você se esqueceu que o amor é dinâmico. Se o marido não faz nada para expressar seu amor, ele pode ir diminuindo, diminuindo, até desaparecer! Você se lembra da primeira vez em que pegou na mão dela, no tempo de namoro? Lembra-se do seu primeiro beijo?

O período de namoro e noivado devem trazer à lembrança muitas coisas. O mesmo deve acontecer no casamento.

Nós maridos, precisamos parar de vez em quando e relembrar os momentos bonitos que tivemos com nossa mulher em tempos passados.

O amor é expressivo! E, às vezes, o nosso amor morre porque não fazemos nada. O amor é dinâmico e não estático. Ele é como uma planta que precisa ser cultivada.

A melhor maneira de deixar seu casamento esfriar e o amor morrer é não fazendo nada. Há muitos casos assim! Quando isto acontece, o casamento se torna chato, monótono, cheio de conflitos e brigas.

O amor se expressa de maneiras práticas e, às vezes, pequenas, como uma palavra de elogio, um presentinho no aniversário, um bife do jeito que ele gosta etc. Sem essas expressões pequenas no dia a dia, o relacionamento tende a esfriar.

Lembre-se que foi através da convivência de namoro e noivado que vocês dois ficaram apaixonados um pelo outro e desenvolveram o amor verdadeiro. O cultivo é essencial para a manutenção do amor!

Pense nisto

A monotonia tomou conta de seu casamento? Está tudo enfadonho e arrastado? Mexa-se, dinamize seu relacionamento!!!

6 DE JUNHO

O TOQUE DA BÊNÇÃO

Todas estas bênçãos virão sobre vocês e os acompanharão,
se vocês obedecerem ao Senhor, o seu Deus.
Deuteronômio 28:2

O QUE SIGNIFICA a bênção no relacionamento conjugal? É a comunicação feita através de um toque expressivo, sensível e carinhoso. É uma mensagem verbalizada, geralmente uma palavra de estímulo, de encorajamento e incentivo. Quando um dos cônjuges demonstra sua apreciação e admiração pelo seu companheiro com palavras encorajadoras, este se sente valorizado. É a configuração da visualização de um futuro especial para ambos.

Garanto que nossos relacionamentos conjugais seriam bem mais profundos, agradáveis e tranquilos, se observássemos esse tipo de bênçãos mútuas. Há muita tristeza, palavras duras, mágoas e até rancores guardados no íntimo de cada um, mas poucas ou até nenhuma palavra de bênção. E são as mulheres que mais se ressentem disso.

Muitas esposas estão carentes devido à falta de romantismo, de um clima de amor em seus casamentos. Os maridos, envolvidos com suas carreiras, preocupam-se excessivamente com suas profissões, com suas vidas financeiras, que passam a ser suas principais prioridades. Enquanto isso, a esposa sofre, fica só (mesmo estando ao seu lado) pois está consciente de que não é o alvo de seu maior interesse. Muitos maridos não imaginam, mas cooperam fortemente para que suas esposas entrem em depressão.

Sem a bênção do toque significativo, da mensagem verbalizada, o cônjuge prejudica seu companheiro(a) e cria questionamentos, dúvidas, inseguranças, medos. Quando o homem não evidencia amor por sua esposa, ou vice-versa, isto insere negligência, desamor no modo de entender do outro cônjuge.

Quando na Bíblia o Senhor ordena que o homem se una à sua mulher, ele quer que ambos se entrelacem, como uma forte corda, onde os fios entrelaçados a tornam quase indestrutível. Porém, se um desses fios se rompe, os outros vão arrebentando, até a corda se desfazer por completo. No casamento, esta figura se define como distanciamento.

É plano de Deus que os cônjuges abençoem-se reciprocamente no decorrer do casamento.

PENSE NISTO

Quando você tocou com ternura, carinho, cuidado sua esposa (marido)? Qual foi a última vez que você incentivou, estimulou, valorizou seu cônjuge?

7 de junho

Por que bons casamentos fracassam?

Portanto, enquanto temos oportunidade,
façamos o bem a todos...
Gálatas 6:10

A individualidade e o egoísmo do casamento que busca a autorrealização são condenados, entretanto, os que ingressam em uma união baseada apenas em compromisso, não percebem, muitas vezes, que estão incorrendo no mesmo erro, apenas para manter as aparências. Deveríamos encarar em nossa vida conjugal os interesses, anseios, expectativas, sonhos, derrotas, tristezas, alegrias, vitórias de um como parte do outro.

Ao contrário disto, há o casal que vive a vida conjugal individualmente. Ambos trabalham, têm suas carreiras, seus projetos, seus amigos, suas atividades, separadamente. Vivem na mesma casa, comem a mesma refeição juntos, dormem na mesma cama, relacionam-se com os filhos, mas não aceitam um como extensão do outro e, o que é pior, às vezes competem entre si e até se tornam inimigos.

Não estou afirmando que no casamento deva se perder a individualidade, a personalidade, destruindo-se o próprio temperamento. Refiro-me a que os cônjuges devem se completar aproveitando ao máximo o potencial de cada um. Consequentemente ocorrerá a realização e a felicidade tão procuradas.

Para que tudo se torne real, ainda deve ser ressaltada a "dinâmica espiritual", ou seja, a fé, o praticar da Palavra, que é uma força motivadora de Deus para permanecermos casados.

PENSE NISTO

Comecem a investir nas promessas assumidas no dia do seu casamento, com o firme compromisso de se amarem, serem companheiros e amigos; enfim, cultivem a experiência de serem ambos "uma só carne", estando ligados um ao outro em todas as áreas de sua vida.

8 DE JUNHO

O BANCO DO AMOR

O amor é paciente, o amor é bondoso. Não inveja, não se vangloria, não se orgulha. Não maltrata, não procura seus interesses, não se ira facilmente, não guarda rancor. O amor não se alegra com a injustiça, mas se alegra com a verdade. Tudo sofre, tudo crê, tudo espera, tudo suporta.
1Coríntios 13:4-7

Os casais precisam se acostumar a praticar a "medicina preventiva" em seus casamentos, isto é, eles devem construir um relacionamento à prova de infidelidade, que sustente o romance e aumente a intimidade e camaradagem ao longo dos anos. Há uma ilustração que se adapta perfeitamente a essa prática preventiva. Eu a chamo de "Banco do Amor", que foi "bolada" por Willard F. Harley Jr. Todos nós temos contas no Banco do Amor. As pessoas fazem depósitos ou retiradas, dependendo do tipo de relacionamento que possuam. Bons relacionamentos resultam em depósitos, mas os maus em retirada. Os depósitos são feitos em moeda especial: Uas (Unidades de Amor). Quando o relacionamento passa por alterações de épocas da vida, dificuldades, conflitos, crises e desavenças, ocorrem saques de Uas nas contas do casal, dos filhos. Infelizmente, há muitos casais que possuem relacionamentos desgastados, sofridos e suas contas estão no negativo.

O gerente do banco desta ilustração é o próprio Deus. E ele é contra fechar contas! Ele está empenhado, como todo gerente, a que tenhamos mais depósitos do que retiradas. Um relacionamento precisa de investimentos constantes, de sucessivos depósitos. No ambiente familiar eles são absolutamente essenciais.

Se o marido "pisar na bola" com sua esposa e reconhecer seu erro, peça perdão a ela, e vice-versa. Se, acompanhando o pedido de perdão vier um "agrado" adicional, como um ramalhete de flores ou uma sobremesa especial no jantar, isso resultará em depósitos de muitos Uas em cada conta. Entre pais e filhos, conversas abertas, sinceras, pedidos de conselhos, de orientação e de perdão – quando for necessário – também possibilitam depósitos. A frase "Eu Amo Você" dita sincera e frequentemente, afofa o terreno do relacionamento e predispõe o aprofundamento de raízes.

PENSE NISSO

Quando foi a última vez que você fez um depósito de Uas no Banco do Amor? Como está seu relacionamento com sua esposa (marido) e filhos? E entre os irmãos? Será que em sua família não existe algum "depósito urgente" a ser feito? Não deixe suas contas no negativo. Você vai se sentir muito melhor tendo saldos positivos. Lembre-se, o "gerente" aguarda por seus depósitos!!!

9 de junho

Melhor é o teu amor...

... as suas carícias são mais agradáveis que o vinho.
Cântico dos Cânticos 1:2b

Muitos se casam com certos tabus e preconceitos sobre o ato conjugal. Há muito despreparo para o casamento. Para surpresa de alguns, a Bíblia também trata de sexualidade. O livro "Cânticos dos Cânticos" é uma poesia lírica em forma de diálogo e descreve o amor de um casal. Ele contém várias ideias que nos ensinam muito sobre essa área do casamento.

Deus planejou que o relacionamento físico também fosse para o prazer mútuo de duas pessoas casadas. Assim sendo, como experimentar mais prazer e proporcionar este mesmo prazer ao cônjuge?

Primeiramente, devemos procurar informação. Você conhece o seu corpo e como ele funciona? E o corpo do seu cônjuge? O que lhes dá prazer? Há muitos livros bons que podem ajudar, por exemplo: O Ato Conjugal, de Tim e Beverly LaHayle (Editora Betânia).

Especialmente para a mulher, o preparo para o ato conjugal é de extrema importância. A preparação emocional ocupa lugar prioritário. A satisfação da vida sexual depende, grande parte, do seu estado emocional. Em geral, a mulher que tem uma boa autoestima experimenta maior prazer. O preparo físico também é importante, observando sempre boa higiene, depilação, cuidados com o cabelo e, se necessário, por que não um "regimezinho" e uma ginástica?

O ambiente também precisa ser preparado. Sempre que possível, perfumes, música suave, são ideias que poderão proporcionar o clima propício. Privacidade também é de extrema importância.

Já a sedução pode começar com um sussurro no ouvido pela manhã, por exemplo. Carícias, palavras ou até vestes podem fazer parte da sedução, mas, o mais importante é expressar ao seu cônjuge que o deseja e aprecia suas atenções.

Uma boa comunicação é essencial para um relacionamento físico feliz. É também importante comunicar sentimentos durante o ato em si, através de palavras ou expressões faciais. Seu cônjuge aprecia o fato de agradá-la (o) e esta é uma maneira suave de comunicar que ele (a) lhe dá prazer.

Ao enfocarmos corretamente o relacionamento físico de nosso casamento, estaremos edificando o lar e fortalecendo o amor.

Pense nisto

O que a (o) desperta fisicamente? O que você não aprecia? Já falou sobre isso com seu cônjuge? Você sabe o que seu cônjuge mais gosta e de que forma você pode proporcionar-lhe maior prazer? Por que não colocar as dicas acima em prática hoje à noite?

10 DE JUNHO

DAR-TE-EI "ALI" O MEU AMOR!

Vamos cedo para as vinhas para ver se as videiras brotaram, se as suas flores se abriram e se as romãs estão em flor; ali eu lhe darei o meu amor.
Cântico dos Cânticos 7:12

A HARMONIA sempre foi um fator difícil de ser obtido nos relacionamentos. Sem sombra de dúvida, seu maior teste acontece no casamento. Quando duas pessoas imperfeitas, pecadoras, egoístas, orgulhosas, optam por derrotar a solidão, o isolamento, a liberdade pessoal e se tornam apenas uma, isso é realmente um milagre!

Nossa sociedade narcisista alimenta continuamente um apetite insaciável por autossatisfação. Sendo totalmente indulgente às nossas próprias necessidades, tornamo-nos pessoas que desconhecem o significado do autossacrifício, do "abrir mão" em favor de outrem.

Não há outra área onde Satanás tenha atacado mais do que a vida sexual. Não é possível conseguir uma vida sexual equilibrada e realizada quando existem manifestações diárias de egoísmo na cama e fora dela.

Outro ponto que provoca sérios danos ao casamento e mais especificamente à vida sexual é uma agenda superlotada. É absurdo, mas não improvável, que uma vida muito agitada provoque tal afirmação: "Querida, se você quiser ter relações sexuais vamos logo! Vai começar o Jornal da Noite e eu preciso saber qual foi a última cotação do dólar!" – Romântico, não?!

Quando os problemas conjugais surgem devido à agenda, precisamos parar e perguntar: "Quem está me controlando?" Em primeiro lugar, nosso compromisso deve ser com as prioridades de Deus e em seguida, com nosso cônjuge. Muitas vezes nos enrolamos de tal maneira com tantas atividades que não temos mais forças, literalmente falando, para uma significativa relação sexual. Parece que não, mas se nossas prioridades escaparem a nosso controle, nossa família, nossos momentos a sós com nosso cônjuge, também sofrerão com isso. Planeje tirar uma folga (se não der na primeira tentativa, continue tentando). Faça uma viagem surpresa com seu cônjuge para um lugar bem romântico e ali, demonstre seu amor.

PENSE NISTO

Você tem se preocupado em demonstrar de forma prática a seu cônjuge o quanto ele é importante para você? Quais são as suas prioridades? Faça uma lista e analise se elas não precisam ser trocadas.

11 de junho

A linguagem do amor

Ainda que eu fale a língua dos homens e dos anjos, se não tiver amor, serei como o sino que ressoa ou como o prato que retine.
1Coríntios 13:1

Uma das maiores mazelas da vida moderna é a solidão. E, por incrível que pareça, são os casais que mais sofrem com ela. Nunca houve tamanha falta de intimidade e de relacionamentos profundos.

Frequentemente, o grande motivo da amargura que surge entre os casais é que os cônjuges não sabem mais conversar. Em Efésios 4:29-32, o apóstolo Paulo fornece alguns ensinamentos importantes sobre comunicação:

Palavras Boas: É muito fácil envenenar relacionamentos influenciando negativamente a outra pessoa e corrompendo seu caráter. Há o veneno do negativismo, do sarcasmo, do cinismo, da indiferença, da incompreensão, da falta de afeto, da desvalorização etc. Talvez a forma mais comum de se fazer uso de palavras venenosas seja a fofoca. Quantas vezes nós, seres humanos completamente vulneráveis ao pecado, optamos conscientemente pela fofoca e nos deleitamos com a maledicência.

Palavras construtivas: É a palavra boa para edificação – boa para construir. A palavra construtiva enriquece quem a recebe, e pode ser até crítica positiva, se for amorosa.

Palavras Apropriadas: Há palavras que se encaixam exatamente à necessidade daquele que as ouve, sendo apropriadas ao momento. Salomão diz em Provérbios 15:23: Dar resposta apropriada é motivo de alegria; e como é bom um conselho na hora certa!. Isto quer dizer que devemos saber o que falar, quando e como. Entretanto, não falar também tem seu lugar e hora. Haverá momentos em que deveremos apenas abraçar, segurar, sustentar a outra pessoa.

Palavras graciosas: Para que conceda graça aos que ouvem (Efésios 4:29). A palavra graça, virtualmente, é o sumário da mensagem do apóstolo Paulo. Ela significa "favor imerecido" (Efésios 2:8,9). Palavras que transmitem graça aos que as ouvem não são somente aquelas que revelam a alguém o que ele merece e tem o direito de ouvir, mas também o que ele necessita. Talvez a maior palavra de graça que alguém possa proferir seja: "Por favor, me perdoe". O início do conflito humano geralmente acontece quando o espírito de uma pessoa é ferido, fazendo com que ela se feche, tornando-se arredia e agressiva. As linhas de comunicação se interrompem e o relacionamento fica comprometido. Pedir perdão e perdoar são atitudes que têm efeito semelhante ao unguento que cura. A graça confirma o valor da pessoa e solidifica o elo mútuo.

Pense nisto

A melhor maneira de divulgar o evangelho é através de palavras graciosas a pessoas sedentas, necessitadas. A linguagem enraizada no amor, edifica; a enraizada no ódio, destrói.

12 DE JUNHO

O AMOR É LINDO!

Nem muitas águas conseguem apagar o amor; os rios não conseguem levá-lo na correnteza. Se alguém oferecesse todas as riquezas da sua casa para adquirir o amor, seria totalmente desprezado.
Cântico dos Cânticos 8:7

AH, os casais apaixonados! O amor romântico existe, mas sozinho não possui estrutura suficiente para suportar qualquer tipo de relacionamento maduro, apesar de muitas vezes tentarem nos convencer do contrário. A paixão torna certas realidades não românticas do cotidiano, incoerentes. Ela é ineficaz diante de pressões prolongadas. Certamente, o amor difere muito da paixão. ele não depende de idade ou de simples atração física. Desde a infância nos preocupamos com a necessidade de sermos amados, portanto, o amor é indubitavelmente mais, muito mais do que um sentimento epidérmico, que depende de faixa etária.

Deixe-me ressaltar algumas, entre muitas, das características do amor:

- *Compromisso.* Amar é comprometer-se com a outra parte até que a morte os separe. O compromisso mútuo dá liberdade para ambos encararem e confrontarem circunstâncias e fatos de difícil solução com transparência, sinceridade e amor.
- *Amizade.* Infelizmente, os casais esquecem que a amizade deve ser cultivada como uma planta. Para haver esse tipo de amizade é necessário investir tempo para desenvolvê-la, protegê-la das interferências e das atividades exteriores. O relacionamento conjugal precisa encabeçar a lista de prioridades do casal.
- *Respeito.* O que é respeitar o cônjuge? É valorizá-lo; é entendê-lo e não se sentir ameaçado por ele. Significa, também, não fazer exigências inflexíveis, não intimidar, dar espaço para ele se expressar, até mesmo errar; é saber tolerar suas fraquezas. Enfim, é permitir que o cônjuge se expresse com liberdade e sinceridade sem sentir-se rejeitado.
- *Misericórdia.* Deve ser demonstrada especialmente quando o cônjuge está enfrentando algum problema. Os casais devem ter: (a) *Disposição em perdoar* – conhecendo o perdão incondicional de Deus em relação aos nossos pecados, adaptar a mesma atitude para com nosso cônjuge quando ele nos ofende ou fere. (2) *Aceitação mútua.* Aprender a superar as falhas, os comportamentos irritantes e idiossincrasias. (3) *Silêncio intencional.* Silenciar as críticas destrutivas, substituindo-as por palavras e atitudes tolerantes; silenciar e subjugar o impulso de dominar o cônjuge por meio de palavras.

PENSE NISTO

Seu amor conjugal está esfriando, até mesmo acabando? Anime-se! Deus é capaz de reacendê-lo, mesmo com o passar dos anos. O romantismo ainda pode ser restaurado se você submeter-se a Deus, pois ele é o verdadeiro amor.

13 de junho

O clamor de quem sofre

Ele enxugará dos seus olhos toda lágrima. Não haverá mais morte, nem tristeza, nem choro, nem dor, pois a antiga ordem já passou.
Apocalipse 21:4

Meu Pai, por favor, põe um fim a este sofrimento. Eu não aguento mais! Como posso cooperar com o teu reino, enquanto estiver carregando o peso... desta enfermidade?!?... desta solidão?!?... deste lar desfeito?!?... do filho rebelde?!?... desta depressão?!?... desta crise financeira?!?... desta injustiça?!?...

Senhor, sei que tu também sofreste e que também pediste ao Pai, que passasse de ti o cálice daquele sofrimento.

Obrigado, Jesus, porque te dispuseste a sofrer pelos meus pecados, foste humilhado em meu lugar e morreste por mim! A tua Palavra diz que há propósitos em meu sofrimento:

- Tornar-me um cristão mais maduro (Tiago 1:2-4).
- Remover as impurezas do pecado e focalizar valores eternos (1Pedro 4:1-2).
- Reter o meu orgulho (2Coríntios 12:7).
- Fazer com que eu dependa mais de ti (1Pedro 5:6,7).
- Fazer com que eu dependa mais de meus irmãos em Cristo (1Coríntios 12:26).
- Ensinar-me a confortar outros (2Coríntios 1:3-5).
- Aumentar minha fé (Hebreus 12:6).
- Revelar-me que a tua graça é suficiente (2Coríntios 12:9).
- Servir de testemunho da tua graça (1Pedro 3:13-17).
- Dar glória ao teu nome (1Pedro 4:12-14).

Senhor, se for possível, por favor, Passa de mim este cálice! Sei que tu podes! Não há nada difícil demais para ti. Tu és um Deus especialista em realizar o impossível! Não tenho dúvidas de tua capacidade para mudar minha situação. Todavia, não seja como eu quero e, sim, como tu queres.

Sei que tua vontade é boa, agradável e perfeita; que todas as coisas cooperam para o bem dos que te amam; que tudo podes e que nenhum dos planos que tens para mim pode ser frustrado; que posso confiar em ti, mesmo quando não entendo o que estás fazendo em minha vida.

Sei que me amas e que nada pode separar-me de teu amor. E, sei que um dia, tu secarás de meus olhos toda lágrima...

Pense nisto

Seria possível o Pai contemplar o sofrimento e a morte do Filho na cruz se houvesse alguma outra forma de nos providenciar a salvação?

14 DE JUNHO

SABENDO USAR... NÃO VAI FALTAR!

Busquem, pois, em primeiro lugar, o Reino de Deus e a sua justiça, e todas essas coisas lhes serão acrescentadas.
Mateus 6:33

A ATITUDE básica que todo cristão precisa desenvolver é de que tudo o que ele tem, todas as suas posses, pertencem ao Senhor. Toda nossa perspectiva sobre as coisas materiais, inclusive nosso salário, muda, quando reconhecemos que Deus é o dono de tudo.

Quantas vezes vemos atitudes como: "já dei o meu dízimo ao Senhor, portanto, os 90% são meus!" Nada disto amigo! Deus quer que gastemos os outros 90%, tão cuidadosamente quanto o dízimo ou ofertas que damos a ele.

De vez em quando devemos transferir tudo o que temos, inclusive os nossos direitos, para o Senhor. Isto é um ato de fé realizado através da oração e será uma constante lembrança de que não nos pertencemos.

Uma outra atitude saudável é estabelecer um sistema de valores baseado na Palavra de Deus. Vivemos em uma sociedade que tem deturpado as verdades de Deus. O homem e a mulher que estão ocupados somente com o dinheiro perdem o real significado da vida, e sua perspectiva fica totalmente distorcida.

Bem-aventurado o casal que tem uma perspectiva eterna das coisas materiais desta vida e vive "buscando as coisas lá do alto"!

Outra atitude recomendável é não fazer distinção entre o sagrado e o secular, principalmente porque essa separação não existe. Tudo é espiritual porque tudo é do Senhor. Se entendermos que tudo é de Deus e para Deus, desfrutaremos das bênçãos de um "bolso" consagrado ao Senhor.

Por fim, o dinheiro não é mau em si, ele é simplesmente um meio para facilitar as transações comerciais. Nossa maneira de encará-lo é que faz dele, ou não, um pecado em nossas vidas.

PENSE NISTO

Vocês se disciplinam controlando o dinheiro que ganham e gastam?

15 de junho

Emoções, emoções...

Assim, poderão orientar as mulheres mais jovens
a amarem seus maridos e filhos.
Tito 2:4

Existe um grande perigo no casamento, que é esquecer que o amor não é comunicado somente através do ato físico. O amor é também emocional.

Os maridos devem amar as suas esposas como a seus próprios corpos. O homem que ama seu corpo, tem um cuidado especial para com ele, alimentando-o e preservando-o. A palavra cuidar nos dá a ideia de uma preocupação com a parte emocional do casamento.

Em muitos casamentos há falta de intimidade emocional.

O compartilhar íntimo dos sonhos, desejos, tentações e derrotas vai dia a dia desenvolvendo a intimidade. Por essa razão, marido e esposa precisam passar tempo a sós, se conhecendo, se apoiando, se divertindo etc...

Lembre-se que a intimidade emocional não acontece de um dia para o outro. É um processo a ser desenvolvido durante toda a vida. É através das tribulações, lutas, crises, lágrimas e também alegrias que o amor *fileo* se aprofunda.

O amor *fileo* começa quando duas pessoas deliberadamente e sinceramente, compartilham seu mundo, seus interesses, sentimentos, pensamentos, alvos e ideais. Como é fácil desenvolver dois mundos diferentes onde não há ponte para ligá-los!

Se não há uma ponte que ligue seus mundos, comece a construí-la para que ambos participem e cresçam juntos.

Não há intimidade emocional se um não se envolver no mundo do outro!

Pense nisto

Pare um pouco e faça a seguinte pergunta: "será que eu e meu cônjuge temos construído dois mundos separados?" Procure explorar o mundo emocional de seu cônjuge e assim desenvolverão maior intimidade emocional entre ambos.

16 de junho

Voto consciente

Quando fizer um voto, cumpra-o...
Eclesiastes 5:4

A intimidade do casal é um assunto pouco discutido nas igrejas. A primeira coisa que vem à mente quando se fala em intimidade é o relacionamento sexual. Entretanto, intimidade é muito mais do que isso. Ela envolve aspectos emocional e espiritual.

Compromisso é o ponto chave quando se fala em intimidade. Nós vivemos numa sociedade que adota a filosofia do "amor livre". Isto não existe, porque se é amor, é comprometido até a morte. Portanto, não é livre.

Você ainda se lembra destas palavras? "...prometo amar-te, honrar-te, cuidar-te e ser-te fiel em todas as situações da vida e viver contigo, de acordo com a ordenação de Deus, nos santos laços conjugais!"

Pode ser que estas não tenham sido exatamente as palavras usadas em seu casamento, mas provavelmente foram semelhantes. Nossa tendência é esquecer rapidamente os votos sagrados que fizemos no altar, na presença de Deus, dos familiares e um do outro.

O voto é uma promessa solene através da qual uma pessoa se compromete com outra até que a morte as separe. Sem este compromisso mútuo, não é possível haver intimidade.

Querido casal, voto, portanto é algo muito sério, pois envolve sentimentos íntimos de duas pessoas, além de ser um compromisso espiritual com Deus.

Pense nisto

Renovem seus votos de fidelidade um ao outro, como o fizeram no dia do casamento. Renovem suas alianças um com o outro e os dois com Deus.

17 de junho

Curada pela graça - 1

É bom que o nosso coração seja fortalecido pela graça.
Hebreus 13:9b

Toda alegria havia se escoado. Eu me sentia só apesar de estar rodeada por meus queridos. Cada noite eu chorava até conciliar o sono. Estava tão centralizada em torno de minha pessoa e tão preocupada com minhas próprias necessidades que não tinha amor algum para dar aos outros. Eu tinha medo de tudo, mesmo quando não havia o menor motivo para temer. Tinha medo de perder o controle, de prejudicar o ministério de meu marido, e acima de tudo de trazer vergonha ao nome do Senhor. Afinal de contas eu era cristã e os cristãos não deveriam ter depressão!!

Sou enfermeira e sei que muitas vezes há um motivo físico para problemas emocionais. Depressão pode ser causada por estresse físico, hormônios, alergias ou medicação, ou algum trauma do passado. Então, fui ao médico. Mas não consegui detectar nenhum "fantasma" me assombrando.

Sem dúvida surgiram os "bem-intencionados" que sugeriram ataque demoníaco, falta de leitura bíblica, de oração e de confissão de pecados. Analisei minha vida, mas não detectei nada que pudesse bloquear meu relacionamento com Deus. A Palavra me assegurava paz, mas eu não tinha paz. Com o salmista minha alma clamava: Onde está o seu Deus? (Salmos 42:3,10). Meus amigos me faziam a mesma pergunta. Caminhei sem enxergar a vontade, nem o caminho de Deus, por mais de um ano.

Um dia, prostrada de joelhos, abri meu coração ao Senhor e ouvi a voz do Espírito Santo me fazendo uma pergunta: "Qual a pior coisa que poderia acontecer a você?" Eu sabia a resposta. Um dos meus maiores temores era perder meu marido e não ter condições de cuidar de minhas filhas. Teríamos de deixar o Brasil. Poderia ficar até hospitalizada pelo resto de minha vida, separada daqueles que mais amava. Então, aquela mesma voz me perguntou: "E se tudo isso vier a acontecer? Eu a abandonarei? O que você poderia fazer para me impedir de amá-la?" Eu conhecia aquela resposta também. Ele havia prometido que jamais me abandonaria ou se esqueceria de mim (Hebreus 13:5b). Ele havia prometido que nada poderia me separar de seu amor porque eu estava em Cristo Jesus.

Pela primeira vez, em muitos meses, paz e alegria inundaram meu coração. Chorei de alívio. Se o pior me ocorresse, eu ainda teria meu Deus... e era isso que importava. Daquele momento em diante passei a começar o dia em oração, dizendo que não conseguiria enfrentar o dia sem Ele, pedia seu fortalecimento e que estaria vivendo um dia de cada vez. Tem sido assim até hoje. Um dia após o outro na dependência dele.

Pense nisto

Quando nos prostramos diante do Senhor e paramos de falar; quando abrimos nosso coração em silêncio, então podemos ouvir sua voz. Ele pode nos confortar, confrontar, esclarecer e nos preencher com sua graça.

18 DE JUNHO

CURADA PELA GRAÇA – 2

Por que você está assim tão triste, ó minha alma? Por que está assim tão perturbada dentro de mim? Ponha a sua esperança em Deus! Pois ainda o louvarei; Ele é o meu Salvador e o meu Deus.
Salmos 42:11

QUANDO aceitei Jesus como meu Salvador, aos 8 anos, sabia que a minha salvação era pela graça mediante a fé (Efésios 2:8). Mas, de alguma forma, com o passar do tempo, acreditei que deveria viver minha vida cristã pelas minhas próprias forças.

Chegando ao Brasil, meu objetivo era ser a melhor esposa, a melhor mãe, a melhor missionária e a melhor amiga. Após 10 anos, estava cada vez mais decepcionada com a distância entre meu ideal e a minha realidade. Esforcei-me mais e mais. Mas só fiquei mais cansada, mais irritada e cada vez atingindo menos meu objetivo. Eu havia embarcado numa forma de legalismo em que achava que quanto mais agradasse a Deus, mais ele se veria obrigado a me abençoar. Eu me esquecera da graça. A graça...

- *É de graça.* Não há como comprá-la, merecê-la ou retribuí-la. E, se é pela graça, já não é mais pelas obras; se fosse, a graça já não seria graça (Romanos 11:6).
- *É perdão.* Deus não se lembra mais de meus pecados e me dá uma página em branco para ser escrita cada nova manhã (Hebreus 10:17).
- *É segurança.* Porque minha vida cristã não depende de mim. Durante meu tempo de provação, era como se estivesse me agarrando em Deus com todas as minhas forças. Então O ouvi dizer: "Pode soltar, eu não vou deixá-la cair. Posso cuidar de minha própria reputação".
- *Significa que Deus me dará tudo que necessito.* Sou um vaso vazio que Deus prometeu encher. A única coisa que ele quer de mim é que eu confie e dependa dele. Continuo atuando no ministério, mas com menos esforço e mais resultados, porque o medo e a obrigação foram substituídos por um coração cheio de amor e gratidão.
- *Significa amor incondicional.* Deus não diz: "Eu amo você porque você fez..." Nem: "Eu vou amá-lo quando..." ou "Eu o amarei se..." Ele diz: "Eu amo você, porque amo você..." E ponto final.

Nós cristãos, devemos ser "ministros da graça de Deus" (1Pedro 4:10). Há pessoas ao nosso redor que precisam de uma boa dose dessa graça. Precisam da cura que a graça traz. Precisam saber como é ser amado sem merecer. Simplesmente ser amados. Isso deveria ser verdade especialmente em nossas famílias. Nossos filhos precisam saber que são amados incondicionalmente e que não é preciso comprar nossa afeição.

PENSE NISSO

Graça é obter perdão. É segurança. Significa que tudo que necessito Deus proverá através do seu amor incondicional. Não precisamos barganhar com Deus por seu amor e sua bênção.

19 de junho

Celebrando as diferenças

Assim como o ferro afia o ferro, o homem afia
o seu companheiro.
Provérbios 27:17

Certa vez eu estava aconselhando um casal com sérias dificuldades conjugais. Frases como as seguintes recheavam a conversa: "Nós não somos compatíveis"; "Não temos nada em comum"; "Somos diferentes como o dia da noite!" Em suma, o casal estava dizendo que, devido às diferenças entre si, era impossível viverem juntos em harmonia.

"Vocês são realmente diferentes. Se fossem iguais, um de vocês seria desnecessário. E é exatamente por isso que precisam um do outro: um gosta de café – o outro de chá; um vai para a cama cedo e o outro bem mais tarde" – ponderei.

Depois de passar por situações semelhantes às daquele casal pude perceber que uma das maiores bênçãos em minha vida é o fato de Judith, minha esposa, e eu, termos personalidades totalmente diferentes. Sou extrovertido, ruidoso, falante, enquanto ela é mais tranquila e serena. Somos diferentes, e aí vemos os planos de Deus. O contraste de nossas personalidades, quando estou barulhento, me ajuda a perceber sua serenidade e, automaticamente, chego a um equilíbrio. Por outro lado, quando ela extrapola sua tendência de se ensimesmar, meu entusiasmo a traz mais para a superfície. Ocasionalmente, essa situação causa atritos, pois chego a me irritar um pouco quando ela fica muito reservada e ela, por sua vez, também se incomoda quando estou muito exuberante. O "X" da questão é fazermos com que essas diferenças trabalhem a nosso favor, e não contra nós. De que modo? Aceitando as diferenças um do outro, em vez de tentar mudar um ao outro (Romanos 12:10)! Observando o cônjuge e notando suas características, compreendendo-o, apreciando-o, comunicando-se, respeitando as próprias características, honrando e valorizando o cônjuge e permitindo que a graça de Deus facilite a interação e diminua os atritos entre o casal.

Nem todas as diferenças são facilmente aceitáveis e trabalháveis. Precisa haver ajustes, tolerância, respeito, compreensão entre o casal. Que Deus nos ajude em nosso mútuo caminhar!

Pense nisto

Não há casamento perfeito. Todos estamos aquém dos padrões de Deus. O segredo de um casamento feliz não é simplesmente achar a pessoa certa, mas ser a pessoa certa.

20 DE JUNHO

PARA DESENVOLVER UM RELACIONAMENTO ÍNTIMO...

Por essa razão, o homem deixará pai e mãe...
Gênesis 2:24

DEUS criou o ser humano com um profundo desejo de ter ao seu lado alguém de "carne e osso". Creio que ele também teve esse desejo pois caminhava com o homem na viração do dia, no Jardim do Éden. Um dos propósitos do casamento é exatamente esse, oferecer ao ser humano uma forma de abrandar a necessidade de intimidade. O relacionamento marido e esposa também foi idealizado para:

- Refletir a imagem de Deus e a intimidade existente entre Deus Pai, Deus Filho e Deus Espírito Santo.
- Refletir o quadro de intimidade e amor permanentes no relacionamento de Jesus Cristo com sua noiva, a igreja.

Mas o que podemos fazer para desenvolver e manter um íntimo relacionamento conjugal? Não existe uma lista dessas na Bíblia, mas creio que em Gênesis 2. 24-25, encontramos algumas indicações:

1. *Deixar*. o conselho de Deus é que, ao nos casarmos, deixemos pais e familiares. Isso não significa abandoná-los, mas sim dar prioridade ao novo relacionamento. Casamento implica que um homem e uma mulher deem prioridade um ao outro.
2. *Unir*. A palavra hebraica significa colar, grudar ou cimentar. Não há nada passivo nesse processo. É uma escolha proposital, lúcida, de criar elos por toda uma vida.
3. *Uma só carne*. O plano de Deus é que expressássemos essa unidade com nossos corpos, almas e espíritos. Parte dessa expressão é o ato sexual que também deve ser emocionalmente prazeroso e espiritualmente recompensador.

Um casal não poderá ir muito longe no desenvolvimento da intimidade no casamento se negligenciar a dimensão sexual. A entrega de si mesmo faz parte do caminho para a intimidade.

Quando a experiência de deixar, unir e uma só carne acontece, o resultado é nudez em cada uma das esferas (Gênesis 2:25). A máscara cai e cada um se mostra como realmente é. A nudez espiritual propicia o orar juntos (refiro-me à oração tipo "lavar a alma").

PENSE NISTO

Como está meu relacionamento conjugal? Tenho priorizado meu casamento, utilizando meu tempo particular para me aproximar ainda mais do meu cônjuge? Consigo ser como realmente sou na presença de meu cônjuge?

21 de junho

Ninho vazio...

Agora que estou velho, de cabelos brancos, não me abandones, ó Deus, para que eu possa falar da tua força aos nossos filhos, e do teu poder às futuras gerações.
Salmos 71:18

Talvez você já esteja casado há 12, 15, 18 ou 30 anos. A tendência natural é sentir culpa pelos erros cometidos. Não fique remoendo o passado. Deus sempre quer realizar mudanças em nossas vidas, quer tenhamos 18 ou 80 anos. Por isso, se você sente que falhou em determinadas áreas, peça perdão a Deus, e a quem de direito, esposa, filhos etc. e prossiga de consciência limpa.

É doloroso quando nossos filhos partem de casa. A situação fica mais difícil quando a vida da família foi centralizada neles. Infelizmente, há casais que, depois dos filhos se casarem, eles não encontram mais razão para viver juntos. Por isso, muitos se separam após 30 ou 40 anos de casados.

Precisamos preparar nosso filhos e a nós também para que, na época apropriada, eles nos deixem para formar a sua própria família. Se você está vivendo esta experiência, aproveite a oportunidade para aprofundar o relacionamento com seu cônjuge. É também a ocasião de desenvolver um novo tipo de relacionamento com os filhos.

A velhice traz algumas consequências: perda da beleza física, solidão, falta de motivação e planos, dor pela morte do ente querido e perda da força física. Se a pessoa encarar a velhice somente desta maneira, entrará em pânico.

Por outro lado, é uma fase da vida em que a pessoa pode desenvolver uma comunhão profunda com Deus através da oração e meditação na sua Palavra. É ocasião em que, através da experiência e maneira de viver, os avós podem exercer uma grande influência na vida dos filhos e netos.

Libertemos nossos filhos para que saiam do ninho com a nossa bênção, e mais, não fiquem abatidos por causa da velhice, mas usem o que Deus lhes tem dado para ajudar outros.

Pense nisto

Seja com o ninho vazio, seja na velhice, não se desesperem, porque Deus ainda vai fazer grandes coisas na vida de vocês. É acreditar e desfrutar: "Mesmo na velhice darão fruto, permanecerão viçosos e verdejantes" (Salmos 92:14). Amém?

22 DE JUNHO

A GRAÇA DE DEUS

... para mostrar, nas eras que hão de vir, a incomparável riqueza de sua graça, demonstrada em sua bondade para conosco em Cristo Jesus. Pois vocês são salvos pela graça, por meio da fé, e isto não vem de vocês, é dom de Deus...
Efésios 2:7,8

É MUITO difícil para o ser humano sentir-se plenamente satisfeito. Há sempre algo em sua vida, em sua aparência, profissão, família etc., que não é exatamente do jeitinho que ele gostaria. Eternamente insatisfeitas, as pessoas costumam comparar sua vida com a de outras. Em geral, lá no fundo do coração questionam a Deus com uma invariável pergunta: Por que ele e não eu?

Você já fez comparação entre as bênçãos de Deus dadas a alguém e as recebidas por você? Alguns aparentam ter recebido mais bênçãos espirituais; outros maior sucesso nos negócios; alguns possuem famílias tão certinhas, com crianças bem comportadas, enquanto outros... parecem ter só recebido problemas! A grande maioria de nós acaba cedendo à tentação e caindo no pecado da inveja. Reclamamos, em segredo, por Deus haver dado mais a determinadas pessoas do que a nós.

A graça de Deus é soberana. Isto implica no fato de que Deus tem o direito de abster-se de abençoar o ser humano, caso assim determine. Esse princípio é nitidamente percebido neste versículo de uma das parábolas contadas por Jesus: Não tenho o direito de fazer o que quero com o meu dinheiro? Ou você está com inveja porque sou generoso? (Mateus 20:15).

Deus nos chamou para servi-lo não tanto porque precisasse de nós, mas porque nós precisávamos dele. Sua recompensa por nossos esforços é sempre além do que merecemos

Deus continuamente evoca seu direito soberano de nos abençoar segundo achar melhor. Leia Romanos 9:20,21: Mas quem é você, ó homem, para questionar a Deus? Acaso aquilo que é formado pode dizer ao que o formou: Por que me fizeste assim? O oleiro não tem direito de fazer do mesmo barro um vaso para fins nobres e outro para uso desonroso? O oleiro opta sobre o que fazer com suas mãos. Deus, como nosso criador, tem o direito de lidar conosco de formas diferentes. Ele não tem que dar satisfação a ninguém e nos abençoa ou não, segundo lhe aprouver.

Os pais, ao comunicarem as verdades da graça a seus filhos, devem primeiramente conhecê-las e vivenciá-las. É necessário que nos apropriemos da verdade de que Deus não tem obrigação alguma de nos abençoar. Se o fizer, será devido à gratuidade de sua graça. E essa bênção virá da forma em que ele, soberanamente, escolher.

PENSE NISTO

A graça de Deus deve ser a "graxa" que lubrifica as engrenagens de nossos relacionamentos (Hebreus 12:15).

23 DE JUNHO

CRIATIVIDADE É O SEGREDO!

Seja bendita a sua fonte! Alegre-se com a esposa da sua juventude [...] e sempre o embriaguem os carinhos dela.
Provérbios 5:18,19b

QUANDO o sexo é tão rotineiro quanto escovar os dentes ou tomar um cafezinho, a intimidade e o prazer da vida sexual estão ameaçados.

Gostaria de sugerir três palavras sobre esse assunto: variedade, variedade, variedade. Isto se refere ao ambiente, horário, preparação, frequência e posições. Por exemplo, ao invés de ser no quarto, por que não na sala de TV? Claro que, se vocês tiverem filhos, é necessário ter a certeza de que eles estão dormindo. Que tal um fim de semana em um hotel que ofereça conforto, beleza e romantismo?

A privacidade é importante? Certamente, e muito! Uma vez juntos, o mundo deve permanecer e esperar lá fora. Coloque uma fechadura na porta de seu quarto e faça uso dela. Procure evitar interrupções. Vocês devem concentrar-se inteiramente um no outro, em um ambiente de relaxamento, agradável e romântico.

Quando o clímax sexual traz mais ansiedade do que contentamento é porque atingir o "topo da montanha" está sendo mais importante do que as atitudes carinhosas durante a subida.

Maridos, não pressionem suas esposas para atingirem rapidamente o orgasmo. Não se esqueçam de que mulheres com maior energia, em geral, atingem o clímax ao fazerem amor. No entanto, aquelas que possuem menos energia ou as que estão fatigadas após um longo dia de trabalho, muitas vezes nem chegam ao auge do prazer. Neste caso, o marido também deve verificar se a experiência sexual está sendo agradável e satisfatória para ela.

Algumas mulheres têm dito que nem sempre necessitam ou desejam atingir o orgasmo no encontro sexual. Elas preferem ouvir palavras românticas do marido e sentir o carinho de suas carícias.

PENSE NISTO

Vocês têm privacidade na hora do ato sexual? Vocês se entregam inteiramente ou ficam pensando nos problemas? Você consegue satisfazer sexualmente seu cônjuge? Você sabe como seu cônjuge gosta de se preparar para escalar a montanha? Vocês caminham para o topo juntos ou você só está preocupado em chegar lá sozinho(a)? É necessário criatividade para que o relacionamento sexual não se torne mecânico e enfadonho, lembrando também, de respeitar as necessidades e as vontades do cônjuge.

24 DE JUNHO

JESUS, A ÚNICA ESPERANÇA!

Então chegou ali um dos dirigentes da sinagoga, chamado Jairo. Vendo Jesus, prostrou-se aos seus pés e lhe implorou insistentemente: 'Minha filhinha está morrendo! Vem, por favor, e impõe as mãos sobre ela, para que seja curada e que viva.
Marcos 5:22,23

POR QUE motivo Jairo aproximou-se de Jesus? Ele precisava de ajuda. Às vezes as pessoas procuram por Jesus somente na "hora do aperto". Eu não consigo entender como os que não creem em Cristo conseguem enfrentar suas dificuldades sem ele. Muitos vivem como se Jesus não existisse. É por isso que, assim como uma águia empurra seus filhotes para fora do ninho propositalmente, forçando-os a aprender a voar, Deus permite os problemas na vida dos seres humanos para que corram para ele.

Jairo foi até Jesus porque sabia que mais ninguém poderia ajudá-lo: ... Minha filhinha está morrendo!... (Marcos 5:23). Um dia, todos nós nos veremos frente à morte. Os caminhos da vida são inúmeros, porém todos, eventualmente, levam à morte. Para alguns esse encontro acontece mais cedo, para outros mais tarde. Nunca sabemos o que pode acontecer: um acidente na estrada, o diagnóstico de uma doença fatal, um assalto ou sequestro praticado com violência podem nos levar, ou algum de nossos queridos, à morte.

Jairo sabia que os médicos já não podiam resolver o problema de sua filha; nem mesmo a sua religião tinha a resposta, apesar dele ser "um dos dirigentes da sinagoga". Jesus era sua única esperança e foi a ele que Jairo correu com seu pedido desesperado e urgente.

Jairo procurou Jesus porque cria em seu poder para curar. Provavelmente já vira Jesus anteriormente; quem sabe tenha ouvido seus ensinamentos, ou até testemunhado suas obras poderosas. Talvez ele já tivesse confessado ter dúvidas em relação à pessoa de Cristo. Contudo, agora, ele trazia ao Mestre sua necessidade urgente. Então, ele expressou sua convicção sincera de que Jesus Cristo era o Messias, e que só ele era poderoso para curar sua filha. E foi exatamente isso que Jesus fez. Ele curou a filha de Jairo.

Querido casal, quero perguntar-lhes: Vocês estão enfrentando problemas conjugais? – Se a resposta for "sim", vocês já procuraram ajuda (conselheiro, pastor, outro casal, um bom livro ou seminário)? – Vocês creem que Jesus é poderoso para restaurar seu casamento? – Vocês creem que ele está disposto a responder sua oração?

PENSE NISTO

Nosso Senhor permitiu que a fé de Jairo fosse submetida à prova. Ele se deteve para atender a outra pessoa doente, uma mulher que sofria de hemorragia há 12 anos. Enquanto Jesus curava essa mulher, alguém veio avisar que a filha de Jairo estava morta. Quando a nossos olhos Jesus está demorando a responder nossas orações mais urgentes, ele se detém porque tem algo para nos ensinar. Deus nunca será cruel conosco!

25 de junho

Orgulho – a ruína do homem

Deus se opõe aos orgulhosos, mas concede
graça aos humildes.
Tiago 4:6

Judith e eu tivemos o privilégio de conhecer várias pessoas muito talentosas, excelentes pregadores. Eles surgem repentinamente, prenunciando um futuro brilhante, disponíveis para serem usados por Deus grandiosamente. Porém, após alguns anos sob a luz dos refletores, eles desaparecem sem deixar o menor vestígio.

Lembro-me de um jovem seminarista que foi meu aluno, muito inteligente, comunicativo, capaz de pregações profundas e impactantes. Ele se formou no seminário, casou-se com uma jovem maravilhosa e iniciou seu ministério como pastor. Alguns anos depois traiu a esposa, abandonou-a e a seus filhos e, em seguida, divorciou-se. Nessa derrocada moral e espiritual, ele conheceu outras mulheres, até chegar ao final do túnel e desaparecer de cena. Este jovem padeceu da mesma "doença" que afeta muitos homens e mulheres que gastam tempo demais se esforçando para estar sempre em evidência. É o orgulho! Eles esquecem quem é o verdadeiro merecedor de aplausos, tentam roubar a glória que pertence ao Senhor, facilitam o crescimento do orgulho em seu interior e viciam-se no deslumbramento de ser o alvo de aplausos e adulações.

Foi o orgulho que transformou o pecado em realidade na criação de Deus. O mesmo orgulho que causou a queda do anjo de luz nas regiões celestiais provocou a ruína do homem no Jardim do Éden. Devemos tomar muito cuidado, porque não é somente Deus que reconhece nosso potencial. Satanás também está atento. Ele deseja que uma pessoa seja bem-sucedida e até a ajuda nessa escalada, para depois usar isto contra ela. Ele tem imensa alegria em convencê-las de que são pessoas realmente maravilhosas. Ele sabe perfeitamente que o grande vilão da destruição do homem é o seu orgulho. Quando o orgulho se infiltra na vida de alguém, ele desgasta o senso de dependência do Senhor, e essa pessoa se sente autossuficiente. Tal atitude é frontalmente contrária ao que o Senhor propõe. Deus não apoia ou encoraja o soberbo, antes resiste a ele (Tiago 4:6).

Deus tem grandes planos para sua vida. Há muitas pessoas desorientadas, perdidas em pecado, que ele deseja e sabe que você pode alcançar. Há muitos irmãos feridos e ele o destacou para confortá-los. Deus não quer que o orgulho interfira no ministério que você pode desenvolver na vida dessas pessoas.

Mesmo sentindo receio do que Deus terá que fazer para afastá-lo do orgulho, para colocá-lo a salvo, permaneça firme na sua resolução e permita que o Senhor trabalhe em seu coração.

Pense nisto

Se você notar que o orgulho está tentando distrair sua atenção do alvo desviando-o de ser o que Deus quer que você seja, submeta-se humildemente à soberania do Pai Celestial.

26 DE JUNHO

NÃO TEMAS, CRÊ SOMENTE!

Seja forte e corajoso. Não se apavore, nem desanime, pois
o Senhor seu Deus estará com você por onde você andar.
Josué 1:9

ERAM quatro horas e cinco minutos da madrugada. Na escuridão do quarto, eu só podia enxergar os números em vermelho do meu relógio digital. Minha esposa dormia ao meu lado. Eu me sentia cansado, mas o sono fora embora.

Por que não durmo? Hoje é dia de pagar os funcionários do ministério Lar Cristão. Como vou pagar minha equipe, tão querida e eficiente? Duas igrejas não cumpriram o compromisso financeiro que assumiram comigo, relativo à realização dos seminários. Minha filha telefonou ontem à noite. Ela está no terceiro ano da faculdade. Chorou muito ao telefone porque está atravessando uma luta pessoal bastante dura, e a saudade só aumenta sua dor. Sem a menor intenção de aumentar a minha preocupação, ela me informou que a última mensalidade está vencida e que eu devo mandar dinheiro rapidamente. Não tenho a menor ideia de como fazê-lo!

Deitado em minha cama, meus pensamentos vagavam e eu senti medo.

Esta não foi a primeira vez que isso aconteceu e, muito provavelmente não será a última. Contudo, conforme minha experiência, preciso enfrentar e tratar desse medo que estou sentindo, e o momento é agora.

Enquanto tais situações são tão reais e preocupantes em minha vida, elas não representam uma concessão pessoal. Sei que muitos, talvez até mesmo você, de uma maneira ou de outra se deparam com esse sentimento. De repente a notícia de que seu cônjuge está com câncer; seu chefe pede sua presença em seu escritório e o espectro da demissão faz seu coração bater acelerado; seu filho tem tirado notas péssimas na escola e a diretora o manda chamar. Todos esses fatores, e tantos outros, provocam medo.

O medo segue os nossos passos como uma sombra a nos apavorar. Ele ataca tanto os fracos, quanto os fortes. Tal sentimento não se restringe a apenas uma pessoa. Como um vírus pernicioso, ele se espalha contaminando um grupo e até uma multidão.

O medo é perigoso, pois ele traz a possibilidade de algemar o indivíduo, limitando e inibindo sua liberdade de ações e movimentos. Nesta prisão, Deus pode transformar-se em inimigo, em vez de, como certo e lógico, em libertador.

PENSE NISTO

Você se lembra de algum problema que enfrentou, quando Deus foi à sua frente, lutou por você, preparando sua vitória? O fato de Deus ter sido fiel com você no passado pode auxiliá-lo a combater um gigante no presente? Não se esqueça que Deus está andando ao nosso lado, seja nos momentos de crise, seja nos de alegria. Ele é o Deus do impossível e conhece muito bem cada um de nossos temores.

27 de junho

Quem é o(a) estranho(a) ao meu lado?

O amor seja sem hipocrisia. [...] Amai-vos cordialmente uns aos outros...
Romanos 12:1a,2a

Algumas pessoas são como castelos medievais. Seus altos muros as protegem com segurança de ataques que as possam ferir. Eles lhes dão toda certeza de que não serão molestadas emocionalmente, não permitindo qualquer troca de ideias, de sensações e emoções com outros. São prisioneiras de si mesmas, ansiando amar e ser amadas. Mas os muros protetores se tornam inatingíveis.

Existe uma poesia – "MUROS", obra de um autor desconhecido, que descreve as devastações causadas pelas barreiras, pelos muros construídos a partir do medo que a pessoa tem de expor seu íntimo. Seu enredo é este:

"Na mesa, a foto de casamento olhava para eles zombeteiramente, pois suas mentes não mais conseguiam se tocar. Viviam com enormes barreiras entre si, que nem mesmo aríetes, artilharias podiam alcançar ou derrubar. Em algum lugar, entre o primeiro dente do filho mais velho e a formatura do caçula, um se distanciou do outro. Através dos anos, cada qual quis desenrolar uma bola de barbante chamada "ego"; no entanto, enquanto isoladamente puxavam seus nós, escondiam do outro sua procura. Às vezes ela chorava, escondida pela noite, pedindo à escuridão que contasse a ele que aquele choro era dela. Mas, deitado ao seu lado, ele roncava como um urso em hibernação, alheio ao inverno que ela atravessava.

Uma vez, depois de ter "feito amor", ele quis falar-lhe de seu medo de morrer, mas temeu desnudar sua alma. Ao invés, galanteador, elogiava os seios dela. Ela estudou arte moderna procurando se encontrar. Ao espalhar firmemente as cores na tela com pinceladas bruscas, reclamava com uma colega da insensibilidade dos homens.

Ele se enclausurou num túmulo chamado escritório. Embrulhou sua mente em montes de papelada e dados, e se enterrou no meio de seus clientes. Vagarosamente, quase que de modo imperceptível, o muro se ergueu entre os dois, cimentado pela indiferença. Certa ocasião tentaram se achar, mas não conseguiram mais encontrar-se. A barreira estava ali, intransponível. Recuaram, agredidos pela frieza das pedras daquele muro. Cada um retrocedeu diante da pessoa estranha que tinha a seu lado.

O amor não morre num momento de batalha feroz, nem quando corpos ardentes perdem seu calor, mas quando, exausto, ele desiste, deitando-se vencido ao pé de um muro que não pode transpor."

Pense nisto

Espero que esta não seja a descrição do seu relacionamento conjugal. Mas, se de alguma forma, o distanciamento atingiu seu coração, busque rapidamente a intimidade que tão inexoravelmente foi destruída pelo tempo.

28 DE JUNHO

FAZENDO O BEM

Ela só lhe faz o bem, e nunca o mal,
todos os dias de sua vida.
Provérbios 31:12

SERÁ que já paramos para pensar que o fato de obedecermos a Palavra pode fazer uma enorme diferença em nossa vida familiar?

Creio que nós, esposas, deveríamos nos perguntar: Será que eu contribuo para a vida de meu marido ser melhor? Será que eu sou uma auxiliadora? Provérbios 3:27 aconselha: Quando lhe for possível, não deixe de fazer o bem a quem dele precisa.

Em 1Pedro 3:1-7, encontramos instruções, em primeiro lugar para as esposas, e depois para os maridos. Ainda no mesmo capítulo, nos versículos de 8 a 12, ele concentra suas exortações ao casal. Leia o trecho cuidadosamente.

Acredito que a maioria dos cônjuges deseja sinceramente fazer o bem ao seu amado, à sua amada. Então, por que é tão difícil agirmos assim? Por que, às vezes, somos tentados a fazer-lhes o mal, e não o bem?

Poderia ser devido a raiz de amargura que permitimos invadir nossos corações? Hebreus 12:15 nos adverte sobre as consequências que enfrentamos quando a raiz de amargura brota em nós: ...causa perturbação, contaminando muitos. Eis porque devemos ...apaziguar a nossa ira antes que o sol se ponha (Efésios 4:26).

Pedro nos encoraja a ficar distantes da maldade. Ressentimento, dificuldade em perdoar e vingança não podem se interpor entre os cônjuges. Se obedecermos aos ensinamentos de 1Pedro, abençoaremos um ao outro, controlaremos melhor o que falamos e nos empenharemos em manter a paz.

Satanás é muito astuto e sutil, como bem sabemos. Muitas vezes, sem que percebamos, colocamos em prática os princípios estabelecidos por ele, e que apreendemos quase que subliminarmente através das diversas facetas da mídia (jornais, revistas, cinema, rádio, TV) esquecendo-nos que eles se contrapõem aos princípios de Deus. Por isso devemos estar sempre alertas contra a esperteza do inimigo.

As consequências de desobedecermos ao Senhor nessa área são muito sérias. Pedro avisa que nossa vida de oração será afetada, se não cuidarmos de nossos relacionamentos conjugais.

PENSE NISSO

Você tem a chance de escolha: você quer fazer o bem ao seu marido (esposa) ou não? Como você pode abençoá-lo(a) hoje? Como você tem contribuído para promover a paz em seu lar? Sua vida conjugal está afetando sua vida de oração?

29 de junho

Perguntinhas básicas

Escreva-se isto para as futuras gerações, e um povo que ainda será criado louvará o Senhor...
Salmos 102:18

Pais, criar filhos não é brincadeira! Com isso em mente gostaria de deixar umas perguntas para vocês, pais, fazerem a si mesmos:

– Você ama o Senhor seu Deus de todo o seu coração, de toda a sua alma e de toda a sua força? Esse foi o primeiro mandamento do Senhor aos pais de Israel. Naturalmente você quer que seus filhos amem a Deus. Mas, lembre-se que, se seus filhos não observarem em você um amor profundo pelo Pai, eles dificilmente desenvolverão o amor para com Deus.

Se há algo que um pai deseje é que seus filhos se lembrem dele como alguém que amava o seu Deus. Se os pais não amam a Palavra e não dão a ela a devida prioridade e, consequentemente, não a obedecem, é bem provável que os filhos também não venham a amar a lei do Senhor.

– Você está diligentemente instruindo e admoestando seu filho na Palavra? A pergunta não é se você leva seu filho para a Escola Dominical, nem se comprou uma Bíblia para ele. A pergunta é: você faz questão de ensinar-lhe os caminhos do Senhor?

Muitos pais pensam que levar os seus filhos para a igreja e fazer uma leitura bíblica diária no lar é suficiente para ensiná-los "no caminho em que devem andar". Mas isto não basta. Os pais precisam natural e espontaneamente inculcar na mente e no coração do filho a Palavra de Deus.

– Você aproveita as oportunidades do seu dia a dia para conversar com seu filho sobre as coisas de Deus? A Palavra de Deus nos diz que devemos ensinar nossos filhos quando estamos assentados em nossa casa, andando pelo caminho, quando nos deitamos e quando nos levantamos.

A tarefa de criar filhos é difícil, mas, para os que procuram ser fiéis Deus, diz que: "quando os filhos forem velhos não se desviarão dos ensinos da Palavra de Deus".

Pense nisto

Briguentos, rebeldes, geniosos, calmíssimos, amorosos, teimosos, não importa como são seus filhos, o importante é criá-los na admoestação do Senhor.

30 DE JUNHO

NÃO TENHA MEDO!

Não tenha medo, disse-lhe Davi, pois é
certo que o tratarei com bondade...
2Samuel 9:7

Os que conhecem a graça do Senhor, fazem as seguintes perguntas: Será que posso fazer algo por alguém? Posso ser bondoso para com alguém?

Houve um momento na vida de Davi em que ele se viu fraco, desprovido, necessitado e Jônatas o socorreu. A verdadeira intenção do coração do rei, a ansiedade de sua alma era retribuir a graça que um dia recebera através de seu amigo.

Jônatas tinha um filho ainda vivo, e ele era aleijado de ambos os pés, seu nome era Mefibosete. Davi não pensou melhor, nem ponderou com mais vagar se deveria ou não concretizar a aliança com Jônatas (2Samuel 9). Ninguém o culparia se resolvesse ajudar o rapaz a distância, sem se envolver demasiadamente. Tudo bem prestar-lhe algum auxílio, mas ele quis trazê-lo para o palácio, para o convívio da corte e de sua própria família, de seus filhos; convidá-lo à mesa real e à rotina da vida palaciana.

Durante longos anos Mefibosete viveu escondido em Lo-Debar, temendo por sua vida. Já adulto, tendo constituído sua própria família, a última coisa que desejava era deparar-se com um emissário real batendo à sua porta. Mas foi exatamente isso que aconteceu.

Imagine o choque, o pânico que Mefibosete sentiu ao abrir sua porta e topar com os soldados do rei. E mais, sua tensão chegou ao limite ao escutar deles que seria escoltado até o palácio, pois o rei o esperava. Naquela hora só um pensamento deve ter ocupado sua mente: "Meus dias chegaram ao fim!"

Os soldados o levaram até Davi. Mefibosete prostrou-se diante dele e, com o rosto em terra, clamou: "Eis aqui teu servo" (2Samuel 9:6).

Tal medo, tal temor são perfeitamente compreensíveis. Mas seu semblante ansioso transformou-se rapidamente quando ouviu o rei dizer: "Não temas!"

Davi olhou para ele e disse: Deste momento em diante você ocupará um lugar de honra, que sempre deveria ter sido seu. Você será membro da minha família e comerá para sempre em minha mesa.

Que demonstração fantástica de graça! E é isso que nosso amado Deus tem feito por nós.

PENSE NISTO

Você entende a imensidão do amor de Deus por você? Você consegue aceitar esse amor, mesmo sabendo que não é merecedor dele? Como você tem demonstrado o amor de Deus pelas outras pessoas?

1 de julho

Sigam o caminho do amor

O amor [...] não guarda rancor.
1Coríntios 13:4a, 5b

Como um casal pode seguir o caminho do amor? Posso dar algumas ideias. Claro que você conhece sua vida, seu casamento melhor do que ninguém e terá a perspicácia de aumentar estas sugestões ou adaptá-las à sua realidade.

1. Separe no dia, um horário para conversar, descontraidamente com ele (ela).
2. Observe seu cônjuge. Certamente você aprenderá muito a respeito dele, observando-o. As coisas que você puder notar na família dele e o tempo de vida em comum, o habilitarão a entendê-lo, ajudá-lo e amá-lo mais.
3. Ouça o que ele tem a dizer. Infelizmente, cheguei a conclusão de que muitos casais não sabem ouvir. A comunicação é imprescindível no casamento.

Permaneça alerta! Eis alguns sinais que poderão preveni-lo(a) contra problemas em sua vida conjugal:

- A amizade, a intimidade diminui.
- Os pensamentos e sentimentos são encobertos.
- Quando estão juntos não têm um período de tempo agradável, de qualidade.
- As irritações não são verbalizadas.
- Há tentativas de um evitar o outro.
- Decresce a preocupação com o bem-estar do marido ou da mulher.

Se o seu casamento é caracterizado por um, dois ou todos esses sinais perigosos, pare depressa. Procure seu cônjuge e converse sinceramente com ele. Tente manter a comunicação, você dará o primeiro passo para recomeçar da maneira correta.

Pense nisto

Fique atento(a) às necessidades da pessoa com quem você se casou e, na medida do possível, procure satisfazê-las.

2 de julho

O perfume derramado

... Então Maria pegou um frasco de nardo puro, que era um perfume caro, derramou-o sobre os pés de Jesus e os enxugou com os seus cabelos. E a casa encheu-se com a fragrância do perfume.
João 12:3

Este lindo exemplo que encontramos no Novo Testamento ilustra, mais do que qualquer outro, o significado de uma vida consagrada a Cristo. O perfume maravilhoso de nardo puro usado por Maria não se evaporou no passado. A deliciosa fragrância se espalhou pela cidade de Betânia, chegou até os anjos no céu e continuou a recender pelos tempos e eras. O próprio Jesus afirmou: ...em qualquer lugar do mundo inteiro onde este evangelho for anunciado, também o que ela fez será contado, em sua memória (Mateus 26:13).

Na expressiva demonstração da devoção de Maria, o vaso de alabastro era da melhor qualidade. Precioso não apenas pelo preço em si, mas também pelo que representava emocionalmente. Era, de todas as formas, algo extremamente valioso.

Havia, no mínimo, quatro opções de uso para aquele perfume. Primeiramente, Maria poderia ter utilizado a fragrância do vaso de alabastro para si mesma, como muitos faziam. Em segundo lugar, ela poderia ter aspergido aquele perfume em outra pessoa a quem também amasse, além de Jesus. Em terceiro lugar, ela poderia tê-lo dividido com outra pessoa e, em quarto lugar, a opção que ela escolheu – dedicá-lo exclusivamente a Jesus. O ato de derramar aquele perfume sobre Jesus revelou o grande amor e a profunda devoção de seu coração.

Naquela inusitada situação, posso também destacar quatro características que mostram uma real consagração ao Senhor:

1. Para Maria, um louvor somente verbalizado não foi suficiente, ela precisou expressá-lo através de uma oferta.
2. Algo "barato" não correspondia à dimensão de seu amor por Jesus. Ela precisava de algo caro.
3. Somente parte do perfume não bastava; ela precisou usar tudo.
4. Ofertar o vaso inteiro não foi suficiente; ela teve que quebrá-lo.

O apóstolo Paulo nos revelou: porque para Deus somos o aroma de Cristo entre os que estão sendo salvos e os que estão perecendo (2Coríntios 2:15).

Pense nisto

Quase dois mil anos atrás, quando Maria ungiu a cabeça e os pés de Jesus com perfume, ela se tornou um aroma de devoção ao Mestre. O que você tem feito com os membros de sua família, sua comunidade ou igreja que os faça sentir o aroma precioso da devoção a Jesus Cristo em sua vida?

3 DE JULHO

AMADOS, MAS INDEPENDENTES

Não ficarei mais no mundo, mas eles ainda estão no mundo e eu vou para ti.
João 17:11

EU GOSTARIA de saber o que se passou no coração de Jesus quando Ele fez a oração que está em João 17:11.

Como Jesus, eles também não pertenciam a este mundo. O mundo os odiou, assim como Ele também foi odiado. Mesmo assim, Jesus não quis que eles fossem tirados do mundo (v. 15). Eles eram os únicos que iriam espalhar a mensagem de sua salvação. Ele precisava deles aqui.

Nada é mais difícil para os pais do que o "deixar ir". Estamos treinando nossos filhos para a vida sem nós, assim como Jesus treinou seus discípulos. Um dia, teremos de enviá-los ao mundo. Deus no-los deu para que os treinássemos e discipulássemos. Algum dia, Ele os quererá de volta. Como eu os deixarei ir, quando chegar este dia?

Para nós, cristãos, o mundo é nosso lugar de trabalho; é o campo a ser ceifado. O mundo é também o reino de Satanás. Seus filhos estão preparados para viver sem sua proteção e cuidado?

Nossa meta é a independência. Ela é um sinal de maturidade.

Há muitas coisas que os pais podem fazer para ensinar independência a seus filhos. Todos nós conhecemos crianças que choram quando são tiradas dos braços da mãe. Isto é um instinto natural. Encontramos mães que se sentem orgulhosas por seus filhos não irem com mais ninguém. Porém, isto supre uma necessidade emocional da mãe, e deve ser trabalhada.

Uma das coisas que facilitam a independência é saber que a mamãe e o papai gostam da companhia um do outro. "Eles me amam, mas não precisam de mim para suprir suas necessidades emocionais. Eles também gostam de conviver comigo, mas se dão muito bem também sem mim."

Paul Tournier menciona outra faceta da separação, em seu livro *Secrets* (Segredos). Crianças precisam de tesouros que sejam só delas, esconderijos, sonhos que não querem repartir com outros (pelo menos, não com os pais!). Elas precisam desses segredos para moldar sua independência e auto-imagem. Elas não precisam nos contar tudo! Seu filho respeita sua privacidade. Você também deve respeitar a dele.

Infelizmente, nossos filhos crescem muito depressa, às vezes, mais rápido do que a nossa capacidade de adquirir a sabedoria necessária para criá-los. Mas pela graça de Deus, firmados em suas promessas, podemos vencer!

PENSE NISTO

Você tem pedido a Deus a sabedoria e auxílio necessários para criar seus filhos? Você os tem criado independentes, mas com a certeza de que são amados e queridos?

4 de julho

Por que não se aprofundar?

Então você seguirá o seu caminho em
segurança, e não tropeçará...
Provérbios 3:23

Querido(a). preciso tanto me abrir com você... tenho que desabafar.

Muitas famílias, infelizmente, estão se comunicando em níveis muito superficiais, onde não há abertura e profundidade no relacionamento.

Por que muitos casais e famílias não se comunicam mais profundamente? Existem algumas razões: há pessoas que não conseguem conversar com outras.

Essas pessoas nunca aprenderam a se comunicar abertamente e têm dificuldades até mesmo em formar frases.

Outros têm medo de expor o que pensam e sentem. Eles não querem correr o risco de ser ofendidos por alguém que discorde deles.

Às vezes, há pessoas que tomam a seguinte atitude: falar não vai resolver nada, então, por que tentar me comunicar?

A comunicação entre o casal está baseada na honestidade e abertura completas.

Compartilhar com a esposa, ou marido, é vital para o casamento. É o caminho para um casamento realizado.

O casal que está se empenhando em atingir um nível mais profundo em sua comunicação, precisa aprender a se expressar de modo mais adulto e maduro.

Certamente quando Deus criou o homem e a mulher para serem companheiros, concebeu uma ideia de comunicação profunda entre os dois e não de uma simples conversa "fiada".

Pense nisto

Par ou impar? Superficial ou profundidade? Quem irá ganhar? Criem aberturas na comunicação onde vocês possam se entender.

5 de julho

Vasos de barro

Mas temos esse tesouro em vasos de barro, para mostrar que este poder que a tudo excede provém de Deus, e não de nós.
2Coríntios 4:7

Quando eu era criança gostava de ouvir histórias bíblicas dos grandes homens de Deus. Esses heróis estão relacionados na galeria da fé de minha mente até hoje, estimulando minha imaginação. Cada um representa algo superior, que admiro.

- Salomão – o mais sábio.
- Sansão – o mais forte.
- Jacó – o mais esperto.
- Gideão – o mais perspicaz.
- Moisés – o mais intrépido e humilde.
- Davi – em minha opinião, o maior de todos eles, enfrentou e derrotou o gigante Golias com sua fé, um punhado de pedrinhas e um estilingue, quando ainda era só um menino.

Conforme fui crescendo, também descobri na vida desses personagens tão fenomenais, várias incoerências e certas atitudes que não combinavam com a imagem que eu idealizava deles. Enquanto me ajustava ao mundo adulto, fui conhecendo o restante de suas histórias. Para meu desapontamento eu soube que:

- Salomão – era bígamo.
- Sansão – era mulherengo.
- Jacó – era enganador.
- Gideão – era idólatra.
- Moisés – não conseguia controlar sua raiva.
- Davi – era adúltero e assassino.

Senti certa decepção. Porém, aos poucos comecei a entender o outro lado dessas histórias de vida. A realidade sobre os personagens bíblicos esmagou minha fé? Não! Minha mente se abriu à compreensão de que Deus nos usa, nos ama e nos confia assuntos importantes do Reino. Eles continuam a ser meus heróis, exemplos do que Deus pode e quer fazer por intermédio de pessoas imperfeitas e fracas, como eu! Tais pessoas são ilustrações do que Paulo afirma em 1Coríntios 1:26-29:

Pense nisto

Irmãos, pensem no que vocês eram quando foram chamados. Poucos eram sábios segundo os padrões humanos; poucos eram poderosos; poucos eram de nobre nascimento. Mas Deus escolheu o que para o mundo é loucura para envergonhar os sábios, e escolheu o que para o mundo é fraqueza para envergonhar o que é forte. Ele escolheu o que para o mundo é insignificante, desprezado e o que nada é, para reduzir a nada o que é, a fim de que ninguém se vanglorie diante Dele (1Coríntios 1:26-29).

6 de julho

"Sexo começa na cozinha!"

A mulher não tem autoridade sobre o seu próprio corpo, mas sim o marido. Da mesma forma, o marido não tem autoridade sobre o seu próprio corpo, mas sim a mulher.
1Coríntios 7:4

Quando começa o ato sexual? Costumo fazer esta pergunta em minhas palestras sobre vida familiar e as respostas que ouço são as mais diversas possíveis.

Ao afirmar que ele começa na cozinha, percebo o rosto surpreso, até um pouco indignado de algumas pessoas, como que perguntando: "Como? Isto não seria nada discreto".

A mulher, quando faz aquele pavê que o marido tanto gosta e diz que o fez para ele, para agradá-lo porque o ama, dá início ao ato sexual.

O homem, ao sussurrar no ouvido de sua esposa que gostou muito do pavê e que a ama, a deseja, começou a acender a chama para a relação sexual; um "elogio" sincero pode muito em seu efeito.

Alguns homens desejariam que suas mulheres tivessem um botão de "liga-desliga". Chegando em casa, se desejassem manter uma relação sexual, eles ligariam o botão liga e, de imediato, apesar de exaustas e das preocupações, elas se tornariam sensuais, vestiriam uma camisola sexy e os chamariam para a cama. Depois do ato sexual, cansados, eles simplesmente desligariam o mesmo botão, virariam para o lado e dormiriam, sendo que suas esposas imediatamente fariam o mesmo.

Mas o relacionamento sexual não é só físico. Principalmente para a mulher, ele também é emocional. Para existir um equilíbrio entre as duas áreas, física e emocional, os casais precisam convencer-se de que um é extensão do outro.

Tal sentimento pode ser ilustrado utilizando o relacionamento entre pais e filhos, ou seja, quando a criança está doente, os pais também ficam. Quando o filho consegue obter vitória diante de uma dificuldade, os pais sentem-se vitoriosos. Se, porém, está infeliz, ameaçado, derrotado, os pais ficam como ele.

Pense nisto

Como eu gostaria de ver os casais desenvolvendo cada vez mais o romantismo em seus casamentos. Às vezes tenho a impressão que depois de alguns anos de vida em comum, o marido e a esposa passam a ser apenas grande amigos vivendo sob o mesmo teto. Não namoram mais, não trocam palavras de carinho, não criam um clima de romance entre os dois. Se logo no início do dia, no café da manhã, ambos trocarem um olhar e disserem ao se despedir: "Eu te amo", à noite, ao retornar à casa, "o clima de amor estará no ar".

7 DE JULHO

ORANDO POR NOSSOS FILHOS

Esta é a confiança que temos ao nos aproximarmos de Deus: se pedirmos alguma coisa de acordo com a vontade de Deus, ele nos ouvirá.
1João 5:14

OLHANDO para a pessoa de Jesus, vemos que Ele, o próprio filho de Deus, dependia da oração... Quanto mais nós! Às vezes chego a pensar que Deus nos deixa ser pais para nos ensinar o quanto realmente precisamos dele! Sendo objetivos, em que termos devemos orar pelos nossos filhos? Alistei alguns itens a respeito dos quais devemos "banhá-los" em oração:

- *Ore por proteção.* A preocupação é um pecado no qual as mães caem muito facilmente. É tão difícil não pensar em tudo que poderia acontecer aos filhos, apesar de todo cuidado e proteção com que estão cercados! Filipenses 4:6 nos fala sobre isso: Não andem ansiosos por coisa alguma, mas em tudo, pela oração e súplicas, e com ações de graças, apresentem seus pedidos a Deus. Nossa paz interior depende de conseguir transferir nossas preocupações para Alguém que ame nossos filhos até mais do que nós.
- *Ore dedicando seus filhos ao Senhor.* Precisamos nos lembrar que nossos filhos são herança do Senhor, que pertencem a Ele. Existimos para servi-lo, honrá-lo e glorificá-lo.
- *Ore por provisão.* Paulo afirma que Deus é capaz de fazer infinitamente mais do que tudo o que pedimos ou pensamos (Efésios 3:20). Deus está sempre interessado em ouvir-nos e em suprir o que necessitamos (Filipenses 4:19).
- *Ore por salvação.* Para que os ensinamentos que dermos a eles sobre o sacrifício de Cristo na cruz, sua morte e ressurreição por nossos pecados, lhes sejam perceptíveis na hora certa. Cabe aos pais orarem para que o Espírito Santo faça essa obra na vida deles.

Além desses pedidos específicos, devemos pedir a Deus sabedoria, força e orientação. Há casos muito difíceis de serem resolvidos. Devemos confiar no Pai e em suas promessas, mesmo que não estejamos vendo a resposta.

Os discípulos de Jesus lhes pediram: Ensina-nos a orar e Ele o fez. Precisamos orar por e com nossos filhos, por coisas grandes e por coisas pequenas. Assim aprenderão que Deus se preocupa com todos os detalhes de suas vidas. Sabemos que a oração não é uma varinha mágica. Às vezes a resposta é NÃO, mas apesar disso, precisamos aceitar a vontade de Deus e nos lembrar de que Deus é bom e O soberano de nossas vidas!

PENSE NISTO

O temor proveniente da responsabilidade de criar os filhos pode diminuir se, após fizermos o que estiver ao nosso alcance, orarmos e descansarmos no Deus que também é Pai.

8 DE JULHO

PEQUENAS COISAS QUE RESOLVEM GRANDES COISAS

Marido, ame cada um a sua mulher...
Efésios 5:25

O MARIDO é responsável pela vida espiritual da esposa. Ele é o sacerdote espiritual do seu lar. Creio que, se o marido investir tempo com ela, terá retorno. Veja algumas sugestões:

- *Elogie sua mulher*. Maridos, perguntem a si mesmos: "Tenho elogiado minha esposa ultimamente?" Faça alguma coisa hoje para incentivá-la, especialmente no desenvolvimento de suas qualidades espirituais.
- *Seja sensível aos medos da sua esposa*. Toda mulher quer ser conhecida e entendida por alguém. Se você for um marido sensível, ela confiará todo o seu sentimento íntimo a você.
- *Desenvolva segurança emocional em sua esposa*. A segurança da mulher está no fato dela saber que tem à afeição permanente do marido; ela necessita saber que é a única mulher na sua vida.
- *Lembre-se das "pequenas coisas"*. Amor não é somente um sentimento, mas envolve ações positivas que podem significar muito para a esposa.
- *Providencie horas para conversas íntimas*. É necessário ter momentos juntos, sem distração, para poder compartilhar, orar e até brincar juntos.
- *Encare a sua esposa "como a parte mais frágil"*. A esposa é como um vaso delicado, com uma grande necessidade de ser entendida. Bem-aventurado o marido que procura entender a sua esposa e lidera bem o seu lar.

PENSE NISTO

Será que você, marido, tem ajudado sua esposa a ser madura espiritualmente, através da Palavra de Deus?

9 de julho

Sem medo de ser autêntico

Sei, ó meu Deus, que sondas o coração e
que te agradas com a integridade.
1Crônicas 29:17

A desonestidade é uma das razões que mais contribuem para as crises domésticas. Por que é tão difícil para o ser humano ser sincero, franco, aberto e honesto? Há alguns medos que surgem e crescem com o passar dos anos de uma vida a dois:

- *Medo de ser julgado ou criticado.* Depois de certo tempo, as fraquezas, manias, defeitos de cada um não podem mais ser escondidos em nome da paixão que é cega, surda e muda! Ninguém gosta de ser criticado, principalmente se a causa que gera tal crítica não pode ser mudada. Ao invés atacar, devemos retirar o foco de tensão da falha da pessoa e colocá-lo na possibilidade de achar uma solução plausível. Nunca, repito, nunca devemos criticar nosso cônjuge por algo que ele não possa modificar. O defeito de nosso cônjuge deve ser coberto pelo amor incondicional. A crítica dura, ferina ou irônica só causa afastamento mútuo.
- *Medo de receber conselhos.* Para compreender um ao outro é preciso ouvir e procurar entender. Nem sempre teremos respostas imediatas. Precisamos ouvir longa e atentamente. O melhor presente que podemos oferecer a alguém que deseja abrir seu coração é lhe dar tempo, fazer poucas perguntas e dar oportunidade à pessoa para expor o que sente. Acima de tudo, não devemos dar a impressão de que temos sempre a resposta certa nem responder precipitadamente.
- *Medo das reações do cônjuge.* Às vezes, a pessoa não se abre para não criar problemas, isto é, ouvir críticas, choro, crises de insegurança, insatisfação, desânimo etc. É sempre melhor ser honesto(a) e aberto(a), mesmo correndo o risco de sofrer desapontamentos. Quem se fecha carrega solitário um fardo pesado, até não suportar mais o peso, o que pode desencadear uma circunstância ainda pior, talvez insustentável, que pode até ocasionar um divórcio.

Pense nisto

Você costuma julgar ou criticar seu cônjuge? O que você conseguirá agindo desse modo? Você ouve atentamente o que ele (ela) tem a dizer ou demonstra desinteresse, pressa ou dá respostas superficiais? Você é totalmente autêntico(a) com seu cônjuge? Guarda segredos que teme serem descobertos por ele? Se sua resposta for afirmativa, saiba que, dessa forma você está, lenta e progressivamente destruindo a transparência e honestidade em seu casamento. Gostaria de desafiá-lo(a) a modificar esse modo de proceder e a trabalhar em busca de uma honestidade relevante e profunda entre você e seu cônjuge.

10 DE JULHO

ALGO MAIS...

... o amou como à sua própria alma...
1Samuel 18:1b

AS PESSOAS, quando têm uma amizade sincera, gostam de estar e de fazer programas juntas.

Não posso generalizar, mas sei que alguns homens têm uma visão equivocada das mulheres com quem estão casados. Para eles, suas esposas são criaturas bondosas, que foram escolhidas para cuidar de seus filhos, lavar e passar roupa, fazer refeições apetitosas, isto é, cumprir o "papel" de esposa e nada mais. Mas... a mulher quer mais do que isso!

Como não tem com quem conversar sobre si mesma, suas expectativas e problemas, ela procura encontrar esse tipo de respaldo em suas amigas. Mas, sua necessidade emocional não fica totalmente suprida. Ela sente falta que o marido também seja seu amigo.

Tanto o homem como a mulher, precisam se relacionar com outras pessoas do seu respectivo sexo para trocar ideias, divertir-se indo a um jogo de futebol, a um passeio ao Shopping Center, coisas assim.

Aprecio demais ir com um amigo ao estádio para assistir aos jogos de meu time, mas não dispenso sentar-me no sofá de casa e, descontraidamente, conversar com minha esposa. O mesmo acontece com ela, que gosta muito de sair com suas amigas, mas faz questão de estar comigo para bater um papo bem gostoso, passear etc...

PENSE NISTO

O círculo de amizade de um casal não pode se resumir somente em ambos. Entretanto, será que você é o(a) melhor amigo(a) de sua esposa (o)?

11 de julho

Quanto maior a necessidade, maior a graça

Cresçam, porém, na graça e no conhecimento
de nosso Senhor e Salvador Jesus Cristo.
2Pedro 3:18

"Como eu gostaria de acreditar em um Deus assim!!" Essa foi a exclamação de Úrsula, que passava por uma experiência de depressão semelhante a que eu mesma havia atravessado. Ela queria acreditar em um Deus de amor. Apesar de ter sido criada em um lar cristão e ter frequentado uma igreja evangélica, o Deus que ela conhecia não se parecia em nada com o meu.

Tenho percebido que muitas experiências da infância, acrescidas dos ensinamentos que os próprios pais passam a seus filhos sobre Deus, bem como suas palavras e ações, podem dificultar na aceitação das verdades apresentadas na Palavra de Deus. Sabe-se que a imagem que uma criança faz de Deus é, em grande parte, formada no lar. Um pai muito severo dará a ideia de um Deus inflexível e hostil. Se o pai for muito indulgente, a criança terá dificuldades para levar a sério tanto a justiça quanto a santidade de Deus. E, se o pai for indiferente, passará esta mesma imagem do Pai Celestial.

Certos pais chegam a exigir perfeição dos filhos e o pior é que não admitem que estão errados ao agirem assim. Algumas vezes comunicamos a nossos filhos que eles somente são aceitos à medida que não mancharem nossa reputação.

Neste mundo conturbado em que vivemos é muito importante tirarmos tempo para ouvir nossos filhos e cônjuges, encorajando-os.

O fato de demonstrar graça não implica em ignorar erros. Paulo foi duro com os romanos que acharam que poderiam pecar para que a graça superabundasse. Antes que consigamos entender a grandeza da graça de Deus devemos enxergar a extensão de nossos pecados. É exatamente porque o pecado é tão terrível e mortal, que a graça se mostra tão maravilhosa. Deus odeia meu pecado, mas ama a mim, pecador! Ele não me ignora ou rejeita. As consequências do meu pecado são apresentadas e ele me dá liberdade para tomar minhas próprias decisões estando, porém, sempre pronto a me encorajar, perdoar, incentivar e sustentar no processo de crescimento.

Meus filhos podem reconhecer seu pecado e aceitar a salvação de Deus por convicção própria. No entanto, a graça demonstrada pelos pais pode apontar o caminho para que os filhos compreendam mais facilmente a graça de Deus revelada na pessoa e obra de Jesus Cristo.

PENSE NISTO

O Senhor nos chama com infinito amor, mesmo quando estamos destruídos por nossos próprios pecados: Eu os conduzi com laços de bondade... Como posso desistir de vocês? O meu coração está enternecido, despertou-se toda a minha compaixão. ...Eu sou Deus, e não homem; o Santo no meio de vocês. – Como podemos resistir a esse chamado?

12 DE JULHO

VOU SAIR DESTA!

Não devam nada a ninguém...
Romanos 13:8

"NÃO CONSEGUIMOS pagar nossas dívidas! Parece que esse buraco não tem fundo!" Se vocês estão em dificuldades financeiras, calma... Há esperança. Veja alguns passos para colocar a vida em dia:

1. Procure sair da dívida: é preciso que haja um compromisso entre o casal. Comece entregando o problema a Deus. Uma das maiores dificuldades decorre do fato de já termos desenvolvido maus hábitos em relação a compras.
2. Adquira somente as coisas absolutamente necessárias: faça um plano para pagar o mais rápido possível suas dívidas. Não se esqueça de falar com sua família sobre seus propósitos. Eles poderão acompanhá-lo no processo, aprendendo as lições juntamente com você e também desfrutando das bênçãos e vitórias.
3. Seja honesto em seus negócios, pagando a "César" o que for devido: seja fiel também a Deus. Ele quer que contribuamos não somente quando é fácil mas também nas horas difíceis.
4. Faça um orçamento familiar: o marido e a esposa devem fazê-lo juntos.

Tome o propósito de começar a controlar seu talão de cheques, o cartão de crédito, e o salário. Você não gostaria de colocar o caos em ordem? Isso exigirá disciplina, perseverança e sacrifício de sua parte e da de sua família.

É difícil, porém possível e vale a pena.

PENSE NISTO

Se andarmos conforme a Palavra de Deus, poderemos superar crises e "buracos" financeiros, além de receber inúmeras bênçãos celestiais.

13 de julho

Felizes, apesar dos momentos difíceis

... Sê, pois, zeloso...
Apocalipse 3:19b

Jamais esquecerei aquele período de intensa euforia emocional. A saída da igreja, uma alegre chuva de arroz sobre nós, o barulho ruidoso das buzinas, as latas se arrastando pelo chão, amarradas ao nosso carro, anunciando ao mundo nossa intenção de viver juntos para sempre.

A lua de mel é maravilhosa, romântica, inesquecível! Porém, não corresponde à realidade do dia a dia.

O cotidiano é repleto de contas a pagar, torneiras a serem consertadas, horários a serem cumpridos, trânsito para se aguentar, sogros com quem tratar, crianças que pedem atenção e carinho, enfim a rotina.

A vida com Cristo, vida vertical, é também mais ou menos assim. A alegria, a paz, toda novidade, o coração preenchido e tudo mais, deixam a pessoa deslumbrada. A "lua-de-mel" pode durar um mês, um ano, mas a tendência é perder-se um pouco a euforia nesse novo relacionamento com Deus, como o casal perde seus sentimentos eufóricos das primeiras semanas.

O cristão, em sua vida com Deus, também tem suas "torneiras vazando água", "contas a pagar" etc. Devemos abrir nosso coração com Deus e, permitir que ele trabalhe em nós, a nível espiritual e emocional.

No casamento, o segredo para continuar bem é considerar atenciosamente cada necessidade de seu cônjuge, lidando seriamente com cada questão.

Pense nisto

Não posso prometer um mar de rosas, mas estou decidido(a) a andar no temor do Senhor, procurando satisfazer as necessidades de minha família. Dessa forma poderá colher um casamento maduro recheado de alegrias e conquistas, independente de qualquer espinho.

14 DE JULHO

VOCÊ QUER TER IMUNIDADE?

Amados, não se surpreendam com o fogo que surge entre vocês para os provar, como se algo estranho lhes estivesse acontecendo. Mas alegrem-se à medida que participam dos sofrimentos de Cristo, para que também, quando a sua glória for revelada, vocês exultem com grande alegria.
1Pedro 4:12-13

EM ALGUMAS ocasiões, consciente ou inconscientemente, julguei que Deus era o responsável em promover minha felicidade. Esperava que meu relacionamento com ele assegurasse apenas sentimentos prazerosos. Ao enfrentar dificuldades e provações, ficava frustrado... com ele.

Parece-me que nós, cristãos, queremos uma garantia de alegria, satisfação e felicidade permanentes, sem a menor sombra de problemas ou provações. Gostaríamos de ter uma vida livre de stress, com realizações, alvos alcançados e poucos problemas. Parte da razão do triunfalismo apregoado hoje em dia, dessa visão irreal de vida cristã, é porque tudo é encarado como sendo um mar de rosas. Uma das "garantias" de felicidade é "sugerida" em João 10:10: O ladrão vem apenas roubar, matar e destruir; eu vim para que tenham vida, e a tenham plenamente. Vida plena, conforme a Palavra de Deus ensina, não é um mar de rosas. Muitas vezes buscamos pela bênção divina e não pelo doador da bênção.

Há algum tempo, passamos por uma grande provação. Confesso que nos duros momentos de crise, também perguntei a Deus: "Senhor, eu que estou dando minha vida para cuidar das famílias brasileiras, não posso ter a segurança de que o Senhor cuidará da minha?"

De onde nós, cristãos, tiramos essa ideia de que os servos de Deus têm uma proteção especial, que estão livres das complicações do cotidiano, têm um passe divino de imunidade cristã que impede a aproximação de dificuldades? Como poderíamos interpretar o versículo de 1Pedro 4:12-13, do início deste texto?

Nossas orações são imaturas e egoístas. Deveríamos orar e chorar para que Deus trabalhasse através dos nossos sofrimentos e os utilizasse para sua glória, mas oramos e choramos para que ele os afaste de nós e nos livre de todos eles... Pouco a pouco aprendemos que o alvo de Deus não é a ausência de tribulações em nosso cotidiano, mas a presença e o poder dele trabalhando através delas para sua glória e nosso benefício.

PENSE NISTO

Quando reconhecermos a necessidade de parar de procurar felicidade em coisas e fatos e buscarmos a Deus, compreenderemos que adversidade e sofrimento não surgem em nossas vidas para nos destruir, mas para nos ajudar a entender os valores eternos e nos purificar do desgaste da luta pelas coisas temporais e passageiras.

15 DE JULHO

O ABORTO É UMA OPÇÃO?

Tu criaste o íntimo de meu ser e me
teceste no ventre de minha mãe.
Salmos 139:13

A QUESTÃO do aborto causa enorme polêmica. No entanto, não podemos ignorar o fato de que um bebê, apesar de não nascido, é um ser humano.

A ciência médica já provou que o coração do feto começa a palpitar a partir do 28º dia da fecundação. No 30º dia, quase todos os órgãos já estão em processo de formação. Portanto, na grande maioria das vezes, antes mesmo que a mulher tenha certeza de estar grávida, o feto já tem todas as características de um ser humano. Em outras palavras, na vida humana há um fluxo contínuo, ininterrupto, que vai da concepção até o desligamento do cordão umbilical.

Mas qual o parâmetro que podemos utilizar na defesa do aborto? Seremos incoerentes se moralmente aceitarmos a exterminação de um feto e ao mesmo tempo não aceitarmos outros tipos de discriminação, como o peso das pessoas, seu tamanho, sua idade, sua capacidade, suas deficiências físicas, mentais, seus vícios, sua condição econômica etc. Certamente, ninguém que apoie o aborto diria ser correto uma mãe matar o filho de 10, 15 anos de idade por ter sido fruto de estupro, ou por ele ter sofrido um acidente e ficado paralítico ou com um sério defeito irreversível. Então, por que matar uma criança antes de ela vir à luz? Ninguém diria que a matança de 6 milhões de judeus foi uma atitude certa só porque Hitler achava que eram de uma raça inferior. Então, por que matar um filho que não tem culpa de o pai ser um estuprador?

Os argumentos daqueles que apoiam o aborto podem ser tão persuasivos que levam pessoas a aceitar essa prática como a melhor opção. Seus defensores dizem que a criança, fruto de uma gestação indesejada, futuramente ficará mais vulnerável à negligência e abuso dos pais – que não esperavam ou desejavam que ela nascesse. Na lei há duas concessões para o aborto:

1. *Em caso de estupro*. A mulher fica livre do fardo de gerar um filho de quem a violentou.
2. *Quando existem evidências de que o bebê nascerá com alguma doença incurável ou defeito físico*. Apesar da lei abrir essa janela, até que se consiga a permissão legal, o bebê já nasceu. Isso também tem incentivado o aborto ilegal.

Deus, que deu a vida para a humanidade, também deu leis para a preservação da mesma.

PENSE NISTO

Quando o homem no seu pecado, rebelião e obstinação viola as leis de Deus, mais cedo ou mais tarde pagará um alto preço.

16 DE JULHO

"SUBMISSA... EU?"

Do mesmo modo, mulheres, sujeite-se
cada uma a seu marido.
1Pedro 3:1a

TENHO certeza que todas nós, mulheres, gostaríamos que Pedro começasse o versículo com outro assunto, ou que simplesmente nem abordasse esse tema. Talvez pudéssemos até nos convencer de que ele não passava de um machista, de ter sido influenciado pela cultura da época ou de ser uma pessoa extremamente antiquada. Poderíamos até chegar ao ponto de afirmar que essas palavras foram as únicas "não--inspiradas" na Bíblia inteira! Mas é muito claro que não dá para fazermos isso. É obvio que essas palavras são para nós.

Nesse versículo, Pedro usa o vocativo "mulheres". A próxima palavra aparece no imperativo: "sede", o que piora consideravelmente a situação, pois não é uma sugestão, mas sim uma ordem. No final do capítulo 2, ele usa o exemplo de reis e autoridades, e depois explica que Deus as estabeleceu para que o bem fosse encorajado e o mal punido. Depois, fala sobre a autoridade que um chefe tem sobre seus empregados e finalmente focaliza o exemplo de submissão de Cristo. E por isso a palavra "igualmente", porque devemos ser submissas a nossos maridos como Jesus foi submisso a seu Pai.

A palavra submissão nos traz à mente a imagem de um carrasco com um chicote na mão, um capacho sendo pisado, ou uma mulher sofrendo em silêncio os abusos da infidelidade do marido. Há inclusive mulheres que, erroneamente, pensam que submissão significa não ter opinião própria e não se posicionar perante uma decisão.

Não há nada de errado com a palavra, mas sim com nossa interpretação. Submissão significa "render uma obediência inteligente e humilde a alguém que tenha sido investido de poder por Deus". A palavra submissão vem de outras duas palavras:

Sub = *debaixo de.*
Missão = *carreira, ministério, vocação, de seu marido.*

Uma mulher submissa é aquela que dá prioridade ao marido e às suas necessidades.

Jesus foi submisso. Ele se dispôs a humilhar-se para que o plano de Deus – nossa salvação – pudesse se cumprir. Jesus, mesmo sendo igual a Deus, escolheu ser submisso a ele.

PENSE NISTO

Você tem sido submissa? Já orou para ser esse tipo de mulher?

17 de julho

Refletindo Jesus Cristo

... sejam santos, porque eu sou santo.
1Pedro 1:16

A meta principal do cristão não deve ser felicidade, saúde ou prosperidade, mas santidade. O apóstolo Pedro não diz no versículo acima, sede saudáveis, sede prósperos, sede felizes, mas sim sede santos. O compromisso absoluto de Deus para com o homem é a sua santificação. O Senhor trabalha a qualquer preço no coração do homem para restaurar a imagem que este perdeu no Jardim do Éden, devido ao pecado.

Será que a necessidade de santidade é uma prioridade para nós, na qual cremos firmemente? Será que realmente acreditamos que Deus pode atuar em nossa vida de tal forma, de modo que sejamos o reflexo de Jesus Cristo? A Palavra de Deus revela que somos o oposto de santos, como um espelho mostra que precisamos lavar a sujeira em nosso rosto. A Bíblia também desperta um intenso desejo de desenvolvermos um relacionamento íntimo com Deus.

Desde a queda do homem, que provocou nosso distanciamento de Deus, ele tem um só objetivo: produzir santos. O Senhor não é uma máquina de bênçãos eternas para o homem. Ele não nos salvou na cruz por pena, por dó. Ele nos salvou para a santidade. A cruz do Calvário significa Deus trazendo o homem à perfeita comunhão com ele. Identifique, e não aceite, atitudes, pensamentos ou comportamentos que não estejam de acordo com o caráter divino revelado na Bíblia.

Santidade significa andar com pés limpos, dizer com a boca palavras puras, ter pensamentos em uma mente clara, com todos os detalhes da nossa vida sob a luz divina que a tudo ilumina. Santidade não se traduz somente no que Deus nos dá, mas naquilo que manifestamos da nova vida que nos foi oferecida em Jesus Cristo.

Lembre-se da ordem: ... sejam santos, porque eu sou santo (Levíticos 11:45). É bom deixar bem claro que isto não se refere ao fato de que a pessoa nunca irá pecar na vida. A santidade não acontece instantaneamente. A santidade é uma característica que precisa ser exercitada, aprimorada e perpetuada dia após dia. É o processo onde submetemos a nossa vontade à operação e vontade do Espírito Santo. É um lavar constante da maldade de nosso coração, no sangue branqueador do Cordeiro, purificando nossas intenções e atitudes de toda injustiça (1João 1:9).

Pense nisto

Existe algum pensamento, ou atitude, comportamento, relacionamento conjugal ou familiar que não estejam submetidos à luz da Palavra de Deus em sua vida? Confesse a Deus, abandone-o e aplique a graça do Pai à sua experiência.

18 DE JULHO

SABENDO VALORIZAR AS BOAS AMIZADES

A alma de Jônatas se ligou à de Davi, e Jônatas
o amou como à sua própria alma.
1Samuel 18:1

PASSEI minha infância e adolescência em um lugarejo nas montanhas, ao norte da Califórnia, nos Estados Unidos. Fui criado na roça e frequentei escolas rurais. Deus colocou em minha vida um grande amigo, um amigão, Grant Laudenslager. Dos 10 aos 15 anos de idade éramos inseparáveis. Passávamos o dia inteiro juntos, praticando todo tipo de estripulias que dois moleques gostavam de praticar no campo. Nós nos separávamos apenas à noite, quando exaustos, cada um ia para sua casa.

Desde então, em cada época de minha vida, o Senhor tem me providenciado amigos valiosos, o que considero grande riqueza!

Assim como em quase todas as áreas, no aspecto da amizade também existem diferenças entre as necessidades emocionais do homem e da mulher. É fato consumado que o homem, por natureza, não tem tanta facilidade em fazer e manter amizades, como a mulher. Ele obtém sua realização mais pelos alvos que consegue alcançar como profissional, enquanto ela, pelos relacionamentos interpessoais. As amizades masculinas se centralizam, em geral, em torno do que cada um realiza. As femininas giram ao redor de um íntimo compartilhar. Os homens têm grande dificuldade em revelar seus sentimentos e fraquezas. As mulheres têm mais capacidade em abrir-se mutuamente. Uma demonstração desse fato ocorre em meus aconselhamentos. Setenta por cento dos contatos para aconselhamento são iniciados pelas mulheres. Apenas 30% pelos homens. Em nossa cultura, o homem é ensinado, consciente ou inconscientemente, a ser autossuficiente, a nunca admitir erros ou fracassos e a estar sempre no controle da situação. Nunca enfrenta um problema que não possa resolver! Esse tipo de postura dificulta a possibilidade de os homens serem mais abertos, como as mulheres o são. Ou seja, o homem aparenta não precisar de amigos!

A amizade que existia entre Davi e Jônatas era algo sublime, santo, maravilhoso. Era um amor afetuoso entre irmãos. Mais ou menos como a amizade que existia entre mim e Grant. Leia toda a linda história de Jônatas e Davi em 1Samuel, capítulos 17 a 20.

PENSE NISTO

Quanto mais velho eu fico, mais valorizo a amizade de meus queridos amigos. Elas são um dos maiores presentes de Deus para mim. Você tem um ou dois grandes amigos com os quais pode ser totalmente autêntico? Você precisa disso. Conforme o tempo for passando, e você for ficando mais velho, saberá dar mais valor aos bons amigos. Cultive suas amizades, comece a fazer isso hoje!

19 de julho

Uma amizade séria e profunda demanda compromisso

A alma de Jônatas se ligou à de Davi e Jônatas
o amou como à sua própria alma.
1Samuel 18:1

O compromisso demonstrado por Jônatas para com Davi é concretizado quando ele dá alguns presentes ao amigo, numa linda simbologia de sua humilde entrega: E Jônatas fez um acordo de amizade com Davi, pois se tornara o seu melhor amigo. Jônatas tirou o manto que estava vestindo e o deu a Davi, com sua túnica, e até sua espada, seu arco e seu cinturão (1Samuel 18:3,4).

O filho do rei, o príncipe de Israel, que certamente herdaria o trono, desapossou-se humildemente da capa de príncipe que vestia e a colocou sobre os ombros de um menino, um simples pastor de ovelhas. Este foi um ato que honrou Davi, tornou-o um seu igual, mas fez de ambos alvos vulneráveis do ciumento e invejoso rei Saul, pai de Jônatas.

Vestir a capa real era uma honra indiscutível. O símbolo que identificava Jônatas como futuro rei foi dado espontaneamente a um jovem servo, deixando-lhe finalmente, o caminho do trono livre, colocando-o em grau de igualdade consigo mesmo. Talvez tenha sido realmente um gesto profético. Talvez Jônatas soubesse que Davi fora ungido por Deus para ser rei em Israel em lugar de Saul. Como homem de grande visão, ele ignorou qualquer cobiça pelo trono que viria um dia a ser seu, mas priorizou a vontade do Senhor, colocando-se ao lado de Davi, como seu segundo.

E não é esta a figura que antecipa o despojado e incondicional amor de Jesus Cristo por nós? Ele esqueceu Sua majestade e fez-se um humilde servo por amor às suas criaturas. A amizade de Jônatas e Davi nos faz compreender melhor a amizade de Jesus por nós.

Nas melhores amizades a entrega é um elemento prioritário. Deve haver sempre alegria pelo sucesso do outro. Não deve haver lugar para manipulações, ciúmes, competição danosa entre as duas pessoas.

Este também deve ser o compromisso entre duas pessoas casadas. Ambos devem estar dispostos e prontos a dar a vida um pelo outro. Foi este o amor de Deus quando entregou Seu próprio Filho. Foi este o amor de Jesus para com Sua noiva, a igreja: Ele se entregou por ela.

Pense nisto

Jesus disse: Ninguém tem maior amor do que aquele que dá a sua vida pelos seus amigos (João 15:13). Existe esse compromisso em seu casamento?

20 DE JULHO

DUAS ALMAS GÊMEAS

A alma de Jônatas se ligou à de Davi e Jônatas o
amou como à sua própria alma.
1Samuel 18:1

O ELEMENTO inicial na grande amizade que cresceu entre Jônatas e Davi foi a identificação de suas almas. Como a Palavra diz: "A alma de Jônatas se ligou à de Davi". Literalmente, a alma de Jônatas se fundiu, colou-se à de Davi. Os dois possuíam uma visão divina, um entendimento idêntico relativo às coisas de Deus. O Senhor de Israel é soberano, cumpre Sua própria vontade e a vida deve ser vivida para ele. Quando Jônatas viu essa mesma fé em Davi, sua alma se ligou à dele e houve identificação: "Eis aqui um homem cujo coração palpita como o meu!"

Esta é a melhor identificação para que amizades profundas sejam iniciadas. Eu não diria que amigos íntimos pensam sempre do mesmo modo. Às vezes suas opiniões se contrastam, mas concordam na maneira como encaram a vida. Creio que uma amizade cristã pode superar qualquer amizade não cristã porque se baseia na mutualidade sobrenatural da alma. É o Espírito Santo que faz duas almas cantarem uma mesma canção.

Desejo sinceramente que o Senhor lhe dê um, dois ou três amigos assim. Este é um dos maiores presentes da vida. Amigos íntimos, próximos, com os quais você não precisa usar máscaras, que o(a) aceitem como você é, que o(a) entendam, que orem por você, o(a) aconselhem e encorajem. E quem sabe, o mais importante, que saibam guardar segredos!

Amor Incondicional – "e Jônatas o amou como à sua própria alma" (1Samuel 18:1). Esta não é uma declaração fantástica? De repente, ele amou. Não foi um amor desenvolvido através dos anos. Não, ele aconteceu como se fosse um relâmpago inesperado. Jônatas era carente nessa área de sua vida e quando compreendeu que o pequeno Davi pensava como ele, amava como ele o mesmo Deus, e era corajoso o bastante para lutar contra os opressores do povo, o amou.

Querido casal, meu desejo sincero é que vocês desenvolvam uma forte amizade em seu casamento. Para que isso aconteça, vocês precisam ter uma visão divina compatível e um compromisso baseado no amor incondicional. Quero desafiá-los a investir em sua amizade no decorrer dos anos de casamento, do seu tempo juntos, com uma comunicação honesta e uma vida de oração.

PENSE NISTO

A desintegração do relacionamento conjugal se inicia quando a amizade entre o casal arrefece.

21 de julho

Quando desaba um temporal

... pois o Senhor disciplina a quem ama, e castiga
todo aquele a quem aceita como filho.
Hebreus 12:60

Quando desaba um temporal daqueles, com raios rasgando os céus e trovões ribombando, lembro-me daquela passagem do livro do profeta Naum: O seu caminho está no vendaval e na tempestade (Naum 1:3). Sabemos que, além do fenômeno físico propriamente dito, Deus também caminha através das tempestades de nossas vidas. E, como isso funciona quando se iniciam os redemoinhos compostos por enfermidades, acidentes, mortes? O que acontece em meio às tempestades das irritações e frustrações?

Ele muitas vezes nos faz atravessar tempestades de disciplina porque nos ama. A vida está intercalada com essas tempestades. Mesmo quando estamos em meio aos "trovões", devemos nos consolar com o fato de que Deus se utiliza desse método para, de forma mais eficaz, desenvolver em nós um caráter mais digno e firme. As "pesadas gotas" nos conduzem ao caminho da humildade e nos levam a aceitar a direção e o papel que ele separou para nós. Constantemente esquecemos que nosso Pai eterno nos trata como filhos e filhas. Ao invés de esperarmos pela disciplina ao cometermos deslizes, nos assustamos com ela. Na verdade, tal atitude de Deus, não passa de uma evidência de que somos realmente seus filhos.

A disciplina está interligada ao pecado cometido. Paulo declara que, aparentemente, existe uma relação entre a atitude da pessoa e a consequência de seu ato: Não se deixem enganar: de Deus não se zomba. Pois o que o homem semear, isso também colherá (Gálatas 6:7). A insensibilidade espiritual pode prejudicar a habilidade do cristão enxergar o Senhor administrando disciplina à sua vida.

Tenho conversado com pessoas amarguradas com Deus por causa do sofrimento a que está, ou foram, expostas. Logo descubro que essas pessoas não têm andado em comunhão com o Senhor, têm pecado frequentemente e isso as torna insensíveis à atuação divina. Elas desejam o alívio para sua dor, mas não estão dispostas a abandonar seu pecado.

Deus não tem interesse em que tenhamos uma vida de regalias, prazeres e satisfação que só contribuem para um caráter frágil, dado ao egoísmo e pecado. Ele nos quer com personalidade e espírito firmes, determinados e equilibrados. Seu objetivo é de longo prazo. Para nosso caráter se tornar firme e depurado temos que passar pela fornalha.

Pense nisto

Você está passando pela disciplina de Deus em sua vida agora? Está sofrendo em consequência de algum pecado ou desobediência? A promessa de Deus para aqueles que o amam, é que a disciplina resulta em fruto de justiça!

22 DE JULHO

MEU CASAMENTO ACABOU!

Lancem sobre ele toda a sua ansiedade,
porque ele tem cuidado de vocês.
1Pedro 5:7

O QUE FAZER quando o divórcio é inevitável? É praticamente impossível alguém estar preparado para uma situação dessas. Relacionamentos e sentimentos mudam inesperadamente e a vida torna-se complicada e difícil. Áreas importantes da vida familiar passam por dolorosas mudanças.

O relacionamento com a família já não é o mesmo. Às vezes os sogros e/ou os filhos não aceitam o divórcio iminente. Há momentos em que eles chegam a passar pelos mesmos sentimentos que o casal: tristeza, raiva, falta de coragem, culpa etc...

O processo de divórcio é uma época em que se reconhece a importância dos bons amigos. Dentro do círculo de amigos, alguns continuarão, novas amizades surgirão e, algumas antigas esfriarão.

É um período de redescobrimento da identidade pessoal: a pessoa passa a ser um indivíduo e não uma das partes do casal. Então, cedo ou tarde, chegará o momento em que se sentirá profundamente só. Mesmo que todos nós, seres humanos, tenhamos passado pela solidão, como ela se manifesta ao divorciado é muito doloroso e característico, sendo portanto difícil de ser compreendido por quem não percorreu esse caminho. A solidão não deve ser negada ou ignorada, mas enfrentada. Durante o processo de divórcio a pessoa, além da solidão, se confronta com tristeza, raiva, sentimentos de rejeição e, embora dolorosos, esses sentimentos fazem parte da fase.

O "olhar para trás", a volta ao passado pode ser doída, mas também uma oportunidade para fazer as pazes consigo resolvendo culpas, redefinindo identidade, redescobrindo o valor pessoal.

As tensões do divórcio podem desencadear diversos sintomas físicos: dores na coluna, dores de cabeça, problemas de estômago, erupções cutâneas, etc. A rotina diária, a alimentação adequada, os exercícios físicos bem estruturados ajudam a superar os momentos de tensão emocional e devem ser mantidos e levados a sério.

Em Isaías 26:3 há uma antiga dica que oferece grande alívio: Tu, Senhor, guardarás em perfeita paz aquele cujo propósito está firme; porque em ti confia. Quando conseguimos lançar sobre o Senhor nossas preocupações, reputação e até mesmo o próprio divórcio, o peso torna-se mais leve. O Senhor está sempre disposto a nos receber e a nos ajudar mesmo em situações em que nos consideramos fracassados. Ele é especialista em reparar vidas, em construir sobre cinzas, mesmo sobre um divórcio.

PENSE NISTO

Seu casamento pode ter terminado, mas a sua vida não! O Pai há de dar forças para a continuidade da caminhada. Confie Nele!

23 de julho

Treinando sua família

Estejam alertas e vigiem. O Diabo, o inimigo de vocês, anda ao redor como leão, rugindo e procurando a quem possa devorar. Resistam-lhe firmes na fé...
1Pedro 5:8, 9a

Por que há tantas famílias se desfazendo? Certamente não existe uma resposta simplista para essa pergunta. Há inúmeros fatores, porém, a meu ver, o principal é que o inimigo, Satanás, está decidido a destruir a obra-prima de Deus. Precisamos conhecer suas frentes de ataque para ter como nos defender e reagir. Acredito que, entre outras, ele tenha preferência por três estratégias:

- Alienar e romper de forma definitiva o relacionamento conjugal.
- Efetivar a quebra de relacionamento entre pais e filhos.
- Tornar o relacionamento entre a pessoa e Deus ineficaz, afastando-a das disciplinas espirituais.

O inimigo não é tolo. Ele tem um plano estrategicamente "bem bolado", um método diabólico utilizado milhões de vezes com sucesso. Em seu intuito de destruir a família, focaliza sua atenção no homem, o cabeça do lar. Se ele consegue neutralizá-lo, faz o mesmo com a família.

Por outro lado, uma família em que o marido e esposa estejam atentos, procurando proteger-se das artimanhas e ataques satânicos, em que seus componentes se esforçam para viver conforme o coração de Deus e Seus desígnios, essa família é temida pelo inimigo e está mais preparada para se defender e contra-atacar.

Será que existe algo que se possa fazer para reverter a situação da família? Alguns dizem que temos de "passar o Brasil a limpo", acabar com a corrupção, ter um presidente cristão ou um Congresso preponderantemente evangélico.

Gostaria, no entanto, de sugerir que o maior impacto positivo na nação deveria vir, em primeiro plano, por centenas, milhares de homens comprometidos, levando a sério seus papéis de maridos e pais. Homens que se comprometam a ser fiéis a suas esposas, e amá-las incondicionalmente. Pais moderados, compromissados com o crescimento espiritual e emocional de seus filhos. Pais participantes, verdadeiramente integrados à sua família.

Pense nisto

Como você tem se protegido dos ataques de Satanás à sua família? Você tem orado com seu cônjuge e filhos? Tem procurado na Palavra princípios que nos orientam a viver de acordo com a vontade do Pai para nós? Você, marido, tem sido fiel à sua esposa? Tem se preocupado com o crescimento espiritual e emocional de seus filhos? Tome cuidado para não ser um pai ausente, expondo sua família a brechas que possam fragilizá-la e até destruí-la!

24 DE JULHO

COMO DERRUBAR SUA CASA

A mulher sábia edifica a sua casa, mas com
as próprias mãos a insensata derruba a sua.
Provérbios 14:1

SEI que esta pode parecer uma maneira negativa de abordar este assunto, porém é necessário que saibamos reconhecer os sinais do perigo que nos ronda. Em Provérbios 31, temos uma descrição da mulher virtuosa. Encontramos ali, ao menos cinco atitudes que podem destruir um lar. Vamos descobrir juntas (os) quais são elas:

1. *Desconfiança.* Provérbios 31:11: "Seu marido tem plena confiança nela e nunca lhe falta coisa alguma". Ela era cuidadosa, fiel e leal – justamente por ser assim, ela merecia a confiança de seu marido.
2. *Ser indulgente com o pecado.* Provérbios 31:12: "Ela só lhe faz o bem, e nunca o mal, todos os dias da sua vida". Em Gálatas 5:19-21, temos uma lista das obras da carne: ...inimizade, discórdia, ciúmes, ira, egoísmo, dissensões, facções e inveja... O alvo da mulher virtuosa é fazer o bem e não o mal todos os dias de sua vida.
3. *Egoísmo.* Provérbios 31:20: "Acolhe os necessitados e estende as mãos aos pobres". Podemos perceber que ela se preocupava com seu marido, seus filhos, empregados, e também com as pessoas carentes. Ela era altruísta. O altruísmo é um alvo para ser aprendido e desenvolvido em família. Creio que podemos aferir que o egoísmo é responsável por inúmeros problemas no lar.
4. *Preguiça.* Provérbios 31:27: "Cuida dos negócios de sua casa e não dá lugar à preguiça". Diariamente ela se levantava muito cedo, pois: "Antes de clarear o dia ela se levanta" – e ia dormir tarde – "a sua lâmpada fica acesa durante a noite" (v. 18). Provérbios 6:6 apresenta uma forte exortação ao preguiçoso: "Observe a formiga, preguiçoso, reflita nos caminhos dela e seja sábio!".
5. *Insensatez.* Provérbios 31:26: "Fala com sabedoria e ensina com amor". Como lemos em Provérbios 14:1: "A mulher sábia edifica sua casa [...] a insensata derruba a casa". A mulher cristã sabe que a sabedoria do mundo é loucura para Deus (1Coríntios 1:20). Ela fala com sabedoria porque teme ao Senhor e medita na sua Palavra, sempre atenta contra tudo aquilo que possa pretender derrubar sua casa.

PENSE NISTO

Você está construindo seu lar ou derrubando-o? Não se esqueça de que Se não for o Senhor o construtor da casa, será inútil trabalhar na construção (Salmos 127:1).

25 de julho

Disciplinando no Senhor

Quem se nega a castigar seu filho não o ama; quem o ama não hesita em discipliná-lo.
Provérbios 13:24

Como pais, estamos todos vitalmente interessados em moldar o caráter e comportamento de nossos filhos. Mas, como podemos saber qual é o método apropriado para resolver cada problema?

Disciplinar significa treinar ou discipular seu filho. Disciplina não é simplesmente castigo. É um trabalho constante que muitos pais infelizmente não fazem, porque é muito difícil. É mais difícil disciplinar do que instruir.

A disciplina é justa e afirma a dignidade do filho. Ela tem o alvo de criar na criança as qualidades do Espírito de Deus. Por outro lado, espancar e abusar da criança é injusto, degradante e causa prejuízos permanentes.

Cuidado com a maneira com que você trata seu filho. Toda criança tem um brilho nos olhos. Vocês, como pais, não querem apagar esse brilho, não é? Gritar e demonstrar raiva esmagam o espírito de seu filho, mas a disciplina amorosa moldará o seu caráter.

Às vezes, por questão de irritação ou embaraço diante de outras pessoas, o pai castiga seu filho de maneira errada. Nós pais precisamos demonstrar paciência e amor para com os filhos, mesmo ao discipliná-los.

Se você, como pai, não procura formar a personalidade e vontade do seu filho, com os princípios da Palavra de Deus, certamente aparecerá quem o faça de forma inusitada!

PENSE NISTO

Ser fiel na disciplina é uma das coisas mais difíceis para os pais. Porém o amor está disposto a pagar o preço.

26 DE JULHO

NEM SEMPRE FILHO DE PEIXE É PEIXINHO!

O pecado desses jovens era muito grande à vista do Senhor, pois eles estavam tratando com desprezo a oferta do Senhor.
1Samuel 2:17

ELI ERA pai de Hofni e Fineias. Estes dois rapazes, aparentemente cresceram no ambiente da casa de Deus, também se tornaram sacerdotes e trabalhavam ombro a ombro com seu pai.

Há quatro importantes detalhes que as Escrituras fornecem sobre Eli: ele era muito idoso (1Samuel 2:22), era sensível espiritualmente (1Samuel 3:8,9), estava "fora de forma" (1Samuel 4:18) e era uma pessoa compromissada, foi fiel, produtivo e sério no desempenho de seu trabalho de juiz.

Já Hofni e Fineias não eram como seu pai. 1Samuel 2:12 afirma que eles eram filhos do diabo e não se importavam com Deus; eram totalmente profanos, incrédulos e rebeldes. Seus corações estavam distanciados do Senhor.

Basicamente, seu pecado mais grave era aproveitarem-se de seu cargo religioso para satisfazerem seu apetite carnal. Ambos realizavam seu trabalho, mas eram insensíveis e frios diante do significado da oferta dada ao Pai Celestial. Para eles, o ritual público não passava de uma oportunidade para saciar seus estômagos. Além de menosprezarem suas funções, eram também imorais: "...deitavam com as mulheres que serviam à porta da tenda da congregação".

É uma lástima! É incompreensível como um homem que dedicou sua vida para servir a Deus tenha criado dois filhos cínicos, desobedientes e imorais. Imagino que isto foi uma tristeza, uma vergonha, um embaraço para o idoso Eli.

Lembro-me de um grande homem de Deus que viveu no século passado, o pregador Billy Sunday, que disse certa vez: "A grande tragédia de minha vida é que, apesar de ter conduzido centenas de pessoas a Jesus, meus filhos, meus próprios filhos, não serem salvos".

Quantas vezes essa história tem se repetido na igreja durante séculos! Não é fácil ser filho ou filha de pastor ou de missionário. Durante toda a infância, adolescência, juventude, eles ouvem a Palavra, participam das reuniões da igreja, acompanham as orações, integram o louvor e relacionam-se com pessoas crentes. O perigo reside no fato de, na realidade, nunca terem entregue suas vidas a Cristo verdadeiramente. São incrédulos vivendo na família pastoral.

PENSE NISTO

Você tem certeza de que seus filhos são salvos? Você tem orado por eles diariamente, pedindo a misericórdia e graça do Senhor? Seus filhos são prioridade na sua vida? Você vive o que você prega?

27 DE JULHO

É TEMPO DE MUDAR

O coração é mais enganoso que qualquer outra coisa [...] quem é capaz de compreendê-lo?
Jeremias 17:9

O ORGULHO, intrínseco no ser humano, a vaidade pessoal, a tendência em justificar-se e transferir a própria culpa, geralmente impedem que os cônjuges superem seus problemas mais rapidamente.

Raramente encontro um caso em que apenas um dos cônjuges seja totalmente culpado. Há, é certo, algumas situações que, figuradamente, um tem 90% de responsabilidade, e o outro, 10%. Mas, mesmo que essa carga de responsabilidade seja mínima, quando um corajosamente a assume, o outro se sente desarmado e, muito provavelmente, consegue expressar verbalmente a sua própria contribuição no conflito. Contudo, algo mais prático precisa ser feito.

Após reconhecer suas próprias responsabilidades, é chegada a hora de ambos alistarem o que, na mudança de seus hábitos, vai contribuir para a solução da crise. Possivelmente, a mudança causará dor. Por exemplo, um homem ou uma mulher com uma carga de atividades profissionais intensa, que os realiza mas também os desgasta, conscientiza-se que precisa mudar de atitude em favor da felicidade de seu casamento. Mas o preço a ser pago é alto, exige renúncia e poucos se dispõem a pagá-lo. Por outro lado, aqueles que se dispõem e investem tempo na relação, percebem que o resultado é compensador.

PENSE NISTO

Seu cônjuge é seu maior investimento. Seja compreensivo e trabalhe no relacionamento ao perceber que algo está falhando. Deus o(a) honrará quando você procurar manter um bom relacionamento. Seja diferente! Seja especial! Não se conforme e trabalhe no seu relacionamento.

28 DE JULHO

SOFRIMENTOS ATUAIS, TRIUNFOS FUTUROS

... pois os nossos sofrimentos leves e momentâneos estão produzindo para nós uma glória eterna que pesa mais do que todos eles.
2Coríntios 4:17

ESTE versículo nos oferece quatro características referentes às aflições pelas quais passamos, enquanto estamos neste mundo:

1. *A esfera de ação das aflições.* Elas fazem parte da vida. A chuva cai sobre o justo e o injusto. Quanto mais velhos ficamos, mais percebemos essa verdade. Até mesmo as gerações mais jovens têm que aceitar essa realidade. Contudo, para o cristão, as aflições assumem um significado sobrenatural. Elas nunca são meramente acidentais. Elas têm permissão divina, propósito e são utilizadas soberanamente para o nosso eterno bem.
2. *O peso das aflições.* Paulo as classificou como leves sofrimentos. Algumas de suas tribulações, listadas em 2Coríntios 11:23-28, de nenhuma maneira parecem leves. Entretanto, se comparadas ao eterno peso de glória que produziriam para ele, eram insignificantes: doenças, ansiedades, dissabores, desapontamentos, decepções, solidão, medo, tentações, reviravoltas financeiras — como pesam sobre nós! Porém são extremamente leves se postos na balança e comparados ao peso de glória que produzirão na eternidade.
3. *A duração das aflições.* Paulo afirma que elas são momentâneas (será que ouvi um suspiro de alívio?). Para quem está com o cálice transbordando de sofrimento, o "momento" parece durar uma eternidade. É comum sofrermos mais com a duração da aflição do que com o seu peso. Cada dia traz uma nova onda de tribulação e começamos a acreditar que nosso pequeno barco naufragará. Entretanto, a nossa provação mais longa, comparada ao peso eterno de glória, não passa de um "momento".
4. *O produto das aflições.* Paulo diz que "nossos sofrimentos leves" estão produzindo glória para "nós". Sim, a nossa aflição terrena trabalha a nosso favor para sermos glorificados na eternidade. Ela também prepara um contexto para desenvolvermos e exercitarmos nossa fé enquanto estivermos aqui na terra.

As aflições nos libertam da dependência do mundo. Elas nos levam para mais perto de Jesus e aumentam nosso desejo de chegar ao céu.

PENSE NISTO

Alguém perguntou a um fiel e já idoso servo de Deus: "O que você encontrou que mais o auxilia em sua vida cristã?" Ele respondeu: 'Encarar tudo o que me acontece nesta vida à luz da eternidade'.

29 julho

Investindo tempo

Eu pertenço a meu amado e ele me deseja.
Cântico dos Cânticos 7:10

A Palavra de Deus reconhece a intimidade conjugal como uma experiência que preenche três propósitos:

- Procriação (Gênesis 1:28; 9:1).
- Forma de evitar promiscuidade (Provérbios 5:15-23; 1Coríntios 7. 1-5).
- Prazer (Gênesis 18:1-12; Provérbios 5:15-19).

Há um livro na Bíblia, totalmente dedicado à descrição de uma paixão romântica, erótica: Cântico dos Cânticos. Alguns estudiosos do Antigo Testamento, levados pelo constrangimento e desconforto pessoal, interpretam a sexualidade apresentada como sendo uma alegoria espiritual. O rei Salomão narra seu namoro, noivado e casamento com uma moça que ele chama de Sulamita. Encontramos na narrativa quatro princípios de intimidade sexual. A intimidade sexual requer...

1. *Tempo.* A intimidade sexual de Salomão e da Sulamita cresce à medida que passam mais tempo juntos. Na realidade, a relação íntima de um casal desenvolve-se através de um longo período. É necessário tempo para mútuo conhecimento; a experiência é gradativa. Cada vivência é singular, única.
2. *Compreensão.* Todo relacionamento precisa ser permeado por compreensão, adequação e coordenação das necessidades mútuas. O apóstolo Paulo, em 1Coríntios 7:3,4, afirma que o cônjuge deve se preocupar em suprir as necessidades de seu parceiro. Se um dos dois estiver "caindo de sono", ao outro cabe aceitar o fato. Se, porém, for o prazer sexual, então... Em ambos os casos, a maior preocupação consiste em agradar o outro.
3. *Comunicação.* Pessoas têm aberto o coração revelando que a comunicação inexiste na área sexual. Há diálogo no que se refere às diferentes esferas da vida em comum, mas em se tratando de sexo, não há abertura. Creio que palavras românticas são importantíssimas, especialmente para a mulher, pois um clima de intimidade sexual poderá florescer decorrente delas.
4. *Férias.* Se queremos manter intimidade sexual, precisamos aprender a diminuir o ritmo ou planejar "miniférias". Quer seja num hotel cinco estrelas ou em outro com apenas "a ponta de uma estrela", seja na praia ou no campo, o objetivo é criar uma atmosfera descontraída, sem tensões, onde o sexo seja espontâneo e inovador.

Pense nisto

Você tem colocado em prática todos esses princípios para estar adquirindo uma intimidade sexual maior com seu cônjuge? Não se esqueça que para a intimidade sexual é preciso tempo, compreensão, comunicação e privacidade (férias).

30 DE JULHO

ENCORAJAMENTO – UM ANTIBIÓTICO EFICAZ

Judas e Silas, que eram profetas, encorajaram
e fortaleceram os irmãos com muitas palavras.
Atos 15:32

Você já se sentiu como que sob "nuvens negras", hibernando na gruta do desânimo? Tudo parece tão difícil, que você até já pensou em "pendurar as chuteiras", desistir da vida? Incrível como isso pode acontecer com qualquer um de nós!

Dizem por aí que um crente verdadeiro não pode sentir-se assim, mas a realidade mostra exatamente o contrário. Por que fingir que não somos abalados pelas crises que, subitamente, modificam toda nossa vida? Somos seres humanos que precisam aprender a lidar com suas emoções tanto em horas de imensa alegria quanto em momentos de dor, tristeza e luta. Talvez os sentimentos acima descrevam sua situação, ou então você conheça alguém que esteja passando pelo vale do desânimo, com sonhos desfeitos, atingido pela desilusão.

O antibiótico mais eficaz no contra-ataque à infecção do desânimo é o encorajamento, e é por causa disso que ele é essencial nos relacionamentos do Corpo de Cristo.

Encoraje-me! É bem provável que você nunca tenha feito este pedido a alguém. Porém, se pudesse falar a verdade, diria que está necessitado de um sorriso, de uma palavra de consolo, de um carinho especial. O propósito de Deus é ministrar ao seu coração e também usá-lo para encorajar outros. Judas e Silas eram portadores de uma carta, cujo objetivo era encorajar os não-judeus a seguirem na fé, sem fardos desnecessários.

Deus é a nossa rocha, refúgio e proteção. Ele é quem nos ergue a cabeça quando estamos cabisbaixos. Ele se aproxima de nós na angústia, nos abraça, conforta e anima; enxuga nossas lágrimas, ele é o Consolador.

O Espírito Santo é o nosso Encorajador. É ele quem continua o ministério de Cristo na terra, apoiando, ajudando, motivando, dando poder aos que creem no Senhor Jesus.

PENSE NISTO

Será que em nossa família há alguém que precise de encorajamento? Às vezes um sorriso, um toque, uma palavra de ânimo podem fazer toda a diferença!

31 de julho

Bom demais!!!!

E Deus viu tudo o que havia [...] esse foi o sexto dia.
Gênesis 1:31

No mundo de hoje, as pessoas estão sendo bombardeadas com sexo através de todos os meios de comunicação. Os comerciais de TV enfatizam o sexo em suas propagandas, bem como revistas, jornais e livros.

É difícil para o crente viver numa sociedade assim, sem se contaminar com as suas atitudes. O cristão fica confuso quanto a como reagir e como saber qual é a vontade de Deus para ele.

A relação sexual antes do casamento é permitida? A masturbação é prejudicial à saúde? É contra a Palavra de Deus? Essas e outras centenas de perguntas e dúvidas estão na mente dos jovens, adolescentes e até de muitos adultos. Será que Deus nos deixou sem uma orientação sadia a respeito dessa área tão importante de nossas vidas? Há uma resposta de Deus para estas dúvidas?

A resposta para essa pergunta acima é categórica: sim!

A Bíblia tem muito a dizer sobre sexo. Ela não é um manual de sexo, mas quando fala do assunto podemos ter a certeza que é atual e relevante.

Conforme o desígnio e a sabedoria de Deus, a nossa sexualidade foi estabelecida para a procriação da raça humana no contexto do relacionamento do casamento.

A Palavra de Deus nos dá a melhor perspectiva sobre o sexo. Não é uma perspectiva distorcida e negativa como a filosofia puritana, nem como a "nova moralidade" que deixa de lado o plano de Deus sobre moral e sugere uma "liberdade" completa na expressão dos desejos sexuais.

Deus nos criou seres sexuais para o bem-estar do homem e da mulher, e é seu propósito que entendamos o plano dele para as nossas vidas.

Pense nisto:

Você tem visto o sexo como algo realmente abençoado por Deus, ou o vê distorcido, como fazem as pessoas que não temem a Deus?

1 DE AGOSTO

ESPÍRITO DÓCIL

... esteja no ser interior, que não perece, beleza
demonstrada num espírito dócil e tranquilo.
1Pedro 3:4a

MANSIDÃO não tem sido muito valorizada no mundo moderno. Uma pessoa mansa é vista como sendo sem fibra, covarde, fraca. No entanto, nosso Senhor foi declarado manso e nenhuma dessas características negativas encontrava-se nele.

Os mansos são pessoas gentis e tratáveis. Possuem grande força interior, mas a mantêm sob controle. São humildes, não são cruéis, ásperos, grosseiros, nem arrogantes. São brandos. Eles compreendem que a resposta calma desvia a fúria (Provérbios 15:1), e são moderados em tudo o que fazem.

Não é fácil desenvolver mansidão. É como tentar domar uma fera. Mansidão é algo que nunca poderei "produzir" por mim mesma. É um fruto que o próprio Espírito Santo fará crescer em minha vida, através de Cristo.

Ao considerar o Movimento de Liberação Feminina, podemos ver a luta das mulheres para provar que são iguais aos homens. Nós, mulheres cristãs, sabemos que somos iguais aos homens, pois a Bíblia faz essa afirmação. "pois todos são um em Cristo Jesus" (Gálatas 3:28).

Temos o direito de lutar, mas como servos do Senhor, devemos viver para ele e não para nós mesmos.

Sara também tinha os seus direitos. Ela possuía o direito de ter um lar; de morar perto de seus pais; de plantar roseiras e permanecer naquele local o tempo suficiente para vê-las darem rosas. Mas ela abriu mão de seus direitos, colocando sua fé nas promessas. Será que Abraão e Sara teriam recebido as bênçãos de Deus se ela não tivesse cedido e seguido seu marido?

Jesus, no sermão da montanha, disse: "Bem-aventurado os mansos porque herdarão a terra" (Mateus 5:5 – SBB – versão atualizada). Por causa da mansidão, Sara herdou não só a terra que Deus havia prometido como também muitas outras bênçãos. Ela conhecia o significado da frase de Jim Elliot: "Sábio é aquele que abre mão do que não pode reter, para ganhar o que não pode perder."

PENSE NISTO

Em que situação de sua vida é mais difícil demonstrar mansidão? Leia Filipenses 2:5-11 e ore pedindo que Deus desenvolva em você e em seus relacionamentos o mesmo sentimento de Cristo.

2 de agosto

Dormindo com o Senhor

Que todas estas palavras [...] estejam em teu
coração. Ensine-as [...] quando se deitar...
Deuteronômio 6:6-7

Moisés fala que devemos ensinar a Palavra quando formos deitar. Creio mesmo que esta é uma hora chave. Muitas vezes coloquei minhas filhas na cama, na hora de dormir. As mais íntimas conversas que tivemos, como pai e filhas, foram naquelas horas. Compartilhávamos nossas alegrias ou alguma dificuldade que tivéssemos passado durante o dia.

Conversávamos sobre como resolver algum problema que estivéssemos enfrentando e falávamos dos nossos sonhos e interesses. Às vezes orávamos; às vezes líamos a Bíblia. Aproveitávamos a oportunidade para ler um livro sobre algum homem de Deus. Também agradecíamos ao Pai por bênçãos específicas, que Ele tivesse nos dado.

Muitos pais têm me dito o seguinte: "Mas pastor, não tenho tempo para fazer isto". Se você não tem tempo é porque está ocupado com outras atividades menos importantes.

Seus filhos crescem rápido demais e vão embora de casa. Quando o ninho estiver vazio, você lamentará ter substituído seus filhos por outras coisas, mas aí será tarde demais. Choro e a lamentação serão inúteis. Por isso, pais, arrumem tempo para seus filhos!

Duas de minhas filhas aceitaram a Jesus em uma noite quando eu contava histórias para elas dormirem. Elas tinham 4 e 6 anos. Fizeram uma oração simples e sincera convidando Jesus para entrar em seus corações. Que experiência maravilhosa! Não teria tido aquela experiência se eu não tivesse separado aquele tempo para colocá-las na cama e conversado com elas sobre Deus.

Talvez a hora não seja o fator mais importante mas, o mais necessário é que sejamos diligentes na instrução de nosso filhos.

PENSE NISTO

Se formos fiéis a Deus, poderá ser de manhã, à tarde ou à noite, com certeza teremos prazer em instruir nossos filhos nos caminhos do Senhor.

3 DE AGOSTO

A IDADE DO LOBO

A sabedoria do homem prudente é discernir o caminho, mas
a insensatez dos tolos é enganosa.
Provérbios 14:8

ENTRE os 35 e 50 anos de idade, o homem passa a caminhar pelo desconhecido mundo da meia-idade. É a maior transição enfrentada por ele. Para alguns é o deslocamento de águas plácidas e serenas, para um oceano revolto e agitado. A travessia torna-se turbulenta e difícil.

É quando o homem avalia seus sonhos, alvos e projetos e fica satisfeito ou frustrado; é quando ele passa a questionar tudo, inclusive a vida. Muitos dizem que na faixa dos 40 anos, os homens transformaram-se em "lobos vorazes", saindo à caça de presas que satisfaçam sua autoafirmação masculina e cobiça. Mas a busca extraconjugal não passa de uma simples aspirina, um alívio temporário a conflitos emocionais mais sérios. Alguém descreveu a crise da meia-idade do homem como a época em que este se depara com quatro inimigos: o corpo (o passar dos anos começa a pesar), o trabalho (está realizado em relação a ele ou não?), a família (as muitas e diversas pressões que ela lhe impõe), Deus (ele é o culpado de todos os seus problemas). Enfim, quando ele reavalia seu valor pessoal, quando há alvos e sonhos não alcançados; quando a rotina e a monotonia massacram, a aventura ou uma nova forma de realização estão do outro lado da porta de sua casa, convidando-o. Quando a esposa e os filhos já não dependem tanto dele; quando ele inicia uma batalha para que sua aparência física ainda desperte admiração e desejo do sexo oposto; quando "cai a ficha" de que ele não viverá para sempre – o chão lhe foge dos pés e o homem entra em crise.

Como sobreviver à crise da meia-idade? Algumas dicas práticas seriam: reconhecer as mudanças; cuidar da autoestima e identidade pessoais; incorporar as mudanças que o enriquecerão positivamente; estar aberto a transformações e possibilidades futuras; construir uma identidade adequada ampliando e diversificando papéis significativos em outras áreas de sua vida e expressar seus sentimentos. O homem precisa saber que não está sozinho em suas lutas. A expressão dos sentimentos equivale a uma declaração de que se é realmente um ser humano integral. Por mais que se enfatize, nunca será exagerado salientar a importância da amizade fiel, confiável. É muito importante e mais ameno percorrer os altos e baixos da crise da meia-idade na companhia de pessoas de confiança.

PENSE NISTO

Na fase em que dinheiro, sexo e poder são freneticamente procurados, só Deus é capaz de preencher o vazio existencial. A família e os amigos sinceros também podem contribuir como fator de estabilidade à vida do homem na crise de meia-idade.

4 de agosto

Tente, invente. Faça alguma coisa diferente!

Que o meu amado entre em seu jardim e
saboreie os seus deliciosos frutos.
Cântico dos Cânticos 4:16b

Certo dia, André brigou com sua esposa Cristina. Era um sábado de manhã. Foi uma briga mais ou menos feia, com troca de palavras ásperas. Ambos ficaram com cara fechada e magoados. Antes do meio-dia, porém, eles reconheceram que aquela discussão os machucara e trataram de fazer as pazes. Os dois utilizaram as três frases que podem salvar qualquer casamento: "Eu estava errado(a). Por favor, me perdoe. Eu amo você!" As pazes foram feitas e a tarde transcorreu com tudo às mil maravilhas. À noite, André desejou ter relações com Cristina, mas ela não quis. Compreensivo, André tentou entender a natureza da esposa. Sexo, para ela, era uma questão mais emocional.

André poderia achar que Cristina não o perdoara pelo que acontecera de manhã. Provavelmente esta não era a causa. Enquanto o homem consegue recuperar-se rapidamente de uma ofensa, a mulher demora mais. Ela não queria ter relações com o marido, não por não ter perdoado, mas por não estar preparada emocionalmente.

Tudo isso demonstra a importância de manter a harmonia e o carinho em nossos relacionamentos conjugais. O casal, então, desfrutará uma relação mais bonita.

A vida sexual romântica e cheia de amor que Salomão e Sulamita viveram pode também ser uma experiência real para você e sua esposa. Se vocês têm esse desejo esforcem-se para concretizá-lo, pois também é o desejo do coração de Deus.

Pense nisto

Querido casal, se neste momento vocês estiverem passando por problemas, parem, conversem e não se esqueçam de orar. Se não conseguirem resolver seu conflito, procurem um conselheiro capacitado. "Tente, invente. Faça alguma coisa diferente!..." Vale a pena!

5 de agosto

O pássaro e a serpente

Está escrito...
Mateus 4:4,7,10

HÁ ALGUNS anos um caçador que estava na região amazônica foi, de repente, atraído por um pássaro muito amedrontado, que estampava pavor na triste melodia do seu canto. Agitada, a pequena ave sacudia as asas sobre o ninho onde estavam a fêmea e os filhotes. O motivo do pânico da criaturinha revelou-se repentinamente. Rastejando silenciosamente em direção à árvore, o caçador reconheceu uma das serpentes mais peçonhentas da Amazônia.

A víbora subia a árvore com olhos fixos no ninho, antecipando o prazer de devorar os pequenos pássaros. Diante disso, o caçador engatilhou seu rifle e mirou o predador. Mas, ao observar a cena, abaixou a arma. Para sua surpresa, o macho alçou vôo e dentro de um minuto regressou com um raminho no bico, e com muita calma e cuidado o depositou sobre o ninho. Em seguida voou para um galho ao alto e, mais sossegado, ficou assistindo à chegada do inimigo.

A cobra ziguezagueou pelo tronco da árvore até alcançar o ramo onde estava o ninho desprotegido. Perigosa e implacavelmente, ela partiu em sua direção e quando estava bem perto dele, posicionou-se e preparou o bote. Subitamente, a serpente jogou a cabeça para trás com muita força, como se tivesse levado um golpe muito potente. Nervosamente, ela se virou bem rápido e fez o caminho de volta o mais depressa que pôde, enquanto lá no galho acima do ninho, o macho cantava uma feliz melodia.

Um pouco mais tarde, naquele mesmo dia, o caçador encontrou alguns nativos e comentou com eles a estranha e magnífica cena que presenciara. Os índios explicaram que aquele ramo era de uma planta que possuía um veneno poderoso e mortal contra cobras. Seu simples odor as apavorava e afugentava. O pássaro, pequeno, frágil e indefeso sabia que aquelas folhas eram uma arma invencível contra o seu mais temível predador.

Queridos, relembramos outra serpente, muito mais astuta e perigosa, o diabo! Ele apareceu no deserto para tentar Jesus, mas assim como o passarinho, Cristo sabia qual era a sua proteção: Está escrito... . Por três vezes ele utilizou a autoridade da Palavra contra a tentação que enfrentou. Na terceira vez sabemos através da Bíblia que ... o diabo o deixou, e anjos vieram e o serviram (Mateus 4:11).

Querido casal, a milenar serpente, Satanás, está na terra e um de seus alvos é a destruição da família. Deus nos deu um manto protetor para colocarmos sobre o nosso ninho, o lar. Leiam a Palavra juntos, estudem e ensinem suas verdades a seus filhos.

Pense nisto

Há um ramo na Palavra de Deus que repele qualquer aproximação satânica. Ele protege seus relacionamentos contra as intromissões do diabo. A Palavra é vida para quem a acha.

6 de agosto

Ele fará justiça a seu tempo

Acaso Deus não fará justiça aos seus escolhidos, que clamam a ele dia e noite? Continuará fazendo-os esperar?
Lucas 18:7

Ora se Deus é justo, por que permite que injustiças escureçam nossas vidas? Se Deus é Todo-poderoso, então certamente, pode pôr um ponto final nas injustiças! O que está por trás das lágrimas de uma esposa? Qual a razão do olhar assustado e desconfiado de uma criança?

No primeiro século, a nação israelita padeceu toda sorte de sofrimento. O Império Romano dominava e impunha a intolerância do poder estrangeiro. Os romanos taxaram os judeus pesadamente para financiar suas campanhas militares de conquista. Confiscaram as melhores terras e seus produtos mais selecionados; estabeleceram seus próprios governadores impondo leis e costumes desconhecidos ao povo de Israel.

A nação precisava de um líder que desse fim a isso tudo. E, foi nessa atmosfera que Jesus Cristo nasceu. Muitos acreditavam que seria ele quem promoveria a reforma social, política e religiosa de que tanto necessitavam. As expectativas e desejos do povo nos dias de Jesus eram muito parecidos com os nossos. Eles queriam justiça, assim como nós.

Jesus, através da parábola do juiz iníquo (Lucas 18:2-8), ensinou ao povo que se um juiz com todas aquelas características más, acabou por ajudar uma mulher simples, do povo, a quem não conhecia, quanto mais o Senhor não se disporá a fazer justiça àqueles a quem ama? Não devemos nos surpreender com o tratamento injusto, pois o próprio Jesus trilhou tal caminho e, quando sofremos, nos tornamos coparticipantes de seu sofrimento. Nós queremos justiça imediata e não estamos dispostos a aguardar a volta de Cristo. Em sua segunda vinda, todos os homens e mulheres prestarão contas de seus atos. A justiça será feita aos justos e aos injustos. Os justos receberão seu galardão (Mateus 5:10; 1Pedro 2:19-21).

Deus sabe quando sofremos. Nada passa despercebido a seus olhos. O Senhor nunca nos abandona aos caprichos e desejos dos poderosos perversos. Ele "anota", com cuidado e detalhes, tudo que observa e já instituiu um promotor, um júri e um juiz. Todos na mesma pessoa de Jesus Cristo! E naquele dia ele fará justiça a todos a quem ama.

Pense nisto

Converse com Deus neste momento. Diga-lhe que reconhece que ele é juiz e soberano. Tudo o que ele pede é a sua fidelidade. E lembre-se, ele fará justiça a seu tempo.

7 DE AGOSTO

INVESTINDO NO QUE TEM VALOR

... Cuidado! Fiquem de sobreaviso contra todo tipo de ganância; a vida de um homem não consiste na quantidade de seus bens.
Lucas 12:15

É IMPOSSÍVEL negar que os conflitos provocados por questões financeiras são grandes causadores de estresse na vida conjugal. O mau uso do cartão de crédito e do talão de cheques, o salário insuficiente, a má administração e a falta de planejamento financeiro, as dívidas desnecessárias e a disputa entre o homem e a mulher pelo controle das finanças são algumas maneiras como o dinheiro afeta a estabilidade emocional do casal. É uma área no relacionamento que exige muita conversa, sinceridade, equilíbrio e compreensão recíproca. É também onde existe a tendência de se exercer poder indevido.

Tenho descoberto muita sabedoria na frase: "Você pode se tornar escravo do que possui". Quantos gastos supérfluos você fez nos últimos meses? Ao sonharmos com a aquisição de algo ficamos com a impressão de que, ao obtê-lo, nossos problemas existenciais serão solucionados. O desejo febril de obter um alto padrão financeiro tem levado inúmeras pessoas a tal estado de cobiça que acabam perdendo de vista valores realmente essenciais à existência. É muito duro o confronto com a verdade de que a segurança e a satisfação financeira são relativas e, quase sempre, temporárias. Por outro lado, relacionamentos negligenciados tornam-se difíceis de se retomar. Filhos que por muito tempo observaram seus pais fazerem do dinheiro seu principal valor, talvez, quando adultos tendam a assumir a mesma postura e filosofia de vida.

Jesus, sábia e amorosamente recomendou: ... Cuidado! Fiquem de sobreaviso contra todo tipo de ganância; a vida de um homem não consiste na quantidade de seus bens (Lucas 12:15).

Não estou querendo dizer que ser rico, bem-sucedido e levar uma vida confortável seja algo reprovável. É preciso, de uma vez por todas, acabar com a ideia retrógrada de que Deus ama os pobres e odeia os ricos. Porém, o lucro desonesto, o enriquecimento duvidoso e ilícito são renegados pelo Senhor. O erro está na ideia fixa e doentia de enriquecimento a ponto da vida conjugal, do lar, dos filhos serem colocados em segundo plano. As pessoas que optam por esse caminho perdem o que há de mais precioso na vida! (Provérbios 28:22).

Ao final dos nossos dias, mais importante do que olhar para trás e contabilizar riquezas é ver uma família estável e unida em amor. Então, teremos certeza de ter encontrado a real felicidade.

PENSE NISTO

Para onde iremos um dia, bolsos, carteiras, dinheiro e bens são totalmente irrelevantes. O maior segredo da existência é investi-la no que vai perdurar além

8 de agosto

Quando um pai dá as costas a um filho

Quem de vocês quer amar a vida e deseja ver dias felizes? [...] Os olhos do Senhor voltam-se para os justos e seus ouvidos estão atentos ao seu grito de socorro.
Salmos 34:12,15

Reflitamos mais um pouco sobre a história do rei Davi e seu filho Absalão. Nossa vida é entretecida desde a mais tenra meninice e, pouco a pouco, elaboramos conceitos, atitudes, comportamento, ideais e reações que se interligam até as manifestações emocionais da juventude e da idade adulta.

Problema	**Reação**
Fui desprezado	Desprezei
Fui ferido	Feri
Fracassei	Desprezei

Os filhos necessitam dos pais, mas a recíproca é verdadeira. O relacionamento dos pais com os filhos, principalmente adolescentes, é uma ferramenta eficiente nas mãos do Senhor para que os progenitores olhem para dentro de si mesmos e descubram suas verdades, suas próprias características de personalidade, refletidas em seus filhos.

A má vontade e o desprezo demonstrados por Davi, nem sequer parando para analisar o que estava acontecendo, paralisou-o e permitiu que sua relação com o filho se deteriorasse ainda mais. Além dos três anos foragido, ele ficou mais dois implorando para ver o pai. Davi, porém, não moveu um dedo para reaproximar-se.

Trazendo esse tipo de problema para hoje, como deveríamos agir?

1. Enfrentar e aceitar a realidade: "Eu tenho falhado como pai, como mãe".
2. Reconhecer a incapacidade de perdoar quem nos feriu e nos colocar na dependência de Deus para fazê-lo. É Ele quem abre portas e transforma o coração.
3. Se você já aceitou Jesus como Salvador, lembre-se: Ele habita em seu coração.
4. Se você não tem um relacionamento com Jesus Cristo, receba-o em sua vida para ter uma mudança definitiva.

Podemos glorificar a Deus pela liberdade que Ele nos dá de chegar até seu misericordioso trono da graça e clamar por respostas, conforto, determinação para superar os problemas, sobretudo quando envolve pessoas chegadas, como nossos filhos.

Pense nisto

Amados, quando um pai ou uma mãe não possui um relacionamento pessoal com Jesus Cristo, o Filho de Deus, eles não têm alternativa de solução perante o fracasso. Somente Jesus pode nos ajudar a vencer essa dor!

9 DE AGOSTO

PAI, REFLITA, VOCÊ TEM RAZÃO?

As palavras dos sábios espalham conhecimento...
Provérbios 15:7

USE E ABUSE! É uma frase comum que se ouve diariamente. Porém, ela pode ser inconveniente e desagradável. Um dos atos mais comuns nos pais, é o abuso impróprio da autoridade.

Em uma hora de irritação ou discussão, o pai sem pensar, dá ordens absurdas a seus filhos, as quais em hora de calma não daria. Os pais têm o direito de exigir obediência de seus filhos. Quando, porém, a obediência é exigida sem amor, provoca irritação nos filhos.

Certa vez uma adolescente chegou para seu pastor e disse: "Pastor, meu pai me trata com muita severidade e nunca tive um tratamento amoroso". Essa moça estava revoltada contra seu pai por causa do uso impróprio da autoridade.

Como é importante amar nossos filhos! Acredita-se que eles prefiram pobreza com amor, a riqueza com ódio.

Em pesquisas recentes feitas com jovens, conclui-se que um dos mais profundos desejos deles, é ter o amor dos pais e uma família comunicativa e unida. Às vezes, o pai sente vergonha de se expressar emocional ou sentimentalmente. Ele acha que tem que manter uma certa severidade e não demonstrar de maneiras práticas o fato de que ama seus filhos.

Há muitos pais que têm dificuldade em simplesmente dizer: "filho(a), eu te amo". Os filhos, quando são pequenos podem desenvolver, certo constrangimento se os pais demonstram-lhes carinho. Mas, mesmo assim, os pais devem mostrar o seu amor através de contato físico, como por exemplo abraço, beijo, "lutar" com o filho, jogar bola, participar dos seus interesses etc...

Tudo isso exige tempo, mas se você não desenvolver um relacionamento íntimo com seu filho de oito a dez anos, ele terá grande dificuldade em aceitar as suas ordens quando tiver quinze anos de idade.

PENSE NISTO

Quando tiver que disciplinar ou orientar seus filhos, faça-o com amor, e procure não "descarregar sua raiva neles".

10 DE AGOSTO

"PAI QUE É PAI TEM QUE PARTICIPAR"

Os filhos são herança do Senhor, uma recompensa que ele dá.
Salmos 127:3

UMA PÁTRIA é formada por famílias. Se a família – célula básica da sociedade – está fora de controle, é porque os chefes da família – maridos e pais – também estão fora de controle. Pessoalmente, considero que uma das principais razões pela falta de estabilidade e controle das famílias contemporâneas deva-se à desistência do marido/pai em dar sua participação efetiva no lar. Podemos dizer que os pais estão fisicamente ausentes – não gastam tempo com seus filhos; psicologicamente ausentes – suas mentes estão totalmente dirigidas a seus empregos, sendo passivos em relação aos seus lares; e moralmente ausentes – pois possuem carências de ensino e orientação de valores morais e espirituais.

Reconheço que há muitos bons pais que se esforçam em exercer suas funções. E é incontestável que um pai presente pode causar uma enorme diferença na vida dos filhos.

Podemos tomar como exemplo o desvelo do apóstolo Paulo para com seus filhos na fé que se encontravam em Tessalônica (1Tessalonicenses 2:7-14). Há neste trecho, pelo menos quatro conceitos de um bom pai. Eles são:

1. *Amor*. Paulo amou seus filhos. Esse era o tipo de cuidado que ele dispensava aos seus filhos na fé. Pai, a maior necessidade de seu filho é ser amado. Você já disse a ele, repetidas vezes, o quanto o ama?
2. *Compromisso*. Paulo comprometeu-se com seus filhos. Ele ofereceu a eles não apenas o evangelho, mas sua vida. Além do sustento material, você assumiu o compromisso com o crescimento espiritual, moral, com a disciplina, correção e desenvolvimento da autoestima na vida de seus filhos? Ser pai não é brincadeira, exige esforço e dedicação.
3. *Autenticidade*. Paulo viveu uma vida autêntica diante de seus filhos. Seu filho não exige perfeição, mas coerência, honestidade, e disposição em admitir seus erros. Se existe um muro de indiferença entre você e seu filho(a), talvez a melhor forma de derrubá-lo seja tornar-se vulnerável a ele, mostrando seu lado humano, sensível.
4. *Comunicação*. Paulo era um pai comunicativo. Ele incentivava seus filhos, os encorajava a viver de modo digno diante de Deus. Talvez você esteja pensando: "Que pena, eu não tive um pai assim". Não perpetue o que você não recebeu. Mude a história. Seja um pai diferente para seus filhos. E se você não tiver filhos biológicos? Faça como Paulo, seja um excelente pai para seus filhos na fé.

PENSE NISTO

Mesmo que tudo mude e passe ao seu redor, uma coisa definitivamente nunca vai mudar, é a real necessidade dos filhos de ter um pai ao seu lado.

11 DE AGOSTO

COLOCANDO O ASSUNTO EM DIA

As palavras agradáveis são como um favo de mel, são doces
para a alma e trazem cura para os ossos.
Provérbios 16:24

NO CASAMENTO a comunicação é importantíssima. Nunca é demais frisar como ela é essencial na evolução de um relacionamento saudável entre marido e mulher. A diferença básica entre um casal infeliz e um casal feliz está em sua comunicação.

Vida ou morte? Felicidade ou infelicidade? A escolha é de cada um, dependendo da sua disposição e capacidade em dialogar.

Costumo explicar aos casais como a comunicação é importante, do seguinte modo:

– A mulher tem "seu mundo" . É casada, tem seu marido. Se trabalha fora, tem o seu chefe, relaciona-se com colegas e amigos etc. Se ela é dona de casa, ocupa-se das tarefas do lar, cuida dos filhos, convive com a empregada, prepara refeições etc. Este é "seu mundo".

Simultaneamente, o homem também tem "seu mundo": as viagens de negócios, o escritório, responsabilidades com o trabalho e sua casa, seus colegas e amigos, a esposa, os filhos etc.

Compreendemos perfeitamente a necessidade de cada um ter sua própria vida. Contudo, é absolutamente indispensável haver uma ponte que ligue o mundo da esposa ao do marido e vice-versa. Esta ponte é a comunicação. Em muitos casamentos ela está caindo ou já caiu. O casal que está diante desta "catástrofe" e quer salvar seu relacionamento, precisa consertar a ponte com urgência. É deprimente assistir à tragédia de um casamento sem intimidade emocional porque a ponte do diálogo ruiu.

PENSE NISTO

Deus criou o homem e a mulher para que usufruíssem mútuo companheirismo, portanto comuniquem-se diariamente, rompendo com a superficialidade. Independentemente do mundo de cada um, insistam em conseguir um tempinho, mínimo que seja, para "colocar o assunto em dia".

12 de agosto

Ah... se eu pudesse fazer tudo outra vez!

Tenham cuidado com a maneira como vocês vivem; que não seja como insensatos, mas como sábios, aproveitando ao máximo cada oportunidade, porque os dias são maus.
Efésios 5:15

Agora que nossas três filhas já são adultas e não moram mais conosco, tenho a tendência de olhar para trás e avaliar o tempo em que estive com elas, enquanto eram pequenas. Aprendi algumas coisas através dos anos. Vejo que muitas foram positivas em nossa relação, mas percebo que outras poderiam ter sido melhores. Se eu pudesse fazer tudo outra vez, algumas coisas eu faria diferente.

Para começar eu gastaria mais tempo na cadeira de balanço, com elas no colo, ao invés de arear minhas panelas. Estou aprendendo o que é realmente importante na vida. As panelas ainda estão na minha cozinha e eu tenho todo tempo do mundo para limpá-las, mas minhas filhas já se foram.

Eu também diria a elas, todos os dias, o quanto as amo e o quanto elas são importantes para mim. Por certo eu as amava, mas não disse isso a elas tanto quanto deveria.

Eu as encorajaria mais e criticaria menos; aproveitaria melhor as oportunidades para ensiná-las, ajudando-as a desenvolver seus dons. Toda criança é dotada, mas os pais têm em suas mãos a chance de ajudá-las a descobrir e canalizar os dons e talentos que Deus lhes deu. Minhas filhas foram bem-sucedidas nessa área, pois conseguiram desenvolver seus dons e talentos – mas eu sinto que poderia tê-las ajudado mais.

Eu oraria mais por elas. Eu pensava que sabia muito sobre educar filhos, mas com os passar dos anos as meninas ficaram mais velhas e percebi que não sabia tanto assim. Se Melinda, Márcia e Annie honram ao Senhor com suas vidas agora é porque Deus ouviu as minhas orações e derramou sua graça sobre elas. Será que existe algo mais importante do que colocar-se de joelhos e orar por nossos preciosos filhos? Por esse motivo aprecio muito o ministério das "Déboras" cujo objetivo é evidenciar a importância das mães orarem por seus filhos.

Eu me esforçaria mais para transmitir uma bênção para cada uma de minhas filhas. Quando elas eram pequenas, não existia o livro "A Dádiva da Bênção"; se eu o tivesse lido antes, certamente as abençoaria mais.

Acredito que uma das razões por que Deus nos dá filhos é para que eles aprendam conosco. Que privilégio, e que responsabilidade!

Pense nisto

Você está aproveitando seu tempo para alegrar-se, divertir-se e desfrutar o convívio com seus filhos? Você os encoraja, ora por eles? Você os abençoa? Você tem aproveitado as oportunidades?

13 de agosto

Seu marido foi embora – 1

... mas com bondade eterna terei compaixão
de você, diz o Senhor, o seu Redentor.
Isaías 54:8b

Querida amiga,

Quando sua carta chegou com a triste notícia de que seu marido havia ido embora com outra, minha vontade era de estar com você para que pudesse dar-lhe um abraço e apoiá-la durante esse tempo tão difícil.

Outro dia estava lendo Isaías 54 e pensei em você. Este trecho foi escrito para Israel, mas vejo muitas coisas que são parecidas com a sua situação. Israel é descrita como a mulher que se casou nova, apenas para ser rejeitada. O conforto e conselho que Deus dá a esta "esposa" poderiam muito bem servir de ajuda a você. Os sentimentos e obstáculos que Israel enfrentou são os mesmos que você está enfrentando ou que irá enfrentar. Alguns deles são:

- *Vergonha.* A experiência da infidelidade conjugal sempre traz uma certa dose de vergonha. As outras pessoas não sabem todos os detalhes da sua história. Veja as palavras do Senhor no versículo 4: Não tema o constrangimento; você não será humilhada. Você esquecerá a vergonha da tua juventude...
- *Solidão.* No momento talvez você esteja se sentindo rejeitada, indesejada. Você é muito linda, mas vai ser difícil convencer-se disso. Vai ser tentada a se perguntar: "Por que ele não me ama mais?"; "O que há de errado comigo?" Cuidado!! Você está em posição vulnerável e pode tomar certas atitudes precipitadas das quais virá a se arrepender depois. As palavras do versículo 5 irão ajudá-la nas horas de solidão: Pois o seu Criador é o seu marido. Nunca esqueça do quanto você é preciosa para Deus. Gaste tempo em comunhão com ele através da oração e leitura bíblica
- *Culpa.* Você já deve ter se perguntado: "O que eu fiz de errado?" Não permita que o inimigo a derrote com sentimentos de culpa. Cristo morreu não somente pelos nossos pecados, mas também pela culpa que eles acarretam. Confesse os erros que lhe vierem à mente e se você sentir que ofendeu seu marido, peça perdão a ele também. Mas não aceite a responsabilidade pelas culpas dos outros. Leia o versículo 10: Embora os montes sejam sacudidos e as colinas sejam removidas, ainda assim a minha fidelidade para com você não será abalada, nem será removida a minha aliança de paz, diz o Senhor que tem compaixão de você.

Pense nisto

Esses três primeiros problemas enumerados, vergonha, solidão e culpa, minam nossas forças e são os principais responsáveis pelo abandono do caminho do Senhor. São problemas íntimos. Machucam e magoam por dentro. Observe as promessas do Senhor nestes versículos, e creia verdadeiramente nelas.

14 DE AGOSTO

SEU MARIDO FOI EMBORA - 2

Em retidão você será estabelecida; você não terá nada a temer. O pavor estará removido para longe; ele não se aproximará de você.
Isaías 54:14

INFELIZMENTE, não é a primeira vez que choro com uma amiga querida que passa pela terrível experiência de separação conjugal. É preciso muito tempo para superar essa dor. Algumas dessas amigas hoje são troféus da graça de Deus porque decidiram enfrentar o sofrimento amparadas nos braços do Senhor. Em Isaías 54, percebemos que para todas as dores da mulher abandonada, Deus tem um bálsamo:

- *Instabilidade.* "Ó cidade aflita, açoitada por tempestades e não consolada" (v. 11). No momento, os problemas podem parecer insuportáveis. Não sei se o seu marido está sustentando financeiramente você e as crianças. Mas o versículo continua: "Eu a edificarei com turquesas, edificarei seus alicerces com safiras. Farei de rubis os seus escudos, de carbúnculos as suas portas, e de pedras preciosas todos os seus muros". Que promessa maravilhosa! Além da ajuda direta do Senhor, não se esqueça dos irmãos em Cristo que poderão ajudá-la nessa fase. Não se feche!
- *Preocupação com os filhos.* O sofrimento dos filhos é mais difícil que o seu. Eles não fizeram nada para merecer um lar desfeito. As mulheres que obtiveram mais sucesso nesse ponto foram as que deram livre acesso ao pai. Ele deixa de ser marido, mas nunca de ser pai. Cuidado para não colocar os filhos num "jogo de empurra" entre pai e mãe. Aproprie-se do versículo 13: "Todos os seus filhos serão ensinados pelo Senhor, e grande será a paz de suas crianças.
- *Medo.* Você deve estar assustada e com medo, pensando se conseguirá dar conta de todas as responsabilidades anteriormente assumidas por seu marido. "Será que terei de trabalhar?", "Conseguirei dar conta da disciplina dos filhos sozinha?", e muitas outras perguntas devem ficar martelando em sua cabeça. Veja o versículo 14: "Em retidão você será estabelecida". Você não terá nada a temer. O pavor estará removido para longe; ele não se aproximará de você.
- *Crítica.* Seria tão bom se eu não tivesse de falar desse problema, ou se você não tivesse que passar por ele. Mas nem sempre as coisas são como gostaríamos. Não se assuste se você receber palavras de julgamento e até o afastamento de algumas amigas. É duro, mas acontece. Lembre-se, porém, que nenhuma arma forjada contra você prevalecerá, e você refutará toda língua que a acusar. Esta é a herança dos servos do Senhor, e esta é a defesa que faço do nome deles, declara o Senhor (v. 17).

Conte com nossas orações e carinho!

PENSE NISTO
Mesmo que todos a abandonarem, o Senhor jamais a desamparará (Hebreus 13:5b).

15 DE AGOSTO

DÊ ASAS À SUA IMAGINAÇÃO

Mefibosete prostrou-se e disse: Quem é teu servo, para que
te preocupes com um cão morto como eu?
2Samuel 9:8

IMAGINE um jantar no palácio do rei. A refeição real era posta à mesa. Um sininho de prata cravejado de pedras preciosas era tocado e, pouco a pouco, os familiares, os amigos, os assessores iam tomando seus lugares.

Primeiramente, chega o sagaz Amnom. Em seguida, Joabe, sempre bem-vindo pois era o capitão do exército israelita. Depois, Absalão, lindo, deslumbrante. Então aproxima-se Tamar, a bela e querida filha de Davi. Anos mais tarde, já que nasceu bem depois desses seus outros irmãos, podemos acrescentar o sábio Salomão jantando entre os grandes da mesa real.

De repente, todos ouvem aquele ruído arrastado, monótono e desordenado: clanc, clanc, clanc... É Mefibosete, filho de Jônatas, mancando, tentando chegar até a sala. Ele sorri e, humildemente, senta-se em seu lugar, tal qual um dos filhos do rei.

Pare um pouco, transfira agora a sua, a nossa história para a de Mefibosete. Aleijados pela queda, definitivamente marcados pelo pecado, fomos feitos filhos do Rei dos reis, transportados à riqueza da glória pelo Senhor do Universo, não por nossa beleza, mas pela promessa e graça de Deus. Nosso Pai Celestial lembrou-se de nós e mandou que sentássemos à sua mesa. Embora manquejemos mais do que andamos, tomamos nossos lugares ao lado de outros pecadores, também feitos santos, e desfrutamos as riquezas e da glória de Deus.

Como Mefibosete, também nos tornamos filhos do rei, aleluia! E como Davi, que em seu momento de intensa crise recebeu amor e bondade de seu melhor amigo – Jônatas – e depois retribuiu com amor e bondade ao filho deste, também devemos demonstrar graça para com os outros.

O âmbito mais difícil e, paradoxalmente, o melhor para demonstrarmos essa graça, é justamente em nosso relacionamento familiar. Este amor e esta graça devem existir entre cônjuges, pais e filhos, irmãos e irmãs. Os filhos necessitam desse ambiente para desenvolver um conceito correto, concreto e profundo sobre Deus. No entanto, para comunicarmos esse tipo de amor e aceitação, é preciso que o experimentemos realmente. Muitos pais têm compreendido a graça do Senhor no momento da salvação, mas falta-lhes habilidade e entendimento em demonstrá-la cotidianamente.

PENSE NISTO

Você elogia frequentemente seu cônjuge e filhos? Eles sabem o quanto você os ama? Você já disse isso a eles? O que seu cônjuge e seus filhos estão aprendendo sobre a graça de Deus através de suas atitudes e comportamento para com eles?

16 DE AGOSTO

FAZENDO A NOSSA PARTE

Lancem sobre ele toda a sua ansiedade,
porque ele tem cuidado de vocês.
1Pedro 5:7

ESTAVA eu certa vez no Rio de Janeiro dando uma palestra sobre "Orientações Pré-Nupciais", quando um jovem casal, alegremente aproximou-se de mim, e disse:

– Jaime, estamos convictos de que nosso casamento será um sucesso. Você sabe que durante todo o tempo em que nos conhecemos, nunca tivemos uma discussão sequer? Não é fantástico?

– "Opa, algo está errado!" – pensei. E saímos andando juntos...

Não existe um lar isento de conflitos. Mesmo os relacionamentos mais amadurecidos e profundos enfrentam diferenças e discórdias.

Visualize a seguinte cena: um casal comum depois de um dia cansativo. Ele chega em casa, tão-somente desejando relaxar e não pensar em nada. Ela, irritada pelo corre-corre enfrentado na rotina diária da casa, também está exausta. O cumprimento entre ambos é rápido, e logo ela passa a verbalizar suas preocupações:

– Fui ao supermercado hoje e a quantia que você está reservando para as despesas já não é suficiente.

– Infelizmente, não posso dispor de mais.

– Se ao menos tivéssemos alguém para cuidar das crianças, eu poderia trabalhar.

– Você sabe que isso não é possível; além do mais, elas são muito pequenas.

– Então pense em algo. Não podemos continuar assim.

– Não sou super-homem. Contente-se com o que tem.

– O quê? Como não percebi antes que você é tão insensível e acomodado?!

– E você? Vive irritada, ranzinza e só reclama.

A discussão está encerrada. Ele sai para tentar relaxar num bar ou em outro lugar. Ela, mais irritada ainda, infeliz e sozinha, desmancha-se em prantos. O conflito não foi resolvido. Geralmente, quando uma situação conflitante é exposta por outro cônjuge, dependendo da pessoa, as possíveis reações por parte da mulher, são: choro ou silêncio, agressividade ou gritos. O homem, por sua vez, ignora a esposa ou grita com ela; às vezes até perde o controle de si, demonstrando sua raiva, em alguns casos, com agressões físicas. A comunicação é interrompida e tais reações criam barreiras que impedem definitivamente a resolução do conflito. Muitos tentam, então, solucionar o problema a seu modo.

PENSE NISTO

Faça uma reflexão honesta. Será que você está fazendo a sua parte em prol da harmonia no seu casamento? Tentar mudar o cônjuge é fácil, mas você tem se esforçado para melhorar o seu casamento e a sua família?

17 DE AGOSTO

QUANDO HÁ ESTÁTICA NA COMUNICAÇÃO

A palavra proferida no tempo certo é como frutas de ouro
incrustadas numa escultura de prata.
Provérbios 25:11

POR QUE, no casamento, as pessoas não dialogam com mais profundidade? No meu modo de ver, por algumas razões:

– Há indivíduos que não possuem desenvoltura para falar com outros. Eles não aprenderam a fazê-lo claramente e encontram obstáculos até mesmo para formar frases.
– Alguns têm receio de colocar o que sentem ou não querem se magoar, caso alguém discorde deles.
– Às vezes, as pessoas adotam a seguinte atitude: "Falar não vai resolver nada, então, por que dialogar?".
– A inferioridade é outro problema que interfere na comunicação. A pessoa acha que não tem nada a oferecer, que suas opiniões não têm valor. A autoimagem que possui é tão inferiorizada que, como consequência, evita fazer comentários ou expressar seus sentimentos pessoais.
– Muitos recorrem às lágrimas para procurar fugir da conversa mais dura e séria. Geralmente, é a mulher que apela para este subterfúgio em situações mais confrontadoras.
– Há os que gritam – quanto mais altos forem estes gritos, menor será a comunicação.
– Existem aqueles que se fazem valer pelos atos de violência; trocam tapas, unham, dão "paneladas" na cabeça do companheiro(a), torcem seu braço e comportamentos semelhantes.
– O silêncio é outra alternativa que os cônjuges utilizam – ambos decidem-se pelo desprezo, pela indiferença e usam o silêncio para menosprezar o parceiro.
– Fazer caretas pode parecer algo muito infantil, entretanto, há casais com muitos anos de vida em comum que escolhem este método quando se sentem irritados ou zangados. Na realidade, fazer caretas é a única opção que muitos *veem* como meio de comunicação no calor de uma briga.

Note bem, lágrimas, gritos, atos de violência, silêncio ou caretas, todas estas demonstrações são, até certo ponto, uma tentativa dos casais se comunicarem, mas, infelizmente, elas são inteiramente improdutivas e ineficazes.

PENSE NISTO

O esposo e a esposa que estão empenhados em alcançar um nível mais intenso em seu diálogo devem abandonar essas manias infantis e imaturas e aprender a se expressar de maneira adulta e madura.

18 de agosto

"Cuida do meu filho, Senhor!"

Se algum de vocês tem falta de sabedoria peça-a a Deus que a todos dá livremente, de boa vontade; e lhe será concedida.
Tiago 1:5

Às vezes, imagino a cena de quando os cristãos estiverem no céu, diante do Senhor, dando contas de suas ações aqui na terra.

Deus dá a cada um "conforme a sua capacidade". A mim, deu três talentos, Melinda, Márcia e Annie. Mas, o que vou dizer a ele dos "talentos" que me confiou para que eu neles investisse?

Deus quer que seu investimento dê resultados. Algum dia Ele voltará, para fazer o acerto. Até lá você conseguirá dobrar o valor? Será que esse investimento será multiplicado dez vezes, ou mesmo cem vezes na vida de nossos filhos e netos?

Eu quero enfrentar aquele dia com esperança, alegria e confiança. Eu não quero ser envergonhada na sua vinda (1João 2:28).

Como você está se sentindo neste momento? Você está como eu, assustado com a grandeza e a urgência de nossa responsabilidade? Pode ser que exatamente agora, você esteja sentindo-se culpado e derrotado. Pode ser que você esteja pensando, "é tarde demais!" Talvez, seus filhos já estejam crescidos e tenha passado a época em que você poderia tê-los influenciado. Talvez, você esteja arrependendo-se do passado, constatando tristemente ter falhado.

Seu inimigo ficaria feliz caso você se afundasse em sua capacidade, acusasse a si mesmo, e gastasse o resto de sua vida em tristeza e desespero.

Seu Pai Celestial não quer isso para você. Ele fica feliz por poder mostrar misericórdia. Ele prometeu graça suficiente para qualquer problema que a vida nos apresentasse. Ele também tem resposta para esses problemas.

Se você se encontra na situação de ter um filho que esteja rejeitando a fé, procure alguém que lhe ajude a carregar seu fardo. Um cristão nunca deve sofrer sozinho. Nossos irmãos e irmãs em Cristo existem para isto: chorar e orar conosco. Lembre-se de que Deus não quer que ninguém se perca, mas que todos venham ao arrependimento.

Lance sobre Ele sua preocupação. Você é importante para Deus, que se preocupa com o que acontece com você e quer confortá-lo(a). Ele quer segurá-lo em seus braços e confirmar Seu amor, Seu perdão, Sua capacidade de retirar a dor.

Pense nisto

Peça a Deus que envie outras pessoas, outras influências, outras circunstâncias em direção a seu filho(a). Não se esqueça de que, o mesmo Deus que nos chamou para este ministério nos ajudará a exercê-lo. Se lhe falta sabedoria, peça com fé e Ele lhe dará (Tiago 1:5,6).

19 DE AGOSTO

OUVIR COM INTERESSE

Ouça conselhos e aceite instruções, e acabará sendo sábio.
Provérbios 19:20

DEUS é o melhor comunicador que existe! Sua Palavra nos diz que "ele se fez carne e habitou entre nós, cheio de graça e de verdade". Deus na pessoa de Seu Filho Jesus, se tornou carne para transmitir ao homem o seu grande amor. Através das Escrituras ele nos revela muitos conceitos na área de comunicação.

Uma das melhores maneiras de fortalecer nossa comunicação é desenvolver a habilidade de ouvir nosso cônjuge com interesse. Dar sua atenção completa, inclusive com os olhos e as expressões faciais.

Quando você concentra sua atenção, mostra que está não somente escutando com os ouvidos, mas também com o coração.

Você poderá identificar-se com o que a outra pessoa está sentindo ou experimentando. Isto demonstra amor e preocupação da sua parte.

Quando sua esposa, ou marido fala com você, que tipo de atenção você dedica a ele (a)?

Uma das maneiras mais práticas para não destruir a ponte da comunicação é não culpar ou criticar o cônjuge. A crítica e a culpa impedem a cicatrização de feridas doloridas e criam mágoas nocivas.

Amor é parar aquilo que você está fazendo, olhar para seu cônjuge e dar ouvidos e atenção enquanto ele fala.

Ouvir é uma arte a ser aprendida. Infelizmente a comunicação é prejudicada porque não sabemos ouvir!

PENSE NISTO

Dê uma parada, e ouça seu cônjuge. Você descobrirá os mais íntimos desejos do coração.

20 de agosto

Satisfação sexual no casamento

... e sempre o embriaguem os carinhos dela.
Provérbios 5:19

Estar realizado sexualmente no casamento é uma grande conquista. Mas como conseguir esta façanha? Será que é uma questão de experiência adquirida com o passar do tempo? Será que apenas a relação sexual pode satisfazer uma pessoa por toda a vida?

Satisfação sexual é uma necessidade que precisa ser suprida constantemente. Cada casal tem seu ritmo. Há alguns aspectos que eu gostaria de destacar e que podem dar um impulso à prática sexual na vida dos cônjuges.

1. *A fidelidade conjugal é totalmente indispensável.* O relacionamento sexual bem-sucedido tem sua sedimentação no princípio do compromisso. A confiança que um deposita no outro traz realização. Há muitos fatores mentais e emocionais envolvidos em um relacionamento, mas o compromisso é prioritário.
2. *Alegre-se com a esposa da sua juventude* (Provérbios 5:18). É este pensamento que faz brotar a fidelidade conjugal. Maridos descontentes com suas esposas, que desejariam ter se casado com outra, dificilmente terão um bom relacionamento conjugal. Sua lealdade é avaliada através do contentamento, atração, excitação e entusiasmo pela mulher que o Senhor lhe deu.
3. *... que os seios de sua esposa sempre o fartem de prazer...* (Provérbios 5:19). A Bíblia declara o êxtase e a apreciação do marido pelos seios de sua esposa. Eles são a fonte de estímulo e excitação sexual que dão prazer ao homem. Não importa o tamanho dos seios da esposa, ou qualquer outra comparação que possa ser feita em relação aos seios de outras mulheres – o que importa é o compromisso mental e físico que um homem faz e que lhe causa prazer por sua esposa ser como é. O marido deve sempre louvar a Deus por sua esposa e aprender a alegrar-se por tê-la junto a si.

Pense nisto

Fidelidade conjugal e prazer são dois pesos que estabilizam o relacionamento sexual. Se você não estiver satisfeito(a) com sua vida sexual, não desista do seu casamento. Lembre-se que Deus se preocupa com todas as esferas de nossa vida. Lancem sobre ele toda sua ansiedade, porque ele tem cuidado de vocês (1Pedro 5:7). Orem juntos e levem seu problema íntimo até o trono de Deus. Mesmo se tudo estiver terrivelmente mal, o Senhor pode transformar todo mal em bênção e renovar a alegria e o prazer na vida do casal. Não duvidem disto!

21 DE AGOSTO

INFIDELIDADE

Aos casados dou este mandamento, não eu, mas o Senhor:
Que a esposa não se separe do seu marido. [...] E o marido
não se divorcie de sua mulher.
1Coríntios 7:10,11

TENHO observado e constatado um fenômeno. Quando há intimidade sexual antes do casamento, a mulher recém-casada sente-se roubada de algo precioso: sua virgindade. Ela fica ressentida com seu marido, às vezes inconscientemente e não nota que o agride cada dia mais.

Ele, por sua vez, fica frustrado, sente-se culpado por ter tido tantas intimidades com ela e agora não ter mais nada a lhe oferecer. Essa sensação de inutilidade o faz ser passivo no relacionamento.

O que causou esta situação?

A liberdade excessiva que ambos se permitiram tomar é que aniquilou o respeito mútuo.

Isto se explica através da infidelidade. Por que é tão difícil, doído o cônjuge superar e perdoar o adultério do parceiro? Por várias razões, mas uma das mais fortes é a perda de respeito que também cria outras enormes barreiras.

A psicologia atual diz que o relacionamento conjugal pode ser enriquecido por uma relação fora do casamento, caso o parceiro aprenda novas técnicas amorosas. Considero tal pensamento lamentável, pois não podemos nos sentir inteiramente felizes por somente satisfazer a necessidade física. Somos criaturas espirituais, emocionais, sociais, intelectuais e físicas e para conhecermos satisfação plena precisamos, progressivamente, em uma relação duradoura, sem as pressões do proibido e secreto, desenvolver e desfrutar toda confiança, respeito e liberdade.

PENSE NISTO

Constantemente insisto em alertar e encorajar veementemente os casais para que sejam fiéis ao seu cônjuge. Uma vez que a confiança recíproca é abalada, requererá muito tempo e empenho para restaurá-la.

22 de agosto

A Deus, toda glória!

Nada façam por ambição egoísta ou por vaidade, mas humildemente considerem os outros superiores a si mesmos. Cada um cuide, não somente dos seus interesses, mas também dos interesses dos outros.
Filipenses 2:3, 4

A Declaração de Fé de Westminster afirma que: "O objetivo final do homem é glorificar a Deus e desfrutar sua presença para sempre". Deus nos criou para sua glória (Isaías 43:6,7). Em Efésios 1:5-14, Paulo afirma três vezes que fomos criados e redimidos para a glória de Deus. No entanto, só será possível glorificarmos a Deus se estivermos centralizados nele, e não em nós mesmos.

Nós, seres humanos, somos por natureza criaturas místicas. Se não adorarmos a Deus e o glorificarmos, logo encontraremos alguma outra coisa para adorar. ...porque, tendo conhecido a Deus, não o glorificaram como Deus, nem lhe renderam graças. Mas os seus pensamentos tornaram-se fúteis e o coração insensato deles obscureceu-se. Dizendo-se sábios, tornaram-se loucos e trocaram a glória do Deus imortal por imagens feitas segundo a semelhança do homem mortal, bem como de pássaros, quadrúpedes e répteis (Romanos 1:21-23). O homem e a mulher descobriram que adorar a si mesmos é autogratificante. Ficamos cegos à realidade de que o "evangelho da autorrealização" tem substituído o evangelho bíblico da salvação. Nesta era do "importante é que eu esteja bem", o Cristianismo tem sido muitas vezes apresentado como um método de levantar a autoestima, como forma de aumentar a longevidade, ou como meio de se obter sucesso e bem-estar pessoais. É de se esperar que toda essa panaceia cause influências ultranegativas à família.

A vida cristã não é nada disso. É uma vida de eventuais sofrimentos para a glória de Deus. Não é autoflagelamento, mas também não é só felicidade. Paulo nos avisa em 2Timóteo 3:12, que seremos perseguidos se quisermos viver em Cristo, e em Romanos 8:17, que para sermos glorificados com Cristo temos que padecer com ele.

As palavras de Paulo são simplesmente incompreensíveis para nossa mentalidade narcisista. Só é possível compreendê-las e aceitá-las se nos convertermos de uma perspectiva centralizada em nós mesmos para uma perspectiva centralizada em Deus.

Algumas vezes, nossa natureza autocentralizada se manifesta de formas muito sutis. Essa é uma das armas que mais ameaçam a família: o narcisismo, ou seja, a glorificação da criatura, ao invés do Criador.

Pense nisto

O impacto que você causará à sua família dependerá grandemente se você tiver sua vida centralizada em Cristo ou em você mesmo. Uma coisa é certa: somos chamados a colocar Deus acima de todas as outras coisas e os interesses dos outros acima dos nossos próprios.

23 de agosto

Cuidado... Frágil!!!

Do mesmo modo vocês, maridos [...] para que não sejam interrompidas as suas orações.
1Pedro 3:7

Hoje em dia as mulheres estão se desvalorizando, se tornando muito "fáceis"; estão perdendo seu jeito de ser, sua feminilidade, dão uma de "durona", mas no fundo são muito frágeis.

A esposa é como um vaso delicado com grande necessidade de ser entendida. Bem-aventurado o marido que procura entender sua esposa e lidera bem o seu lar.

Os maridos devem tratar suas mulheres com discernimento e consideração. A mulher costuma ser mais frágil. Há épocas de extrema irritabilidade, o que pode ser atribuído ao seu ciclo menstrual; em consequência, suas atitudes podem aparecer ilógicas e irracionais, pelo menos para o seu marido.

Marido, não fique apavorado ou perturbado demais, se você não consegue entender sua esposa, procure simplesmente aceitá-la e amá-la. Ela, às vezes, chora sem saber por quê. Provavelmente você também não saberá...

Seja paciente e bondoso com sua esposa, isso dará um grande senso de segurança e a capacitará no desenvolvimento de qualidades indispensáveis do coração.

Pense nisto

Marido considere sua esposa como a parte mais frágil e trate-a como se fosse de cristal, toda delicada no seu jeito de ser.

24 de agosto

É certo querer modificar o cônjuge?

Senhor, tu me sondas e me conheces.
Salmos 139:1

Somos criaturas estranhas e complexas. Escolhemos um príncipe encantado ou princesa encantada e, sem demora, iniciamos um projeto para transformá-lo(a) no que concerne ao que descobrimos ser incompatível com nossa vontade ou temperamento. A dificuldade é que o(a) eleito(a) nem sempre concorda com nosso plano! Às vezes, ele(a) até sabe que precisa mudar em algumas coisas, mas não quer ou não consegue. É certo, então, querer modificar o cônjuge? É uma questão de egoísmo pessoal? Para responder a essas perguntas é preciso abordar dois pontos: (a) ACEITAÇÃO PASSIVA e (b) REJEIÇÃO AGRESSIVA.

Aceitação passiva. Esse tipo de atitude deve ser totalmente evitado. É um extremo que leva a duas atitudes equivocadas:

- *Resignação*. É a desistência que procede de um sentimento de impotência. Quando nos resignamos e aceitamos um comportamento indesejável de nosso cônjuge, essa acomodação fere nossa autoestima. Quando falhamos na tentativa de mudar algo em nosso casamento, surge um sentimento de incapacidade que afeta nossa autoimagem.
- *Sentimento de autocomiseração*. É o mártir que aceita o comportamento do seu cônjuge, julgando ser impossível mudá-lo(a), mas usa tal resignação para ressaltar como é uma pessoa maravilhosa, compreensiva. Tal atitude contribui para manter feridas abertas e um provável distanciamento emocional sendo que, em alguns casos, até físico.

Rejeição agressiva. O outro extremo dessa problemática. É um sentimento que leva a pessoa a incorrer em dois perigos:

- *Vingança*. Raiva incontida, irritação, frustração por não poder modificar o companheiro(a). A vingança é contraproducente porque impossibilita intimidade entre o casal e impede as mudanças tão desejadas.
- *Afastamento*. Vários casais pagam um alto preço emocional quando se decidem pelo afastamento. Depois de algum tempo estão machucados, marcados, inexoravelmente feridos.

Pense nisto

Cada pessoa recebe educação, influências, além das próprias características de personalidade e temperamento. A soma de tudo isso resulta no que somos. Algumas características podem ser mudadas, com esforço e oração, principalmente se sabemos que aquele traço incomoda nosso cônjuge. Com outras, pode não ocorrer o mesmo. Converse com seu cônjuge sobre algumas características que o(a) incomodam nele(a). Ouça também a opinião dele sobre as suas. Procurem não se machucar. Coloquem-se perante o Senhor e procurem formas práticas de melhorar essas áreas de conflito.

25 de agosto

O seu fiel amor

... que nos consola em todas as nossas tribulações, para que, com a consolação que recebemos de Deus possamos consolar os que estão passando por tribulações.
2Coríntios 1:4

Após haver passado por uma crise de depressão, descobri que estou mais bem preparada para ajudar e mais paciente com quem passar dificuldade semelhante. No livro de Salmos vemos que Davi também compreendia os sentimentos e questionamentos do deprimido. Ele faz três vezes, a mesma pergunta nos Salmos 42 e 43: Por que você está assim tão triste, ó minha alma? Abatimento de alma é uma boa forma de descrever uma depressão.

Apesar da tristeza de sua alma, Davi sabia que Deus era sua fonte de esperança e não o decepcionaria: Ponha sua esperança em Deus... Há no Brasil um ditado que diz: "A esperança é a última que morre!" Porém, é bom saber que a esperança do cristão é eterna, pois está depositada em Deus. A busca mais profunda da alma nos faz aprender sobre a esperança.

No salmo 42, Davi pergunta a Deus: Por que te esqueceste de mim? E em Salmos 43:2, questiona: Por que me rejeitaste? Algumas vezes, os servos do Senhor são inclinados a crer que são imunes a esses problemas. "Já que estou fazendo a obra do Senhor, ele tem obrigação de me abençoar!" Tudo que temos e somos é por causa da Sua graça. No sofrimento aprendemos mais sobre essa graça.

Desde que tudo na vida cristã tem um propósito, é normal procurarmos o motivo de nosso sofrimento. Lembro-me de ter questionado Deus: "Como é que o Senhor pode ser glorificado através desta confusão? Estou sendo um terrível testemunho para minhas amigas não crentes e para minhas próprias filhas. Eu não quero trazer vergonha ao teu nome!" Hoje, sorrio diante de minha presunção. Como se a reputação de Deus dependesse de mim!!! Agora compreendo que Deus é completamente capaz de defender seu próprio nome! Na necessidade aprendemos sobre a soberania de Deus.

O inimigo aproveita-se da nossa depressão e questiona: "Onde está o teu Deus, agora que você precisa dele?" A implicação dessa frase é a de que qualquer deus que se preze não deixaria seus adoradores sofrerem... Por que não ir a busca de outro deus? Davi sabia onde estava seu Deus. Em Salmos 42:8, ele diz: Conceda-me o Senhor o seu fiel amor de dia; é a minha oração ao Deus que me dá vida.

No sofrimento ele está mais perto de nós. Quanto mais necessitados, mais amor ele dá. É na dor que aprendemos sobre o amor de Deus.

Pense nisto

Esperança, graça, fé, descanso e confiança na soberania de Deus são ensinamentos preciosos que podem reluzir como a luz e clarear a escuridão do sofrimento.

26 de agosto

Mordomos de Jesus

E também será como um homem que, ao
sair de viagem, chamou seus servos...
Mateus 25:14-30

Deus quer que sejamos bons mordomos daquilo que ele entregou em nossas mãos. Neste texto, Jesus contou a história de um homem rico que, pretendendo fazer uma longa viagem, chamou seus servos e lhes confiou seus bens. Ele deu uma certa quantia em dinheiro a cada um, conforme sua capacidade de investir e ganhar mais para seu mestre.

O mestre é o Senhor Jesus que espera que enquanto ele não volta, façamos um bom investimento daquilo que ele nos deu. O que Deus deixou em suas mãos? Uma casa? Um carro? Um salário? Tempo? Talentos? Uma vida? Tudo isso pertence ao Senhor e Ele espera receber a sua propriedade de volta com bons lucros.

Jesus continuou contando a história e disse que o senhor daqueles servos voltou e ajustou contas com cada um deles. Os primeiros dois servos lucraram 100% em seu investimento. O terceiro escondeu o dinheiro e não o investiu. O senhor ficou satisfeito com a boa administração dos dois primeiros, mas muito irado com o terceiro servo mau e negligente.

Isto nos ensina que a administração cuidadosa das finanças do lar agrada o Senhor. Por outro lado, o mau uso do dinheiro que ele nos confia o desagrada. Esta parábola mostra que a ideia de que Deus ama o pobre mais do que o rico, é falsa. Deus honra aquele que é fiel tanto nas coisas pequenas, quanto nas grandes.

É importante notar que os servos prestaram contas não do dinheiro deles, mas do dinheiro do Senhor.

Que o fato de sabermos que, um dia estaremos perante o Senhor para prestar contas de tudo o que ele tem entregue em nossas mãos, nos leve a viver de forma responsável em sua presença.

Pense nisto

Peça sabedoria a Deus para saber usar todo e qualquer dinheiro que vier a ganhar, lembrando-se que ele todo vem do Senhor.

27 DE AGOSTO

O PRAZER DO SEXO

Seja bendita a sua fonte [...] embriaguem os carinhos dela.
Provérbios 5:18-19

PASTOR, quando eu era garota, a minha mãe me ensinou que o sexo era sujo e que deveria ser usado apenas para gerar filhos. Disse, também, que para a mulher casada ele representava "uma cruz" que precisava ser carregada durante os anos do casamento. "Filha, aguente firme, leve sua cruz e Deus lhe dará forças!"

Não é de se admirar que a moça que me disse isso estava em "pé de guerra" com o noivo, porque ele cria que o sexo, além do objetivo da procriação, também visava o prazer e bem-estar do marido e da esposa.

Salomão exorta o seu filho a beber da sua própria cisterna e das correntes do seu poço, ou seja, satisfazer-se com a sua esposa. Deus está dizendo que o prazer sexual se encontra na própria casa, com seu próprio cônjuge.

As forças sexuais não devem ser espalhadas desordenadamente pelas ruas e praças da cidade.

O livro de Cântico dos Cânticos é uma expressão do amor físico de duas pessoas que se amam muito.

Sim, a sexualidade também foi criada para nosso prazer e alegria. É importante que o casal desenvolva uma mentalidade saudável sobre este setor tão importante da vida.

PENSE NISTO

Querido casal, vocês têm dentro de casa um verdadeiro manancial de prazer! Isto mesmo, vocês têm um ao outro!!!

28 de agosto

Sintomas de uma vida familiar fora de controle

Aproveitando ao máximo cada oportunidade,
porque os dias são maus.
Efésios 5:16

SERÁ que sua família se encaixa na descrição abaixo?
Vivemos em uma sociedade imediatista e impulsiva. Estamos acostumados a obter o que queremos, e de imediato. Isto explica o estrondoso sucesso alcançado pela cadeia MacDonald's que, em poucos anos tornou-se a maior fornecedora de "fast-food", praticamente no mundo inteiro, inclusive no Brasil. Em menos de cinco minutos pode-se saborear um sanduíche, batatas fritas, refrigerante e até sobremesa. O problema não está no MacDonald's, mas sim no fato de que o tempo que conseguimos economizar através dele, não utilizamos com as prioridades de Deus para nossas vidas. Somos levados a gastar muito de nosso tempo em outras atividades egoístas e descomprometidas.

O marido/pai e a esposa/mãe são pressionados a produzir sempre mais e a permanecer várias horas longe de casa. Com isso, as crianças são as maiores sacrificadas, pois estão sendo entregues a babás, creches etc. Após um dia exaustivo de muito trabalho e trânsito terrível, os pais voltam à casa tão cansados que não têm o menor ânimo para desenvolver um relacionamento significativo com seus filhos.

A mídia explora a já tão agitada família, roubando assim o tempo que os cansados pais poderiam ter com os filhos. As novelas bombardeiam os relacionamentos e valores familiares, destruindo-os sem pudor. Os filmes enlatados, por sua vez, comunicam que a vida consiste em riquezas, fama e beleza.

O fator de maior contribuição para a atribulada vida familiar é, sem dúvida, nosso ego, sempre faminto por viver mais intensamente e por uma agenda hiperlotada. Parece que em nossa cultura cristã consideramos como sinal de maior espiritualidade o número excessivo de compromissos. Férias sempre vencidas, 12 a 15 horas de trabalho diário, aparentam importância. Mas o prejuízo causado à família é imensurável. Paira no ar um clima de desassossego e insatisfação. Não há tempo para aprofundar relacionamentos. A comunicação é feita em uma esfera superficial e impessoal. Não se encontra oportunidade para o cultivo de amizades significativas.

PENSE NISTO

Ficou cansado(a) só de ler o texto acima? Veja a seguir a dica bíblica para sobrevivermos: Busquem, pois, em primeiro lugar o Reino de Deus e a Sua justiça (Mateus 6:33) – Esta é a prioridade de Deus para nós e para nossas famílias

29 DE AGOSTO

O AMARGO SABOR DE UMA AVENTURA

... cada um deve ter a sua esposa, e cada mulher o seu próprio marido.
1Coríntios 7:2

HÁ UMA crescente inversão de valores infiltrando-se e acomodando-se sorrateiramente no relacionamento conjugal da sociedade atual: infidelidade, dificuldade em estar junto com o cônjuge, desinteresse no que o outro está fazendo, discussões com altas doses de agressividade, desrespeito pelos sentimentos do parceiro e desavenças por motivos tolos são manifestações cada vez mais presentes em muitos casamentos de hoje em dia. Se um casamento está em crise, até a escolha de um produto no supermercado gera discussão entre o casal.

A infidelidade é sintoma de um problema mais grave. É sinal de que algo está muito errado no relacionamento conjugal.

Como conselheiro familiar, confesso que meu coração tem se entristecido diante de tantos casais assolados pela praga da infidelidade e suas consequências desastrosas. O sofrimento causado pela rejeição praticada por um dos cônjuges, as eventuais separações e divórcios que isto traz, tornam insípido o sabor aventureiro de ser infiel.

Para mim, não há nada pior e mais prejudicial em um casamento, do que a deslealdade, o rompimento da confiança, do respeito.

Quando os votos feitos no dia do casamento são quebrados e quando o oferecimento de si mesmo ao parceiro é dividido com outra pessoa, que não a esposa ou o marido, uma grande desilusão se instala entre o casal.

É mentira dizer que a relação sexual pode ser compartilhada com alguém fora do casamento, sem acarretar resultados negativos. Através dos séculos, a experiência de toda humanidade demonstra que há sérias consequências para o adultério. Entre outras, creio que a confiança e o respeito mútuo são os mais atingidos.

PENSE NISTO

Nos elementos que alicerçam uma união conjugal, confiança e respeito são de extrema importância. Não há nada tão corrosivo como o adultério para miná-los e destruí-los.

30 de agosto

Esperar em Deus

Pois era assim que também costumavam adornar-se as santas mulheres do passado, que colocavam sua esperança em Deus.
1Pedro 3:5

Sara passou grande parte da sua vida esperando. Ela esperou para receber a Terra Prometida, esperou que Deus transformasse seu desobediente marido. Ela também esperou pelo filho que Deus havia lhe prometido.

Quando Deus apareceu pela primeira vez a Abraão, em Ur, prometeu que faria dele uma grande nação. A Bíblia, porém, nos diz que Sara era estéril. Anos se passaram, mas Sara continuava estéril.

Deus havia prometido que o herdeiro viria da semente de Abraão. Sara deve ter pensado: "Já que não tenho condições de ser mãe da criança prometida, pelo menos Abraão poderá ser o pai. Talvez eu esteja impedindo que a promessa de Deus se cumpra em Abraão". Sara então sugeriu que Abraão dormisse com sua serva Hagar.

Ela se cansou de esperar. Tornou-se o retrato do que acontece quando ficamos impacientes, achando que Deus está demorando muito a nos atender, e tomamos a situação em nossas mãos.

Após 13 anos do nascimento de Ismael, filho de Abraão e Hagar, Deus novamente apareceu a Abraão dizendo que sua promessa se cumpriria através de um filho que ele teria com Sara.

A situação parecia completamente impossível. Sara sempre fora estéril e já havia passado pela menopausa. Abraão já estava velho e seu corpo amortecido (Romanos 4:19). É interessante observar que Deus esperou para agir até a hora em que tanto Abraão quanto Sara só poderiam ser pais por uma específica e milagrosa intervenção de Deus.

Sara conheceu a dor da espera. Experimentou a quebra da harmonia em seu lar. Sabia o que era viver com um marido egoísta, desobediente e infiel. Sabia o que era ter problemas físicos. Porém... ela também conhecia seu Deus.

Ele prometeu que daria uma bela coroa em vez de cinzas, o óleo de alegria em vez de pranto, e um manto de louvor em vez de espírito deprimido (Isaías 61:3).

Pense nisto

Há algum pedido em sua lista de oração que você considera "impossível", ou que já tenha desistido de orar, achando que é perda de tempo? Poderá Deus tocar a vida de seu filho rebelde? Ele já foi longe demais para que a graça de Deus o alcance e transforme sua vida? O que a Palavra de Deus prometeu a você? Ele cumprirá sua promessa? Ele é fiel? Existe alguma coisa impossível para o Senhor? (Gênesis 18:14).

31 DE AGOSTO

NÃO É BEM POR AÍ...

Mulheres, sujeite-se cada uma a seu marido.
Efésios 5:22-24

A MULHER brasileira procura "libertação"; ela quer se projetar na sociedade, e para isso luta por seus direitos e para ter os mesmos privilégios dos homens. Muitas vezes ela é realmente injustiçada, e essa luta é porque a mulher:

- É usada para satisfazer os desejos pessoais dos homens. Nota-se, claramente, na filosofia "Playboy", na qual a mulher é um simples instrumento de prazer na mão do homem.
- É contra o egoísmo e o machismo dos homens.
- Não está tendo suas necessidades físicas e emocionais supridas por seu marido, por essa razão ela procura, através de mil artifícios, satisfazer-se emocional e fisicamente;
- Moderna, está sendo pressionada a seguir uma carreira profissional ou a trabalhar fora e enquanto isso o seu papel de esposa e mãe está sendo desprezado.

Mas a mulher nunca se realizará através desta campanha de libertação. Deus, porém, oferece o caminho para a sua realização. Bem-aventurada a mulher que tem a coragem de obedecer a Palavra porque ela se sentirá realizada no que fizer.

A esposa, então, tem duas responsabilidades básicas dentro do lar, junto ao seu marido, que são submissão e o desenvolvimento de suas qualidades interiores.

PENSE NISTO

Mulher, não entre nessa de movimento feminista, procure ser uma esposa segundo os padrões bíblicos!

1 de setembro

Alguém que se preocupe comigo...

Você faz disparar o meu coração, minha irmã, minha noiva;
fez disparar o meu coração com um simples olhar...
Cântico dos Cânticos 4:9

"Tudo o que eu queria na vida é que alguém se preocupasse comigo de verdade!" – ela suspirou. "Não tenho quem me ajude quando estou com problemas ou quando estou chateada." Com lágrimas nos olhos, ela continuou: "Ah! como eu gostaria de ter alguém que sonhasse comigo e demonstrasse amor por mim. Alguém que me aceitasse como sou, incondicionalmente. Meu coração dói, esperando por alguém que me abrace, me aconchegue bem perto e cuide de mim. Estou me desgastando vendo o tempo passar e eu continuo sem ter quem me escute, quem ouça os mais profundos desejos do meu coração." E ela finalizou seu desabafo, dizendo: "Eu me sinto morta por dentro porque não há quem ouça meus sonhos, quem escreva um bilhete ou me diga: 'Encontrei em você a pessoa que Deus separou para mim. Você me completa e eu quero cuidar de você por toda a minha vida.'"

Uma das maiores necessidades do ser humano é desenvolver intimidade com uma pessoa que realmente se preocupe com ele. Uma das principais razões porque o Senhor criou a família foi, exatamente, para preencher a necessidade de amar e ser amado. Nossa maior alegria é saber que somos prioridade absoluta para, pelo menos, uma pessoa neste mundo. Por outro lado, a pessoa mais solitária que existe na terra é aquela que sente e sabe que ninguém se preocupa com ela.

Se as cordas do seu coração foram tocadas por estas palavras, se você é casado(a), separado(a), desquitado(a), divorciado(a), viúvo(a) ou solteiro(a), quero colocar minha mão sob seu queixo e erguer sua cabeça. Lembre-se, se Deus possuísse uma geladeira, sua foto estaria fixada nela; se ele usasse carteira, certamente carregaria uma foto sua em um lugar de destaque. Mas, do jeito dele, superespecial, em toda primavera ele lhe envia flores. Todas as manhãs, o nascer do sol pinta o céu de cores maravilhosas para você. Quando você quer conversar, ele está sempre disposto a ouvir. Ele poderia viver em qualquer lugar do Universo, mas escolheu o seu coração. E o que dizer sobre o presente de Natal que ele lhe mandou lá de Belém? O que podemos dizer daquela triste sexta-feira no Calvário, seguida da alegre manhã do domingo de Páscoa, quando ocorreu o surpreendente milagre da ressurreição?

Pense nisto

A maravilhosa verdade é que Deus está apaixonado por você! Mesmo que seu cônjuge, ou seu melhor amigo o(a) tenha abandonado, o Senhor permanece preocupado com você e nunca, jamais o(a) abandonará!

2 de setembro

Casamentos mortos

O marido deve cumprir os seus deveres conjugais para com sua mulher, e da mesma forma a mulher para com o seu marido.
1Coríntios 7:3

Soube de uma senhora que declarou o seguinte: "Vou conservar este casamento horroroso até o dia da minha morte!". Que lástima! Com certeza, este tipo de acomodação é uma transgressão àquilo que Deus planejou para a vida de casados. O que ele quer, na verdade, é que os cônjuges trabalhem buscando um relacionamento que proporcione realização mútua.

Vemos, normalmente, dois tipos de casamento:

No primeiro, os cônjuges não brigam, conseguem manter as aparências dando a impressão de um casamento bem ajustado. Apenas os que privam da intimidade do casal sabem que não há amor e nem ao menos diálogo.

A pressão vai crescendo conforme o tempo passa, e os interesses vão se tornando divergentes. De repente, ocorre a separação e, aqueles que não sabiam como a realidade era oposta às aparências, ficam surpresos diante do fim de uma união "tão feliz e ajustada".

Muitos insistem em preservar um casamento já morto por causa dos filhos ou devido ao embaraço que uma separação causaria aos familiares, ou ainda porque a religião que abraçaram não admite o divórcio.

E há, também, o casamento beligerante. As "guerras" são contínuas, pois ambos disputam o poder e não têm a menor noção de liderança. O marido não quer, ou não sabe, como assumir seu papel no relacionamento. A mulher, por sua vez, é agressiva, dominadora e não abre espaço para que seu esposo tenha liberdade de tomar decisões. Essa disputa passa a ter supremacia na vida dos dois de tal forma, que não há tempo disponível para estarem atentos às necessidades mútuas. Legalmente são casados, mas emocional, intelectual e espiritualmente, são divorciados.

Acredito firmemente que casamentos possam ser restaurados. Quando os cônjuges começam a ser sensíveis um ao outro, procurando preencher as carências de forma recíproca, seu relacionamento ressurge. Sensíveis mudanças podem ocorrer se ambos compreenderem que há necessidades dos dois lados e que elas precisam ser consideradas, respeitadas e, na medida do possível, supridas.

Pense nisto

As pessoas são diferentes entre si e, ao contrário de tentarem mudar seu companheiro, culpá-lo, agredi-lo, devem procurar apoiá-lo no crescimento individual e do relacionamento, pois os resultados serão muito mais positivos.

3 de setembro

A quantas anda sua amizade com seu cônjuge?

O amigo ama em todos os momentos; é um irmão na adversidade.
Provérbios 17:17

Esposa, você precisa e gosta de ser abraçada e receber carinhos de seu marido, mesmo que não culmine em uma relação sexual? A verdade é que existe um desejo da mulher nesse sentido: ter um relacionamento não só sexual com seu marido, mas de profunda amizade!

Marido, quando foi a última vez que você passou um dia gostoso, com sua esposa, sabendo que não poderia terminar em sexo? Você a acaricia demonstrando afeição, sem levá-la a um relacionamento sexual?

O respeito mútuo é crucial para um casamento saudável. Deus exorta os maridos a respeitarem e honrarem suas esposas (1Pedro 3:7) e pede o mesmo às esposas em relação aos maridos (Efésios 5:33).

Os amigos respeitam, ouvem ideias e interesses. Confiam um no outro e, portanto, marido e esposa podem ser honestos e abertos entre si, compartilhando necessidades, tentações, fracassos, sem o perigo de serem rejeitados, nem ridicularizados.

Quando Jesus chamou seus discípulos de amigos, disse: ...eu os tenho chamado amigos, porque tudo o que ouvi de meu Pai eu lhes tornei conhecido (João 15:15). Jesus não tinha que contar sobre seu relacionamento com o Pai, mas considerava os discípulos seus amigos, e por isso era transparente. A transparência na amizade pode fazer com que pessoas sintam-se ameaçadas, mas é essencial para o aprofundamento de um relacionamento.

O amigo possui genuíno interesse no bem-estar do outro; ele "segura a barra" e "dá força". Olhando para meu casamento, posso dizer que minha esposa chora, quando choro, se alegra quando me alegro. Judith é sempre a primeira pessoa com quem compartilho minhas ideias. Sei que posso confiar nela.

A amizade é uma porta aberta para a intimidade. Seja ela física e romântica, onde a relação sexual é gratificante; emocional, pela possibilidade de compartilhar alegrias, sonhos e também dificuldades, choro e risos; intelectual, pois possibilita diálogos, papos sobre qualquer assunto, mesmo os conflitantes; e também espiritual, ao compartilhar como Deus está trabalhando em nossas vidas, bem como quando oramos juntos colocando perante Deus as esperanças, temores, derrotas e vitórias, tristezas e alegrias.

Pense nisto

Há um adágio popular que diz: "Marido (esposa) não é parente". É verdade! O marido e a esposa são uma só pessoa, uma só carne (Gênesis 2:24b). Há alguém mais seu amigo(a) do que você mesmo? Só sua esposa (marido). Se isso não está acontecendo em seu casamento, está na hora de rever seus conceitos de amizade.

4 DE SETEMBRO

TENHO UMA HERANÇA

Digo-lhes a verdade: Ninguém que tenha deixado casa, irmãos, irmãs, mãe, pai, filhos ou campos, por causa de mim e do evangelho, deixará de receber cem vezes mais, já no tempo presente, casas, irmãos, irmãs, mães, filhos e campos, e com eles perseguição; e na era futura, a vida eterna.
Marcos 10:29, 30

GOSTO de pensar em minhas três filhas como "talentos" que o Senhor confiou às minhas mãos. Elas nunca pertenceram a mim, apenas me foram "emprestadas". São as mais preciosas de todas as minhas riquezas, ao lado de meu marido, netos e genros. Um dia o Senhor pedirá conta do tempo, dinheiro e ensinamentos que dispensei a elas.

Um dos conceitos que mais me esforcei para comunicar às minhas filhas foi o amor ao serviço do Senhor. Sempre desejei que elas fossem confrontadas com o mandamento de Cristo para "fazer discípulos de todas as nações". Elas sabem que "Missões" sempre foi uma prioridade em nosso lar. Desde que eram pequenas, minhas filhas foram ensinadas que "Missões" é um privilégio que cabe a todos nós, crentes em Cristo, a fim de que a tarefa de evangelização mundial seja completada. Penso que os pais têm essa obrigação e esse privilégio, de transmitir a seus filhos a visão e o desafio missionário sem, no entanto, tentar fazer a escolha por eles.

Recebi esta herança de meus pais. Tenho de reconhecer que uma das razões pelas quais estou no Brasil hoje é devido ao coração missionário de meus pais. Tanto mamãe quanto papai aceitaram a Cristo depois de eu ter nascido. Foram os primeiros e únicos cristãos na família, mas desde o princípio da experiência cristã, encararam a Deus e sua Palavra muito seriamente. Sei que eles próprios teriam adorado ser missionários no estrangeiro, mas as circunstâncias familiares inviabilizaram esta possibilidade.

Olhando para trás, para nossa despedida no dia em que embarcamos para o Brasil e todas as despedidas que vieram depois, sou muito grata a mamãe e papai pela dedicação a Deus. Nenhuma vez me pediram para ficar. Nenhuma vez insinuaram que eu estivesse negligenciando minhas obrigações como filha. Nenhuma vez usaram de chantagem emocional para me fazer sentir culpada.

E, quanto ao futuro de nossos filhos? Certamente nos preocupamos com eles, porém, temos de sempre nos lembrar que eles não são nossos. Eles são do Senhor e não podemos atrapalhar o desejo de Deus para suas vidas.

PENSE NISTO

Você já pensou na possibilidade de que um de seus filhos venha a ser missionário(a)? Seu coração e sua mente aceitam essa possibilidade? É bom lembrarmos que nossos filhos não são nossos, mas de Deus.

5 de setembro

Quem quer dinheiro?

... pois o amor ao dinheiro é a raiz de muitos sofrimentos.
1Timóteo 6:10

Um dos maiores campos de batalha no relacionamento familiar diz respeito ao dinheiro. É um dos fatores que mais contribui para brigas, frustrações e preocupações no lar. Exige muita conversa, muita sinceridade, equilíbrio e compreensão recíproca por parte do casal.

O dinheiro pode ser encarado de modo diferente de pessoa para pessoa. Além de suprir as necessidades da vida, pode também simbolizar sucesso, poder, posição social e segurança emocional.

A família cristã que conhece os princípios de Deus sobre finanças e que coloca Cristo como o Senhor de suas vidas precisa saber usar o dinheiro e não ser usada por ele.

Geralmente, as rixas sobre dinheiro revelam a existência de problemas mais profundos. O dinheiro é simplesmente sintoma de uma doença mais grave.

Muitas vezes damos às coisas que possuímos, um significado diferente do que elas realmente têm. Por exemplo: um carro é basicamente um meio de transportar pessoas de um lugar para outro. Porém, ele tem simbolizado sucesso, prestígio, liberdade, independência e até masculinidade.

Assim como o carro, roupas e outras coisas, o dinheiro também tem diferentes significados.

Certamente, mais importante que olhar para aquilo que foi conquistado através do dinheiro, é olhar para nossa família e vê-la como uma família estável e unida ao nosso redor. Investir nela é algo que vai durar para sempre.

Pense nisto

O dinheiro tem sido motivo para discórdia entre vocês? Cuidado! Repensem sua utilização, criando estratégias para que ele não ocupe o primeiro lugar em suas vidas.

6 de setembro

Espírito tranquilo

Ao contrário, esteja no ser interior que não perece, beleza
demonstrada num espírito dócil e tranquilo...
1Pedro 3:4

Sara sabia o que era estar sob pressão. Você pode imaginar o que ela passou quando foi levada ao harém do Faraó e estava sendo preparada para se deitar com ele?

Tenho quase certeza de que, quando Abraão chegou com a "brilhante" ideia de dizer aos outros que ela era sua irmã, ele não imaginava que as coisas iriam tão longe! Quero crer que, o que realmente aconteceu foi que Abraão nem sequer pensou nas consequências. Ele nem se importou em arriscar sua esposa, a mulher que seria mãe da nação de Israel.

Você pode imaginar o que Sara deve ter pensado naquela situação? Algo como: "Espere até eu colocar as mãos naquele homem!", ou "Eu deveria ter me casado com meu primeiro namorado, ele era bem mais inteligente!"

O que podemos dizer é que seu marido a decepcionou, mas seu Deus não! Ele afligiu a casa de Faraó com grandes dores por causa de Sara e mais tarde, com Abimeleque, é nos dito que Deus não permitiu que ele tocasse nela.

A mulher com espírito tranquilo sabe que, quando seu marido falhar, seu Deus não falhará.

Porém, há ainda outras situações em que as esposas podem ficar vulneráveis devido aos erros de seus maridos, tais como dificuldades financeiras, ou o fato de ter que assumir total responsabilidade junto aos filhos devido à ausência do marido. Pode ser que um novo emprego do marido implique uma mudança que venha a ser prejudicial para o resto da família. Muitas vezes a esposa percebe com mais facilidade esses perigos. Quando essas "intuições" acontecem, a tendência natural é dizer algo como:

– Viu, eu bem que avisei! Por que você nunca ouve o que eu digo?

A mulher de espírito tranquilo, porém, percebe que Deus utiliza essas situações para falar com seu marido. Ela também sabe que Deus a protegerá se ela se aquietar e confiar.

Uma mulher de fé sabe que nada ocorre em sua vida "por acaso", mas sim, "por amor". Ela descansa no Deus que a ama e que prometeu nunca deixá-la ou esquecê-la.

Pense nisto

Você acredita que Deus está no controle de sua vida? Quando suas "intuições" acontecem, como você reage? Você apoia seu marido e confia que Deus está no controle? Você está neste momento aflita por alguma coisa? O que Salmos 46:10 diz para você?

7 de setembro

A comunicação faz a diferença

Suportem-se uns aos outros e perdoem as queixas que tiverem uns contra os outros. Perdoem como o Senhor lhes perdoou.
Colossenses 3:13

Toda família passa por conflitos, transtornos, mas creio que existe uma diferença entre aquela que se comunica e a que não. O amor deve ser comunicado no lar, entre marido e mulher, pais e filhos e entre irmãos. Os pais podem errar em muitas coisas mas, se houver amor entre eles, isso poderá cobrir "multidões de pecados". É essencial que os filhos aprendam a amar. As briguinhas, os desentendimentos são naturais, contudo os pais precisam ficar atentos para que isso não se torne regra ao invés de exceção. Os pais precisam constantemente comunicar amor aos filhos. Filhos pequenos necessitam muito de abraços e beijos. Filhos adolescentes precisam de elogios e encorajamento e os jovens de muita amizade. O amor também pode ser comunicado através do ouvir. Gastar tempo com eles, ouvi-los, fará com que sintam que são importantes para seus pais.

Um ambiente de aceitação total facilita para que os filhos cresçam bem ajustados. Isso é imprescindível para que tenham segurança. Eles precisam saber que são aceitos porque os pais os amam. Os filhos que constantemente têm de provar seu valor ou tentar ser sempre os melhores para conseguir aceitação dos pais, podem se tornar inseguros e até desanimados. Muitas vezes se tornam rebeldes por desistir da possibilidade de serem aceitos em seu lar.

O respeito deve ser comunicado e praticado. Respeito à propriedade alheia. Respeito à opinião (o adolescente, principalmente, se fecha ao perceber que sua palavra não é respeitada). Respeito à privacidade. Respeito à confiança (os pais precisam comunicar respeito por meio da confiança que depositam em seus filhos na medida em que se tornam confiáveis).

As regras e os limites devem ser claramente comunicados. Os filhos precisam saber o que esperar, por isso é importante deixar claro o que podem ou não fazer. É necessário estabelecer limites para que saibam onde estão andando. Uma vez conhecedores dos limites, caso saiam deles deverão ser disciplinados dependendo da idade e do tipo de desobediência (livro Nós Temos Filhos – Jaime Kemp). Por isso, devemos ser coerentes ao colocar os parâmetros.

Comunicação implica gastar tempo. Muitos pais estão ocupados demais com a realização profissional e acabam negligenciando a necessidade dos filhos. É importante que haja proximidade, muita amizade e camaradagem entre pais e filhos.

Pense nisto

Se quisermos ser os pais que Deus planejou que fôssemos temos que dar tempo e atenção aos nossos filhos, pois eles precisam de nós. Devemos estar sempre prontos a dar um passo, outro e depois outro na direção deles, sempre abertos à comunicação.

8 de setembro

Uma casa ou um lar?

... poderão orientar as mulheres jovens [...]
a serem [...] boas donas de casa.
Tito 2:4,5

Esta passagem diz que as senhoras mais maduras devem instruir as recém-casadas a serem boas donas de casa. Nós devemos seguir o exemplo da mulher virtuosa em Provérbios 31:27: ... cuida dos negócios de sua casa e não dá lugar à preguiça.

Há uma grande diferença entre uma casa e um lar. A casa tem janelas, o lar cortinas. A casa tem cozinha, o lar refeições quentes e saudáveis. A casa oferece proteção da tempestade, o lar é um refúgio das tempestades da vida.

Há algo dentro de toda mulher que a leva a construir um ninho. O lar é muito importante para ela, que necessita sentir-se à vontade para receber vizinhos e amigos. Sabemos também que uma das necessidades do marido é receber apoio doméstico. Ele almeja ter um lugar para se refugiar das tensões do trabalho e do tráfego da cidade.

Um lar bem organizado e limpo ajudará a evitar conflito e estresse que possam surgir entre os membros da família. Há lugar para tudo e tudo deve estar em seu lugar. Cada membro da família contribui cuidando do seu espaço. Mesmo em lares que tenham ajuda de uma empregada, os filhos devem ser ensinados a cooperar e a cuidar de suas próprias coisas. Garanto que no futuro, além de seus filhos, seu genro ou nora lhe agradecerão.

Vamos ver também o outro lado da questão. Algumas mulheres se tornam escravas de seu lar. O chão limpo da cozinha é mais importante do que o tempo gasto com os filhos. Os membros da família podem sentir o fardo das regras por ela impostas. Ouvi a história de um homem que se levantou durante a noite para ir ao banheiro, e quando voltou à cama, sua esposa já havia esticado novamente os lençóis!!

Li, certa vez, uma placa com a seguinte frase: "Meu lar é limpo e organizado para ser saudável, mas sujo e bagunçado para ser feliz". Gostei disso! Um lar feliz, às vezes terá brinquedos espalhados pelo chão, tarefas escolares sobre a mesa da sala, e bicicletas interditando a garagem.

Minha mãe passou a trabalhar fora quando minha irmã mais nova foi para a escola. Morando nos Estados Unidos, onde o serviço de uma diarista é muito caro, ela, às vezes, ao chegar do trabalho tinha de passar roupa, ou fazer alguma outra coisa. Várias tarefas também ficavam para o sábado. Porém, se meu pai sugerisse alguma atividade familiar, ela sempre estava pronta para deixar tudo de lado e sair conosco.

Em todas as coisas da vida é necessário haver equilíbrio. Que Deus nos dê sabedoria em nossa busca e empenho para construirmos um lar feliz para aqueles que amamos.

PENSE NISTO

Seu marido e filhos gostam de ficar em casa? Se sua resposta for sim, continue sendo como você é. Se não for, pense no que você pode fazer para transformar sua casa em um lar.

9 de setembro

Transformando o mal em bem

Vocês planejaram o mal contra mim,
mas Deus o tornou em bem...
Gênesis 50:20

Vocês conhecem a história de José do Egito? Ela é contada em Gênesis, do capítulo 37 ao 50 e nos permite observar, de modo fascinante, a maneira de agir do Senhor. Deus sempre planeja os fatos de nossa vida para nosso próprio benefício, apesar da oposição das forças malignas. José ainda jovem sonhou com seus irmãos se prostrando a seus pés, e contou-lhes o sonho. Consequência? Ciúme e ódio.

Muitas vezes o ódio mais persistente dos quais somos alvo, vem das pessoas mais próximas. A aversão que aqueles rapazes sentiam por seu irmão menor era tão forte que resolveram matá-lo (Gênesis 37:20). Porém, Judá conversou com os irmãos, e eles mudaram de ideia. Venderiam a José e contariam a seu pai que ele tinha sido morto por um animal. José foi vendido como escravo à casa de Potifar e, mais tarde, lançado à prisão injustamente, sob falsas acusações. O próximo segmento da vida de José demonstra o imenso poder de Deus para dirigir a vida de seu povo. O que ele planeja, ele cumpre (Gênesis 41:32). Passados alguns anos, Faraó teve um sonho, o qual José interpretou, dedicando os méritos ao Senhor: Deus revelou a Faraó o que ele está para fazer (Gênesis 41:25). Em reconhecimento, Faraó o nomeou Primeiro-ministro, o homem mais poderoso da nação depois dele.

Depois de 22 anos separado de sua família, ele reencontrou seus irmãos. Jacó, seu pai, enviara os filhos ao Egito em busca de alimentos. Seus irmãos, porém, não o reconheceram mesmo após vários planos arquitetados para que se arrependessem do que haviam feito. José, finalmente, não pôde mais conter sua emoção. Mandou que todos saíssem e, ao que parece, falando pela primeira vez em hebraico, revelou-se, chorando: Eu sou José! Meu pai ainda está vivo? (Gênesis 45:3).

José não deixou a amargura crescer contra os instrumentos utilizados pelo Senhor para desencadear sua aflição. Ele reconheceu que, desde o início, Deus alinhavava todos os acontecimentos de sua vida: Vocês planejaram o mal contra mim, mas Deus o tornou em bem... (Gênesis 50:20).

Pense nisto

Às vezes somos surpreendidos pela hostilidade gratuita de alguém por quem julgávamos ser amados, alguém em quem confiávamos. Não há mal que possa nos atingir sem a permissão de Deus. E ele, pelo grande amor com que nos ama, está sempre pronto a transformar o mal que nos aflige, em benefício para a nossa vida. Não duvide disso!

10 DE SETEMBRO

ONDE ESTÁ DEUS QUANDO PRECISO?

Meu Deus! Eu clamo de dia, mas não respondes;
de noite, e não recebo alívio.
Salmos 22:2

NESTES meus 36 anos de ministério, durante muitas viagens tive a oportunidade de "encher os olhos" com as lindas paisagens deste país. Já andei pelas areias brancas das praias de Maceió; já nadei nas águas cristalinas das exuberantes praias de Santa Catarina; já me extasiei inúmeras vezes com a visão das majestosas montanhas e vales do Rio Grande do Sul; já vivi a experiência inesquecível de descer rios do Amazonas e do Pantanal, no Mato Grosso. A natureza brasileira explode em belezas extraordinárias. A majestade e a grandeza de Deus se refletem nesta terra, através da sua criação.

Contudo, observando nossa realidade social descobrimos que há dor e sofrimento, seja na área rural ou nos grandes centros. Vemos crianças abandonadas, mendigando nos semáforos; sequestros e assaltos diários. Uma jovem, casada há seis meses, morre de câncer; um casal perde a vida em um acidente provocado por um motorista bêbado, deixando quatro filhos órfãos – são exemplos de sofrimento, dor e tristeza que assolam a vida de muitas pessoas, no mundo inteiro.

A dor e o sofrimento levam o ser humano a questionar suas crenças sobre Deus. Nossas perguntas são mais ou menos estas: será que o Senhor tem realmente poder? Eu sei que ele tem poder, mas será que ele quer fazer isso? Por que tenho a impressão de que ele não se preocupa comigo? Onde está Deus quando eu mais preciso dele? Conheço muito bem essas e outras perguntas, pois também as faço em meio ao sofrimento e a perplexidades. Surpreso? Se Davi expressou suas dúvidas quando em sofrimento (Salmos 38:9,10), quanto mais nós!? Certa vez os discípulos de Jesus apontaram para um cego e perguntaram: ... quem pecou: este homem ou seus pais, para que ele nascesse cego? (João 9:3). Esta foi a resposta de Jesus: Nem ele nem seus pais pecaram, mas isto aconteceu para que a obra de Deus se manifestasse na vida dele... (João 9:2). Paulo orou três vezes pedindo a Deus que tirasse seu "espinho na carne". O Senhor não respondeu como ele queria, porém lhe ofertou sua graça. E assim o apóstolo aprendeu a viver na graça de Deus (2Coríntios 12:7-10).

Em relação a minha própria dor, esses exemplos ajudam-me a reconhecer que Jesus a tomou sobre si (Isaías 53:4). O fato de ele ter morrido na cruz, não me impede de sofrer, porém, ele me conforta ao dizer: Eu lhes disse essas coisas para que em mim vocês tenham paz. Neste mundo vocês terão aflições; contudo, tenham ânimo! Eu venci o mundo (João 16:33). E, além disso, garantiu a nós, seus filhos, que viveremos com ele em um futuro onde a dor não existirá mais.

PENSE NISTO

Deus é tão bondoso que não pode ser cruel e tão sábio que não pode errar. Confie nele!

11 de setembro

Dívidas? Nem pensar!

O rico domina sobre o pobre; quem toma emprestado
é escravo de quem empresta.
Provérbios 22:7

Pare por um momento. Você possui cartões de crédito? Observe-os atentamente. Reparou que não existe neles a palavra "crédito"? Por que será? Porque as ricas companhias que distribuem os cartões fizeram questão de suprimir esta palavra assustadora, negativa, mas realista. Quando você compra algo com o cartão, significa que fez uma dívida, e uma dívida cumulativa se a pessoa não tiver o dinheiro suficiente para saldá-la integralmente no final do mês. É preciso que o casal aja com sabedoria e domínio próprio no uso de cartões de crédito para que eles não descontrolem todo planejamento familiar.

Sim, planejamento familiar! Este é um hábito inteligente, um recurso que auxilia eficazmente no controle dos gastos da família. ele permite que o casal estabeleça prioridades e se comprometa a realizar gastos estritamente necessários, até atingirem um nível mais satisfatório; favorece a poupança para investimentos em algo almejado; elimina a necessidade de empréstimo, principalmente se for a juros; auxilia na reorganização da área financeira; evita desavenças, irritações, desconfianças e frustrações para o casal.

É importante que os cônjuges não tenham segredos na parte financeira. É também imprescindível que sejam honestos. Ao elaborar o orçamento, o casal deve comprometer-se a agir conforme o planejado. Caso haja necessidade, deverão conversar abertamente sobre as razões de possíveis mudanças.

Vivemos em uma sociedade habituada ao apelo do consumismo, às facilidades oferecidas pelos cheques especiais, cartões de crédito e prestações que nos induzem às dívidas desmotivando qualquer planejamento financeiro devido a incertezas econômicas. Neste contexto, o casal deve procurar manter-se firme ao propósito de cumprir o orçamento estabelecido, evitando assim, tensões ameaçadoras à vida conjugal.

Pense nisto

Diariamente somos bombardeados com campanhas publicitárias muito bem elaboradas e fascinantes que despertam nosso desejo pelo produto oferecido. É muito simples perder o controle e adquirir tudo o que se tem vontade, mesmo que seja supérfluo. Basta sacar o cartão de crédito, o cheque especial, fazer prestações infindáveis, sem olhar os juros quase sempre abusivos. Pronto, conseguimos o que queremos, mas depois... dívida, ansiedade, arrependimento. O produto se torna um monstro que assombra nossas vidas e também nosso relacionamento conjugal. Por tudo isso... vale a pena planejar!

12 de setembro

Não prejudique a bênção

O Senhor te abençoe e te guarde.
Números 6:24

Em seu livro "A Dádiva da Bênção", John Trent e Gary Smalley trocam ideias sobre algumas maneiras pelas quais a bênção pode ser prejudicada na vida dos filhos. Vamos a elas:

Tratamento desigual. – Uma boa ilustração disto aconteceu na família de Jacó. Ao que parece, Jacó tinha "uma queda" por José, filho de Raquel, sua esposa preferida. Ele fez uma túnica longa e colorida só para esse filho. Esse gesto "azedou" o relacionamento do jovem José com seus irmãos mais velhos, alguns deles, filhos de Lia – a outra esposa do patriarca. José sofreu nas mãos dos irmãos dominados pelo ciúme, raiva e amargura que sentiam contra ele.

É inteiramente prejudicial para toda a família, os pais, ou um deles, ter um filho predileto. Os filhos devem ser amados com a mesma intensidade, respeitando-se as diferenças entre eles.

Alvo inatingível. – O pai olha o boletim do filho e diz: "Não dá para melhorar em Matemática? Você tirou só nota 6?" No próximo trimestre, o menino se esforça bastante e recebe nota 8. Mas o pai ainda não fica satisfeito. Finalmente, a criança chega em casa eufórica, um sorriso no rosto e nota 9 no boletim. Mas decepciona-se ao ouvir do pai apenas isto: "Por que você só tirou 7,5 em Português?"

Às vezes, os pais estipulam alvos inatingíveis para os filhos. Isso pode fazer com que desistam de alcançá-los, pois, por mais que se esforcem, não conseguem agradá-los.

O fardo substitui a bênção. – Isto pode ser ilustrado pela mãe irritada que fala para a filha: "Quando eu estiver no caixão você se arrependerá de ter falado comigo desse modo".

Tradições imutáveis. – Na família "Silva" todo primogênito recebia o nome de João e se tornava médico. Mas, pobre Joãozinho! Ele queria ser um jogador de futebol!

Sei que você conhece casos em que o pai fala para o filho: "Eu sempre quis ser dentista, meu filho, mas nunca tive chance. Por isso, resolvi que você estudará Odontologia".

Todo filho deve ter o direito de escolher a sua profissão. Meu pai sempre nos dizia: "Escolha a profissão que quiser, mas lembre-se que você terá que trabalhar nela todos os dias. Escolha, então, algo que lhe dê prazer".

Bênção "dobrada". – Em casos de divórcio ou adoção, os pais precisam trabalhar em dobro para comunicar amor e aceitação, pois o sentimento de rejeição pode surgir com intensidade nos filhos.

Pense nisto

Você reconhece em seu lar alguns destes sinais de perigo? Ore, trabalhe neles e deixe a bênção fluir.

13 de setembro

Balança, mas não cai!

Que o Deus da esperança os encha de toda alegria
e paz, por sua confiança nele...
Romanos 15:13

Quando o pecado entrou no mundo, a primeira coisa que nossos pais sentiram necessidade de fazer, foi se cobrir e se esconder. Até aquela altura havia profunda intimidade e transparência entre eles. Este era o plano de Deus, mas com o pecado, esta intimidade acabou. E agora temos egoísmo, insatisfação, raiz de amargura, frustração e mal-entendidos entre nós.

A história abaixo ilustra bem a tragédia que ocorre quando os princípios bíblicos são quebrados.

Encontrei um casal em um dos meus seminários. O marido confessou que por três anos estava vivendo em adultério. A esposa me disse que já desconfiava do procedimento do marido. Mas que para ela era difícil aceitar tal fato, porque ele constantemente procurava confirmar, através de palavras e atos seu amor para com ela.

Depois de nossa conversa, ele me disse que estava arrependido e queria voltar a ser fiel à sua esposa. Em seguida recebi uma carta de sua esposa contando que seu marido não abandonou a amante. O mais triste desta história é que este homem é um pastor e até usa textos bíblicos para expressar sua paixão pela outra mulher.

A esposa termina sua carta dizendo: "Pastor, me ajude, me responda. Como devo agir, agora que minhas suspeitas são realidade?"

Eis aqui um exemplo daquilo que pode acontecer quando não há aquele compromisso "até que a morte os separe". Quando o homem interfere na ordem de Deus, ele sempre terá problemas.

Mesmo que o alicerce de seu casamento estiver abalado, não se deixe desanimar, pois o primeiro passo para se construir um alicerce é reconhecer que há problemas.

Pense nisto

Se vocês estiverem com problemas no casamento, não desanimem; há uma boa notícia para vocês: nem tudo está perdido; Deus é o Deus do impossível!!!

14 de setembro

Corrigindo, mas não acobertando!

... seus filhos se fizeram desprezíveis e ele não os puniu.
1Samuel 3:13b

Nós, pais, podemos andar enganados pensando que nossos filhos andam com o Senhor, amando-o tanto quanto o amamos, quando na verdade, eles estão afastados e desinteressados. É desanimador, ainda mais quando eles desenvolvem cinismo e sarcasmo, assim como os filhos de Eli, Hofni e Fineias.

Mas cuidado! Devemos sempre estar atentos ao que nossos filhos fazem!

Eli provavelmente não ouviu, ou não quis ouvir o que seus filhos faziam. Contudo, ele recebeu três avisos:

O primeiro veio do povo (1Samuel 2:22-24). Os israelitas não tentaram esconder o que os filhos de seu amado juiz e sacerdote faziam. O velho Eli ouviu do Senhor, através do povo, a verdade. Seu clamor o advertia que seu comportamento denegria a reputação de um homem tão sério, que o escândalo o feria, e ainda pior, prejudicava, envergonhava a obra de Deus.

O segundo aviso veio de um homem de Deus. Seu nome não aparece na Bíblia (1Samuel 2:27-34). Este profeta não usou de meio-termo ou de rodeios. Ele foi direto e entregou a Eli a repreensão dura do Senhor. Ele acusou o velho sacerdote e seus filhos de terem pisado nos sacrifícios do Senhor. Acusou Eli de ter honrado mais aos filhos do que a Deus.

A terceira repreensão foi feita por ninguém menos que o próprio Deus. O Senhor simplesmente preveniu que julgaria toda sua descendência para sempre por causa do pecado de seus filhos; tudo porque Eli não os repreendeu (1Samuel 3:13).

Que palavra contundente e significativa para nós pais. Um alerta que deve causar temor, responsabilidade e ação. Deus não nos julgará por nossas incapacidades, sejam elas profissionais ou relacionais. Ele nos julgará, e à nossa casa, pela ausência de um profundo, sério e comprometido relacionamento familiar.

Eli honrou mais a seus filhos do que ao Senhor permitindo que tomassem decisões que não lhes diziam respeito, como sacerdotes que eram.

Talvez Eli tenha se colocado diante deles com um rosto carrancudo e desaprovador, mas, na verdade, ao não assumir uma atitude mais dura e definitiva, ele tornou-se cúmplice do pecado dos filhos.

Pense nisto

Você tem se preocupado em corrigir seus filhos, ou tem se tornado cúmplice dos seus pecados? Como você vai se apresentar ao Senhor quando tiver que dar contas sobre a vida de seus filhos e das atitudes que você tomou como pai (mãe)?

15 de setembro

O mito do casamento perfeito

Dar resposta apropriada é motivo de alegria, e como é boa uma palavra na hora certa.
Provérbios 15:23

Muitos casamentos são desfeitos em nome da incompatibilidade de temperamentos, sem o menor esforço para preservá-lo. Os casais se esquecem que, em meio ao ardor da "batalha", os conflitos são normais na vida de toda e qualquer pessoa. O essencial é o desejo de resolvê-los e aprender a desenvolver o casamento de maneira saudável.

Ambos, marido e esposa, devem saber escolher a hora, a circunstância e o lugar apropriados para dialogar. Quando cansados, depois do trabalho ou de um dia estafante, se há a possibilidade de serem demasiadamente interrompidos, ou se estiverem em meio a uma tarefa ou a um divertimento, não é aconselhável lançar um problema que necessite ser resolvido, a não ser que aconteça uma emergência. É imprescindível em um diálogo relativo a uma situação de tensão, haver calma, concentração e boa vontade.

Ouvir também é uma arte. Saber ouvir com sensibilidade, atenção, imparcialidade, paciência e amor, é um aprendizado que precisamos desenvolver. É o primeiro passo para que a desavença seja superada.

Às vezes, em uma conversa, quando o homem está colocando suas reivindicações, a mulher parece estar ouvindo, mas sua mente está preparando o "ataque", ou vice-versa. Um pensa que conhece o outro suficientemente e acha, por antecipação, que sabe o que vai escutar. Então "desliga-se", já prepara suas respostas. O ser humano precisa entender que há sabedoria em "ouvir muito, falar pouco e controlar a raiva" (Tiago 1. 22).

Os cônjuges devem procurar ajudar-se mutuamente; precisam refletir individualmente tentando encontrar, conforme sua maneira de encarar a situação, a causa básica que está prejudicando o relacionamento. Em seguida, conversar de maneira lúcida, evitando as acusações, as críticas mútuas, o sarcasmo, os gritos, enfim, todo tipo de discórdia. O casal deve aprender a deixar o orgulho de lado, e não iniciar um "braço de ferro" testando quem tem mais força para sair como vencedor no conflito. Ambos são uma só carne e, por isso, não devem competir entre si ou alimentar desavenças.

Pense nisto

Se a cada dificuldade houver uma boa conversa, sincera, de coração aberto, com o casal empenhado em resolver o problema de maneira satisfatória para ambos, certamente isto contribuirá para que o relacionamento amadureça.

16 DE SETEMBRO

A MINHA GRAÇA TE BASTA...

... minha graça é suficiente para você.
2Coríntios 12:9

"Minha graça é suficiente para você – esta foi a resposta que Deus deu ao seu servo Paulo, que estava sofrendo com a dor de um espinho na carne! Se o Senhor respondesse à oração do apóstolo como ele desejava, Paulo ficaria livre de sua aflição, mas perderia o poder de Cristo, que se manifestava na sua fraqueza. A oração de Paulo foi sincera e intensa, porém se respondida afirmativamente impediria que ele escalasse altitudes espirituais mais elevadas. Para a remoção do "espinho", nesse caso de Paulo, seria necessário haver uma troca injusta, isto é, a ausência de aflição implicaria perda do poder da presença divina.

Deus se comprometera em transformar Paulo em um ministro de sua graça e, por isso, não o libertou do "mensageiro de Satanás". Por um lado, o apóstolo pedia ao Senhor que lhe fosse tirado o espinho que o torturava; por outro lado, Deus queria mostrar que era possível nascerem frutos entre os espinhos.

- **Minha graça.** Com que intensidade de glória a graça de Jesus Cristo brilha nas páginas do Novo Testamento! Fixe seu olhar no Calvário. Observe o triunfo grandioso do Cordeiro. Que vida perfeita e estimulante Jesus teve! Que morte corajosa e redentora! [...] Vimos a sua glória, glória como do Unigênito vindo do Pai, cheio de graça e de verdade (João 1:14). Ele possui todas as provisões, todo conhecimento e sabedoria das necessidades do ser humano. Seria uma insanidade qualquer pessoa não reivindicar tal poder à sua disposição.
- **Suficiente.** O suprimento divino corresponde à necessidade humana. Nunca é dado de mais ou de menos. Ele é sempre perfeitamente adequado. A graça para as necessidades de amanhã não será liberada hoje. A graça para hoje não se estenderá até amanhã. A suficiência da graça de Deus envolve a sua onipotência, onisciência e onipresença. Seu poder, seu conhecimento de todas as coisas e sua presença estão à disposição dos que recebem a sua graça.

Jamais esqueça que, quando vierem as emergências da vida, as provações, as tentações e tribulações, nos é oferecida graça suficiente.

PENSE NISTO

O que o Senhor está fazendo em sua vida particular e familiar que necessita da graça divina? Você está disposto(a) a suportar o espinho na carne, para assim receber a graça?

17 de setembro

Chorando com os que choram

... e assim, enviamos Timóteo nosso irmão e cooperador de Deus no evangelho de Cristo, para fortalecê-los e dar-lhes ânimo na fé, para que ninguém seja abalado por essas tribulações.
1Tessalonicenses 3:2

Os cristãos da igreja de Tessalônica estavam sozinhos e tristes por estarem sofrendo perseguição. Eles precisavam de ânimo, consolo, de atenção especial, para continuarem firmes na fé. Timóteo foi enviado para exercer o papel de *parakleo*. No grego, *parakleo* significa encorajador, o que dá ânimo, o que apoia. E esta é uma das grandes obras do Espírito Santo em nossa vida.

Em 2Coríntios 1:3,4, Deus é chamado de o Grande Consolador. Ele nos consola em nossas tribulações para que sejamos consoladores, encorajadores de outros que estejam passando por angústias.

Certa manhã de sábado, fomos acordados com a triste notícia da morte de três amigos de Curitiba. Eles haviam se acidentado na rodovia. Imediatamente nos dirigimos ao aeroporto e conseguimos chegar em Curitiba rapidamente. Procuramos ser *parakleos*, abraçando as pessoas, chorando com elas, orando, segurando as mãos das famílias que haviam perdido seu filho e maridos há poucas horas.

Que choque, que dor – quase insuportáveis! É nestas horas que precisamos de um Consolador, do Deus de toda consolação, do Espírito Santo, de alguém que possa identificar-se conosco na dor da perda, na crise de um casamento acabado, no abalo de uma falência, no constrangimento da filha solteira estar grávida, na tristeza e na confusão diante da infidelidade do cônjuge etc.

Não me lembro de ter chorado mais do que naquele funeral. Somos crentes, temos a grande esperança de reencontrar nossos queridos, mas a dor da saudade é inevitável. Não devemos fingir que somos fortes. O próprio Jesus chorou perante o túmulo de Lázaro, mesmo sabendo que em poucos minutos o ressuscitaria. Com isso, identificou-se com a imensa tristeza de nossa perda.

Naquela noite, dormimos em um hotel. Estávamos esgotados emocionalmente. Mas posso afirmar que valeu a pena! O amor nos impulsionou a tentarmos ser *parakleos*. Amamos muito aqueles amigos e queríamos confortá-los com o mesmo consolo com que, um dia, já tínhamos sido consolados.

Pense nisto

Quando precisamos de consolo, ânimo ou encorajamento, devemos tirar nossas máscaras de pessoas fortes e autossuficientes, e nos entregar ao carinho de amigos e irmãos. Com isso aprendemos a também sermos consoladores, quando amigos e irmãos precisarem de nós.

18 DE SETEMBRO

DEUS ESTÁ NO CONTROLE

O coração do rei é como um rio controlado pelo
Senhor; ele o dirige para onde quer.
Provérbios 21:1

SE O CORAÇÃO do rei está na mão do Senhor, quanto mais o coração do seu filho! Deus é capaz de mudar qualquer situação.

Se você fracassou, confesse seu pecado. Não há nada que faça seu Pai mais feliz do que perdoá-la (o). Ele se alegra em mostrar misericórdia e perdão e se esquece dos nossos pecados.

"Perdoem como o Senhor lhes perdoou" (Colossenses 3:13b). Isto não significa, somente, que devemos perdoar aos outros, mas que também devemos perdoar a nós mesmos, como Deus nos perdoou. Confie em Deus. Ele é poderoso. Ele é bom. Ele é "galardoador dos que O buscam".

Quando penso na bondade de Deus e em sua misericórdia para conosco, eu me lembro de minha amiga, Rubi. Ela conheceu o Senhor tarde em sua vida, com os filhos já adultos. Rubi experimentou o consolo de Deus quando seu marido morreu, quando passou por duas cirurgias de câncer e por um derrame que a deixou cega por algum tempo. O Senhor lhe deu um ministério de confortar outros com o consolo que ela recebera dele. Ela visitava as pessoas no hospital e foi um verdadeiro "raio de sol".

Como mãe, ela lastimava o fato de ter entregado sua vida ao Salvador tão tarde, sem ter tido a chance de ver seu filho salvo. Ele tinha morrido algum tempo antes e ela se encontrava na angústia de não saber se ele passaria ou não a eternidade com ela.

Certo dia, quando colocava em ordem as coisas dele, encontrou um Novo Testamento dos Gideões que ele tinha recebido na escola, ou no trabalho. Folheando-o, ela percebeu que alguns versículos estavam sublinhados. Ele os tinha lido! Por fim, ela chegou à página que explica o plano de salvação, incluído pelos Gideões no fim do Novo Testamento. Ao pé da página, havia uma linha onde o leitor poderia colocar seu nome e data de conversão. Ela mal podia crer em seus olhos. Ali estava o nome de seu filho!

PENSE NISTO

Se possível e se for necessário, peça perdão a seu filho, mesmo que ele esteja com 79 anos de idade! Deus pode usar seu pedido de perdão como um meio de quebrar as barreiras e curar o relacionamento. Não se esqueça que Deus é poderoso e misericordioso, e que pode trazer seu filho de volta. Você acredita nisso? Você tem orado ao Senhor, colocando a vida de seus filhos nas mãos dele?

19 de setembro

Verdade, nada mais que a verdade

Portanto, cada um de vocês deve abandonar a mentira e falar a verdade ao seu próximo...
Efésios 4:25

Desonestidade faz parte da nossa natureza pecaminosa. Não adianta fingir, se na realidade não somos aquilo que queremos demonstrar. Exemplo: a moça detesta pescar, mas durante o namoro, finge gostar para agradar o namorado e aceita convites para pescar de madrugada; ela dá impressão de estar gostando demais daquela pesca, e disfarça muito bem, dando a impressão de que gosta de lidar com minhocas sujas e cheiro de peixe, não reclamando dos muitos pernilongos.

Muito bem. Então eles se casam. Alguns meses depois do casamento o marido chega para sua esposa e lhe diz: "Querida, vamos pescar juntos no sábado?" Ela diz: "Eu não vou, detesto pescar! Se você quiser, vá sozinho!" "Como? Você gostava tanto de pescar comigo quando éramos namorados!" Boom!!! Começa a briga.

Deus diz que é importante falar a verdade. Este é um compromisso constante na vida conjugal. No altar você expressa o seu desejo mais profundo de amar, e amor exige honestidade.

Você e seu cônjuge já assumiram um compromisso de honestidade e autenticidade? É essencial se comprometer a ter este nível de relacionamento. Vamos deixar de brincadeiras de crianças.

Fale ao seu cônjuge: "Querido(a), eu quero aprender a ser honesto(a) com você e quero que você seja honesto(a) comigo. Isto será capaz de transformar a comunicação superficial em uma comunicação verdadeira e profunda.

Pense nisto

Sejam sinceros e autênticos, afinal vocês fizeram um compromisso de fidelidade e honestidade no altar diante de Deus e dos homens, lembram-se disso?

20 DE SETEMBRO

NÃO DESISTA!!!

Entregue suas preocupações ao Senhor, e ele o susterá; jamais permitirá que o justo venha a cair.
Salmos 55:22

TODO casamento, por mais maduro que seja, passa por conflitos.

Como todos casais, Judith e eu temos tido diversos conflitos, mas temos conseguido solucioná-los. No entanto, não é porque divergimos em algumas opiniões, que procuramos uma separação. Há um sério compromisso entre nós. Quando brigamos, às vezes agimos como se fôssemos solteiros. Eu, por exemplo, tento fazer valer minha vontade, meu ponto de vista, minha individualidade, pensando egoisticamente apenas em mim, sem considerar os sentimentos e ideias dela. Minha energia é empregada em reivindicar minha posição, defendendo-me e atacando. Em minha tentativa de autoafirmação reajo cegamente, pensando só em mim, esquecendo-me de que sou casado.

Se traçarmos um paralelo veremos que fazemos o mesmo em nossa relação com Deus. Transgredimos, pois continuamos a ter tendência ao egoísmo, à infidelidade, à revolta. O que acontece nessas horas? Ele nos abandona magoado? De jeito nenhum!

Apesar dos conflitos causados por nossas atitudes, que acabam prejudicando nossa comunicação com o Senhor, ele não se afasta de nós, mas permanece fiel. Não se empenha em separar-se de nós, antes procura auxiliar-nos e trazer-nos novamente para perto de si.

Como devemos agir tanto em nosso relacionamento com Deus quanto no casamento? Devemos manter as linhas de comunicação abertas, estando dispostos a, quando preciso, assumir e confessar nosso erro.

Você se lembra das três frases que podem salvar uma relação?

– Eu estou errado(a).
– Por favor, me perdoe!
– Eu amo você!

Deus responde nossa oração quando, humildemente, pedimos perdão, confessando nosso erro. Perdoando-nos, ele restaura nossa amizade e nosso relacionamento, em todos os níveis. E é isso, também, que deve acontecer em nosso casamento.

PENSE NISTO

Fico muito triste quando percebo que um casal não está disposto a lutar pela sua relação, abalada por alguns conflitos plenamente contornáveis. O orgulho, a vaidade, o egoísmo, a incompreensão etc., impedem que o relacionamento tenha nova chance. Assim como Deus não desiste de nós, devemos nos empenhar ao máximo para honrar nosso cônjuge e mesmo em divergências de opinião, trabalhar juntos para solucioná-las, sob a orientação de quem tem todo interesse em nos ver felizes e estáveis, Deus.

21 de setembro

Afinal, quem sou eu?

... homem e mulher os criou.
Gênesis 1:27b

Mulheres que são esposas e mães vêm passando por uma crise de identidade: "Afinal, quem sou eu?" Ou talvez a questão que mais atormente a mulher, seja: "O que devo ser?"

Há o perigo real de colocar por terra todos os velhos e tradicionais conceitos sem ter a menor noção de um mais eficaz, gratificante e realizador para substituí-lo. Foi por isso que, com muita sensatez e critério, Deus criou de forma dicotomizada os papéis do homem e da mulher, distintos entre si para combinar perfeitamente com a natureza e caráter de cada um. Este seu plano foi participado a todos através das Escrituras Sagradas, entretanto, desventuradamente, não temos dado a devida atenção e valor àquilo que o Criador falou.

Toda esta confusão não tem se feito sentir apenas entre as mulheres. Surpreendentemente, o homem também está perplexo no que concerne a seu próprio papel. Ele está inseguro sobre si e sua postura como marido e pai, além de, dia a dia, demonstrar um crescente descontentamento.

O homem está em crise, e não me refiro somente à crise de meia-idade, que também pode estar envolvida no processo. Em meio a pressões e ao constrangimento imposto e arraigado na cultura latina, que diz: "homem que é homem não chora" (é durão e machista), ele não sabe quem é, o que quer e o que a mulher quer que ele seja. É a crise de identidade!

Ele se pergunta se o melhor mesmo é fincar a mente e as atitudes nas estacas do machismo, por outro lado teme parecer dócil demais, muito sensível, um pouco "estranho".

"Homem e mulher os criou." Desde a criação do mundo, o Senhor determinou as características diferenciadas de personalidade do homem e da mulher. Ele nunca pretendeu que um assumisse a posição do outro. Ele sabia que se isso ocorresse, ambos se sentiriam infelizes, incompletos, irrealizados.

Portanto, é necessário que o ser humano, seja ele homem ou mulher, consulte o Senhor nas Escrituras e se certifique do que ele idealizou para cada um. Certamente, isso lhes trará realização.

Pense nisto

Deus foi o arquiteto que planejou a família. Ela é prioridade para ele. A família tem um papel importantíssimo da afirmação das pessoas – realização e equilíbrio são desenvolvidos mais eficazmente em um ambiente familiar seguro.

22 DE SETEMBRO

FORÇA NA FRAQUEZA

... A minha graça te basta, porque o poder se aperfeiçoa na fraqueza.
2Coríntios 12:9

QUANDO oramos e somos ouvidos por Deus, a resposta pode vir de três maneiras diferentes: sim, não ou espere!

Muitas vezes, tudo o que desejamos é uma porta aberta ou um dia a mais, uma resposta de oração pela qual saberemos ser imensamente gratos. Às vezes, oramos e esperamos e não recebemos nenhuma resposta. Às vezes, aguardamos certos, confiantes que a resposta será positiva, e recebemos um não, e então, a desconfiança e a incredulidade tratam de achar um espaço em nossas mentes e corações.

Mas Deus continua sendo bom mesmo quando diz "não"?

Paulo sabia muito bem o que era ouvir um "não" de Deus. Em sua lista de orações, havia um item prioritário, o "espinho na carne".

Em algum trecho da vida, somos feridos por um espinho que pode vir na figura de alguém que nos trai e machuca, ou através de uma doença de difícil cura e muito dolorosa. Finalmente, exaustos e perdidos, pedimos que Deus venha em nosso socorro e nos liberte do problema que nos faz sofrer. Este foi o caso de Paulo. As Escrituras nos contam que por três vezes ele implorou a Deus que removesse o espinho, no entanto, Deus sempre respondia da mesma forma: "A minha graça te basta".

Agora pergunto: Paulo teria sido um melhor apóstolo se o espinho na carne tivesse sido removido?

Talvez, se Deus tivesse retirado aquela dificuldade que tanto o atrapalhava, ele não tivesse a experiência de conhecer tão profundamente a graça de Deus e como depender dela.

Dizem que só os que têm fome valorizam o alimento. Paulo estava faminto! Quando o espinho rasgou sua carne penetrando em sua alma, ele não se deixou vencer pela amargura, mas aprendeu a viver com sua fraqueza, descobriu como ter contentamento, e até alegria diante de injúrias, necessidades e angústias. Foi na fraqueza que ele descobriu seu poder interior.

"Porque, quando sou fraco, então, é que sou forte" (2Coríntios 12:10).

PENSE NISTO

Se o Senhor lhe disser NÃO, qual será a sua reação? Se Ele lhe respondesse: "a minha graça te basta!", você ficaria feliz, satisfeito? Se Deus não fizesse nada além de salvar sua alma do inferno, já não seria o bastante?O Senhor não nos deu apenas a salvação. O simples fato de você estar lendo estas palavras demonstra que Ele lhe deu fôlego e um coração que palpita em seu peito. Ele dá graça sobre graça!

23 de setembro

Há tempo para tudo

Para tudo há uma ocasião certa...
Eclesiastes 3:1a

Sim, para tudo há uma ocasião certa, e atualmente para mim é a fase de ser um vovô coruja. Tenho, no momento, dois netinhos. O mais novo é Skyller Allan, filho de Annie, nossa terceira filha, e seu marido Chris. Meu neto mais velho é James Paul (ele recebeu o nome do avô e do pai), filho de Melinda.

Em uma das visitas que fizemos a Melinda, Paul e James, eles estavam reformando a casa. Para ajudá-los, eu e James Paul fomos transportar terra. Nós dois estávamos muito bem equipados para o trabalho com carrinho de mão, pá etc. Para um menino de quatro anos, seu empenho era surpreendente. Seu pai sempre ensinou o valor do trabalho – e ele aprendeu direitinho.

Porém, criança é criança e seu empenho deu lugar à diversão. A terra, molhada pela chuva, fez com que ele tivesse a ideia de fazer bolas de lama. E James Paul achou que era muito mais gostoso jogar terra em tudo ao invés de carregá-la no carrinho.

Pedi que parasse porque poderia quebrar alguma janela da casa. Porém, antes dele parar, James Paul desferiu um tiro certeiro em minhas costas. Aquilo doeu! Virei imediatamente para ele e disse:

– James, vá sentar-se agora mesmo na escada em frente de casa! Ele, com tristeza e desapontamento respondeu:

– Ah, vovô! Não faça isso, por favor! Fiquei firme e lá foi James Paul, chorando, para a escada.

Mal se passaram cinco minutos, ele voltou e disse:

– Vovô, existe alguma chance de você me perdoar? Na mesma hora respondi:

– Claro, James, você está perdoado, mas... sente-se novamente na escada por mais cinco minutos.

Para um menino de quatro anos, cinco minutos equivale à eternidade. Dois minutos depois, lá estava ele ao meu lado:

– Vovô, o tempo já acabou? Então, me coloquei em seu lugar e resolvi ter um pouco de misericórdia daquele pequeno furacão:

– Sim, acabou. E ele saiu correndo e gritando:

– Vovô, vovô, você não imagina como eu estou feliz!

Pensando nesse episódio, agradeci a Deus pela oportunidade de estar perto de James Paul, por tê-lo ensinado sobre perdão e por relembrar o quanto uma criança aprecia ser tratada com respeito e bondade.

Vovó e Vovô, vocês não imaginam o impacto determinante que podem exercer na vida de seus netos.

Pense nisto

Os avós já não têm a mesma energia física de quando criaram seus filhos, mas têm mais sabedoria. Aproveitem-na para transmitir ao coração de seus netos os princípios de Deus.

24 DE SETEMBRO

COMEÇAR DE NOVO

E isso para que vocês vivam de maneira digna do Senhor...
Colossenses 1:10

ÀS VEZES, os conflitos conjugais chegam a ser tantos que parece que tudo chegou ao fim, que não há mais o que fazer, que está tudo perdido! Não!!!! Há sempre um recomeço para ajudar-se um ao outro.

E você, marido, é responsável, como sacerdote do lar, pela saúde espiritual de sua mulher então, como ser esse líder? Veja algumas sugestões:

1. Providencie uma oportunidade para conversar a sós com sua esposa.
2. Gaste alguns minutos, pensando em duas ou três coisas que você aprecia em sua mulher.
3. Compartilhe as coisas que você gosta em seu cônjuge.
4. Usando 1Pedro 3. 1-7, identifique as características negativas que você gostaria que seu cônjuge mudasse, e dê-lhe a oportunidade de fazer o mesmo com você. Compartilhem isto juntos.
5. Orem um pelo outro para que Deus dê graça e força para que estas áreas fracas de suas vidas sejam transformadas.

O recomeço é sempre bom, pois traz crescimento e amadurecimento, tanto espiritual como emocional, para os cônjuges.

PENSE NISTO

Nunca desistam de situações conjugais difíceis, pois sempre há uma solução.

25 de setembro

A essência da adoração

Então disse Deus: Tome seu filho, seu único filho, Isaque, a quem você ama, e vá para a região de Moriá. Sacrifique-o ali como holocausto...
Gênesis 22:2

Abraão descobriu que a essência da adoração estava em render-se às reivindicações divinas em sua vida. Abraão julgou que Isaque era seu, esquecendo por um breve tempo que a criança era um presente especial de Deus e que o Pai Celestial tinha o direito de reivindicá-lo. Tudo o que temos e tudo o que somos foram comprados por alto preço (1Coríntios 6:20).

Precisamos nos dispor a devolver "nossos amados Isaques" ao Senhor. Tudo que nos for precioso deve ser colocado no altar de Deus, como um sacrifício para o cumprimento de Seus propósitos.

Abraão descobriu através desta experiência a natureza do seu Senhor. Ele aprendeu que Deus não pede o que nos é mais querido e precioso porque precisa, mas porque sabe que aquilo não pode assumir um lugar de proporções exageradas em nossas vidas. Ele pediu que o patriarca oferecesse um sacrifício não para explorar a emoção de um homem velho, para simplesmente matar o jovem Isaque, ou qualquer outro tipo de sadismo. Seu propósito, ao pedir tal sacrifício foi garantir a Abraão que ele era um Deus amoroso, digno de toda confiança. Abraão podia confiar a vida de Isaque nas mãos do Senhor e descansar.

É por meio das provas que aprendemos que Deus é fiel e que sempre tem nosso bem-estar em mente. Descobrimos que adoração não é apenas o que acontece aos domingos na igreja, ou nos encontros de louvor, mas ela envolve uma rendição às reivindicações de Deus em relação ao que é mais precioso em nossas vidas. Também descobrimos um pouco mais sobre a natureza do Pai, Sua bondade, fidelidade e eterno amor por nós.

Pense nisto

"Meu querido Senhor, se eu não soubesse e não tivesse segurança de que o Senhor é bondoso, sentiria medo em confiar toda minha vida em Suas mãos. Pai, dá-me um espírito sensível para que eu descubra as riquezas que o Senhor tem guardado para aqueles que O priorizam em suas vidas. Eu peço em nome de Jesus. Amém!"

26 de setembro

Amor que renasce das cinzas

... meus amados irmãos, mantenham-se firmes,
e que nada os abale.
1Coríntios 15:58

Ignace Jan Paderewski, famoso pianista e estadista polonês, tinha um concerto em um dos mais conceituados auditórios dos Estados Unidos. Na plateia estava uma senhora acompanhada de seu filho de nove anos de idade, que tinha esperança de que o menino se animasse com seus estudos de piano, depois de ouvir o renomado concertista. Cansado de aguardar o início do espetáculo e sem muita animação pelo que seria obrigado a suportar, num momento de distração de sua mãe, o garoto subiu ao palco, sentou-se ao piano e colocou as mãos sobre as teclas e começou a tocar o "Bife". A plateia ficou totalmente alvoroçada, criticando em sussurros o lapso materno e a audácia do menino. Ignace Paderewski ouviu dos bastidores o murmúrio das vozes e o som da simples melodia. Apressadamente ele entrou no palco, ignorou o público e, por trás do garoto, colocou as mãos no teclado e improvisou um lindo acompanhamento. Enquanto tocava com o menininho, que a esta altura estava assustadíssimo com o "crime" cometido, Ignace sussurrava aos seus ouvidos: "Muito bem, está ótimo! Continue tocando que você está indo muito bem!"

Não é mais ou menos assim que acontece conosco? Depois de termos nos esforçado na nossa vida conjugal e espiritual, tudo pode parecer tão insignificante quanto tocar o "Bife". E, justamente no instante em que pensamos desistir de tudo, o Mestre se aproxima com Seu toque de graça e nos estimula com voz suave: "Não desistam! Fiquem firmes!"

Querido casal, vocês já chegaram a esse ponto? Já pensaram que o melhor seria desistir? Talvez vocês ainda sejam jovens, dinâmicos, corajosos, alegres, mas a correria do dia a dia dificulta o entendimento e o romantismo entre vocês, pesando demais e fazendo o compromisso mútuo oscilar.

Talvez o passar dos anos tenha desbotado os dias dourados do seu relacionamento conjugal; as lembranças das lutas, das desilusões, das crises, dos desentendimentos, no momento estão mais fortes do que o amor, afeto, companheirismo que sempre houve entre vocês.

Amigos, não desistam! O amor pode ressurgir das cinzas. Procurem em Jesus a chama que pode reacender seu relacionamento.

Pense nisto

Vocês começaram bem. Têm prosseguido apesar de algumas (ou muitas!) dificuldades. Lembrem-se, portanto, de encerrar sua carreira vitoriosamente, podendo fazer suas as palavras do apóstolo Paulo: Combati o bom combate, terminei a corrida, guardei a fé (2Timóteo 4:7).

27 de setembro

O que estamos passando a nossos filhos?

Reconheçam que o Senhor é o nosso Deus. Ele nos fez e somos dele, somos o seu povo, e rebanho do seu pastoreio.
Salmos 100:3

Utilizo-me de três referências para estabelecer minhas prioridades. Duas encontram-se na Bíblia e a terceira em uma afirmação de C. S. Lewis. A primeira está em Salmos 101:3: Repudiarei todo mal. Odeio a conduta dos infiéis; jamais me dominará. Isso me ajuda a manter meus padrões em um nível mais alto. Meu segundo referencial está em Miqueias 6:8: Ele mostrou a você, ó homem, o que é bom e o que o Senhor exige: pratique a justiça, ame a fidelidade e ande humildemente com o seu Deus. Deus não requer que eu escreva 100 livros ou produza 104 programas de rádio por ano. Ele se preocupa com coisas essenciais.

Em terceiro lugar, considero C. S. Lewis como alguém que possuía uma das listas de prioridades mais apropriadas. Ele disse: "Tudo que não é eterno, é ultrapassado". Ao considerar pessoas como prioridade, estou sendo coerente com os padrões bíblicos.

Confesso que luto para manter esses padrões em minha vida. De fato, já "pisei na bola" muitas vezes! Também luto para comunicar essas prioridades a minhas filhas. Se eu puder passar-lhes, em termos humanos, apenas uma prioridade, eu lhes diria: "Pessoas são mais importantes que coisas".

Jesus não morreu na cruz por casas bonitas, carros possantes, roupas de grife etc. Seu sacrifício não se direcionou a seminários, livros, programas de rádio ou TV. Não! Ele morreu por pessoas!

Nós, pais, precisamos nos lembrar disso e ter essa prioridade em relação a nossos filhos. Precisamos comunicar-lhes que são importantes, que não estão em segundo plano nem são peso para nós.

As prioridades de Deus somos nós, seus filhos. E a nossa esperança é que você consiga exercer a divina tarefa de passar a seus filhos as prioridades de Deus.

Pense nisto

Em um mundo onde as pessoas cada dia se tornam mais egoístas, violentas, individualistas etc., que o Senhor nos dê sabedoria, capacidade e amor para ensinarmos nossos filhos que: "Tudo o que não é eterno é ultrapassado" – que apenas as pessoas são eternas.

28 de setembro

Uma questão de princípios

... Como poderia eu, então, cometer algo tão
perverso e pecar contra Deus?
Gênesis 39:9

Em Gênesis 39, encontramos uma das ilustrações clássicas de como o sistema de valores pessoais pode pesar na balança de uma sociedade. José, filho de Jacó, mordomo na casa de Potifar, lutava contra as investidas sexuais de sua patroa, esposa de seu senhor. Encontramos neste jovem um caráter impecável. Ele estava disposto a abrir mão das delícias sedutoras oferecidas por uma mulher sensual para não comprometer suas convicções.

Em três declarações neste capítulo, ele indica seus valores, que se destacam como um farol em meio à tempestade.

Na primeira declaração, José afirmou que seria infiel ao seu mestre se tivesse relações sexuais com a esposa dele. Em sua segunda declaração, ele ressalta que seria infiel também consigo. Na terceira, ele declara que não cometeria tal pecado, pois seria infiel ao seu Deus. O valor de caráter citado por José, a fidelidade, abrangeu três pessoas: Potifar (mestre), José (ele mesmo) e Deus.

Muitos falam sobre determinados valores que deveriam adotar, mas não os inserem no cotidiano de suas vidas. Valores cristãos e familiares contêm dois elementos essenciais: o quê e por quê. Nossa tendência é enfocar demasiadamente o 'quê', esquecendo-nos do 'por quê'. Quando os pais comunicam valores a seus filhos, precisam ajudá-los a raciocinar sobre a razão de estes valores serem tão importantes, e desafiá-los a não aceitá-los apenas porque seus pais o aceitam, mas porque eles concluíram e aceitaram sua importância para si.

Eis algumas sugestões de como dinamizar o ensino de valores cristãos aos filhos:

1. Desenvolvam um relacionamento de qualidade com seus filhos.
2. Permitam que eles se expressem, mesmo que suas ideias e opiniões sejam divergentes das suas.
3. Deixem seus filhos experimentarem e aprenderem através das consequências do seu comportamento.
4. Encorajem seus filhos a se envolverem em servir outras pessoas.
5. Sejam exemplo do que ensinam.

Há uma séria crise de integridade e credibilidade nas lideranças familiares. Os filhos aguardam uma demonstração que dará garantia aos valores. Se eles puderem ver a fé dos pais em ação, certamente suas vidas serão abençoadas.

Pense nisto

Devemos encarar com seriedade a tarefa de transmitir os valores cristãos a nossos filhos. Precisamos trabalhar com amor para que eles reconheçam a importância desses valores. Suas vidas serão melhores à medida que os praticarem.

29 de setembro

Celebrando o sexo

Adão teve relações [...] tive um filho homem.
Gênesis 4:1

Alô, alô, chamando sexo! Alô, alô, chamando sexo!

No relacionamento entre marido e mulher, o ato conjugal foi designado por Deus para expressar a profunda unidade entre o casal.

Há uma comunhão de espírito quando ocorre a união dos corpos. É a intimidade proveniente da experiência de tornar-se "uma só carne". No plano de Deus, o sexo foi designado para providenciar uma revelação total do ser amado.

Quando o casal troca energia, sentimentos e afeições e ocorre o relacionamento físico, marido e mulher experimentam uma comunicação íntima. Esse é um dos meios de "conhecer" um ao outro. Cada vez que um casal comprometido através do amor conjugal tem uma relação física, está celebrando a experiência de "uma só carne".

As implicações práticas da relação sexual são muitas, porque o ato conjugal não é somente um ato físico mas também emocional e espiritual.

Há casais que dizem que quando têm relações sexuais, se sentem mais perto do Senhor do que em qualquer outra hora do casamento.

A ideia que prevalece nos meios evangélicos é que o sexo é carnal e não pode ser considerado um exercício espiritual, porém, as Escrituras não fazem tal afirmação.

A comunicação é tremendamente importante no casamento e, certamente, o ato sexual é uma pequena parte do todo dessa comunicação.

Pense nisto

Vocês têm tido experiências de comunicação através do ato sexual?

30 DE SETEMBRO

SOLIDÃO – VÍRUS EM EXPANSÃO

O Senhor confia os seus segredos aos que o temem,
e os leva a conhecer a sua aliança.
Salmos 25:14

SOLIDÃO, isolamento, são doenças que estão infectando milhares de casamentos. Você ficou espantado(a) com essa afirmação? Porém, essa é a mais pura verdade. Solidão não é "privilégio" apenas de solteiros. Pior do que um solteiro solitário, é sem dúvida, um casado solitário. A solidão no casamento, como um vírus, vai se insinuando devagar e sutilmente. Leva tempo até que o casal perceba seus perniciosos efeitos, podendo até ser descoberto tarde demais. Como uma planta que não recebe os cuidados necessários pode chegar a morrer, o casamento negligenciado pode ter o mesmo fim. O regar sistemático, o limpar e afofar a terra devem fazer parte da rotina. Se não houver disposição para tal, algum aventureiro poderá "lançar mão" dela e outras mãos se disporão a essa "jardinagem". Muitas vezes é por aí que começa a infidelidade. A planta seca, sozinha, acha outra pessoa que se prontifica a lhe oferecer cuidados.

Segundo uma pesquisa publicada pelo jornal *Folha de S. Paulo*, de 7/5/1995, vimos que o grupo dos que vivem sós é o que mais cresce na da Grande São Paulo, em um ritmo quatro vezes maior do que o do total da população entre 1990 e 1994.

Seja você uma pessoa solteira, casada, separada, divorciada ou viúva, eis algumas sugestões que têm sido um grande auxílio em minha vida:

- *Reconhecer a ação do inimigo.* O diabo tenta destruir a família, que é a grande ideia de Deus para a solução do problema da solidão
- *Conscientizar-nos de que Deus torce por nós.* Corra para o Senhor quando estiver se sentindo sozinho(a)
- *Cuidado com as expectativas irreais.* Preste mais atenção às virtudes das pessoas, dos seus familiares, do seu cônjuge do que em suas falhas
- *Conflito criado, conflito tratado.* Um espírito de humildade e reconciliação deve permear os relacionamentos
- *Desenvolver intimidade com Deus.* Pior que a solidão física, é a emocional. O isolamento da alma abate e atrofia o ser humano
- *Corra para o Senhor.* Assim poderá transformar seus momentos de solidão em solitude e aproveitar para desenvolver um relacionamento de intimidade com Ele.

PENSE NISTO

Os momentos de anseio, em que precisamos de "colo" devem, primeiramente, ser supridos com nosso relacionamento pessoal com Deus.

1 de outubro

"Quero tanto que meu marido se converta!"

... Para que se algum deles ainda não obedecem à Palavra, sejam ganhos sem palavra alguma por meio do procedimento de suas esposas.
1Pedro 3:1b

Um pastor, amigo nosso, estava pregando no Sul do Brasil e lá encontrou uma mulher que desejava ardentemente ganhar seu marido para Cristo. Ela porém, encontrava-se tremendamente frustrada pois seus métodos não estavam funcionando; muito pelo contrário, a situação piorava cada dia.

Ela contou que seu marido não queria mais ouvir falar de sua religião (e fiquei imaginando porquê). Muitas experiências ocorreram, resultando nessa aversão. Com o entusiasmo resultante da transformação que Cristo fizera em sua vida, ela se atirara com tudo nas atividades da igreja.

Essa atitude levou a alterações em sua programação familiar. Domingo, que era um dia de "preguiça", quando marido e esposa ficavam mais tempo juntos, passou a ser o dia em que ela levantava mais cedo. O almoço, que antes era um saboroso frango, com macarrão e maionese, agora era uma sopa de pacote, feita rapidamente assim que a esposa voltava da igreja. Mas as coisas não paravam por aí. As críticas abrangiam a maioria de seus hábitos e vícios. Ela jogava sempre um versículo para condenar suas atitudes. Lia a Bíblia com as crianças à mesa e orava pelo "pobre e incrédulo papai". O marido estava indo a festas sozinho. Ela não queria associar-se "àqueles pecadores"...

É de se admirar que esse marido não quisesse mais saber da "religião" de sua esposa? Como seria possível que ele pudesse se interessar por algo que tinha afastado dele a esposa e os filhos?

Após ouvir a história, o pastor abriu a Bíblia em 1Pedro 3 e mostrou que ela deveria ter uma vida bonita de forma que o marido pudesse ver, e não ouvir, a diferença que Cristo fez em sua vida.

Aquela senhora resolver seguir as instruções do pastor. Durante algum tempo não viu mudanças. Certa noite, quando estava se preparando para ir à igreja, notou que seu marido também se vestira para sair. Quando ela chegou à garagem, ele a estava esperando e disse: "Tive vontade de ir à igreja hoje com você, tudo bem?".

O que aconteceu depois já podemos imaginar. Ela finalmente ganhou seu marido para Cristo.

Pense nisto

Sei que deve ser difícil acreditar que Deus pode ganhar seu marido, mas não se esqueça de Sara. Ela recebeu a aprovação de Deus porque "teve por fiel aquele que lhe havia feito a promessa" (Hebreus 11:11). As Escrituras afirmam que seu marido pode ser ganho para Cristo. Você crê nisso? Seu marido conhece o evangelho de Cristo através do que você diz ou vive?

2 de outubro

Andando pela fé

... embora não soubesse para onde estava indo.
Hebreus 11:8

Esta declaração: ... embora não soubesse para onde estava indo, se estende pelas Escrituras. Às vezes é quase imperceptível, outras vezes é muito clara. Paulo afirmou que não sabia para onde estava indo quando se despediu dos amigos em uma praia da Ásia. Vários homens choraram porque perceberam que aquele era um adeus definitivo – eles não o veriam mais: Agora compelido pelo Espírito, estou indo para Jerusalém, sem saber o que me acontecerá ali (Atos 20:22). Que conclusão humilde e honesta!

Basicamente, esta é a essência da vida cristã – um andar pela fé. Tem sido assim com Judith e comigo. No dia 17 de março de 1967, no porto de São Pedro, ao sul da Califórnia, EUA, nos despedimos de familiares, de amigos muito amados e do país onde havíamos nascido, e viemos para o Brasil, um país sobre o qual sabíamos pouco e não falávamos ainda o idioma. Lançamo-nos a um futuro incerto, convictos de que a vontade de Deus era certa. Vivemos uma experiência semelhante à de Sara e Abraão. Eles abandonaram suas raízes e partiram sem saber para onde iam. Tal chamado compara-se a entrar em um túnel escuro sem vislumbre algum do que há do outro lado. É uma experiência amedrontadora, mas também uma aventura inimaginável. Uma viagem imprevisível, arriscada, porém tendo no comando ninguém mais do que o próprio Deus.

Talvez você e sua família estejam prestes a tomar uma decisão importante. Deus está arrancando as estacas de sua tenda, de suas raízes, sugerindo que está na hora de você dar um gigantesco passo de fé. Ótimo! Entretanto, antes de decidir-se, verifique se os seus motivos não são egoístas, mas puros. Esteja bem certo de que, quem o convida realmente seja o Senhor. Analise, também, se a sua decisão não irá contrariar algum ensinamento da Palavra de Deus.

O Senhor nos chama para sermos estrangeiros e peregrinos no mundo (1Pedro 2:11), a viver livres e sem amarras, quem sabe até em barracas ou tendas, e precisamos estar totalmente dispostos a quebrar os padrões de uma vida normal.

Nossa vida tem sido realmente muito entusiástica. Judith e eu não trocaríamos absolutamente nada pela alegria imensa que temos vivenciado em nosso querido Brasil!

Quem sabe Deus lhe dará uma oportunidade de, um dia, lá no céu, bater um papo com Sara e Abraão. Se isso acontecer, estou certo que dirão a mesma coisa.

Pense nisto

O que Deus pode estar pedindo a você e a sua família hoje e que representa um passo de fé? Talvez seja algo tão simples como falar do evangelho a seu vizinho.

3 de outubro

Fiéis, até que a morte nos separe!

'Eu odeio o divórcio' diz o Senhor, o Deus de Israel [...] 'Por isso, tenham bom senso; não sejam infiéis'.
Malaquias 2:16

Eu o(a) recebo como legítimo esposo(a) para cuidar e amar deste dia em diante, na alegria ou na tristeza, na riqueza ou na pobreza, na saúde ou na doença, até que a morte nos separe. Você ainda se lembra destas palavras? Isto não significa que tanto o homem quanto a mulher suprirão todas suas necessidades mútuas ou atingirão todas as expectativas que um tem em relação ao outro, mas algumas delas serão naturalmente alcançadas.

Quando um homem concorda em assumir um relacionamento exclusivo com a esposa, naturalmente dependerá dela para satisfazer suas carências sexuais, tanto quanto ela necessitará dele para obter carinho, amor e afeição. Se um deles falhar nesse alvo, o outro poderá sentir-se frustrado, decepcionado. Muitos continuam fiéis apesar de tudo, porém frustrados. Outros sucumbem às fortes tentações provocadas por suas carências.

O velho inimigo de nossas almas e famílias, o diabo, vem para roubar, matar e destruir. Um de seus truques é o engano. Através das necessidades não supridas, das desilusões, desapontamentos e frustrações, o cônjuge torna-se mais vulnerável aos enganos, sugestões e insinuações do inimigo. É assim que ele encontra justificativa para se tornar infiel.

Se você vem sentindo o esfriamento de seu casamento, do amor por seu cônjuge, tenha certeza de que a "grama" não é mais verde do outro lado da cerca. Ainda há possibilidade de renovar seu casamento e ressuscitar um amor que parece já ter morrido.

Os compromissos feitos no casamento são como "laços de aço", que "amarram" fortemente a união, forjados pelo calor das crises, dos conflitos, e pela confirmação constante dos compromissos e votos do casamento. O homem e a mulher devem sempre fazer a si mesmos a seguinte pergunta: "Será que isto que vou fazer, dizer ou pensar vai nos unir mais ou nos separar?".

Um casal resolve se casar quando ambos consideram o outro irresistível e compatível. Com o passar dos anos e castigados pelas desilusões, frustrações e desapontamentos, eles se tornam incompatíveis. Deus é amplamente capaz de renovar o desejo, o amor, o afeto por seu cônjuge. Por isso, confiando em Jesus, não desista! Ainda há chances de regar e cuidar de sua "grama" atual. Lembre-se, o Senhor é o Deus dos impossíveis!

Pense nisto

Para desenvolver uma relação à prova da infidelidade, valorize o romantismo e sempre aprofunde a intimidade entre vocês.

4 DE OUTUBRO

UM EXEMPLO DE PERDÃO

Esforcem-se para viver em paz com todos e para serem santos; sem santidade ninguém verá o Senhor. Cuidem que ninguém se exclua da graça de Deus; que nenhuma raiz de amargura brote e cause perturbação, contaminando muitos...

Hebreus 12:14,15

CORRIE Ten Boom foi libertada do campo de concentração nazista pouco depois da rendição da Alemanha. No entanto, levou muito mais tempo para se libertar do ódio consumidor contra os responsáveis pelo tratamento desumano e abusivo que recebera.

Ao perdoar, percebeu que havia descoberto o único poder restaurador para o sofrimento e ódio do povo europeu. A partir daí, começou a pregar sobre o perdão na Holanda, França e Alemanha.

Certo domingo, em Munique, na Alemanha, Corrie falou a uma igreja sobre o perdão e ali, após o culto, desenrolou-se um verdadeiro drama. Um homem aproximou-se com a mão estendida em sua direção e perguntou:

– Você já me perdoou Ten Boom? Como é bom saber que Jesus perdoa a todos os nossos pecados, como você acabou de afirmar!

Então, Corrie o reconheceu. Era um dos soldados do campo em que estivera. Foi como se ali mesmo um vídeo tape trouxesse o terrível passado de volta. A mão daquele homem continuava estendida. Ela, porém, não conseguia fazer um movimento sequer. Parecia que seu braço congelara. Onde estava o perdão do qual acabara de falar? Estava indignada consigo mesma, pois tinha certeza de já ter perdoado seus algozes.

E ali mesmo orou: "Jesus, não consigo perdoá-lo. Por favor, me perdoe!". De repente, de forma inexplicável, ela sentiu-se perdoada. Como? Ela perdoada? De quê? – Perdoada por não perdoar!

Então, ao receber o perdão de Deus, estendeu a mão ao seu ex-inimigo, e com aquele aperto de mão ela libertou a ele, e a si mesma.

O impossível a nossos olhos é possível para a fonte do perdão.

PENSE NISTO

Como você reage quando é magoado(a)? Planeja vingança? Perde o sono? Difama os outros? Gostaria de perdoar, mas não consegue? Corrie Ten Boom foi libertada. Você também poderá ser! Nem sempre será tão instantâneo. A maioria das vezes será um processo, mas é necessário que seja iniciado e Deus fará o que não pudermos fazer!

5 de outubro

O elemento chave

Seu marido tem plena confiança nela e
nunca lhe falta coisa alguma.
Provérbios 31:11

Confiança é um elemento chave no relacionamento conjugal. Primeiramente, o marido precisa confiar em sua esposa fisicamente, e vice-versa. É necessário haver fidelidade em seu amor e afeição. Eles devem suprir as mútuas necessidades físicas para que Satanás não invada sua casa por essa porta entreaberta. Não se recusem um ao outro, exceto por mútuo consentimento e durante certo tempo, para se dedicarem à oração.

Em segundo lugar, o marido precisa confiar na esposa na área de finanças. Quando ele lhe entrega o talão de cheques deve ficar tranquilo que ela saberá usá-lo ponderadamente. A mulher virtuosa citada em Provérbios 31 negociava o melhor preço, quer dizer, ela estava sempre atenta às promoções. O versículo 14 diz: Como os navios mercantes, ela traz de longe as suas provisões. Quem sabe ela deixava de comprar o pão na padaria da esquina – que era caro, mas pouco saboroso – para comprá-lo em outra padaria mais distante, onde o pão era mais barato e bem mais gostoso.

Em terceiro lugar, o marido precisa confiar que a esposa o apoiará em seus planos para o futuro. Ela conhece os sonhos, as esperanças e alvos de seu marido e deve empenhar-se em ajudá-lo para que eles se realizem. Provérbios 31:25 afirma que a mulher virtuosa ...sorri diante do futuro. Ela sabe que o futuro é tão possível quanto as promessas de Deus.

Finalmente, o marido precisa confiar seus filhos aos cuidados de sua esposa. A Palavra de Deus é extremamente clara quando diz que o pai é o principal responsável pelo clima espiritual de seu lar. Ele prestará contas ao Senhor de sua função de sacerdote espiritual. Contudo, na prática é a mãe que gasta mais tempo com os filhos. Por isso, ele precisa confiar e descansar, convicto de que ela será fiel aos alvos e regras por ambos estabelecidos.

Sendo assim, maridos e esposas necessitam da ajuda de Deus para manter a confiança mútua e suprir um ao outro, no que lhes for possível. Como seres humanos que somos, jamais conseguiremos suprir todas as necessidades de nosso cônjuge; a compreensão desse fato pode salvar muitos casamentos e nos levar à criatividade para fazermos nosso melhor!

Pense nisto

Como está sua integração conjugal na área física, em relação às finanças, aos filhos e ao futuro?

6 de outubro

Não é brinquedo, não!

Ele deve governar bem sua própria família, tendo os filhos sujeitos a ele, com toda a dignidade.
1Timóteo 3:4

Deus disse que o marido é o cabeça da mulher. Isto quer dizer que Deus dá ao homem a responsabilidade de líder do lar. De uma maneira simples e clara Deus estabeleceu a ordem para a família. Paulo explica que a mulher foi criada do homem, o homem foi formado primeiro e depois a mulher.

Deus também disse que não era bom que o homem estivesse só. O homem é incompleto sem ter uma mulher como auxiliadora.

Na sua soberania e sabedoria, Deus escolheu o homem para ser o chefe. A palavra "cabeça" em 1Coríntios 11:3 significa degrau, ordem, classe, posição. Quando Paulo se refere ao homem como o cabeça da mulher, ele não está dizendo que o homem é superior à mulher, mas está-se referindo à função dele. Deus, em função, é o cabeça de Cristo. Não é questão de superioridade e inferioridade entre Deus e Cristo.

Pedro exorta em sua carta que os dois, homem e mulher, são juntamente herdeiros da mesma graça de vida. É importante frisar este conceito em nossa sociedade "machista", onde a posição da mulher ainda é degradante. Convém salientar que a nação que incorpora os princípios de Deus ao seu governo e cujo povo pratica a Palavra de Deus, eleva a posição da mulher na sociedade.

Ser chefe da casa não é brincadeira. As responsabilidades são muito maiores que os privilégios. O apóstolo Paulo frisa as implicações dessa posição: "como também Cristo". Como Cristo é o cabeça da igreja, assim o marido deve liderar sua esposa.

Cristo tornou-se obediente até a morte, e morte de cruz. Maridos, como devemos liderar? Como Cristo liderou. E sua atitude não foi egoísta, mas humilde. Ele demonstrou um espírito de sacrifício para com sua noiva, a igreja.

Faça uma avaliação da sua liderança. Você lidera a sua esposa e filhos desta maneira?

Pense nisto

Como maridos, precisamos parar e avaliar a nossa liderança a fim de verificar se estamos qualificados ou não para a obra de Deus.

7 de outubro

Gaste tempo!

Eram porém, os filhos de Eli, filhos de Belial,
e não se importavam com o Senhor.
1Samuel 2:12

Eli concentrou sua vida praticamente em suas funções de sacerdote e juiz, e relegou sua família a segundo plano. Talvez ele julgasse que essa tarefa fosse de sua esposa, já que era um ministro e precisava atender às obrigações de seu trabalho sacerdotal.

Francamente, não sei por que Eli não disciplinou seus filhos, mas sei que ele permaneceu ausente nos anos importantes que definiriam a formação do caráter que eles teriam.

Lembro-me de um "pôster" que vi certa vez, cuja paisagem muito me impressionou. Eram montanhas altas e um lago de águas cristalinas, bem calmo e tranquilo. Em segundo plano havia um barquinho com duas pessoas dentro dele e duas varas de pesca com as linhas estiradas na água. No canto direito inferior, lia-se os dizeres: "Gaste tempo!" Conclui, então, que se tratava de pai e filho.

Será que Eli levou seus filhos para pescar no rio Jordão quando estes eram pequenos? Também não sei a resposta para esta pergunta, mas sei que, talvez ele tenha perdido a autoridade sobre os dois, antes que eles se tornassem adolescentes. 1Samuel 2:12 fala que os filhos de Eli eram filhos de Belial. Filhos de Belial! Isto quer dizer, nada mais, nada menos que filhos do diabo! Como? Não parece quase inacreditável que os filhos, vendo o pai, diariamente, em seus trajes sacerdotais perante o altar, ouvindo a Palavra de Deus constantemente, ainda assim não tenham se convertido? Talvez Eli tenha protelado uma ação mais efetiva, pensando que um dia teria mais tempo para dedicar a seus filhos. Contudo, o lamento de sua velhice foi ter se preocupado demais com as "coisas de Deus" em detrimento da formação do caráter de seus filhos, que se tornaram maus.

Pense nisto

Você não tem, como Eli, dado prioridade a outras coisas, enquanto o caráter de seus filhos está sendo formado? Você tem gasto tempo com eles? Quais são as recordações especiais que eles têm de você? Faça essa pergunta a eles, talvez através dela, você possa saber se tem sido presente em suas vidas ou não. Não se esqueça, seus filhos são o que de mais precioso Deus já lhe deu.

8 de outubro

Rápido demais, cedo demais

Para tudo há uma ocasião certa; há um tempo certo para
cada propósito debaixo do céu.
Eclesiastes 3:1

Recordando minha infância e adolescência, o fator mais relevante que posso detectar é que me foi dado tempo e oportunidade de crescer, amadurecer e evoluir conforme a necessidade de cada fase. Eu nunca fui atropelado e bombardeado pela mídia, por costumes, por modismos. Eu cresci à vontade, naturalmente. Nunca fui um pequeno adulto.

Observo, hoje, as crianças de minha vizinhança, ou os filhos e netos de meus amigos e concluo que já não é mais assim. Você já notou isso?

Em meu ministério com adolescentes, tenho visto meninas com a aparência que é um misto de inocência e confusão. São semelhantes a pequenos bezerrinhos, incautos e desprotegidos que rumam para o matadouro. Elas têm medo, mas não podem confessar. Estão crescendo rápido demais, cedo demais.

Músicas, livros, filmes e TV, gradativamente têm explorado o crescimento precoce de nossos meninos e meninas. Tais fatores e imagens obrigam e impulsionam as crianças a serem o que naturalmente não seriam, a evoluir rápido demais sem a maturidade necessária.

Sentimentos e emoções são elementos complexos na integração do desenvolvimento infantil. Eles têm seu tempo e ritmo e não podem ser apressados. Existe o risco de sua estrutura emocional não resistir e de se desequilibrar por toda vida.

A pressão sofrida pelas crianças a serem adultos mirins tem-nas precipitado a se tornarem alcoólatras ainda muito jovens, a prostituírem-se durante a pré-adolescência, a envolverem-se em criminalidade. Certamente, essa situação evidencia que há algo errado. É um alerta para cada um de nós.

Que Deus dê sabedoria aos pais para, em seu contexto, conseguir equacionar os tempos atuais com a necessidade de um crescimento normal. Cada um pode buscar perante Deus o ponto de equilíbrio para que os filhos não cresçam alienados da realidade, mas possam desfrutar um adequado desenvolvimento emocional, físico e espiritual. Se não for assim, será rápido demais, cedo demais!

Pense nisto

Que tal darmos tempo para as crianças serem crianças? Crescerem a seu tempo e cuidadosamente, protegidas, respeitadas, amadas, compreendidas, com toda chance de desfrutarem sua ingenuidade?

9 de outubro

Corra, que a vara vem aí!

Não evite disciplinar a criança...
Provérbios 23:13

Manhêeeeeee! Doeu!!!
Devemos disciplinar os filhos com a vara da correção; isto não é um conceito aceitável e popular na nossa sociedade, mas é o caminho do Senhor.

Disciplinar filhos é um ato de fé. Muitas vezes não podemos ver o resultado na hora da disciplina, mas anos depois colheremos o "fruto de justiça" na vida dos filhos. Isso exige muita coragem, esforço, fidelidade e amor por parte dos pais.

Há pais que retêm a vara porque dizem que amam seus filhos. Entretanto, este não é o amor do nosso Pai Celestial. O nosso Pai não retém a vara. O Senhor corrige a quem ama. O pai que não disciplina, que ri das malandragens e maus hábitos do seu filho, não o ama.

É através da disciplina que demonstramos o nosso amor. Como a desobediência dos filhos tem a sua raiz no egoísmo, a vara da disciplina os afastará dela.

A criança nasce com natureza de rebeldia contra Deus e o grande segredo para que um dia ela chegue a entregar a sua vida nas mãos de Deus é estabelecer autoridade enquanto é pequena; enquanto o rebento ainda é manejável, antes de se tornar uma árvore formada.

Produzir dor e lágrimas em um filho parece revoltante, e alguns pais devem perguntar se não existe um método mais suave. O que é melhor, alguns momentos de dor e lágrimas na infância, ou muitos anos de sofrimento e dor durante a vida?

Há, porém, necessidade de que o uso da vara seja acompanhado de amor e compreensão e que os pais sejam bem fiéis a esta divina tarefa.

PENSE NISTO

A disciplina com a vara, faz com que vocês pais não chorem de tristeza no futuro, mas de alegria ao saber que orientaram seus filhos no caminho do Senhor.

10 DE OUTUBRO

OS AMIGOS DE SEU FILHO

O amigo ama em todos os momentos;
é um irmão na adversidade.
Provérbios 17:17

QUANDO EU ainda era menina, tinha uma amiga predileta. Nossa amizade foi do jardim da infância até a universidade. Ela esteve em meu casamento, e eu no dela. Ela até chegou a nos visitar no Brasil. Embora ela não seja cristã (ainda estou orando por ela), agradeço ao Senhor por ter me dado essa amiga tão leal e divertida.

É difícil de admitir, mas precisamos reconhecer que há épocas em que os amigos (as) de nossos (as) filhos (as) têm mais influência em suas vidas do que nós, seus pais.

Há um alerta em 1Coríntios 15:33 que, como pais, devemos ter sempre em mente: ...As más companhias corrompem os bons costumes. Precisamos conhecer os amigos de nossos filhos e ajudá-los a escolher boas amizades. Isto significa que precisaremos estar presentes para ouvir e prestar atenção no que se passa. Também significa que a bagunça vai entrar por nossa porta. Porém, vale a pena pagar o preço de uma casa agitada, até desorganizada, para que o centro da atividade das crianças da vizinhança esteja onde possamos observar.

Que tipo de linguagem seus filhos apreendem com os amigos? O que eles assistem na TV na casa deles? Que site eles costumam visitar na internet? Você tem tempo para os amigos de seus filhos? Eles são convidados à sua casa, para participar das atividades de sua família?

Simplesmente porque o amigo de seu filho é de boa família e frequenta a igreja, não quer dizer que ele será uma influência positiva. Nossos filhos também precisam aprender a ser influência positiva na vida de seus amigos não-cristãos, orando por eles e tentando ajudá-los a encontrar o caminho para Jesus.

Assim como o ferro afia o ferro, o homem afia o seu companheiro (Provérbios 27:17). Por isso, precisamos orar para que nossos filhos desenvolvam amizades saudáveis com aqueles que edificarão suas vidas. E é claro que, para ter boas amizades, eles também precisam aprender a ser bons amigos.

PENSE NISTO

Uma noite ao redor da mesa, no jantar, pergunte ao seu filho ou à sua filha: Quais são as qualidades de um bom amigo? Dialogue como ele (a) pode ser e ter bons amigos. Pergunte o que ele (a) acha que deve ser feito se descobrir que um amigo(a) está fazendo algo errado, por exemplo, roubando, mentindo ou usando drogas?

11 DE OUTUBRO

A TOLICE DA CRIANÇA

A estultícia está ligada ao coração da criança,
mas a vara da disciplina a afastará dela.
Provérbios 22:15

SEI QUE toda mãe concordará com Deus, quando ele diz que o coração de uma criança está cheio de tolice. Esta tolice somente pode ser removida através de uma disciplina diligente com a vara.

Estultícia não é questão de infantilidade. Salomão não está dizendo que a criança precisa ser disciplinada porque é infantil, mas porque é malvada, perversa.

O pecado básico do homem é a rebelião contra a autoridade. É isso que está sacudindo os alicerces. A expressão "está ligada ao coração da criança", literalmente significa, estar preso, acorrentado pelo orgulho humano. É algo que está integrado, incorporado na própria natureza da criança.

É totalmente vão dialogar com uma criança pequena ou pedir para que ela não faça determinada coisa. Deus é muito claro ao dizer que a vara da disciplina aplicada fielmente afastará a rebeldia do coração da criança.

Ao disciplinarmos uma criança quando mente, ela procurará, no futuro, falar a verdade, porque relacionará a mentira com a dor da disciplina. Esta disciplina não trará somente bênçãos temporárias, mas bênçãos permanentes em sua vida.

Na medida em que uma criança vai crescendo, vai encontrando bênção e conforto por seguir o caminho certo. Gradativamente ela aprende a falar a verdade. O princípio da honestidade vai se tornar parte de seu caráter.

A vara da correção traz benefícios permanentes para a vida de nossos filhos.

PENSE NISTO

Você já reparou que ninguém precisa ensinar uma criança a desobedecer? Podemos ver que a tolice está arraigada em seu coração, por isso discipline-a com os princípios divinos.

12 de outubro

Pequeno furacão, grande tormenta

... as advertências da disciplina são
o caminho que conduz à vida.
Provérbios 6:23b

Você já ouviu falar do garoto que era tão levado, mas tão levado que quando completou sete anos os pais fugiram de casa?

É verdade, é só uma piada, mas evidencia uma realidade. Talvez você seja uma mãe ou um pai exausto, frustrado. Porém, não desanime. Lembre-se de que você não é o único a sentir-se assim e, principalmente, lembre-se de que as crianças crescem!

Disciplina de bebês é um assunto que divide opiniões. Algumas crianças parecem nascer de bem com o mundo. Não são exigentes, não ferem os ouvidos, nem nervos dos que a rodeiam com um choro constante e estridente. São umas gracinhas, uns anjinhos que tropeçaram no céu e caíram na casa de seus pais. Mas, por outro lado, há os bebês intratáveis. Eles já saem do útero materno desafiando a tudo e a todos. Desde o primeiro instante demonstram ter opinião. Entre estes dois extremos há uma variedade de diferenças individuais. Deus cria os bebês com temperamentos, aparência e emoções diversas. Talvez ele tenha lhe confiado a educação de um homem ou de uma mulher que afetará positiva e profundamente a humanidade.

O que dizer sobre disciplina de bebês? A princípio parece crueldade, insensatez, desamor. Até os seis meses, a criança é incapaz de compreender seu erro e, muito menos, a correção dele. O bebezinho necessita de alimento, conforto físico, segurança, amor, carinho e de ouvir a voz dos pais. Mas, e a criança de oito, nove meses que grita, chora, faz manha e pirraça, reclamando sem parar querendo colo e requisitando a atenção dos pais? O choro de um nenê é seu principal meio de comunicação no primeiro ano de vida. Através dele eles expressam seus desagravos. É importante estar atento a estas solicitações de ajuda. No entanto, é verdade que um pequeno ser de alguns meses é plenamente capaz de manipular dois adultos experientes e fazê-los ceder a seus caprichos.

Durante a fase de crescimento, a parte do corpo mais apropriada para aplicar-se a disciplina é o "bumbum". Porém, não excluo a necessidade de um tapinha na mãozinha para facilitar ao bebê relacioná-lo com a arte que praticou.

Enfim, a disciplina deve ser aplicada com amor e nunca com raiva. A criança deve ser ensinada que não é e nunca será o centro do mundo. Às vezes será preciso disciplinar até que a teimosia, em uma determinada ação, seja quebrada. Ah, e por último, não tenham medo de lágrimas! (Hebreus 12:11).

Pense nisto

Pais, sejam fiéis na disciplina correta desde cedo na vida de seus filhos, pois com o passar do tempo vocês colherão frutos de justiça.

13 de outubro

Eu aceito você, como você é

Sejam bondosos e compassivos uns para com os outros,
perdoando-se mutuamente, assim como
Deus os perdoou em Cristo Jesus.
Efésios 4:32

Talvez você não saiba, mas meus pais são divorciados. Durante muito tempo avaliei a vida em comum que levavam, e concluí que uma das causas que precipitou a separação foi a falta de aceitação de um para com o outro. Para permanecermos casados, é absolutamente indispensável entender-se a necessidade da aceitação mútua.

Recordo-me de quando ainda era pequeno, que um dos motivos que deixavam minha mãe extremamente irritada com meu pai, era a maneira barulhenta como ele servia o café. Para uma mulher refinada, de educação superior a dele, esse tipo de procedimento era inconcebível e vergonhoso.

Meu pai é um homem simples e rude, nascido e criado no campo, que conseguiu cursar apenas até a 8ª série. Minha mãe, porém, não entendeu seu modo de ser e por não aceitar essas pequenas diferenças, tentou a vida toda modificá-lo. Isso nunca deu certo!

Não é possível escapar da realidade de que, por mais afinidades que um casal tenha entre si, haverá algum fator (talvez mínimo). causador de irritabilidade, divergência, contrariedade.

A convivência dos casais seria bem mais tranquila e harmoniosa se estes entendessem que nem sempre um agradará ao outro em tudo. As diferenças individuais devem ser respeitadas. Jamais um cônjuge conseguirá suprir todas as expectativas e necessidades do outro nem poderá agradá-lo totalmente.

O segredo do entendimento está na aceitação. Aceitar-se mutuamente é requisito prioritário e insubstituível. Agradar-se mutuamente vem como consequência da aceitação. Ser amável, agradável com o cônjuge, causa imensa satisfação.

Enfim, quando um tenta alegrar e satisfazer o outro, apesar das diferenças de personalidade, hábitos, ideias etc., o amor torna-se mais concreto, evidente e é por todos os lados estimulado!

Pense nisto

Saiba que existe um Deus capaz de mudar a sua história de vida, a partir do momento que você queira e se esforce para que isso aconteça. Não fique parado(a). Tome a direção certa, buscando a ajuda do Senhor e fazendo a sua parte. Os resultados logo começarão a surgir.

14 DE OUTUBRO

BECO SEM SAÍDA

Cambaleavam, tontos como bêbados,
e toda sua habilidade foi inútil.
Salmos 107:27

"ESTOU em um beco sem saída!"

Foi a conclusão de Davi, quando clamou "Quem dera eu tivesse asas como a pomba; voaria até encontrar repouso!" (Salmos 55:6).

Queridos amigos, confesso que houve momentos em minha vida nos quais quase perdi o controle, desejei levantar voo e deixar o mundo para trás.

As exigências da vida moderna, o cotidiano acelerado e a tensão desgastante nos consomem e nos fazem cambalear como bêbados. Preocupações, doenças, frustrações, derrotas, obrigações, mal-entendidos, são alguns dos motivos que levam as pessoas a perderem equilíbrio, autocontrole, e até a razão.

O adversário procura nos exaurir até que todos os nossos recursos tenham se acabado. Ele utiliza todas suas estratégias para sufocar nossa alegria e silenciar nosso testemunho. Foi isso que aconteceu também ao apóstolo Paulo, como ele mesmo relata: "as quais foram muito além da nossa capacidade de suportar, ao ponto de perdermos a esperança da própria vida (2Coríntios 1:8).

Talvez as circunstâncias aparentemente estejam fora de controle. Às vezes nós mesmos criamos situações adversas, devido a nossas limitações, estupidez, tolice, ou ao nosso próprio pecado. Quando surgem sentimentos de desamparo e desesperança, precisamos da confirmação de que nossa confiança está colocada no Deus que se compadece de nós!

Jesus não é um feitor ávido em nos aplicar golpes com chicote. Nós já não estamos mais sob a lei, mas sim sob a maravilhosa graça de Deus. Que conforto para os corações sinceros saberem que em meio a grandes tempestades, encontramos socorro em um Cristo cheio de compaixão e misericórdia. Ele é a nossa rocha firme e segura. Ele sempre nos estende sua mão e nos olha com amor e está sempre pronto a nos proteger. O Senhor protege o simples; quando eu já estava sem forças, ele me salvou (Salmos 116:6).

PENSE NISTO

Quando você estiver cambaleando, quando você esgotar todos os seus recursos e perceber que está num beco sem saída, lembre-se: Há um Cristo compassivo esperando por você de braços abertos. Confie e alegre-se nessa verdade com seu cônjuge e sua família.

15 DE OUTUBRO

O QUE FAZER AGORA?

Na minha angústia clamei ao Senhor; e o Senhor me respondeu, dando-me ampla liberdade.
Salmos 118:5

ENFRENTAMOS situações tão surpreendentes e inesperadas, que nos deixam desorientados, perdidos, sem saber o que fazer.

Você já enfrentou coisa parecida? O trabalho, a família, o namoro, o casamento, a saúde, os problemas financeiros, o futuro... qual esfera de sua vida tem lhe causado stress? Você já chegou a um impasse, onde se pergunta: "E agora, o que fazer... se não sei o que fazer?".

Buscar ao Senhor, é o primeiro passo a ser dado de forma consciente e clara (Mateus 6:33). A tendência humana é solucionar o problema o mais rapidamente possível, através das próprias forças. Precisamos ter a coragem e a fé para admitir o medo. É nessa hora que o Senhor começa a trabalhar.

Reconhecer a soberania do Senhor (1Timóteo 6:15). Será que, verdadeiramente, reconhecemos que Deus está controlando tudo em nosso mundo? Se aceitarmos a soberania divina sobre todas as coisas, será que também aceitamos em nossa vida pessoal?

Recordar o passado é uma forma muito prazerosa de lembrar as bondades que Deus tem feito! Quando trazemos à mente essas lembranças, reafirmamos que podemos confiar nele (Salmos 100:5).

Escutar a voz do Espírito Santo (Salmos 25:3). Diante de um problema inesperado chegamos a desanimar; às vezes até desistimos e nos consideramos derrotados antes da hora, esquecendo-nos de concentrar nossa atenção em Deus e esperar em sua força e poder.

Render-se à vontade de Deus (Mateus 12:50). Quando não sabemos o que fazer, devemos dizer: "Senhor, estou diante de uma batalha que não posso vencer, na qual nem mesmo posso lutar. Sou incapaz, por isso vou render-me à tua vontade, não importa o que aconteça". Deus não é homem para que minta, nem filho de homem para que se arrependa! (Números 23:19a). Deus não falha com aqueles que nele esperam confiantemente.

Louvar ao Senhor (1João 5:14,15). Precisamos aprender a louvar a Deus, antes de chegar a resposta. Isso é um ato de fé. Louvá-lo no meio da crise, tendo diante de nós todo nosso medo e aflição. É aí que demonstramos nossa fé.

PENSE NISTO

Quando Deus luta por nós, ele faz a obra completa. Basta esperar confiantemente nele.

16 de outubro

Faça o que eu digo, mas não faça o que eu faço!

Tornem-se meus imitadores como eu sou de Cristo.
1Coríntios 11:1

Creio que a maior necessidade dos filhos é terem modelos a seguir. Não me refiro a modelos encontrados em revistas de moda, nem dos desfiles apresentados na TV, pessoas bonitas, com cabelos esmeradamente penteados, corpos perfeitos, peles bem tratadas, posturas elegantes. Refiro-me, porém, a fornecer exemplos a nossos pequenos adolescentes e jovens de como a vida deve ser vivida. Como pais, às vezes esquecemos que desfilamos na passarela da vida ante pequeninos olhos, mostrando--lhes o cotidiano; como vivê-lo, seus valores. Estamos diante de uma plateia que observa atentamente cada um de nossos movimentos. Cada dia, crianças, adolescentes e jovens estão sendo ensinados pelos pais, vizinhos, líderes de igreja, da comunidade e do governo.

Observando nossas vidas como pais, que tipo de valores nossos filhos têm aprendido? Num momento de lucidez, diríamos que as coisas essenciais da vida nos são oferecidas graciosamente. Entretanto, envolvemo-nos em aspirações que nos levam a construir castelos temporários, erguidos com sons modernos e caríssimos brinquedos dispendiosos, carros do ano etc. É a valorização do status. Desejamos que nossos filhos cresçam pacientes, bondosos, tendo consideração pelos outros, mas eles presenciam pais descontrolados, esbravejando obscenidades enquanto dirigem no trânsito. Cremos na integridade, na honestidade e tencionamos que nossos filhos tenham essas qualidades. No entanto, eles notam que sonegamos imposto de renda. Posicionamo-nos veemente contra as drogas, mas muitas crianças observam os progenitores anestesiados pelo álcool. Sonhamos que eles tenham um casamento harmonioso, porém, eles convivem com seus pais num ambiente de ódio, inveja, ciúmes, competição, palavrões, brigas, explosões e separações.

Muitas vezes, o que transmitimos a nossos filhos é "faça o que eu digo, mas não faça o que eu faço". Isso é errado! O correto é sermos bons exemplos, inclusive no que tange a sermos honestos sobre nossos próprios erros, reconhecendo e pedindo perdão, pois não somos perfeitos. "Faça o que eu faço", como o grande apóstolo Paulo disse à igreja de Corinto "Tornem-se meus imitadores, como eu sou de Cristo" (1Coríntios 11:1). Que assim seja!

Pense nisto

O que seus filhos assimilam em relação às prioridades da vida? O que aprendem sobre moralidade? Você pode dizer aos seus filhos para serem imitadores de Cristo como você o é?

17 de outubro

Respeito é bom, e eu gosto – 1!

Portanto, cada um de vocês também ame a sua mulher como a si mesmo, e a mulher trate o marido com todo o respeito.
Efésios 5:33

O relacionamento de Sara com o marido Abraão era de respeito. Efésios 5:33 diz a nós, mulheres, que devemos mostrar essa mesma importante qualidade. Respeitar quer dizer considerar digno, estimar, mostrar atenção especial. Inclui valorizar as opiniões e o direito de ser ouvido.

Se eu fosse casada com um homem como Abraão, não seria difícil agir como Sara, pois seu marido era um homem digno de respeito. Afinal de contas, ele era o pai da fé, não era?"

Abraão foi um bom marido. Ele amava sua esposa e cuidava das necessidades de seu lar. Era um homem generoso e protegia seus queridos. Porém, não podemos esquecer que ele ainda não era o pai da fé quando Sara se casou com ele. E mesmo depois de já ter recebido esse título, tinha seus momentos de dúvida e incredulidade.

Para ser franca, vejo Abraão como um marido muito passivo. Certa vez quando Sara precisou de sua ajuda e conselho sobre um assunto que a afligia, ele respondeu: "você é quem sabe, faça o que achar melhor".

Mais de uma vez esse marido "modelo" colocou sua esposa em situações difíceis e até perigosas por causa de sua covardia e egoísmo.

Por isso, é essencial que um casal se conheça, e tenha abertura para se expressar. Uma pesquisa realizada por William F. Harley Jr. sobre as necessidades básicas do marido e da esposa, apontou os cinco itens mais importantes para cada um:

Marido	**Esposa**
1. Realização sexual	1. Afeição, carinho
2. Companheirismo	2. Conversação
3. Uma esposa atraente	3. Honestidade, abertura
4. Apoio doméstico	4. Segurança financeira
5. Respeito, admiração	5. Um bom pai para os filhos

É interessante verificar que, quase dois mil anos antes dessa pesquisa ser realizada, Deus falou em Sua Palavra para os maridos amarem suas esposas e para as esposas respeitarem seus maridos. Coincidência??!

Pense nisto

Como você, mulher, tem demonstrado respeito pelo seu marido? E você, marido, como tem demonstrado amor pela sua esposa? Você tem se preocupado com as necessidades de seu cônjuge?

18 DE OUTUBRO

RESPEITO É BOM, E EU GOSTO – 2!

Portanto, cada um de vocês também ame a sua mulher como a si mesmo, e a mulher trate o marido com todo o respeito.
Efésios 5:33

ALGUNS anos atrás, li um artigo na revista Seleções. Era a história de um rapaz que queria se casar. Como era costume naquela terra, ele dirigiu-se ao pai da moça, oferecendo 20 vacas pela mão de sua filha. Quando seus amigos ficaram sabendo que ele havia oferecido vinte vacas ficaram chocados. Um homem poderia conseguir uma esposa lindíssima por somente cinco vacas! Achavam que a moça em questão, valeria, no máximo, duas vacas. Mas o rapaz insistiu na sua oferta. Pagou ao pai as 20 vacas e o casamento foi realizado.

Com o passar do tempo, os amigos do casal puderam observar como se davam bem. Não havia esposa mais amorosa e dedicada, fazendo todo o possível para agradar o marido. Todos os outros homens da vila passaram a invejá-lo. E o incrível aconteceu. A mulher que, aos olhos dos outros, não era nada especial, tornou-se extremamente atraente. A transformação ocorreu a olhos vistos.

Por que ela mudou? Porque ele acreditou nela. Ela nunca esqueceu o grande valor que ele lhe atribuía: 20 vacas. Ela passou a acreditar em si mesma e como resultado houve a grande transformação.

Talvez você esteja pensando que seu marido só valha duas vacas. E para falar a verdade, há dias em que você simplesmente o daria de graça. Mas saiba que seu respeito o ajudará a ser um marido melhor. Se você acredita nele, será mais fácil acreditar em si.

Não estou com isso querendo dizer que precisamos fazer uso da manipulação ou bajulação. Não precisamos mentir. Devemos simplesmente focalizar nossa atenção nos traços positivos de nossos maridos. Agradecê-los por, através do trabalho, suprir as necessidades do lar. Também podemos orar por eles, pedindo que Deus lhes dê as forças e a sabedoria necessárias para arcar com todas as suas responsabilidades. Paulo nos orienta a concentrar nossa atenção naquilo que é verdadeiro, respeitável, justo, puro, amável e de boa fama (Filipenses 4:8).

PENSE NISTO

Quando você conheceu seu marido, quais foram as características que mais lhe agradaram nele? Hoje em dia, em quais características dele você focaliza sua atenção? Você já notou como é mais fácil notarmos as características negativas do que as positivas? Pensando em Filipenses 4:8, procure focalizar sua atenção nos pontos positivos de seu marido, e os ressalte na presença de seus filhos.

19 de outubro

Até que a morte...

Por esta razão, o homem deixará pai e mãe e se unirá à sua mulher, e eles se tornarão uma só carne.
Gênesis 2:24

No capítulo 2 do livro de Gênesis, lemos sobre o primeiro casamento, o de Adão e Eva. No versículo 24, as Escrituras descrevem este casamento usando duas palavras importantíssimas: deixar e unir.

A primeira palavra é "deixar". O homem deixa emocionalmente de ser filho e se torna marido. Semelhantemente a mulher deixa emocionalmente de ser filha e assume o papel de esposa.

Quando não há esse "deixar" emocional, há problemas no casamento, especialmente com relação aos sogros.

A segunda palavra é "unir". No hebraico significa "cimentar". O plano original de Deus é que duas pessoas casadas expressem o seu amor mútuo e desfrutem dele através do ato sexual.

O plano de Deus não é separação ou divórcio. O relacionamento é para sempre, até que a morte os separe.

Não faz parte do plano de Deus a separação, só quando ocorre a morte de um dos cônjuges. Deus permitiu o divórcio por causa da dureza dos corações do povo de Israel, mas este não era seu plano original.

Somente o noivo e a noiva que deixaram e se uniram em casamento, tornando-se uma só carne, podem desfrutar realmente, do plano de Deus na área sexual, com todo aval e bênção do Pai.

PENSE NISTO

Houve realmente um deixar da parte de ambos quando resolveram se "cimentar" para todo o sempre?

20 de outubro

Uma perspectiva soberana

Era-lhe necessário passar por Samaria.
João 4:4

Em João, capítulo 4, temos o registro do encontro de Cristo com a mulher samaritana. Este encontro é um dos modelos mais lindos e singelos de como abordar uma pessoa que precisa ter um encontro com Jesus.

Quando resolveu fazer uma viagem de retorno à Galileia, Jesus poderia perfeitamente ter optado pelo caminho costumeiro de todos os judeus: sair da Judeia, atravessar o rio Jordão, contornar Samaria até chegar ao seu destino. Mas ele não o fez. Cristo tinha plena consciência da direção soberana do Pai em sua vida terrena e partiu em busca de sua missão e privilégio: salvar vidas. O coração que possui uma perspectiva soberana sabe discernir a direção divina. É uma sagrada e reconfortante lembrança recordar que: O Senhor firma os passos de um homem, quando a conduta deste O agrada; ainda que tropece, não cairá, pois o Senhor o toma pela mão (Salmos 37:23,24). Nada acontece ocasionalmente na vida do servo de Deus. O Senhor não utiliza levianamente nossas experiências. Cada encontro não é meramente temporal, mas tem repercussão eterna, como se fosse o desenrolar de uma história em que Deus, em Sua infinita bondade, nos possibilita tomar parte na redenção da humanidade.

Queridos, vocês precisam escolher. Corações pequenos e mesquinhos são surdos. Não ouvirão as dissonâncias dos problemas que os cercam. Porém, também não ouvirão a melodia harmoniosa da grande sinfonia de júbilo das almas libertas. Corações arredios e medrosos não subirão as montanhas, mas também nunca sentirão a brisa acariciando seus rostos nem terão a visão grandiosa lá do alto da montanha, da magnífica criação divina.

Jesus correu riscos, pagou o preço e como resultado, salvou a alma da mulher samaritana e de muitos da cidade que, como ela, viram as barreiras da indiferença e do descaso serem vencidas pelo amor e solidariedade.

Ao assistir ao filme "A Lista de Schindler" fiquei profundamente impressionado e inspirado pelo esforço, coragem e visão desse homem. O enorme risco que esse alemão nazista assumiu para salvar 1.100 judeus de morrerem na câmara de gás evidenciou sua imensa intrepidez. O coração de Schindler, com certeza, era enorme, tão grande que ele chorou por não ter sido perspicaz o bastante para salvar mais dez, mais vinte, mais mil pessoas.

Queridos irmãos, a escolha é de vocês.

Pense nisto

Você teria disposição de correr um risco extremo para levar alguém ao conhecimento de Jesus Cristo? Como casal, como família, vocês oram por alguém que precisa de Jesus?

21 de outubro

O benefício de se ter uma família

Deus dá um lar aos solitários...
Salmos 68:6

Creio que, quando se tenta modificar as bases familiares, a estabilidade da sociedade é fortemente ameaçada e abalada. Também acredito que esta é a razão porque Deus coloca limites para o comportamento sexual e distingue visivelmente os dois gêneros: masculino e feminino.

Em seu importantíssimo livro "Suicida Sexual", George Gilder descreve os papéis do homem e da mulher. De modo muito interessante, ele discorre sobre a mulher que não encontra um parceiro para casar ou, simplesmente, escolhe não assumir tal compromisso. Ela é ridicularizada, ela é motivo para galhofas e adjetivos de mau gosto, como: "vovozinha" – "titia" – "solteirona" etc.

Estas expressões desagradáveis e pejorativas têm transmitido que as pessoas solteiras são seres deslocados, desintegrados, estranhos à sociedade. Gilder discorda. Ele diz que o homem solteiro é quem se torna deslocado e explica em seu livro e prova percentualmente, que na sociedade muitos se tornaram assaltantes, assassinos, pervertidos por não terem um elo sólido que os faça sentir indispensáveis. Assim, demonstra que o homem solteiro pode ser uma ameaça e suas tendências agressivas podem vir a ser potencialmente destrutivas. Em contraste, a mulher é mais motivada a querer fixar uma segurança pessoal de longo prazo. Os instintos maternais influenciam seu desejo de uma vida mais estável pelo lar, marido e filhos.

Quando o homem não possui nenhuma razão para colocar seus esforços na edificação de sua família, de um lar, do futuro, todo seu ânimo e diligência podem ser dedicados às farras, bebidas alcoólicas, drogas, aventuras e toda espécie de comportamento agressivo e nocivo.

É simples compreender o plano que Deus idealizou para os seres humanos: homem e mulher se apaixonam. Casam-se. Ele se compromete a amá-la, protegê-la, cuidar dela e sustentá-la emocional e fisicamente. Isto sim, torna-se a base da família e o alicerce da sociedade. Antes de utilizar suas forças e energia para buscar realização pessoal, ele trabalha para construir uma casa, proteger a família, planejar o futuro. Seus desejos egoístas e impulsos sexuais são canalizados positivamente. Ele nutre um salutar orgulho masculino de ser chefe de sua família e ser zeloso de sua esposa e filhos.

Pense nisto

Marido, a conscientização de seu lugar e papel no lar é um referencial para sua família (esposa e filhos). e uma evidência para o mundo da importância que vocês dão ao seu Deus

22 DE OUTUBRO

TRATE-O COMO INIMIGO...

... como fazia Sara [...] da qual vós vos
tornastes filhas, praticando o bem.
1Pedro 3:6

UMA DAS qualidades da mulher virtuosa é que ela faz bem e não mal ao marido, todos os dias da sua vida (Provérbios 31:12). Esse é, em minha opinião, um dos mais importantes fatores para um casamento feliz.

Parece óbvio que ninguém se casa com a intenção de fazer mal a seu cônjuge. No entanto, quantas de nós poderíamos afirmar que só temos feito bem a nossos maridos? Quantas de nós já não pensaram: "Agora ele vai ver o que é bom!" ou então, "Vou entrar em greve!"

A maioria de nossas vizinhas e amigas lê a Palavra de Deus através de nossas vidas. Não existe um testemunho mais eficaz para este mundo que tanto precisa de Cristo, que o testemunho de um lar unido.

1Pedro 3 nos encoraja a: viver em harmonia, ser compassivos e amigos, e a demonstrar misericórdia e humildade (v. 8). Não devemos pagar mal com mal, nem insulto com insulto, mas com bênção (v. 9).

Este versículo 9 me faz lembrar do que Shirley Price (autora do livro Esposa e Mãe) costumava dizer. Ao referir-se sobre a importância da amizade no relacionamento conjugal, usou a seguinte frase: "Se achar impossível tratar seu marido como amigo, trate-o como inimigo". Quando nos recobramos do susto provocado pelo que dissera, ela acrescentou: "E como a Palavra de Deus diz que devemos tratar nossos inimigos? Que devemos amá-los e orar por eles" (Mateus 5:44). Devemos fazer-lhes o bem (Lucas 6:27). Se o meu inimigo tiver fome, devo dar-lhe de comer. Se tiver sede, devo dar-lhe de beber (Romanos 12:20). Devemos abençoar nossos inimigos (Romanos 12:14).

Voltando à passagem de 1Pedro 3, vemos o cuidado que devemos ter com nossas línguas (v. 10). Devemos nos apartar do mal, e fazer o bem. Buscar a paz e nos esforçar para alcançá-la (v. 11).

Creio que todos nós concordamos com isso, não é verdade? Mas, se você for como eu, a questão não é tanto saber que devo fazer o bem. A frustração surge quando apesar de saber disso, não consigo fazê-lo. Não quero levantar a voz com meus filhos. Então por que grito com eles? Não quero ser egoísta, mas sou. Quero controlar minha língua, mas às vezes parece que a única solução seria cortá-la fora!

PENSE NISTO

Não posso viver a vida cristã, mas Deus a viverá através de mim. Quando reconhecemos o nosso pecado e impotência e olhamos para Ele e o buscamos, descobrimos que Ele é fiel. Ele é capaz de me perdoar, purificar e me dar outra chance. O mais importante não é o bem que eu venha a fazer para Deus, mas o que Deus fará através de mim.

23 de outubro

Submeter-se é obedecer a Deus

Mulheres, sujeitem-se cada uma a seu marido, como convém a quem está no Senhor.
Colossenses 3:18

A mulher que se submete a Deus, submete-se mais facilmente ao marido. A submissão traz benefícios tais como:

1. *Proteção.* O marido é o guarda-chuva de proteção contra as tempestades físicas, emocionais e espirituais. Não importa quantos buracos tenha o pano do guarda-chuva! Deus criou o homem para ser essa proteção.
2. *Realização.* A mulher casada se realiza através da realização do marido. Geralmente a realização dele acontece em decorrência de ser sua mulher uma boa ajudadora.
3. *Harmonia no lar.* Deus é o autor e criador da família e da esposa. Ele sabe, portanto, qual é a melhor função para a mulher e o que pode trazer mais harmonia e paz para o lar.
4. *Exemplo às filhas.* Uma das maiores heranças que uma mãe pode dar a sua filha é ser submissa ao pai dela. A filha aprende seu papel, não através de livros, e sim do exemplo vivo da mãe. Que herança as mães podem dar às filhas preparando-as para o casamento!
5. *A não difamação da Palavra de Deus.* A mulher que não é sujeita ao seu próprio marido pode difamar ou blasfemar contra a Palavra de Deus. Nosso comportamento desobediente e insubmisso pode desonrar as Escrituras.

Uma mulher que é submissa e mansa, estará dando a Deus uma oportunidade de trabalhar diretamente em o coração do seu marido.

PENSE NISTO

Ser submissa não é ser inferior. O marido também deve submeter-se a Cristo. E, quando o marido ama a esposa como Cristo amou a igreja, ser submissa ocorre quase que naturalmente.

24 DE OUTUBRO

VOCÊ PODE DORMIR TRANQUILO...

Em paz me deito e logo adormeço, pois só Tu,
Senhor, me fazes viver em segurança.
Salmos 4:8

ÀS VEZES o Senhor me desperta durante a noite. Alguns podem achar que acordo porque comi demais no jantar; outros, um pouco mais benevolentes, podem julgar que isso acontece porque estou preocupado com alguma coisa. Contudo, acredito firmemente que muitas vezes o próprio Deus me desperta porque quer falar comigo. Eventualmente, me levanto, vou para a sala, leio um salmo ou oro. Há momentos em que o Senhor deseja acalmar meu coração ansioso e atribulado.

O salmista diz: Ele não permitirá que você tropece; o seu protetor se manterá alerta, sim, o protetor de Israel não dormirá; Ele está sempre alerta! (Salmos 121:3,4). Faz parte da natureza de Deus não necessitar de descanso e não estar sujeito ao cansaço de corpo e espírito; isto é, Ele não precisa dormir como nós, seres humanos.

Pode ser difícil imaginar, mas aparentemente, quando chegarmos à presença divina, nos céus, não dormiremos mais. Não haverá mais noite... (Apocalipse 22:5). Segundo a visão apocalíptica que o apóstolo João teve da Nova Jerusalém, se realmente dormirmos, teremos de aprender a fazê-lo à luz do dia.

De qualquer modo, nesta vida terrena o sono é indispensável. As preocupações, a depressão, as exigências do cotidiano atribulado interferem em nosso sono como um ladrão furtivo invadindo nossas mentes, emoções e roubando nosso descanso, deixando-nos insones.

Quando esse "roubo" acontecer, agarre-se firmemente a esta promessa: ... o protetor de Israel não dormirá; ele está sempre alerta! (Salmos 121:4). A promessa nos foi dada pelo Criador da noite e do dia. Podemos deitar em paz e dormir. Antes de dormir, concentre seu pensamento na promessa irrevogável de que ... ele está sempre alerta!. Deus pode agir bem mais e, penso, até melhor enquanto você dorme, do que quando você está acordado(a). Ele o(a) criou e sabe a grande necessidade que você tem de sono e repouso. Descanse sua alma na certeza de que seu Senhor lhe protege constantemente. Antes de dormir ore com seu cônjuge, ou, quem sabe, leiam um salmo juntos.

PENSE NISTO

Será que os seus hábitos de sono e descanso têm sido prejudicados e atrapalhados pela ansiedade, preocupação e depressão? O que você faz quando não consegue dormir? Para você, é difícil confiar e descansar nos cuidados do seu Deus? Abra seu coração para o Pai.

25 de outubro

Momentos preciosos

... Que o amor de vocês aumente cada vez mais em conhecimento e em toda percepção, para discernirem o que é melhor, a fim de serem puros e irrepreensíveis até o dia de Cristo...
Filipenses 1:9

HÁ COISAS que consigo partilhar apenas com minha esposa e com mais ninguém. Isto não se resume somente à área física, mas também diz respeito a uma profunda amizade que desenvolvemos um pelo outro.

Temos tido momentos preciosos em nossa vida! Quando olhamos para trás, nos lembramos das experiências inesquecíveis do passado e quando olhamos para o futuro, planejando o que iremos fazer, sonhamos com o que está por vir. Compartilhar o dia a dia é indispensável, não só os acontecimentos, mas, também, as opiniões, julgamentos e sentimentos que vieram à baila.

Deus não nos quer distantes de si. Ele é alguém presente querendo participar de nossos instantes de dor e alegria, decepção e felicidade, derrota e vitória.

É ele quem nos fornece capacidade e poder para:

- Perdoar quando o cônjuge é infiel.
- Desejar suprir as necessidades do cônjuge, apesar do egoísmo.
- Tentar resolver os conflitos que surgirem, não dando lugar à própria vontade.
- Honrar os compromissos assumidos no dia do casamento.
- Manter uma comunicação clara e precisa com meu esposo ou esposa, não importando as dificuldades.
- Fazer do meu cônjuge meu melhor amigo.

Mas, como colocar em prática tudo isso? Há possibilidade de aplicar estas verdades sem uma capacitação que venha diretamente de Deus? Aceitação verdadeira requer uma disposição de ser vulnerável às dores e desilusões de um relacionamento imperfeito. Para alcançar esta aceitação, precisamos continuamente, perdoar nosso marido ou nossa esposa quando este (a) nos machuca.

PENSE NISTO

A atribulada vida moderna, que nos lança à luta pela sobrevivência em uma sociedade cada vez mais competitiva, mas por outro lado extremamente atraente em relação a tudo o que nos oferece, não pode, de modo algum, afastar-nos do convívio da nossa família e da cumplicidade, companheirismo e intimidade do nosso cônjuge.

26 DE OUTUBRO

TUDO COMEÇA EM CASA

... e a mulher trate o marido com todo respeito.
Efésios 5:33c

É INTERESSANTE a Bíblia não ordenar que uma esposa ame seu marido. Creio ser devido ao fato de a maioria das mulheres responder com amor ao saber-se amada. Indica também, que respeito talvez seja mais vital para a felicidade de um homem do que ser amado.

É importante que nossas crianças sejam ensinadas a respeitar e obedecer aos pais. Nós, mães, estabelecemos o exemplo a ser seguido quando respeitamos nossos maridos e demonstramos isso.

Mesmo a palavra submissão, tão discutida, parece indicar respeito. Pode uma esposa submissa discordar do marido? Creio que a resposta é SIM – se o fizer com respeito. Meu marido trabalha muito para prover todas as nossas necessidades. É um bom pai e um bom marido. Sempre tem merecido nosso respeito. E se assim não fosse? Se fosse um homem passivo, que não toma a liderança, e deixa todas as decisões e consequências para a esposa enfrentar, entre tantos outros defeitos?

Pedro estava pensando nessas esposas quando escreveu 1Pedro 3:1-6. Ele disse que um marido descrente e desobediente pode ser ganho pelo comportamento respeitoso da esposa. Pedro cita Sara como exemplo. Uma das características deste respeito é ter um espírito dócil e tranquilo (v. 4).

Uma mulher pode contribuir em muito para desenvolver a autoestima do marido. Necessita ajudá-lo a desenvolver suas habilidades e realizar seus sonhos.

Lembram-se da mulher exemplar de Provérbios 31? O marido dela era considerado pessoa eminente na cidade. Mas quem recebia o louvor pelo sucesso dele? Sua esposa! Deus chama esta mulher de exemplar (v. 10). Os filhos a chamam de ditosa (v. 28) e o marido diz dela: Muitas mulheres são exemplares, mas você a todas supera (v. 29).

Este marido era um homem respeitado. E tudo isso começa dentro de casa.

PENSE NISTO

Geralmente, as esposas desejam que seus maridos sejam homens bem-sucedidos. Você pode fazer grande diferença na vida de seu marido. Agora você já sabe por onde começar: ...e a mulher trate o marido com todo respeito.

27 de outubro

Paz = ausência de guerra?

E a paz de Deus, que excede todo o entendimento, guardará o coração e a mente de vocês em Cristo Jesus.
Filipenses 4:7

Um dos grandes alvos da humanidade é alcançar a paz mundial. Atualmente, a palavra paz é uma das mais utilizadas: paz entre os homens, entre Deus e os homens e paz pessoal. Contudo, se assistimos diariamente ao noticiário noturno ou se lemos cotidianamente nosso jornal, nos deparamos com uma realidade exatamente inversa – um mundo dominado pelo ódio, pela ganância, opressão e guerras. Por que, durante tanto tempo, diante de tanto esforço despendido, ao contrário de caminharmos em direção à paz, ela parece estar mais e mais distante de nós? A resposta é a seguinte: o homem que não tem paz com Deus, não pode ter paz com seu semelhante.

É sempre Deus quem toma a iniciativa para que tenhamos paz com ele. Quando o olhar bondoso de Jesus nos alcança, e nos envolve com sua presença, inicia-se a transformação. Ele nos capacita a viver em paz com nossa alma, com nossos irmãos, com nosso próximo, seja ele o vizinho ou um habitante de outro continente.

O mundo faz tentativas, mas não consegue alcançar a paz. As religiões, ao longo dos tempos, já fizeram de tudo para oferecer ao homem a paz que ele tanto busca. Sistemas filosóficos idealizados pelas mais brilhantes mentes de todos os tempos também procuram, em vão, solucionar esse problema crônico do ser humano.

Os discípulos de Jesus notaram que Cristo exalava uma perfeita paz e perguntaram-lhe como poderiam consegui-la. Jesus respondeu que era um dom, um presente, que vinha das mãos do Pai Celestial. Não era conseguida através do conhecimento, nem do autocontrole, autoafirmação ou livre expressão.

Trazendo aquele diálogo para hoje, entendemos que todo esforço para se obter a paz é inútil e temos que confessar nossa incapacidade. Essa incapacidade se estende ao fato de não conseguirmos viver uma vida justa. E aí temos que admitir que somos pecadores. Amigo(a), agora é hora de exercermos a fé no doador da paz, Jesus Cristo, e o convidarmos a perdoar nossos pecados, a ser nosso Salvador pessoal e a dar-nos vida eterna. E esta é a única maneira de obtermos a verdadeira paz – através de Cristo.

Pense nisto

Se alguém em sua família, ou você mesmo, está necessitando ter paz consigo mesmo, com os de sua casa, amigos, colegas de trabalho ou com um irmão da igreja, saiba que Jesus, ao morrer na cruz e ressuscitar, preparou o caminho para nós – você e eu – alcançarmos essa paz.

28 DE OUTUBRO

XÔ, EGOÍSMO!

O amor é paciente, o amor é bondoso. Não inveja, não se vangloria, não se orgulha. Não maltrata, não procura seus interesses, não se ira facilmente, não guarda rancor.
1Coríntios 13:4-5

SEXO no casamento é uma experiência de dar. O amor eros é o amor sexual no casamento, que é importante, mas precisa ser permeado pelo amor ágape, que é o amor de Deus. E o amor de Deus se manifesta em dar.

A principal característica do amor, portanto, é dar.

Quando o relacionamento é governado pelo amor ágape, os problemas no relacionamento físico são superados pois não há lugar para o egoísmo no relacionamento físico no casamento. A tentação ao adultério está muito presente em nossa sociedade, com a mídia em todas as suas formas, propagando a altos brados a infidelidade.

Satanás procura causar encrencas e dificuldades no relacionamento físico a fim de aumentar a tentação que levará a alguma forma de promiscuidade.

Cada parte, marido e mulher, é responsável em colocar como prioridade as necessidades sexuais do outro. Em outras palavras, o corpo da mulher pertence ao marido, e o corpo do marido pertence à esposa.

O amor ágape possibilita que cada cônjuge desempenhe sexualmente seu papel no casamento de forma saudável. Este amor é paciente, é benigno, não arde em ciúmes, não se conduz inconvenientemente, não procura os seus interesses, tudo sofre, tudo crê, tudo espera, tudo suporta.

Quanto menos egoísmo existir entre o casal, maior a possibilidade de uma vida de prazer e alegria.

PENSE NISTO

A experiência de uma só carne estende-se não somente ao físico, mas também ao emocional e ao espiritual. A unidade entre o casal é desenvolvida nesses três aspectos.

29 DE OUTUBRO

O AMOR VERDADEIRO

O meu mandamento é este: Amem-se uns aos outros como eu os amei. Ninguém tem maior amor do que aquele que dá a sua vida pelos seus amigos.
João 15:12,13

Amor é um fogo que arde sem se ver,
é ferida que dói e não se sente,
é um contentamento descontente,
é dor que desatina sem doer.

Esse verso de Camões é, sombra de dúvida, uma brilhante tentativa de descrever um sentimento paradoxal que fere e cura. Mas creio que amor é ainda mais do que isto. Apesar de sua sublimidade, este tipo de sentimento oferece uma base muito "gelatinosa" para o amor.

Por outro lado, mesmo não encontrando lugar proeminente na pena do poeta, a determinação tem muito a ver com o amor. Quando decidimos amar cultivamos em nosso relacionamento gestos, palavras e ações que ativam o sentimento. Quando encaramos o amor como um sentimento proposital, nada pode nos deter.

A determinação de amar é capaz de permanecer mesmo diante das prestações da casa própria, das incompatibilidades, das fraldas sujas, dos canos quebrados ou de qualquer outro acontecimento.

Quando Paulo exorta os maridos a amarem suas esposas (Efésios 5:25), está incentivando-os a cultivarem em suas mentes pensamentos positivos sobre elas. Estes pensamentos se transformarão em gestos, palavras e ações. Submetendo-se ao marido (Efésios 5:22), a mulher enxerga suas iniciativas como demonstrações de amor e se deixa conquistar sem ressentimentos ou dúvidas. As iniciativas do marido e a confiança da esposa ajudam a construir uma base sólida para o cultivo do amor.

PENSE NISTO

Medite nas muitas demonstrações do amor de Jesus para conosco. Ele nos amou a ponto de morrer naquela cruz. Ele é nosso maior exemplo e incentivo. Ainda que eu fale as línguas dos homens e dos anjos, se não tiver amor, serei como o sino que ressoa, ou como o prato que retine (1Coríntios 13:1).

30 DE OUTUBRO

PROPORCIONANDO A ATMOSFERA PROPÍCIA

... no caminho em que deve andar.
Provérbios 22:6

DEUS CONFIOU a mensagem do seu amor e salvação a mensageiros humanos. É assustador enxergar que podemos ser responsáveis em dar ou negar a vida eterna a alguém. Ao proclamarmos sua mensagem, criamos a oportunidade de alguém aceitar a salvação.

Infelizmente, nossa passagem para o céu não nos dá o direito de levar toda a família, mas podemos nos empenhar para que eles conheçam o caminho. Também podemos proporcionar uma atmosfera favorável para que isso ocorra.

A Bíblia diz, em Efésios 6:4, que os pais devem criar seus filhos na disciplina e admoestação do Senhor. Cultivar uma planta, por exemplo, inclui dar-lhe um ambiente em que possa crescer e se desenvolver. Eu não posso fazer uma planta crescer, mas posso adubá-la, controlar o tempo em que fica exposta ao sol, dar-lhe água e podá-la para que cresça melhor.

Eu não posso isolar uma criança do mal, mas posso dar-lhe uma alimentação sadia, proporcionar-lhe uma atmosfera segura, adverti-la quanto a eventuais situações perigosas e acompanhar suas atividades de perto. Assim, como procuro controlar as condições exteriores do meu lar para assegurar a saúde e o bem estar dos meus filhos, também preciso proporcionar a atmosfera espiritual em que eles devem crescer. Eu não posso garantir que meus filhos aceitarão a Cristo como Salvador, mas posso proporcionar-lhes um ambiente em que ouçam essa mensagem, e que vejam em nós, pais, um exemplo que os "leve à vida".

Nós, pais, temos a responsabilidade de ensinar a criança no caminho em que deve andar (Provérbios 22:6). Aqueles que assim o fazem, têm a seguinte promessa: "quando for velho, não se desviará dele" (SBB – Revista e Atualizada).

PENSE NISTO

Será que a atmosfera espiritual do meu lar é caracterizada por amor, harmonia, aceitação, perdão, segurança e disciplina? Ou por hipocrisia, discussões, preferências, intranquilidade e indiferença? Que o Pai nos ajude a perceber o que temos nas mãos e nos ajude a tratar conforme sua vontade.

31 de outubro

Vamos, vamos... sem brigas!

A resposta calma desvia a fúria, mas a
palavra ríspida desperta a ira.
Provérbios 15:1

É possível discordar sem brigar. Paulo nos diz em Efésios 4:26: "Irai-vos e não pequeis". Parece-me que ele está dizendo que é possível ficar irado (creio que isto é uma santa raiva quando a reputação de Deus está em jogo). Ao mesmo tempo, ele diz que esta ira não deve levar-nos ao pecado. Ira sem controle é que se transforma em pecado. Quantas vezes uma palavra áspera machuca profundamente o espírito de outra pessoa? Veja Provérbios 18:14: "O espírito firme sustém o homem na sua doença, mas o espírito abatido quem o pode suportar?"

Quando alguém da família ataca outro, ele está esmagando o seu coração. Os pais devem quebrar a vontade egoísta dos filhos, mas devem tomar o cuidado para não abater o espírito da criança. Aqui está uma distinção fundamental. Você já foi esmagado pelas palavras ásperas do seu cônjuge? Tenho certeza que isto já aconteceu. Este é um dos pecados capitais de nossas famílias. Como seria bom se prestássemos mais atenção nas palavras de Salomão em Provérbios 17:14: "Começar uma discussão é como abrir brecha num dique; por isso resolva a questão antes que surja a contenda".

E é bom lembrar o que Paulo diz em Efésios 4:31:

"Longe de vós toda a amargura, e cólera, e ira, e gritaria, e blasfêmias, e bem assim toda a malícia".

Amigo, você é capaz de dizer a sua esposa "querida eu não posso concordar com você a respeito deste assunto. Sei também que você não pode concordar comigo. Mas, de agora em diante, seja lá o que for que falarmos, vamos procurar não ferir um ao outro"?

E você, esposa, pode dizer a mesma coisa? Se tomássemos esta atitude na comunicação, nosso relacionamento seria bem melhor e muitas brigas seriam evitadas.

Pense nisto

Como diz um ditado popular, "cada cabeça, uma sentença". Vamos tentar entrar em acordo com as ideias, sem ter que partir para uma discussão inútil, que só traz tristeza e desarmonia no lar. Conversar e expor os pontos de vista com calma, normalmente, resulta em uma reação equivalente (Provérbios 15:1).

1 DE NOVEMBRO

VIA DOLOROSA

Bendito seja o Deus e Pai de nosso Senhor Jesus Cristo [...]
que nos consola em todas as nossas tribulações...
2Coríntios 1:3a; 4a

TODOS nós sofremos perdas. Sei que você já teve ou pode até estar tendo agora, algum tipo de perda. Nessas horas, é muito terapêutico e confortador poder compartilhar, chorar e orar com o cônjuge.

Não gostamos de sofrer, apesar da dor fazer parte da vida. No céu não haverá sofrimento, mas enquanto estivermos aqui, o melhor é tentar aprender com as provações. Impossível? Não! Dor, sofrimentos, problemas, adversidades, aflições, tentações e perdas podem ser transformados em um importante ministério espiritual de disciplina, refinamento e enriquecimento.

Algumas flores, como a rosa, precisam ser esmagadas para que sua fragrância seja liberada. Algumas frutas precisam ser espremidas para liberarem seu sumo. Alguns metais, como o ouro, precisam ser colocados na fornalha para atingir valor e pureza.

O mesmo acontece conosco. O oleiro precisa quebrar o vaso para utilizar o mesmo material em um vaso novo e atraente. De corações quebrados vertem bênçãos. Deus não nos conforta para que fiquemos confortáveis, mas para que confortemos a outros (2Coríntios 1:3,4).

Quando Deus, com sua mão, nos envia uma provação, com a outra nos oferece graça para enfrentá-la. Portanto, as provações acabam resultando em triunfos. Os pesos tornam-se penas. As aflições, ao invés de permanecerem como colchões de espinhos, tornam-se lençóis de pétalas de rosas. Perdas transformam-se em ganhos... são bênçãos disfarçadas, anjos camuflados por um breve momento, mensageiros dos céus, que vêm para nos abençoar e tornar nossa imagem mais parecida com a do amado Filho de Deus.

Muitos são os testemunhos que afirmam ter recebido bênçãos especiais e específicas enquanto trilhavam sua Via Dolorosa. Sofrimento e adversidade fazem algo extremamente significativo em nosso caráter.

Qualquer que seja sua perda, não precisa atravessá-la sozinho(a). Veja o convite feito pelo próprio Jesus: Venham a mim, todos os que estão cansados e sobrecarregados, e eu lhes darei descanso. Tomem sobre vocês o meu jugo e aprendam de mim, pois sou manso e humilde de coração, e vocês encontrarão descanso para as suas almas. Pois o meu jugo é suave e o meu fardo é leve (Mateus 11:28-30).

PENSE NISTO

Deus é mestre em transformar tragédias em bênçãos. Será que Jesus sabe o que é ser traumatizado, sofrer tanto a ponto de doer? Lembre-se que foram as gotas de suor por ele derramadas que se transformaram em sangue durante a agonia no Getsêmani. Traumas, dor e perdas: ele passou; ele conhece. Portanto, confie nele!

2 de Novembro

Quando o Mestre apanha uma rosa...

Preciosa é aos olhos do Senhor a morte dos seus santos.
Salmos 116:15

Quando eu era criança, uma das histórias que mais me ajudaram a compreender e lidar com a morte foi retirada de um livro de devocionais muito antigo. É a história de um jardineiro que cuidava dos jardins de uma mansão. Como o dono tinha outras propriedades espalhadas pelo mundo, raramente estava por ali. Entretanto, o jardineiro sabia que as rosas do jardim eram a alegria e o orgulho de seu patrão. Sendo assim, ele as tratava com cuidado especial.

Certa tarde, o jardineiro estava examinando as roseiras e viu uma rosa magnífica, de uma beleza indescritível, que estava desabrochando. Ele sabia que na manhã seguinte, após ter recebido o orvalho da noite, ela estaria absolutamente perfeita. Ele pretendia fotografá-la para posteriormente mostrar a foto ao patrão. Contudo, na manhã seguinte, quando chegou ao jardim, ele descobriu que alguém simplesmente arrancara aquela estupenda rosa da roseira! Seu coração se encheu de raiva. Ele tentou imaginar quem havia entrado no jardim durante a noite e cometido tamanha insensatez.

Enquanto tentava compreender a situação e seus sentimentos, notou que não estava sozinho. Do outro lado do jardim estava seu patrão, que chegara durante a noite, sem ser notado. Ele segurava a rosa em suas mãos, admirando-a e desfrutando o seu perfume. Imediatamente, o sentimento de revolta que estava no coração do jardineiro se transformou em alegria. Ele cuidara das roseiras para o dono. A rosa havia cumprido o propósito para o qual fora criada.

Quando alguém a quem amamos é súbita e brutalmente tirado de nós, é fácil ficarmos amargurados e questionarmos o amor de Deus. Mesmo que a pessoa querida que partiu tenha conhecido a Jesus e por isso chegado à presença do Senhor, às vezes nos perguntamos por que Deus levou uma pessoa tão boa e deixou tantas más.

Em momentos como esses, precisamos reconhecer que Deus nos criou para glorificá-lo e desfrutar a sua companhia para sempre. Nossos amados não nos pertencem. Eles são do Senhor. Deus tem todo o direito de fazer o que quiser com aqueles que são dele. É um conforto saber que eles estão com o Senhor, nos céus. Eles estão cumprindo o propósito para o qual foram criados.

Pense nisto

Você já teve que ajudar seu filho a lidar com a morte de uma pessoa querida? Você tem tido sucesso com seus próprios sentimentos? Peça a Deus que conforte seu coração com o conhecimento de que a pessoa amada está ausente no corpo, mas presente com o Senhor (2Coríntios 5:8).

3 de Novembro

Ele não nos abandona!

Vejam! O braço do Senhor não está tão encolhido que não possa salvar, e o seu ouvido tão surdo que não possa ouvir.
Isaías 59:1

Quantas vezes observamos pessoas sofrendo injustamente! Elas sofrem pelas decisões, escolhas e pecados de outros. Nossos jornais estão repletos dessas histórias. Uma pessoa é detida, perde preciosos anos na prisão antes de sua inocência vir à tona. Um homem serve a uma companhia durante anos a fio e perde seu emprego devido à fusão de duas empresas. Será que, por causa da manipulação humana, o plano de Deus pode ser frustrado? Será que Deus modifica o rumo planejado por causa do pecado do homem? Não! O Senhor pode levar seus amados filhos pelo vale da sombra da morte, mas ele não muda aquilo que já arquitetou.

Aflição e sofrimento não são indicadores de que o Senhor nos odeia, rejeita e depois nos abandona. Muitas vezes, em nosso sofrimento, somos usados como canal de bênção aos que nos rodeiam. Deus se envolve de forma integral nos eventos humanos e tem uma intervenção sábia e amorosa nos fatos de nossa vida. Seu poder é evidenciado em cada detalhe do nosso dia a dia. Deus tem um plano cujo desenrolar atravessa nossas adversidades. Mesmo quando estamos em pecado, o Senhor nos favorece com bênçãos e benefícios através do nosso arrependimento.

Deus permanecerá ao nosso lado, em todas as dificuldades, problemas, aflições e angústias que tenhamos que enfrentar. Seu poder fica evidente na direção de todos os detalhes do nosso sofrimento, para que eles resultem em bênção para nós e glória para ele.

Quando entendermos que tudo faz parte de um plano perfeito, quando descansarmos na verdade de que ele nos acompanha em nosso sofrimento e quando tivermos certeza do seu poder para trabalhar as tragédias em nosso benefício, passaremos pela experiência da dor sem amargura e sem ressentimento em relação a Deus ou àqueles que nos ferem.

Quando Deus parece estar em silêncio e nós, amedrontados diante de grande adversidade, não quer dizer que ele não está ativo e envolvido em nossa vida. Na realidade, o momento em que Deus permanece mais próximo de nós, é quando enfrentamos a dor mais intensa. O aparente silêncio de Deus parece sempre ampliado na angústia e provação. O propósito divino é desenvolver nosso caráter e cumprir seu plano através e para nossas vidas.

Pense nisto

Deus nos prepara a cada dia para que nos aperfeiçoemos diante dele. Precisamos nos lembrar que não estamos sozinhos, porque ele atravessa as dificuldades e sofrimentos conosco, não se cansando de trabalhar a nosso favor.

4 de Novembro

Aceitação – uma terapia curadora

Aquele a quem o Senhor ama, descansa em seus braços.
Deuteronômio 33:12

Uma das maiores necessidades da criança, em especial do adolescente, é a segurança de um relacionamento de aceitação e amor por parte dos pais; estes, por sua vez, precisam reconhecer o profundo anseio dos filhos por sentirem total aceitação. Quando não há essa ligação saudável, a criança cresce com uma autoimagem distorcida. A autoestima diz respeito à convicção pessoal de que somos úteis e temos valor. A falta de afirmação, aceitação, comunicação e amor por parte dos pais, resulta em desequilíbrio emocional para o jovem, acarretando-lhe consequências desastrosas no futuro.

Um alerta para os pais: se seus filhos vivem em um ambiente de crítica, serão críticos; se em um ambiente de ódio, terão ódio no coração.

A necessidade de aceitação e afirmação do jovem é muito intensa; se essa carência não for suprida no lar, certamente ele procurará satisfazê-la em outro lugar, através de qualquer outro grupo. Lamentavelmente, isso também ocorre em meio à família de Deus. Até mesmo filhos de pessoas sérias com Deus têm se tornado motivo de escândalo para os pais. Certamente, as razões disto acontecer são inúmeras, mas creio que, grande parte dos jovens, jamais ouviu de seus pais algo como: "Querido filho, você sempre será amado e aceito por nós, independentemente de sua atitude ou comportamento. Nós podemos não aceitar o que você fez, mas nós sempre o amamos, sempre o amaremos e queremos o melhor para sua vida".

Todo filho necessita de carinho e afeição. Você tem abraçado seus filhos e dito que os ama? É imprescindível que os pais sempre mantenham as linhas de comunicação abertas, especialmente com os filhos adolescentes, entre 11 e 17 anos.

Pais, não se iludam, seus filhos já descobriram que vocês não são perfeitos. Aliás, eles não esperam perfeição de nós, mas sim honestidade e disposição para dizermos: "Filho, me perdoe, eu errei".

Os filhos precisam de tempo e espaço para suas próprias decisões. Já no início da adolescência, os pais devem gradativamente ir entregando as "rédeas" a eles. Os adolescentes precisam de tempo para desenvolver as próprias convicções. Convicções pessoais são muito mais duradouras do que as impostas pelos pais.

Sempre que os pais tratam os filhos com apreciação, respeito, carinho e afeto, contribuem para que eles se tornem pessoas decentes, respeitáveis, amáveis, pois estão elevando sua autoestima.

Pense nisto

Seus filhos também são pecadores, portanto falharão. Vocês são capazes de deixá-los errar ou exigem perfeição inatingível? Lembrem-se sempre que a aceitação é uma terapia curadora. Use e abuse!

5 de Novembro

Senso de necessidade

Não é bom que o homem esteja só.
Gênesis 2:18

Esta foi a conclusão a qual Deus chegou no início de toda criação. Quando o Senhor fez esta declaração, o homem desenvolvia um relacionamento vertical com ele; contudo, permanecia um espaço vazio em sua vida pois faltava um relacionamento horizontal. Isto lhe foi proporcionado logo em seguida com a criação da mulher. Mais tarde, ao transgredir os limites estabelecidos, o homem quebrou sua comunicação com ele. Consequentemente, também seu relacionamento horizontal (com a mulher) desestabilizou-se. Deus instituiu o casamento para resolver o primeiro problema existencial do homem e da mulher: a solidão. Ambos foram criados com necessidades espirituais, emocionais, sociais e físicas. Precisavam partilhar suas vidas, suprindo essas carências mutuamente. Se fôssemos absolutamente honestos reconheceríamos que intimamente, no âmago do nosso interior, desejamos ardentemente conhecer melhor e ter uma amizade sincera e sólida com o nosso Criador.

Muitas pessoas buscam preencher suas vidas concretizando alvos e obtendo realizações pessoais, entregando-se a prazeres e aumentando cada vez mais o círculo de amigos a sua volta. Entretanto, o vazio no coração permanecerá, e só será preenchido quando um relacionamento sério com Deus for iniciado e desenvolvido.

A solidão horizontal é muito forte e compele o homem e/ou a mulher a encontrar alguém com quem possa partilhar a sua existência. Porém, muito mais forte é a busca por preencher o vazio interior, que o filósofo francês Pascal descreveu assim: "Há um vazio no coração do homem do tamanho de Deus – e somente Deus pode preenchê-lo".

Deus não nos quer distantes de si; ele está presente e deseja participar de nossos momentos de dor, alegria, decepção, derrota e vitória. É ele quem nos dá capacidade e poder para perdoar quando o cônjuge é infiel – desejar suprir a necessidade do cônjuge, apesar do seu próprio egoísmo – resolver os conflitos que surgirem não dando lugar à própria vontade – manter uma comunicação clara e precisa com o cônjuge, não importando as dificuldades.

Querido casal, uma das tragédias do casamento é sentir-se só, mesmo ao lado do cônjuge. Faça o que for necessário para que haja amizade, intimidade e comunicação autênticas entre vocês para que sua união seja gratificante.

Pense nisto

A Palavra de Deus afirma que quando aceitamos Cristo como Senhor e Salvador, o Espírito Santo passa a habitar em nós, capacitando-nos e dinamizando-nos a sermos o marido e a esposa que ele quer que sejamos.

6 de Novembro

Prazer, não só dever!

Você é um jardim fechado, minha irmã, minha noiva; você é uma nascente fechada, uma fonte selada. De você brota um pomar de romãs com frutos seletos, com flores de hena e nardo, nardo e açafrão, cálamo e canela, com todas as madeiras aromáticas, mirra e aloés e as mais finas especiarias.
Você é uma fonte de jardim, um poço de águas vivas, que descem do Líbano.
Cântico dos Cânticos 4:12-15

Quando duas pessoas se amam, estão casadas e são comprometidas com o Senhor, não há limites quanto ao prazer sexual que venham a desfrutar. O sexo foi criado por Deus não somente para expandir a raça humana, mas também para proporcionar prazer ao casal.

O livro Cântico dos Cânticos apresenta dois personagens principais: o rei Salomão e a jovem Sulamita. Descreve o amor erótico e o prazer de ambos em seu casamento. Em Cântico dos Cânticos 4:12-15 vemos que Salomão sentia forte atração por sua mulher. É importante que todo marido sinta-se assim para que haja satisfação e realização sexual. Ela pode até não ser atraente para outros homens, mas para ele, precisa ser.

Se o marido "usa" sua mulher como objeto, ela terá dificuldade em continuar tendo prazer no sexo e, consequentemente, ela deixará de ser interessante e atraente para ele.

É importante a esposa ouvir elogios de seu marido por ser uma pessoa perfumada. E isso não apenas em noites românticas, mas cotidianamente, para que haja preparação para o ato sexual. A experiência sexual é muito mais emocional para a mulher do que para o homem. Por isso, qualquer gentileza, elogio, galanteio é relevante.

A Bíblia ensina que o prazer e a satisfação sexual precisam ser mútuos. Em uma sociedade machista nem sempre é possível fazer essa afirmação. Devo esclarecer que a mulher foi criada para a "alegria" do homem. Calma!!! Não se assuste, pois a recíproca também é verdadeira!

Quando no versículo 15 Salomão afirma: "Você é uma fonte de jardim..." está pensando na alegria que ela proporciona, em sua capacidade de matar a sede e no alívio que ela traz a quem bebe de suas águas.

Este não é o sexo propagado pelas revistas, por filmes pornográficos, pela TV, casas de strip-tease etc, mas é o sexo idealizado por Deus.

Pense nisto

Como é o seu relacionamento sexual com seu cônjuge? Você considera o sexo um pecado, algo impuro, não aprovado por Deus? Você consegue ter prazer do relacionamento sexual? Se não, você conhece a razão? Lembre-se de que o sexo foi criado por Deus não só para a procriação, mas também para proporcionar prazer ao casal!

7 de Novembro

Geladeira humana

Do mesmo modo vocês, maridos, sejam sábios no convívio com suas mulheres e tratem-nas com honra, como parte mais frágil e co-herdeiras do dom da graça da vida...
1Pedro 3:7

A expressão "com discernimento" significa conhecer a natureza do relacionamento matrimonial e viver de acordo com tal conhecimento. Isto requer um entendimento profundo das necessidades da esposa.

Imaginemos a seguinte cena: "O apóstolo Pedro era casado e homem acostumado a pescar. Suponhamos que sua esposa se chamasse Sara e que eles tivessem dez filhos.

Certa vez, ele passou a noite toda pescando, mas não pegou nada a não ser uma gripe. De manhã cedo, ele com seus companheiros de pesca, arrastam seus barcos para a praia, consertam suas redes e, à tarde, ele já está a caminho de casa. Ele está cansado e desanimado porque não apanhou nada naquela noite de trabalho.

Pedro também está preocupado porque sua filha está fazendo vestibular para entrar na faculdade da Galileia e ele não tem dinheiro para pagar a escola. Ele chega em casa aborrecido com os acontecimentos da vida. Com tudo isso na cabeça, ele se esqueceu dos problemas e dificuldades de Sara com os filhos em casa.

Ao abrir a porta, a primeira coisa que ele espera ver é Sara toda arrumada e perfumada para recebê-lo. Mas Sara teve um dia duro com as crianças e já fez uma hora que está dando banho nelas e por isto não está à porta para recebê-lo. Ele entra em casa e logo grita: "Sara, onde você está? O que temos para comer hoje?".

Ela, que está toda desalinhada e molhada por causa dos banhos das crianças, começa a brigar com o marido. Trocam palavras ásperas na frente dos filhos, e Pedro sai de casa batendo a porta mostrando que está irritado com ela.

Quantos maridos sabem fazer aquelas orações bonitas, até impressionantes, na Escola Dominical, ou nos cultos, mas não sabem que a linha de comunicação com Deus está interrompida, por causa de sua liderança no lar.

Pense nisto

A insensibilidade do marido faz com que ele perca sua autoridade tanto ministerial quanto familiar. Esta talvez seja a razão por que algumas mulheres sejam infiéis a seus maridos.

8 de Novembro

Herança e recompensa

Por que vocês zombam do meu sacrifício e da oferta que determinei para a minha habitação? Por que você honra seus filhos mais do que a mim, deixando-os engordar com as melhores partes de todas as ofertas feitas por Israel, o meu povo?
1Samuel 2:29

Eli estava gordo. Nessa passagem, o homem de Deus o condenou por ele ter engordado por conta do aproveitamento indevido dos melhores sacrifícios e ofertas do povo de Israel para Deus. Com esta atitude, ele consentiu que seus filhos continuassem agindo erradamente.

Nossa atual geração está pagando um alto preço pela indulgência, falta de controle, permissividade e promiscuidade de nossos pais. A deterioração doméstica está ganhando força e velocidade em nossa cultura, tal qual uma bola de neve.

Não pretendo ser pessimista, mas pergunto-me: "O que o Brasil necessita para ser um país justo e honesto?" Encontramos a resposta em Hebreus 12:5-11. A disciplina e a correção criam justiça no coração da criança. Para o Brasil ser o país do futuro, com a justiça sendo uma de suas bases sólidas, é necessário enraizar no coração de nossos filhos exatamente a justiça divina e não a humana. É absolutamente imprescindível que ocorra uma transformação radical na mente e no coração do povo. As leis brasileiras não conseguem criar senso de justiça em seus cidadãos, nem mesmo assegurar que a punição será aplicada, pois o "jeitinho brasileiro" está tão arraigado à cultura que sempre descobre um meio de burlar a lei.

Em 1Samuel 3:19, a Palavra de Deus nos diz que Samuel cresceu e o Senhor era com ele. Lembre-se, Samuel fora confiado a Eli, a fim de que este o preparasse para ser um sacerdote. Ele era como um filho adotivo. Como você explica o fato de Samuel vir a ser um grande homem de Deus, mesmo tendo convivido com as mazelas dos filhos de Eli? Será que se deveu às orações fervorosas e às influências positivas de sua mãe, Ana, uma mulher temente a Deus? Não posso afirmar com certeza, mas julgo valer a pena meditar sobre isso.

"Os filhos são uma recompensa do Senhor, uma herança que Ele dá" (Salmos 127:3). Herança e recompensa. Preciosidades que Deus nos promete através da vida de nossos filhos. Pais, vale a pena amar, valorizar, dedicar-se a seus filhos, dando atenção também à disciplina, pois ela proporcionará que eles sejam pessoas de caráter firme e determinado para realização pessoal da família e para receber as bênçãos de Deus.

Pense nisto

Como você está se relacionando com seu cônjuge? Há algo na atitude de seus filhos que antecipa uma ameaça à unidade familiar? Mãe e Pai, a disciplina depende muito de vocês. Reflitam quais os costumes, as tradições, os modismos da nossa cultura que ameaçam a paz, a harmonia e a tranquilidade de sua família.

9 de Novembro

Conversando sobre o perdão

... Senhor, quantas vezes deverei perdoar a meu irmão quando ele pecar contra mim? Até sete vezes? Jesus respondeu: Eu lhe digo: não até sete, mas até setenta vezes sete.
Mateus 18:21, 22

Aceitar o marido ou a esposa, não envolve somente investir no relacionamento assumido, mas também entender e aplicar o perdão.

Quando uma pessoa resolve investir no relacionamento, terá que se dispor a perdoar. Antes de compreendermos como isto acontece, examinemos nossos sentimentos.

Toda pessoa que se sente ultrajada procura, de alguma forma, manifestar o ocorrido. Na maioria das vezes, a maneira utilizada é "devolver na mesma moeda". Contudo, o sentimento de tristeza e desilusão não é anulado pela vingança ou por qualquer atitude negativa semelhante. Se a pessoa tiver a capacidade de entender o que é o perdão e recorrer a ele nos momentos em que é ofendida, ela terá a oportunidade de experimentar uma verdadeira "libertação".

Qual o cônjuge que se considera feliz ao passar por desagravos, tais como:

- Humilhação diante dos outros.
- Um sorriso sarcástico e uma atitude de superioridade.
- Conversação abrupta, monossilábica, áspera.
- Fisionomia visivelmente carrancuda.
- Repetidas ameaças de separação.
- O sexo passar a ser uma arma.
- O desaparecimento de demonstrações carinhosas.

Aquele que está perdoando deve comprometer-se a não exigir nenhum retorno em seu benefício. É necessário prevalecer uma decisão racional de perdoar e um compromisso de investir no relacionamento e na pessoa.

Alguns se fixam em fatos passados, remoendo dia após dia alguma situação desgostosa, não percebendo que isso só acarreta mais problemas, pois se unem aos anteriores, formando elos, como em uma corrente. Segurança, autoafirmação, autovalorização, não podem ser destruídos pelas circunstâncias adversas. Quem consegue renovar sentimentos e pensamentos tem uma alternativa que traz bons resultados.

Pense nisto

Aceitar e perdoar não são virtudes, facilmente encontradas em um casal. Se bem assimiladas e praticadas, provam ter efeito importantíssimo para um homem e uma mulher desenvolverem a arte de permanecer casados.

10 de Novembro

O sinal da aliança

... o meu arco que coloquei nas nuvens...
Gênesis 9:13

Quem de nós, quando ainda criança, não ficou extasiado e surpreso ao perceber, pela primeira vez, um arco-íris? E como toda criança é curiosa, logo em seguida surge a pergunta: "Papai, mamãe, o que são aquelas cores no céu?"

O arco-íris é um sinal, um símbolo da aliança entre Deus e a terra. Na primeira vez em que choveu sobre o mundo houve o encontro da chuva com o sol, e as sete cores do arco-íris surgiram nos céus para selar e perpetuar a aliança divina com a terra.

O arco-íris fala da graça de Deus, da sua condescendência ao concordar em celebrar um contrato com o homem, não merecedor. O arco-íris também expressa a severidade do Senhor porque nesta única vez, ...as fontes das grandes profundezas jorraram, e as comportas do céu se abriram (Gênesis 7:11). Ele permitiu que o céu e as profundezas da terra literalmente "desabassem" sobre o pecador.

O arco-íris fala da bondade divina, de uma promessa do Senhor para todos os que vivem sob o céu, de que nunca mais o planeta será destruído pelas águas. Ele também é um sinal da fidelidade de Deus porque esta aliança, que foi celebrada com o patriarca Noé há milhares de anos, tem sido honrada fielmente até hoje. Porém, o arco-íris pode ser um aviso de que no futuro haverá uma intervenção divina na terra que causará uma destruição mais drástica e abrangente do que a provocada pelo dilúvio (2Pedro 3:7-13).

O arco-íris relembra a cruz, como um grande sinal da misericórdia do Pai. O profeta Ezequiel viu aquele arco-íris acima e além do julgamento que irá recair sobre as nações (Ezequiel 1:28). João, o apóstolo, também viu o arco-íris acima e além do julgamento que recairá sobre a terra (Apocalipse 4:3).

Portanto, todas as vezes que vemos um arco-íris no céu devemos lembrar que ele fala da graça, bondade, severidade, fidelidade e misericórdia de Deus.

Pense nisto

Papai e mamãe, seu filho(a) sabe qual é o verdadeiro significado do arco-íris? Não seria um momento propício, ao ver um deles no céu, iniciar uma conversa sobre os atributos de Deus? Aproveite essa oportunidade!

11 DE NOVEMBRO

QUANDO O DESPREZO FERE O CORAÇÃO

... que nenhuma raiz de amargura brote e
cause perturbação, contaminando muitos...
Hebreus 12:15

SOU FILHO de pais divorciados, fruto do terceiro casamento de minha mãe. Tenho irmãos de cada um de seus casamentos. Diante disso, seria redundância dizer que minha família era, ou melhor, ainda é problemática. Porém, confiante na soberania de Deus estou certo de que ele permitiu cada evento ocorrido com meus familiares com o objetivo específico, em minha vida, de preparar-me para o ministério que desenvolvo até hoje. Entre as mazelas com as quais convivi, uma coisa sempre me incomodou: o relacionamento estremecido de meu pai e meu irmão, filho de um casamento anterior de minha mãe, portanto, enteado de meu pai. Essa existe há mais de quarenta anos.

Há duas figuras bíblicas que, de certa maneira, e até mais intensamente, enfrentaram o mesmo problema que meu pai e Frank, meu irmão. Estou me referindo ao rei Davi e seu filho Absalão.

Esta história encontra-se em 2Samuel capítulos 11 a 16. Em 2Samuel 13 está registrado o estupro de Tamar, filha de Davi, pelo seu meio-irmão Amnon. Apesar de Davi ter ficado irado, ele não puniu e não disciplinou seu filho Amnon, por essa tragédia. Essa omissão provocou uma séria barreira entre Amnon e Absalão. Em 2Samuel 13:20, Absalão fala com Tamar, e demonstra seu ódio contra o irmão. Depois de dois anos, Davi não havia tomado nenhuma iniciativa contra Amnon, e Absalão com ódio calado e alimentado durante anos planejou matar o irmão (2Samuel 13:23-31). Após tudo consumado, Absalão fugiu para a casa de seu avô, onde ficou por três anos.

Não tenho a menor dúvida que Davi amava seu filho Absalão, como não tenho dúvida que meu pai amava meu irmão. Mas nem Davi nem meu pai, tomaram qualquer iniciativa para restaurar esse relacionamento rompido.

Em 2Samuel 14:21, Joabe, capitão do exército de Israel, combina com uma mulher sábia, para que ela confronte a Davi, e tente reaproximar os dois. Davi, para se ver livre dessa situação, manda buscar Absalão, mas impôs uma condição: "Quero-o aqui, mas não quero vê-lo!". Ele preferia se omitir a esclarecer o problema, encarar seus erros, pedir perdão e perdoar. Claro que com esta atitude acirraram-se a dor, o ressentimento e a amargura entre ambos. Infelizmente, quando o rei se dispôs a ter uma conversa definitiva e esclarecedora com seu filho, já era tarde demais. Ele havia morrido (2Samuel 18:33 a 19:4).

PENSE NISTO

Quantas vezes os pais são controlados por outros alvos, como por exemplo a área profissional, e não se apercebem que não dão tempo aos filhos! Creio que, se tivessem consciência disso, poderiam reciclar seus valores.

12 de Novembro

Acertando o passo

O casamento deve ser honrado por todos;
o leito conjugal conservado puro...
Hebreus 13:4

A relação sexual de um casal pode ser comparada à experiência de dois alpinistas. Subir a montanha é um preparo para o ato sexual. O topo – o orgasmo – é o clímax, e a descida, o período de relaxamento.

O marido aprecia "subir a montanha" apressadamente. Quando ele se encontra no topo, a mulher ainda está lá em baixo, sozinha e desapontada por ele não a ter esperado. Por certo, a mulher parou para colher uma flor, observar dois alegres passarinhos, deliciar-se com a bela paisagem. O marido precisa voltar, pegar a mão de sua esposa e reiniciar a subida, usufruindo, ao seu lado, a natureza ao redor. Ele deve aperceber-se que ela aprecia ouvir palavras bonitas, enquanto a brisa bate suavemente em seu rosto. Assim, devagar, paciente e agradavelmente, eles podem alcançar o topo juntos.

Lá, a euforia é indescritível. De lá, se tem uma visão panorâmica da paisagem. E o mais gratificante, "estão juntos", apreciando e desfrutando toda a beleza da criação de Deus.

Enfim, quando ambos decidem empreender a descida, após um calmo passeio ainda lá em cima, fazem-no juntos. Por força do hábito, ele iniciará a caminhada rapidamente, mas, de algum modo, a esposa deverá expressar-lhe que a descida precisa ser mais lenta, porém tão aprazível quanto a permanência no topo. É provável que o marido não valorize a afirmação da mulher, pois o "topo é tudo!" Terá dificuldade em compreender a necessidade da mulher em apreciar atentamente a paisagem ao redor. Apesar da relutância, ele deverá parar e esperá-la. Se prosseguir ao seu lado por toda descida, notará que na próxima "escalada" a esposa estará mais disposta a subir ao lado dele. E essa experiência será cada vez mais gratificante.

Pense nisto

Como você tem subido essa montanha? Você tem se preocupado com o ritmo com que seu cônjuge quer subir e descer? Você tem se preocupado com as necessidades do seu cônjuge? Você tem orado ao Senhor para abençoar a vida sexual de vocês?

13 de Novembro

Como se vulgarizou o sexo

Os olhos dos dois se abriram [...] para cobrir-se.
Gênesis 3:7

Quando Adão e Eva andavam nus, eles estavam no período da inocência. O pecado ainda não havia entrado no mundo.

O homem andava em perfeita comunhão com Deus e com sua mulher. Não havia nenhum embaraço ou vergonha no relacionamento deles.

Mas, quando o pecado se infiltrou no mundo, ele turvou a capacidade do homem de ver Deus como realmente ele é, bem como ao seu cônjuge e a si mesmo. Outra consequência foi que ele passou a encarar sua sexualidade de maneira diferente.

Quando Adão e Eva ouviram a voz do Senhor Deus procurando o homem no jardim esconderam-se da presença do Senhor, que lhe perguntou: "Onde estás?" O homem respondeu: "Ouvi a tua voz no jardim e, porque estava nu, tive medo e me escondi".

A passagem acima mostra o primeiro registro de medo na Bíblia. Medo do quê? Medo da nudez. Medo decorrente da desobediência ao Senhor. Deus pergunta ao homem: "Quem te fez saber que estavas nus?"

Desde o dia da queda do homem, o sexo tem sido deturpado pelo pecado. Deus criou o sexo, uma expressão linda do relacionamento conjugal, mas o homem, pecador e corrupto, o arrastou para a lama dos seus próprios pensamentos deturpados.

Quando vamos à Palavra e estudamos o objetivo de Deus ao criar o sexo, percebemos como o ser humano tem desvirtuado algo que, em sua essência é bom e belo.

Pense nisto

Vocês, marido e esposa, têm desfrutado do sexo como algo bom, ou o pecado o tem manchado, fazendo com que vocês não o encarem mais naturalmente?

14 de Novembro

Nossas falhas e a graça de Deus

Irmãos, pensem no que vocês eram quando foram chamados. Poucos eram sábios segundo os padrões humanos...
1Coríntios 1:26

Charles Haddon Spurgeon, um dos gigantes da história da igreja evangélica foi um pregador poderoso, escreveu mais de 200 livros e era um homem amado, admirado, respeitado e elogiado.

Com base em sua reputação e em tudo quanto conseguiu realizar, poderíamos achar que sua vida era envolta em grande paz, contentamento e prosperidade pois, afinal de contas, sua dedicação a Deus e o poder com o qual o Senhor o ungiu pessoal e ministerialmente deveriam ser evidências disso.

No entanto, a realidade não era bem assim. Spurgeon carregou um fardo pesado durante todos os anos de seu ministério. Enfrentava dias de terrível depressão, passava semanas acamado, sempre acometido por algum tipo de enfermidade e, não raro, confessava frequente preocupação com sua situação financeira.

Spurgeon, como o restante de nós, possuía muitas fraquezas. Tinha dúvidas, ansiedades e lutava muito com a tensão de ser um homem de Deus e ao mesmo tempo tão fraco. Porém, o Deus a quem ele serviu, me parece ser especializado em usar pessoas com muitas falhas e fracassos. Penso, às vezes, que de fato o Senhor escolhe pessoas que possuam as maiores deficiências e fraquezas para transformá-las em instrumentos eficazes para o desenvolvimento de Seu plano, como verdadeiros troféus de Sua graça!

Em seu 70º aniversário, o grande pioneiro, missionário William Carey, escreveu as seguintes palavras a um de seus filhos, registradas por Timothy George em seu livro, "Faithful Witness":

"Hoje completo 70 anos de idade; um marco da misericórdia e bondade divinas. Pensando em todos estes meus anos de vida, acho sinceramente que devo ser humilhado até o pó. Meus pecados são evidentes e inumeráveis. Minha negligência na obra do Senhor tem sido grande. Não tenho promovido a causa de Jesus, nem mesmo tenho buscado sua glória e honra como deveria. Mesmo diante de todas essas imperfeições, Deus tem me mantido aqui, ativo em sua obra e confio que serei recebido diante dele por meio da divina bondade e favor de Cristo."

Quando reflito sobre as fraquezas admitidas por Charles Spurgeon e sobre a confissão do pai das Missões na era moderna, William Carey, concluo que Deus se deleita em escolher ferramentas frágeis para engrandecer Seu reino.

Pense nisto

Você já parou para pensar que Deus deseja usá-lo(a) no Reino? Ele mesmo sustém aquele que se coloca em suas mãos.

15 DE NOVEMBRO

ESPÍRITO FERIDO - 1

... que nenhuma raiz de amargura brote e cause perturbação, contaminando muitos...
Hebreus 12:15b

QUANDO um dos cônjuges é magoado, o casamento sofre. É impossível resolver os conflitos sem restaurar os espíritos feridos. Defino "espírito" como a parte mais profunda de nosso ser. É pelo nosso espírito que sentimos afinidades e lamentamos as quebras de relacionamento. É também através dele que nos relacionamos com Deus. Leia o que a Bíblia afirma em Romanos 8:16: O próprio Espírito testemunha ao nosso espírito que somos filhos de Deus. Muitas esposas ferem os espíritos de seus maridos, muitas vezes sem saber. Veja só...

1. *Resistência à liderança.* Quando uma esposa resiste à liderança de seu marido de forma constante, ele pode tentar forçá-la das mais variadas formas, a concordar com ele. Ele também pode afastar-se delegando a responsabilidade de liderança a ela. Isto feito, se torna ausente, distante, omisso.
2. *Falta de confiança nas decisões do marido.* Desagrado, discordância ou ansiedade sobre as decisões do marido podem levá-lo a tornar-se defensivo e resistente. No entanto, se a esposa manifesta o desejo de cumprir suas decisões e se prontifica a ajudar, isso pode motivar o marido a reavaliar suas decisões. Se isso não ocorrer e ele fracassar, ela precisa estar preparada para suportar o fracasso com ele, lembrando que a Bíblia nos diz que: ... o coração do rei é como um rio controlado pelo Senhor... (Provérbios 21:1).
3. *Ressentimentos e falhas do passado.* O marido sabe quando a esposa não o perdoou. Evidência disso é quando ela usa os erros dele para convencê-lo de que deve aceitar sua decisão; ou então, justifica um erro seu, do presente, com o que ele cometeu no passado.
4. *Falta de espírito de gratidão.* Quando uma esposa reclama que seu marido não é o provedor que a família necessita, a motivação dele em sustentá-la pode diminuir. Quando o oposto ocorre, e ela demonstra gratidão, a motivação de seu marido pode aumentar levando-o a lutar por um emprego melhor ou uma promoção.
5. *Tentativa de corrigi-lo em público.* A esposa às vezes usa ironias indiretas e críticas em público para enfatizar algo que esteja tentando mudar em seu marido.

O marido deseja admiração e respeito de sua esposa, portanto, ele não escolhe falhar. Quando a esposa demonstra confiança no Senhor e consegue reagir positivamente a situações difíceis, Deus pode ensinar o marido sobre seu erro.

PENSE NISTO

Muitas outras atitudes podem ferir o espírito do marido. Esposa, se de alguma forma você tem ferido seu marido, peça perdão a ele, graça e poder de Deus para modificar sua atitude e seu comportamento.

16 de Novembro

Espírito ferido - 2

Cuidem que ninguém se exclua da graça de Deus; que nenhuma raiz de amargura brote e cause perturbação, contaminando muitos...
Hebreus 12:15

Vimos como uma esposa pode ferir o espírito do marido. Veremos agora o outro lado da moeda: como o marido pode ferir o espírito da esposa.

1. *Desconfiança de não estar ocupando o primeiro lugar na vida do marido.* O marido tem a tendência de se realizar no emprego, no galgar de sua carreira, profissão e negligenciar a esposa. Quando ela não sente que está em primeiro lugar na vida dele, passa a questionar seu amor e fica insegura. O marido deve amar a esposa através do suprimento de suas necessidades.
2. *Falha em reconhecer as tentativas de agradá-lo.* Quando a esposa quer agradar ao marido, cria situações especiais para ele. Se ele não percebe o esforço e consequentemente não expressa apreciação por sua atitude, está sendo insensível à necessidade dela de ser louvada e elogiada (Provérbios 31:28-31).
3. *Comparação desfavorável com outras mulheres.* Uma esposa pode ser profundamente ferida em seu espírito quando o marido admira a aparência ou as habilidades de outra mulher, especialmente se for algo que ela não possua. Muitas vezes essa verbalização vem acompanhada de ironias ferinas e cinismo.
4. *Falta de liderança espiritual.* Há nas esposas um grande anseio de ter liderança espiritual. Quando o marido não providencia essa liderança, ou demonstra desinteresse em ser um bom líder, ela tem dificuldades em confiar plenamente nele e pode até buscar liderança em outras pessoas.
5. *Falta de disciplina ou fraqueza moral.* A a admiração da esposa em relação a seu marido é imensamente ferida quando ela observa nele falta de disciplina ou fraqueza moral. A situação chega a piorar se ela, ao verbalizar seu descontentamento, recebe como resposta um posicionamento como se ele fosse a vítima e ela a megera. Essa inversão de papéis faz com que as feridas dela se aprofundem.

Toda mulher anseia que o marido seja seu amigo, confidente, cúmplice, namorado, amante. Quando ele não demonstra priorizá-la como ela espera, quando ele não reconhece seu esforço em ser boa esposa que deseja agradá-lo e à família; quando ele é insensível, o espírito da esposa pode adoecer e o relacionamento conjugal fica sensivelmente comprometido.

Pense nisto

Muitas outras atitudes podem ferir o espírito da esposa. Marido, se de algum modo você tem ferido sua esposa, arrependa-se, peça perdão a ela, graça e poder de Deus para mudar sua atitude e comportamento.

17 de Novembro

Cura para o espírito ferido

A resposta calma desvia a fúria, mas a
palavra ríspida desperta a ira.
Provérbios 15:1

Nos últimos dois dias identificamos algumas maneiras pelas quais o marido ou a esposa pode ferir o espírito de seu cônjuge. Ficou claro que o coração machucado vai, aos poucos, se fechando para o relacionamento conjugal. Hoje destacaremos algumas formas práticas que podem abrir caminho para a cicatrização dos espíritos feridos.

Tanto o marido quanto a esposa precisam conscientizar-se e esforçar-se para evitar atitudes negativas, por exemplo: "forçar a barra" coagindo o cônjuge a comportamentos que não aprecie, ser rude com o cônjuge na frente de outras pessoas, utilizar palavras ásperas para se ofenderem reciprocamente, não ouvir ou não dar atenção devida ao cônjuge, não admitir os erros (saber pedir perdão) e dar o valor certo às necessidades do cônjuge, não as menosprezando.

Por sua vez, se o marido e a esposa tiverem disposição de trabalhar para construir uma relação transparente, atenciosa, respeitosa e amorosa, perceberão quando o espírito de seu cônjuge estiver ferido; tentarão ser mansos e gentis, conforme o conselho que lemos em Provérbios 15:1. Eles também ouvirão o que o seu cônjuge tem a dizer. Muitas vezes a pessoa ferida se expressa com palavras agressivas. É preciso tentar não reagir, pois essa pessoa está transmitindo sua dor. Acontece às vezes que o normal para um dos cônjuges é sofrimento para o outro. Então é necessário ficar atento, procurar ser sensível, perceber a causa do sofrimento e respeitar os diferentes enfoques. Se durante o dia você feriu o espírito do seu cônjuge, e à noite espera por momentos amorosos, pode esquecer. Certamente ele dará uma desculpa, ou até mesmo dirá abertamente que não deseja ser tocado. Perceba as "luzes piscando" e peça perdão pelo que causou a situação. Pedir perdão é um bálsamo que cura feridas. Às vezes, mesmo após ter perdoado, dependendo da pessoa e da ofensa, ela poderá levar um tempo para drenar a raiva ou sentimentos negativos e curar a ferida. Finalmente, ser sensíveis para perceber quando o espírito de seu cônjuge estiver se abrindo e procurar conversar sobre maneiras de como lidar com o conflito para evitar cair novamente no mesmo erro e orar juntos, de forma aberta e sincera, visando maior transparência e respeito mútuo.

Em alguns casos, quando a ferida é profunda e envolve anos de dor, será necessário procurar um conselheiro para ajudar o casal a descobrir as raízes da ferida e acompanhá-lo na cura interior.

Pense nisto

Quando há uma ferida causando sofrimento ao relacionamento do casal, é preciso uma boa dose da graça de Deus para aquele que necessita pedir perdão e para aquele que deve perdoar. A mesma graça que recebemos no dia da salvação é também a graça necessária para a cura das feridas no coração dos cônjuges.

18 DE NOVEMBRO

BÊNÇÃOS POR HERANÇA

... pois para isto mesmo fostes chamadas, a fim de receberdes bênção por herança.
1Pedro 3:9

QUE BÊNÇÃOS Sara recebeu por herança?

1. *Amor.* A primeira coisa que ela recebeu foi o amor de seu marido e de seu filho. Podemos notar quão profundamente Abraão amava Sara, pela dor que demonstrou quando ela morreu. Após a morte de Sara, aos 127 anos de idade, "veio Abraão lamentar e chorar por ela" (Gênesis 23:1,2). Vemos também que Isaque só encontrou conforto após a morte de sua mãe, com seu casamento com Rebeca (Gênesis 24:67).
2. *Exemplo.* Parte da herança de Sara foi o exemplo que deixou para seu filho. Quando chegou a hora de Isaque se casar, sua esposa foi escolhida entre os parentes de sua mãe. Apesar disso implicar em longa viagem, Isaque queria uma esposa como sua mãe!
3. *Aprovação e proteção.* Sara recebeu aprovação e proteção de Deus. O Senhor trabalhou na vida de seu marido, devido à sua obediência e submissão.
4. *Maternidade.* É provável que a maior bênção que Sara recebeu tenha sido a possibilidade dada por Deus, de corpos já amortecidos (seu e de Abraão), produzirem e sustentarem outra vida (Isaque).

Sara hoje é um exemplo para seguirmos. "Apesar de morta, ainda nos fala", por sua fé e obediência. Nós, como filhas de Sara, somos chamadas "herdeiras do gracioso dom da vida". Compreendemos que através da fé em Cristo temos nova vida, uma vida eterna.

Abraão foi justificado por Deus por ter obedecido a uma série de regras. Ele "atingiu o padrão" perante Deus, porque creu nele.

Nós, filhos de Abraão, somos salvos "pela graça, através da fé". É um presente de Deus. Não é consequência de obras "para que ninguém se glorie" (Efésios 2:8,9).

PENSE NISTO

Para aqueles de nós que já experimentamos o amor de Deus em Cristo, e encontramos descanso e segurança em Suas promessas de vida eterna, resta outra pergunta: O fato de Deus haver nos dado vida quando estávamos mortos em delitos e pecados e de termos sido restaurados através de de uma fé pessoal, não serve de ponte para que também possamos acreditar que Ele é capaz de trazer vida ao nosso casamento e à nossa família?

19 DE NOVEMBRO

BELEZA NÃO PÕE MESA

A beleza de vocês não deve estar nos enfeites exteriores
[...] Ao contrário, esteja no ser interior...
1Pedro 3:3,4

ESPELHO, espelho meu, existe mulher mais linda do que eu!
Pedro exorta as mulheres para não exagerarem na aparência física, tornando-a mais importante do que a beleza interior. Ele não está pregando contra o uso de batons, brincos e penteados, mas está fazendo um contraste entre a aparência exterior e a interior.

É importante que a mulher se cuide, mesmo depois de casada. Quantas mulheres falam: "Agora que consegui meu príncipe encantado não preciso mais me cuidar", e então começa a desleixar da aparência física.

Lembre-se, esposa, durante todo o dia seu marido convive com mulheres bonitas, bem vestidas e atraentes em seu local de trabalho ou até na rua. E o que ele encontra quando chega à noite em casa? Um espantalho ou uma beleza?

É verdade que a mulher precisa ser pura por dentro, mas não há nenhuma razão pela qual a mulher não possa também ser bonita por fora. Em outras palavras: se a casa precisa ser pintada, pinte-a.

Esposa, sua atitude aos olhos de Deus é tão importante que não pode ser apagada ou destruída. É uma qualidade incorruptível. Sua aparência física é corruptível: a roupa que você usa, seus sapatos e até seu cabelo, tudo passa, demonstrando que somos criaturas mortais. Porém, um espírito manso e tranquilo nunca perecerá.

PENSE NISTO

Esposa, não deixe sua aparência física desleixada, porque "a grama do vizinho pode parecer mais verde". Preocupe-se não só com a beleza exterior, mas também e, principalmente, com a interior.

20 de Novembro

Por que é tão difícil perdoar?

Sejam bondosos e compassivos uns para com os outros,
perdoando-se mutuamente, assim como
Deus os perdoou em Cristo.
Efésios 4:32

Em minha tentativa de ajudar pessoas feridas pela infidelidade, abuso ou por simples desconsideração, descobri alguns fatores que, aparentemente, lhes afeta a disposição para perdoar.

Incapacidade de esquecer – Um marido disse sobre sua esposa: "Ela nunca esquece! Ela possui uma memória de elefante". Ele se chateava pelo modo como, constantemente, ela o lembrava de suas falhas do passado. A verdade é que feridas emocionais não são esquecidas, mas, apesar disso, podem ser perdoadas. A chave para a cura de um relacionamento ferido é jamais trazer à tona alguma mágoa do passado. Geralmente isto acontece no calor da discussão, da argumentação. O perdão verdadeiro não pode ocorrer se condicionado à promessa de esquecimento.

Sentimento de fracasso – É mais problema do ofendido que precisa perdoar mas não consegue, do que propriamente de quem ofendeu. Uma senhora compartilhou comigo: "É difícil eu perdoar meu marido porque cada vez que olho para ele me lembro do meu fracasso na tentativa de fazê-lo feliz". Sempre que pensava nele, ela se sentia acusada de não ter sido a esposa que ele esperava. Este sentimento de fracasso despertou sua ira e impediu o perdão. Sua culpa aumentava quando se lembrava que devia perdoar o esposo. Ela não percebeu que tudo era truque de Satanás para culpá-la de fracasso. Ela precisava de uma gigantesca porção da graça de Deus para permitir que ele perdoasse seu marido através dela.

Orgulho profundo – O orgulho aprisiona nosso coração quando sentimos que outra pessoa não tinha o direito de nos tratar como nos tratou. O orgulho diz: "Sou melhor do que tal pessoa". Ele "empina" nosso nariz de forma altiva e prepotente concluindo que nunca cometeríamos os mesmos fracassos de nosso cônjuge. O orgulho é uma das maiores barreiras para o perdão verdadeiro.

Desconfiança – Muitos cônjuges feridos continuam a suspeitar do(a) parceiro(a), mesmo depois de tê-lo(a) perdoado. Pensam que tudo pode acontecer de novo. Alguns encaram com medo e insegurança, enquanto outros, aparentemente chegam a desejar que a falha se repita para que suas suspeitas sejam confirmadas. Mas Deus diz algo sobre isso: "... O amor... tudo sofre, tudo crê, tudo espera, tudo suporta" (1Coríntios 13:7).

Pense nisto

Se você tem dificuldade para perdoar, peça a Deus disposição para amar além do pecado; uma atitude correta e honesta sobre seus próprios pecados; recusa em procurar vingança; um coração amoroso e um espírito brando.

21 de Novembro

A família em foco

Se alguém não cuida de seus parentes, e especialmente dos de sua própria família, negou a fé e é pior que um descrente.
1Timóteo 5:8

A família não vai bem. Satanás, nosso inimigo, declarou guerra às células familiares. Os vícios, o divórcio, a prostituição, a gravidez prematura e não planejada, a vida sexual precoce, o aborto, a TV, a literatura, a mídia que difundem e exaltam o sexo fora dos padrões divinos – todos esses fatores e outros deturpam, destroem, aniquilam uma bênção sagrada, oferecida por Deus aos homens.

A família encontra-se seriamente abalada. A Palavra de Deus ensina em Gênesis 1 e 2 que a família é essencial na existência de uma sociedade e, como parte dela, deveríamos aprender sobre o amor de Deus e como nos relacionar com outras pessoas.

O núcleo familiar ideal, segundo a Bíblia, assemelha-se a um pequeno universo onde cada um deveria procurar suprir as necessidades mútuas. Seria a maneira adequada de cuidarmos dos viúvos, órfãos e carentes de forma geral, suprindo as necessidades básicas, e também emocionais e sociais dessas pessoas. Os asilos, as creches, orfanatos, casas de mães solteiras etc..., têm o objetivo de fazer o papel da família, muitas vezes por ela não assumido.

É comum, nos dias de hoje, observarmos mulheres casadas, tristemente sós, colocadas em segundo plano por maridos obcecados em conseguir poder, posição, posses. Não é raro ver mulheres sufocarem a chance de serem mães, em prol de suas carreiras; às vezes elas também relegam suas famílias porque não querem sacrificar em nada seu status profissional. Atualmente, muitos filhos não podem contar com os pais ao seu lado e são educados e orientados de modo impessoal por empregadas, creches e até mesmo pela "babá eletrônica", a TV.

Não há dúvida de que cada situação é diferente. Há esposas que foram abandonadas, maridos que foram abandonados; há viúvos, viúvas, há famílias que passaram por acidentes, catástrofes, e estão vivendo como podem, unindo forças dos que ficaram. Porém, há também aqueles que se casaram, constituíram família, mas não as assumem emocionalmente, e às vezes nem financeiramente. Sofrimentos poderiam ser evitados se houvesse uma conscientização e um retorno à sensatez. Deus aguarda aqueles que verdadeiramente desejem resgatar seus relacionamentos. O que podemos esperar do futuro da família se não voltarmos nossos corações a Deus e retornarmos a seguir seus padrões?

Pense nisto

A família é ideia de Deus, e como tal não pode ser desprezada, desrespeitada ou negligenciada. Nada terá mais valor em nossa vida do que o investimento que fizermos visando a ter uma família estável, unida, de caráter firme e obediente a Deus.

22 de Novembro

Cá entre nós...

... a mulher casada, porém, cuida das coisas do mundo, em como há de agradar ao marido.
1Coríntios 7:34b

Deus planejou que o relacionamento sexual fosse para o prazer mútuo de duas pessoas casadas. Então, como podemos experimentar cada vez mais prazer e proporcioná-lo aos nossos maridos?

Se ainda não leram A Alegria de Ser Mulher, escrito por Ingrid Trobisch (Editora Núcleo), planejem lê-lo. Seus maridos vão agradecer!

Às vezes, nós mulheres, entramos no casamento com certos tabus e preconceitos sobre o ato conjugal. A Bíblia fala sobre sexualidade, vocês sabiam disso? Procurem ler Cântico dos Cânticos de Salomão.

Para um bom desempenho, são necessárias algumas prioridades. Uma delas é a preparação emocional. Tendo isso em mente... Pense durante o dia e planeje sua vida íntima. Prepare-se fisicamente, observando uma boa higiene, depilação, cuidados com o cabelo. Use sua criatividade para preparar um ambiente motivador de prazer.

Ouse seduzir seu marido. A mulher Sulamita preparou o marido com convites. Ela elogiou seu corpo e alma. Em Provérbios 7, encontramos alguns métodos de sedução. Foram utilizados para o mal, pela prostituta, mas podemos usá-los para o bem e edificar nosso casamento. Às vezes a sedução começa com um leve sussurro no ouvido...

Uma boa comunicação é essencial. O que a desperta fisicamente? O que você não aprecia? Já conversou sobre isso com ele? É importante comunicar sentimentos durante o ato em si, através de palavras ou expressões faciais. Converse com ele, em outro horário que não durante o ato sexual para que não percam o "pique", indagando a respeito do que ele mais gosta e de que forma poderá proporcionar-lhe maior prazer. Cuidem da ponte da comunicação de seu casamento.

Finalmente, a satisfação sexual. Em 1Coríntios 7:1-5, descobrimos que marido e esposa não têm poder sobre seus corpos, mas com o bem-estar sexual do outro; e em Provérbios 5:19, diz que o marido deve "embriagar-se" com as carícias de sua esposa. Por que não começar hoje à noite?

Pense nisto

Quando pensamos sobre o relacionamento físico de nosso casamento de forma correta, estamos edificando o lar e fortalecendo o amor, ou seja, cumprindo o mandamento da Palavra de Deus.

23 DE NOVEMBRO

LIDERAR ASSIM... NEM PENSAR!

... que o cabeça de todo o homem é Cristo,
e o cabeça da mulher é o homem...
1Coríntios 11:3

O MAIOR problema que nossos lares estão enfrentando atualmente é a falta de compreensão, tanto da parte do marido quanto da esposa, do seu papel no lar e como desempenhá-lo.

Liderança e amor são características indispensáveis para o marido que quer desempenhar bem o seu papel. Deus disse que o marido é o cabeça da mulher. Isto quer dizer que Deus dá ao homem a responsabilidade de ser líder do lar.

Há certos estereótipos de maridos, mostrando como não se deve liderar:

- *Passivo*: raramente toma decisões a respeito da família.
- *Ditador*: alguém que governa autoritariamente, suprimindo liberdades individuais.
- *Democrático*: as decisões do lar são baseadas em votações (mas Deus deu ao marido a responsabilidade de tomar a decisão final!)
- *Teimoso*: nunca admite estar errado.
- *Insensível*: não demonstra percepção nem sabedoria no lar. Não é sensível aos medos, desapontamentos, segredos, alegrias ou sonhos de sua esposa.
- *Silencioso*: governa seu lar sem comunicação verbal.
- *Explosivo*: traz muita insegurança e medo ao lar porque a família nunca sabe quando ele vai explodir.
- *Crítico*: sempre vê algo errado, nunca dirige uma palavra de encorajamento e incentivo à esposa.
- *Brincalhão*: não leva nada a sério, nunca desenvolve uma intimidade emocional com sua esposa e seus filhos.

Seja o tipo de marido que você for, reconheça sua necessidade, pois este é o primeiro passo para aprender a liderar como também Cristo liderou.

PENSE NISTO

Que tipo de líder você é? Reavalie seu casamento, pois para Deus nada é impossível. Ele trabalha nos corações e mentes transformando-os.

24 de Novembro

Mantenha a calma!

A resposta calma desvia a fúria, mas a
palavra ríspida desperta a ira.
Provérbios 15:1

Este é o conselho de Salomão que, se seguido, provará ser eficiente e agradável, além de provocar reações bem mais positivas.

Talvez você esteja vivenciando algumas falhas na comunicação, mas será que o grande problema de diálogo do seu casamento não está, justamente, nas respostas duras e impensadas que você costuma dar? Comece a responder com brandura e amabilidade e veja como isto fará uma mudança sensível no ambiente de seu lar.

Uma das maneiras mais práticas de não destruir a ponte da comunicação e não construir barreiras é não culpar ou criticar o cônjuge. A crítica e a culpa impedem a cura de feridas doloridas e mágoas extremamente nocivas.

Quando a discórdia conjugal acontece, cada um tenta se livrar da culpa, procurando, às vezes, arranjar um "bode expiatório". Afinal de contas, ninguém gosta de viver carregando um sentimento assim. O modo encontrado para lidar com esse inimigo é jogá-lo sobre outra pessoa, na maioria das ocasiões, o cônjuge.

Inicia-se então, uma luta. Um ataca, o outro contra-ataca. O tempo passa e eles se tornam peritos combatentes. Triste isso! Não seria melhor agir assim:

– Não criticarei nenhum membro de minha família, principalmente meu marido (ou mulher), mesmo que a crítica seja justa, a não ser que eu tenha uma solução prática e construtiva para sugerir.

Ao invés de culpar, atacar, criticar, destruir... fale de seus sentimentos e mágoas de uma forma calma. É possível queixar-se e ser construtivo. Mas, em primeiro lugar, a calma, a tranquilidade devem ser mantidas.

É essencial, também, saber diferenciar e separar a pessoa de seu comportamento negativo. Antes de agredir o companheiro(a) com palavras pejorativas, como é o hábito de muitos casais, diga que o comportamento dele foi imprudente, destrutivo, prejudicial para a relação.

Lembre-se, quando um cônjuge ataca o outro descarregando suas amarguras, está esmagando o coração daquele que o ouve.

PENSE NISTO

Sei que ao se casar, seu esposo(a) não tinha a intenção de a (o) ferir ou machucar, mas com o tempo, talvez a comunicação se corrompeu e agora você se sente fortemente ofendida (o). É difícil voltar atrás e consertar a ponte, mas não é impossível.

25 DE NOVEMBRO

CONTROLE FINANCEIRO

Porque gastar dinheiro naquilo que não é pão, e o seu trabalho árduo naquilo que não satisfaz...
Isaías 55:2

COMO controlar o descontrole financeiro na vida conjugal? Basta tentar seguir os imperativos abaixo:

- *Não deve haver segredos entre marido e esposa.* Os dois devem sempre estar a par da situação financeira do seu lar.
- *Não deve haver uma atitude de mestre-escravo.* "Eu ganhei este dinheiro, portanto eu vou decidir como gastá-lo." A esposa que trabalha no lar tem o mesmo direito de decidir sobre como o dinheiro vai ser gasto.
- *Não deve haver desonestidade.* Se o casal faz um orçamento, os dois devem se comprometer a ser fiéis. Se não for possível seguir o plano elaborado, deve haver um compartilhar aberto sobre as razões da mudança.
- *Não tenham contas bancárias separadas se elas forem motivos de desavenças.* Hoje em dia é muito comum a mulher trabalhar fora. Ela não deve, por essa razão, tomar a atitude de que o dinheiro ganho através do seu trabalho é para seu uso exclusivo. Isto pode ser fonte de briga e frustração para o casal. Quando as pessoas se casam, a Bíblia diz que os dois se tornam uma só carne, não só no aspecto físico mas também no financeiro.

O dinheiro pode causar muito atrito ou trazer muitas bênçãos para a família. Tudo vai depender de sua disposição em obedecer aos princípios de Deus.

Que o Senhor dê a você força e sabedoria para acertar estas áreas da sua vida conjugal e desfrutar de suas bênçãos.

PENSE NISTO

Pare agora e pense sobre sua situação financeira. Será que alguns dos seus problemas atuais não têm raiz no mau uso do dinheiro?

26 de Novembro

D. U. T. I.

Por esta razão, o homem deixará pai e mãe...
Gênesis 2:24-25

"POR ISSO deixa o homem pai e mãe". Para que o novo relacionamento floresça, há necessidade de um deixar emocional por parte dos recém-casados. Isto não quer dizer que os recém-casados devam abandonar ou deixar de respeitar seus pais, mas significa que eles precisam dar um outro enfoque à vida, tendo o cuidado de suprir as necessidades um do outro.

- *Se une à sua mulher*. A palavra une significa cimentar e indica a natureza permanente do casamento. Laços matrimoniais não são como os laços de fitas que amarram os presentes bonitos do casamento, mas são laços de aço forjados através das crises e tribulações e da confirmação constante dos compromissos e votos do casamento.
- *Tornando-se os dois uma só carne*. Casamento significa unidade no sentido mais completo da palavra – espiritual, mental, emocional e físico. Aos olhos de Deus a união matrimonial é inseparável e também é um relacionamento heterossexual, pois ele criou um homem e uma mulher. Esta experiência é reservada somente para duas pessoas que "deixaram" e se "uniram". Embora o relacionamento "uma só carne" seja basicamente físico, as implicações espirituais, mentais e emocionais são muitas.
- *Intimidade*. Na lista de prioridades de Deus, a intimidade está em último lugar porque antes dela o casal deve "deixar", "unir-se" e "tornar-se".

Esta ordem é importante e não pode ser mudada. Quando Deus criou Adão e Eva, havia liberdade física e emocional, não havia vergonha de nudez, havia uma intimidade, fruto de um relacionamento sem pecado, até a hora que o mesmo entrou no mundo.

PENSE NISTO

Se o seu casamento estiver tendo problemas na estrutura, na fundação, fique alerta, pois algo está minando seu relacionamento. Procure reformar ou reforçar os " alicerces" de sua vida conjugal.

27 DE NOVEMBRO

O MAU USO DO DINHEIRO

... Então, d*eem* a César o que é de César e a
Deus o que é de Deus.
Mateus 22:21

VEJAMOS algumas atitudes comuns que maridos e esposas têm para com o dinheiro, e como essas atitudes se manifestam na família:

- *Das contas separadas*: geralmente ocorre em famílias onde marido e esposa trabalham fora e um ou ambos insistem em conservar seu dinheiro separadamente. É recomendável que o casal possua contas em conjunto, para evitar impedimentos que levem à desunião e desarmonia do lar.
- *Do comandante*: algumas pessoas usam o dinheiro como um cetro para controlar outras. O dinheiro se torna o caminho para comandar e até dominar os membros da família.
- *De comprar amor*: o erro aqui é pensar que o amor, como outras coisas na vida, pode ser comprado por dinheiro. A tendência de pais muito ocupados é encher seus filhos de presentes. Eles pensam que isto vai substituir a presença deles no lar ou aliviar suas consciências pesadas por não terem dado de si mesmos a seus filhos.
- *De economizar para a hora do aperto*: as pessoas que tomam essa atitude estão sempre com medo de falir, de perder o emprego, de ficar doente ou de sofrer um acidente. Há um aspecto positivo nesta atitude, mas há também o perigo de se ficar sovina, preso ao dinheiro e não depender do Senhor para suprir as necessidades.
- *A atitude de "deixa que eu pago"*: pessoas que agem assim têm uma grande necessidade de impressionar os outros com a sua "riqueza" e "generosidade". Elas gastam o que têm e o que não têm. Às vezes, elas agem desta maneira porque na infância foram privadas de coisas materiais. Sua tendência é cair no outro extremo.

É óbvio que essas atitudes vão criar problemas no relacionamento conjugal. Por isso há uma grande necessidade da família estudar o que a Palavra de Deus diz sobre esse assunto. Procure uma chave bíblica, relacione versículos que falam sobre dinheiro e faça um estudo sobre isso. Se preferir, vá a uma livraria evangélica e adquira literatura sobre esse tema.

PENSE NISTO

A atitude de vocês com relação ao uso do dinheiro tem sido correta? Confira com a Palavra de Deus.

28 de Novembro

Sexo antes de casar? Na, na, ni, na, não!!!

O casamento deve ser honrado...
Hebreus 13:4

A relação física foi planejada por Deus para ser desfrutada pelo casal no casamento. A intimidade física no período do namoro e noivado pode causar grandes prejuízos ao casamento. Por quê? Porque o envolvimento físico antes do casamento traz frustração, sentimento de culpa e é fonte de muitos atritos na vida familiar.

Se você desenvolveu intimidade física antes do seu casamento, confesse este pecado ao seu cônjuge e juntos peçam perdão a Deus. Possivelmente você esteja argumentando: "Mas já estamos casados há tanto tempo, por que falar nisto?" "Amigo, é absolutamente necessário limpar a sua consciência para desenvolver uma intimidade real."

A intimidade física é parte do plano de Deus para o casal casado!

Para que o casal desfrute do relacionamento físico, ele precisa saber que o sexo é abençoado por Deus e está completamente dentro de seus padrões.

Você é daqueles que pensam que sexo é só para gerar filhos? Você acha que Deus é um "Deus puritano"? Nada disso meu amigo! O ato sexual não é somente para aumentar a família, mas para aprofundar a intimidade entre o casal.

A convivência, tão agradável para a maioria dos casais em lua-de-mel, pode se tornar muito mais agradável ao longo do casamento!

PENSE NISTO

Não se envergonhe de seu cônjuge! Aproxime-se cada vez mais dele. Afinal, foi Deus quem criou essa bênção chamada sexo.

29 de Novembro

Meu amor acabou!

Contra você, porém, tenho isto: você abandonou o seu primeiro amor. Lembre-se de onde caiu! Arrependa-se e pratique as obras que praticava no princípio...
Apocalipse 2:4,5

Muitos casais, depois de muitos anos de casamento, vêm seu relacionamento conjugal esfriar e decidem se divorciar. Que tristeza! Infelizmente, constantemente me deparo com esse problema em meu trabalho com casais. Será que existe solução ou a única resposta é a separação? Acredito firmemente que o divórcio não seja a solução ideal. Restando (ou não) alguma chama de desejo por parte de ambos, é possível reviver um casamento semimorto, reaquecer um relacionamento congelado. Será necessário que o casal se concentre em desenvolver e nutrir o amor inicial. Para isso é preciso verificar se não existem bloqueios à intimidade emocional. Eis alguns deles:

- *Irritação, ressentimento* – não resolvido, não verbalizado. Feridas ou ofensas precisam ser perdoadas. Sejam desentendimentos ou decepções graves, sejam rusgas mínimas, tudo precisa ser conversado e acertado para não se levantar um muro de indiferença que bloqueie sentimentos de amor e intimidade.
- *Infidelidade* – se uma terceira pessoa está recebendo o entusiasmo, a energia, o investimento emocional e físico de um dos cônjuges, o amor que ainda existir estará seriamente afetado.
- *Ansiedade* – é a consequência de temores internos. Medo de rejeição, de não ser mais atraente ao cônjuge, de ser incapaz de satisfazê-lo(a) sexualmente etc. Os medos podem ser reais ou imaginários, mas ambos contribuem para o desmoronamento da união.

Como derrubar tais barreiras?

- *Procure demonstrar carinho, atenção e amor ao seu cônjuge.*
- *Reprograme seus pensamentos relativos a seu cônjuge.* Relacione as suas virtudes, encare as características negativas como prova de que ele (a) é um ser humano normal, com pontos positivos e negativos.
- *Nunca subestime o poder da oração.* Peça a Deus que ame seu cônjuge através de você. Peça-lhe capacidade para ser amoroso(a), mesmo quando não sentir motivação. Não foi este o amor de Deus para conosco? Ele nos amou propositalmente, mesmo sem ser amado.

Pense nisto

O processo para reacender um amor é longo e, às vezes, penoso. Exige determinação, força de vontade, compromisso, renúncias. O problema é complexo, não existem receitas mágicas. É necessário querer obedecer ao "até que a morte nos separe", feito a Deus, e um ao outro na hora do casamento. O mesmo Deus que nos dá a ordem de amar, também nos capacitará a fazê-lo. Ele disse: Eu honrarei aquele que me honrar!

30 de Novembro

Lembrando e agradecendo

Uma geração contará à outra a grandiosidade dos teus feitos; eles anunciarão os teus atos poderosos.
Salmos 145:4

Jesus disse que todas as coisas pertencem ao Pai. Devemos nos lembrar constantemente de que ele é o dono de tudo!

Podemos glorificar a Deus ajudando nossos filhos a reconhecer que é ele quem supre todas as nossas necessidades.

Gratidão é uma das qualidades que mais quero ver em meus filhos. É também uma das qualidades que meu Pai Celestial mais quer ver em mim.

Quantas vezes fui ingrata e feri o Pai por falta de gratidão! Eu peço coisas e sempre esqueço de agradecer. Ele me ajuda a passar por uma crise e já estou preocupada com a seguinte. Ele permanece fiel porque não pode negar-se a si mesmo (2Timóteo 2:13), mas eu continuo duvidando dele.

Às vezes me identifico com o comportamento dos filhos de Israel. Deus me tira do Egito e fico com medo de que ele me deixe morrer na margem do Mar Vermelho. Ele faz o mar secar e mata os meus inimigos e eu fico achando que ele vai me deixar morrer de fome. Ele me alimenta com maná do céu e eu reclamo porque não é carne.

Você já percebeu quantas vezes Deus manda seu povo se lembrar? Precisamos gastar mais tempo nos lembrando de sua bondade, provisão e proteção. Deus estabeleceu algumas cerimônias que deveriam passar de pai para filho, a fim de ajudar seu povo a se lembrar de sua fidelidade. A festa da Páscoa, celebrada anualmente, é um exemplo disso. Nesta festa, até mesmo a comida lembrava as experiências difíceis pelas quais o povo de Israel tinha passado com a ajuda de Deus.

Seria maravilhoso se em cada família cristã houvesse uma coleção de lembranças da bondade de Deus. Que tal usar a criatividade e criar um espaço para colocar um display de coisas que lembrem a fidelidade de Deus em nossas vidas?

O salmista diz: "Uma geração contará à outra a grandiosidade de teus feitos" (Salmos 145:4). Lembre-se! Não se esqueça! Conte a seus filhos! Temos uma memória muito curta e por isso não damos ao nosso Deus os méritos e a confiança que ele merece.

Pense nisto

O que seus filhos aprendem de Deus com vocês, pais? Será que eles os ouvem bendizê-lo, agradecê-lo e louvá-lo? Eles conhecem as histórias da bondade de Deus revelada à sua família? Vocês separam um tempo para louvar as bênçãos dadas por Deus?

1 DE DEZEMBRO

VEM COMIGO...

Irmãos, em nome de nosso Senhor Jesus Cristo suplico a todos vocês que concordem uns com os outros, no que falam para que não haja divisões entre vocês...
1Coríntios 1:10

HÁ CASAIS que estão tão distantes um do outro, embora vivendo debaixo do mesmo teto, que se um deles for embora de casa o outro é capaz de nem notar! Infelizmente, essa é a dura realidade de muitos casamentos.

Nem tudo está perdido! Se você quer começar uma nova vida em seu casamento, quero sugerir-lhe algumas coisas:

- Considere seu parceiro como seu melhor amigo.
- Desenvolva os três "Cs" na sua vida conjugal: Camaradagem, Comunhão e Comunicação. Estas três coisas exigem tempo e dedicação. Envolva-se em algumas atividades com seu cônjuge, como por exemplo: cuidar do jardim, passear no parque de mãos dadas, tomar um sorvete, comer fora etc.

Marido, pergunte à sua esposa que atividade ela gostaria de desenvolver com você. Infelizmente nossa sociedade não contribui para que o casal possa ficar junto. A igreja, por sua vez, enche a semana de atividades, roubando, muitas vezes, o tempo precioso da família.

A igreja deve, isto sim, estimular a vida familiar e providenciar meios para que ela seja desenvolvida. Os casais precisam passar tempo juntos. Isso exige disciplina e determinação. Só assim o casal desenvolverá uma confiança mútua.

Abertura e a honestidade constituem o alicerce para o desenvolvimento emocional.

PENSE NISTO

Amizade com o cônjuge é desenvolvida, cultivada. Ambos devem direcionar esforços e tempo procurando deixar o relacionamento leve e descontraído.

2 de Dezembro

Ajudando o sofredor

... desde que ouvi falar da fé que vocês têm no Senhor Jesus e do amor que demonstram para com todos os santos, não deixo de dar graças por vocês, mencionando-os em minhas orações.
Efésios 1:15-16

Como podemos ajudar alguém, quando não nos sentimos capazes de fazê-lo? Às vezes uma notícia trágica do médico, um acidente sofrido por um ente querido, pessoas necessitando de conforto e compaixão... É uma situação difícil, pois nós estamos sofrendo também! Quando as pessoas estão sofrendo, não precisam ouvir que a tragédia de algum modo as ajudará; que aquela é a vontade de Deus; ou ainda, que tudo dará certo no final. Na verdade, elas precisam ser ouvidas e cuidadas, mas com palavras e motivações adequadas. Sendo assim, existem algumas formas pelas quais podemos ajudar quem estiver sofrendo.

Primeiramente, ouça não só o que a pessoa diz, mas também as palavras que não são ditas. Ser ouvido corretamente é um presente especial para quem sofre. Enquanto você escuta, poderá notar sentimentos de confusão, raiva e tristeza. Seja objetivo e claro. Tiago nos adverte: Sejam todos prontos para ouvir, tardios para falar (Tiago 1:19). Deixe a pessoa extravasar sua dor e desespero. Nossa tendência é tentar libertar o outro do seu sofrimento e tristeza. O sofrimento faz parte da nossa vida. As lágrimas são elementos de cura. Até Jesus se angustiou e chorou (Lucas 19:41; João 11:35). Devemos encorajar a pessoa a liberar suas emoções e sentimentos, mesmo que sejam hostis, confusos ou inadequados.

Tenha disponibilidade para auxiliar a pessoa que sofre. Telefone periodicamente e ore com ela, transmita-lhe sua preocupação e sua disposição em ouvi-la no instante em que ela precisar.

Aprenda a permanecer em silêncio ao lado da pessoa. Não tente saber o que ela sente, apenas fique quieto ao seu lado, sentindo empatia por seu sofrimento. Não tente explicar ou interpretar a tragédia. Não é essa nossa responsabilidade!

Utilize as Escrituras com cautela. A Palavra de Deus, especialmente os Salmos, oferecem força e confiança genuína a quem tenta se restaurar de uma tragédia. Evite os clichês e as frases feitas. A maioria dos chavões leva a pessoa a imaginar que sua dor não é profunda nem saudável. Cada experiência é única, particular e exclusiva.

Você mesmo, em alguma ocasião de sua própria vida, foi confortado pelo Deus de todo conforto e, agora ele o chama para confortar outros.

Pense nisto

Seja sensível aos que estão sofrendo ao seu redor, principalmente, às pessoas de sua família. Há muitos sofrendo e você pode tornar-se um presente especial para eles. Entregue-se e confie no Espírito Santo, porque ele o(a). orientará para dizer as palavras certas e manter o silêncio adequado, quando for necessário.

3 de Dezembro

Livres para perdoar

Sejam bondosos e compassivos uns para com os outros,
perdoando-se mutuamente, assim como Deus
os perdoou em Cristo.
Efésios 4:32

Como você reage às pessoas que o magoam? Planeja vingança? Perde o sono? Sente-se constrangido ao relacionar-se com elas? Difama-as perante amigos? Gostaria de perdoar e reatar a amizade mas não consegue?

A ausência de perdão acarreta consequências seríssimas. Tenho conversado com pessoas cujos cônjuges foram infiéis. Como é difícil perdoar! Chego a pensar que a ordem deixada por Paulo em Colossenses 3:13 seja uma das mais difíceis de obedecer: Suportem-se uns aos outros e perdoem as queixas que tiverem uns contra os outros. Perdoem como o Senhor lhes perdoou. Ao confessarmos a Deus nossa incapacidade de perdoar, ele nos dá poder para tal. Nosso impossível torna-se possível para a fonte do perdão. Isso pode levar meses ou até anos. Há etapas para o perdão. A primeira é o sofrimento proveniente de uma dor profunda a qual nos leva à segunda, o ódio. Nesse ponto, parece impossível esquecer a ofensa recebida e mais ainda desejar o bem do causador. Surge, inclusive, o desejo de que o ofensor sofra com a mesma intensidade que nós. A terceira etapa, é a cura. O próprio Deus providencia uma nova visão do ofensor. A memória vai, aos poucos, enxergando a situação com outros olhos e os sentimentos dolorosos vão se retirando vagarosamente. A quarta fase é a reconciliação entre o ofendido e o ofensor. Esse processo, como já mencionei, pode durar muito tempo.

Você está com dificuldades em perdoar? Deus em Cristo Jesus veio ao mundo para perdoar nossas ofensas (2Coríntios 5:21). Ele tomou nosso lugar na cruz do Calvário, para que pudéssemos ser livres. O objetivo de Deus é nos libertar das torturas causadas por nossas mentes e emoções. Permita que o Senhor realize este milagre em seu coração.

Pense nisto

Não permita que a amargura escravize seu coração, sua mente e contamine todos ao seu redor (Hebreus 12:15). Confesse ao Senhor sua falta de forças para perdoar. Coloque-se à sua disposição para que ele opere um milagre em seu coração. O Senhor conhece a intensidade de sua dor. Entregue-a a ele e peça que ele perdoe – através de você – quem o(a) ofendeu.

4 de Dezembro

"Hoje não... estou com dor de cabeça!"

Do mesmo modo vocês, maridos, sejam sábios no convívio com suas mulheres e tratem-nas com honra, como parte mais frágil e co-herdeiras do dom da graça da vida...
1Pedro 3:7

Por que muitas mulheres não conseguem entregar-se a seus maridos? O que as impede de sentir total liberdade durante a relação sexual? Por que esta é uma realidade em centenas, milhares de relacionamentos?

Vejamos alguns motivos apresentados por mulheres, justificando o desinteresse durante o ato sexual:

- Meu marido é repetitivo e monótono;ele está mais interessado em aperfeiçoar sua técnica sexual do que, simplesmente, em me amar.
- Meu marido fica demasiadamente ansioso para que eu alcance um orgasmo.
- O estímulo que ele me faz antes do ato sexual é mecânico, sem espontaneidade.
- Ele não é sensível às minhas preferências.
- Para ele, tudo tem de ser perfeito no ato sexual. Se algo sai errado, fica tremendamente frustrado.
- Meu marido não permanece atento aos meus desejos. Às vezes, depois de atingir um orgasmo, sinto disposição para uma nova relação.
- O modo de o meu marido me tocar é brusco e rude.

Grande parte dessas reclamações pode ser resumida no seguinte fato: a mulher precisa ser despertada não apenas fisicamente, mas também emocionalmente. Por outro lado, quando não há gestos de carinho e nenhuma intimidade física entre marido e mulher no transcorrer do dia, a intimidade emocional e espiritual se desvanece, se apaga.

É imprescindível desenvolver uma linha aberta de comunicação que propicie espaço para a colocação das necessidades, carências e frustrações do casal.

Pense nisto

Que tipo de comunicação você tem com seu cônjuge? Vocês conhecem as necessidades e preferências um do outro? Você se sente frustrado(a) porque seu cônjuge nunca se preocupou em realizar suas fantasias sexuais? Vocês conversam sobre isso? Vocês têm uma relação de intimidade e cumplicidade? O que você pode fazer para tornar a comunicação de vocês mais aberta?

5 DE DEZEMBRO

PREPARANDO SEU FILHO PARA O CASAMENTO

Quanto à antiga maneira de viver, vocês foram ensinados
a despir-se do velho homem, que se corrompe por desejos
enganosos, a serem renovados no modo de pensar
Efésios 5:22, 23

ALGUNS jovens se casam sem se conhecer. A maioria dos casais vai para o altar, mas não compreende as exigências diárias de um relacionamento conjugal. A escolha errada, as expectativas irreais e o preparo inadequado têm prejudicado e até destruído muitas uniões.

Expectativas Irreais – A melhor palavra que descreve os primeiros anos de vida em comum em muitos casamentos é desilusão. Por que isto acontece? Em geral, as pessoas se casam com "a cabeça nas nuvens" – cheios de romantismo – ao invés de terem os pés no chão. Desde cedo os pais podem influenciar grandemente a vida de seus filhos dando-lhes um preparo adequado para um relacionamento equilibrado e feliz em seu futuro lar.

Preparo Adequado – Como os pais podem preparar seus filhos? Em primeiro lugar, conhecendo e transmitindo os princípios de Deus para a família cristã. Estudar passagens como Gênesis 2:18-23 e 2:24; Efésios 5:22-24; 1Pedro 3:1-6 – será de grande aproveitamento. O homem deve deixar pai e mãe e se unir à sua mulher (Gênesis 2:24). Os pais devem preparar seus filhos para deixá-los e se unirem num compromisso de fidelidade às suas esposas (maridos). Os filhos não podem depender de seus pais a vida inteira. Em segundo lugar, se um filho tiver um ambiente de aceitação e carinho no lar, crescerá com uma boa autoestima. Porém, se viver em ambiente de constante desarmonia, se sentirá rejeitado. O sentimento de que o mundo é um lugar bom ou cruel, dependerá do ambiente familiar da pessoa. Em terceiro lugar, há a tremenda necessidade de se cultivar constantemente o relacionamento entre pais e filhos. Os pais devem se esforçar para ser comunicativos, acessíveis, amigáveis, tratáveis e abertos. Os filhos devem saber que podem confiar e recorrer a eles a todo momento, em qualquer situação. Devem ter certeza de que são incondicionalmente amados. Em quarto lugar, os pais devem comunicar seu amor aos seus filhos, diariamente. Não apenas as palavras expressam o amor que os pais têm por seus filhos, mas a sua presença constante e atenta fala alto ao coração das crianças e adolescentes. Em quinto lugar, é importante dar uma boa educação sexual aos filhos. Eles não terão atitudes amadurecidas e saudáveis em relação a sua sexualidade se os pais não abrirem o jogo com eles sobre sexo e sobre como glorificar a Deus com seus corpos. Finalmente, em sexto lugar e, talvez o mais difícil, é sermos modelos, como casal, para nossos filhos.

PENSE NISTO

Que sejamos capazes de dizer aos nossos filhos: "Sigam-nos porque estamos seguindo a Jesus!"

6 de Dezembro

Olha que coisa mais linda, mais cheia de graça...

Seus filhos se levantam e a elogiam; seu
marido também a elogia...
Provérbios 31:28

Em Provérbios 31:10-31, o rei Lemuel descreve a mulher virtuosa. Ele diz que o seu valor excede ao de finas joias. O coração do marido confia nela e não haverá falta de ganho. Ela lhe faz bem e não mal todos os dias da sua vida. Esta, sem dúvida, é a descrição de uma mulher ideal.

O rei Lemuel diz que a mulher que teme ao Senhor será louvada publicamente. Não resta dúvida que nós, maridos, devemos concentrar nossa atenção em alguma qualidade que nos motive a elogiar nossas esposas.

Como é fácil achar algo negativo, uma fraqueza em nossa companheira e focalizar nossa atenção naquele ponto. Reclamamos quando o bife está duro demais, quando o leite não foi bem fervido ou quando ela está de mau humor. Há tantos erros que podem ser achados na esposa, mas o homem que quer desenvolver alvos espirituais acha sempre motivos para elogiá-la.

Também o rei diz que os filhos elogiam a mãe. Não há nenhuma dúvida de que eles fizeram isto porque ouviram o pai fazê-lo. Às vezes, eu levo flores para minha esposa para dizer o quanto a aprecio.

Lembro-me de uma vez, em que minhas filhas estavam comigo e nós compramos um lindo ramalhete de flores para Judith. Elas estavam disputando entre si para ver quem entregaria as flores à mãe, quando eu disse: "Meninas, este privilégio é meu!". Como é bom que os filhos saibam que o papai ama a mamãe e aprecia as coisas que ela faz!

Marido, elogie sua esposa, faça algo que incentive suas qualidades.

Pense nisto:
Marido, quando foi a última vez que você elogiou a sua querida?

9 DE DEZEMBRO

OS PARADOXOS DA VIDA

Pois quem quiser salvar a sua vida, a perderá, mas quem perder a sua vida por minha causa a encontrará.
Mateus 16:25

PARA MIM, em geral tudo o que é paradoxal também é intrigante. O que é um paradoxo? Um paradoxo é uma declaração aparentemente contraditória. Há dois aparentes paradoxos que, ao mesmo tempo, me surpreendem e desafiam. Permita-me compartilhá-los com vocês.

Paradoxo nº. 1: *Os humildes serão exaltados.* – O balão do orgulho pode subir a grandes alturas, mas é muito frágil.

Nosso exemplo supremo é e sempre será Jesus Cristo, quando: "esvaziou-se a si mesmo, vindo a ser servo, tornando-se semelhante aos homens. E, sendo encontrado em forma humana, humilhou-se a si mesmo e foi obediente até a morte, e morte de cruz"! (Filipenses 2:7,8).

O que poderia ser mais paradoxal do que Jesus – Filho de Deus, Senhor do Universo – ajoelhado, lavando os pés de seus discípulos? Certamente o próprio Cristo – Senhor Soberano – chegando à morte humilhante ao lado de ladrões criminosos, sentenciado por pecadores insensatos. Após ter sido desprezado e humilhado, Jesus foi exaltado acima de todo o nome (Filipenses 2:9).

Jesus Cristo foi categórico e lançou ao mesmo tempo um alerta e um desafio quando afirmou: Pois todo o que se exalta será humilhado, e o que se humilha será exaltado! (Lucas 14:11).

Paradoxo nº. 2: *Somos mais fortes quando estamos enfraquecidos.* "Pois quando sou fraco é que sou forte" (2Coríntios 12:10b). Estas são as palavras do grande apóstolo Paulo enquanto lutava contra, conforme ele mesmo se referia, "um espinho na carne", "um mensageiro de Satanás". Paulo orou para que o Senhor o retirasse, mas ele disse "não". Então, o apóstolo aprendeu a fortalecer-se na graça e no poder de Cristo.

Quando vivemos em total dependência de Jesus, recebendo diariamente força, poder e graça de sua parte, podemos até parecer enfraquecidos, mas na verdade é quando estamos mais fortes.

Paulo descobriu nesse paradoxo um segredo que fortaleceu sua vida, tornando-o "mais que vencedor" (Romanos 8:27-37): "me gloriarei ainda mais alegremente em minhas fraquezas, para que o poder de Cristo repouse em mim" (2Coríntios 12:9).

PENSE NISSO

Infelizmente, a grande maioria de nós não pode ser exaltada porque não está disposta a ser sinceramente humilde. Infelizmente, a grande maioria de nós considera-se muito forte e confia em sua própria força – mas não sabe que é fraca e frágil. Perdemos muito confiando em nós mesmos, e não em Jesus. Você já aprendeu a andar dependendo do Senhor Jesus? Já ensinou seus filhos a permitirem que o poder de Cristo repouse sobre eles?

10 DE DEZEMBRO

A "DEIXA" É DEIXAR

Assim, eles já não são dois...
Mateus 19:6

DEUS DISSE que o homem e a mulher têm que deixar pai e mãe. Este é um "deixar" emocional. O homem assume uma nova função: passa a ser o marido da sua esposa. O mesmo acontece com a mulher que passa a ser a esposa do seu marido. Ambos "deixaram" seus pais no sentido de que assumiram uma nova função dentro da família.

Portanto, para que este novo relacionamento entre os recém-casados possa ser desenvolvido normalmente, o cordão umbilical precisa ser cortado. Isto não significa que os filhos vão cortar o contato com seus pais ou que vão abandoná-los ou ignorá-los. Mas significa que os filhos vão se desligar emocionalmente da dependência que durante toda a vida os pais lhes deram – segurança, proteção e apoio financeiro.

Se este "deixar" não acontecer, o "unir-se" será prejudicado. Se existe um presente que os pais podem dar aos seus filhos no dia do casamento, este presente é a libertação. Os filhos precisam saber disso.

Portanto, é importante que os pais expressem este compromisso verbalmente. Isto pode ser usado para solidificar o novo relacionamento.

Este "deixar" é uma das responsabilidades mais difíceis para os pais. E não somente para os pais, mas também para os filhos. Deixar mãe e pai pode ser uma das decisões mais difíceis e mais dolorosas de se tomar.

De fato, há muitos casais que têm sido prejudicados no seu relacionamento porque nunca se desligaram emocionalmente da sua família.

Falando em se desligar dos pais, deve-se adicionar uma palavra: seu marido é seu marido, não seu pai; e sua esposa é sua esposa, não sua mãe. Isto é capaz de atrapalhar o sentimento de romantismo de um para com o outro.

Você deixa pai e mãe, não se casa com eles!

PENSE NISTO

Sua família agora são vocês. Lembrem-se que deixar pai e mãe não é abandoná-los. Pois devem continuar a honrá-los e respeitá-los.

11 de Dezembro

O exemplo fala mais alto que as palavras

Esta é a lei, isto é, os decretos e as ordenanças, que o Senhor, o seu Deus, ordenou que eu lhes ensinasse, para que vocês os cumpram na terra para a qual estão indo para dela tomar posse. Desse modo vocês, seus filhos e seus netos temerão ao Senhor, o seu Deus, e obedecerão a todos os seus decretos e mandamentos, que eu lhes ordeno, todos os dias da sua vida, para que tenham vida longa [...] Ame o Senhor, o seu Deus, de todo o seu coração, de toda a sua alma e de todas as suas forças.

Deuteronômio 6:1-5

Os pais e avós não deveriam esquecer de transmitir aos seus filhos e netos os conceitos sobre como amar a Deus de todo coração. Este amor é expressado através do temor saudável, um ouvido sensível à sua voz e uma vida de obediência (vv. 2,3). Tal tipo de amor, comprometido, precisa ser transmitido com o aval da autenticidade. Pais que vivem um amor desse nível atingem o coração de seus filhos.

É impossível comunicar o amor que sentimos por Deus a nossos filhos, se não estivermos vivendo tal sentimento e demonstrando isso em nossas vidas sem deixar dúvidas. É impossível convencer nossos filhos do valor da honestidade se formos desonestos. É impossível pretender que os filhos entendam a necessidade de manter os lábios puros se falamos impropérios a todo instante.

Moisés disse: "...estará no teu coração", não uma série de regras, uma religião, a frequência aos cultos, mas atitudes e comportamentos, o viver espontâneo voltado para o Pai Celestial no dia a dia. Amar ao Senhor de todo nosso coração, alma e força significa demonstrar temor, isto é, levar Deus a sério, estar atento e ser obediente à sua voz e à Palavra. Isso impressionará nossos filhos e os desafiará a amar o Senhor.

Pense nisto

Você tem transmitido a seus filhos os conceitos de como amar a Deus de todo coração? Você tem transmitido isso não só através de palavras mas também através de seus atos?

12 de Dezembro

Lar, escola para a vida

Que todas estas palavras que hoje lhe ordeno estejam em seu coração. Ensine-as com persistência a seus filhos. Converse sobre elas quando estiver sentado em casa, quando estiver andando pelo caminho, quando se deitar e se levantar. Amarre-as como um sinal nos braços e prenda-as na testa. Escreva-as nos batentes das portas de sua casa e em seus portões.
Deuteronômio 6:6-9

Moisés tenta alertar os pais e as mães de Israel de que é preciso comunicar com consistência e consciência as verdades da Palavra de Deus para os filhos.

"Ensine-as com persistência" quer dizer, gravar em suas mentes até o ponto de eles estarem afinados com os ensinos contidos nas Escrituras, de modo que eles e o Pai sejam só uma melodia harmoniosa.

Pais, isto não acontece automaticamente. Requer esforço, dedicação e oração. O ensino deve iniciar-se no lar, que é o laboratório onde as experiências são testadas, onde a criança tem a liberdade de elaborar seus pensamentos livremente, expressar suas ideias e dar vazão à sua criatividade. O lar é o local ideal para pensar, meditar e falar confortavelmente sobre Deus e de Deus.

Será que esse esforço vale a pena? Provérbios 6:20-23 dá a resposta: "Meu filho, obedeça aos mandamentos de seu pai e não abandone o ensino de sua mãe. Quando você andar, eles o seguirão; quando dormir, o estarão protegendo; quando acordar, falarão com você. Pois o mandamento é lâmpada, a instrução é luz, e as advertências da disciplina são o caminho que conduz à vida".

Nós, pais, devemos comunicar tais verdades numa variedade de situações e circunstâncias: "quando você andar, dormir, acordar". Este não é um cristianismo limitado ao culto domingueiro, pois deve ser efetivo e eficaz a cada minuto do dia.

Ao redor da mesa, quando dialogamos sobre as dificuldades que nos preocupam, Deus deve ser citado na conversa como aquele que cuida de nós, orienta e dirige nossas vidas.

Pense nisto

Como você tem falado de Deus a seus filhos? Nas horas de dificuldade e de alegria, o nome de Deus tem sido citado em sua mesa? Você conversa com a sua família sobre as bênçãos de Deus sobre a sua casa, e o Seu cuidado constante com cada um? Não se esqueça de que é necessário conversar com seus filhos sobre o que Deus tem feito pela sua família, e como Ele tem sido bondoso e cuidadoso com vocês.

13 de Dezembro

Passagem livre só para casados

O casamento deve ser honrado...
Hebreus 13:4

O sexo foi restrito por Deus ao relacionamento do casamento. Não dá para ser enfático demais neste ponto. O jovem crente tem sido bombardeado diariamente por ideias que parecem bonitas e lógicas a respeito do sexo pré-conjugal. Também os relacionamentos extraconjugais têm sido praticados indiscriminadamente.

O amor exige compromisso, fidelidade. Essas qualidades estão-se desvanecendo em nossa sociedade. Os casais, no altar das igrejas, fazem promessas que não pretendem cumprir, e isso tanto no meio secular, quanto no evangélico.

Quando lá no altar as alianças foram trocadas, você estava dizendo primeiramente: "Querido(a), com esta aliança eu dou a você todo o meu amor. Eu prometo ser fiel, e você será a única pessoa que terá o meu amor".

A aliança é também um símbolo, uma lembrança constante dos votos feitos perante o Senhor, sua igreja e as famílias dos noivos.

A Palavra de Deus é abundantemente clara em mostrar que o sexo deve ser desfrutado somente por aqueles que "deixaram", e se "uniram" e "se tornaram uma só carne".

Qualquer outro procedimento é simplesmente paixão carnal não abençoada por Deus. A prática do sexo extraconjugal só trará encrencas, desconfianças, frustrações e infidelidade no casamento.

Pense nisto

O leito de vocês tem sido sem mácula, e abençoado pelo Senhor?

14 de Dezembro

Nem tudo é como sonhamos

O amor [...] não procura seus interesses...
1Coríntios 13:5

Muitas pessoas idealizam um casamento fantasioso, com expectativas irreais de seus sonhos. Ao perceberem que a pessoa escolhida não é exatamente aquela que esperavam que fosse, tendem a querer manipular seus cônjuges

Existem algumas estratégias preestabelecidas costumeiramente utilizadas. Se servirem de espelho, aproveite para mudar!

1. *Chantagem emocional.* Se você não fizer o que eu estou pedindo, eu me mato! Provavelmente existem relacionamentos tão desgastados, que a resposta do cônjuge até poderia ser: 'Tudo bem. Faça o que achar melhor. Para mim, tanto faz!' Na maioria dos casos, a pessoa não está realmente disposta a suicidar-se, mas utiliza tal recurso com o propósito de ganhar algo em troca.
2. *A armadilha da culpa.* Como você pôde fazer isso comigo depois de tudo que fiz por você? Tudo que você fez por seu cônjuge foi seu dever e ponto final. Não seja desonesto(a) e manipulador (a).
3. *Revelação divina.* Deus me disse que você deve fazer o que eu estou lhe dizendo. – Deus não lhe disse nada! Não minta!
4. *Barganha.* Se você não fizer o que eu estou pedindo, não farei isso ou aquilo...! Isso é chantagem e uma atitude própria de uma pessoa imatura, irresponsável e egoísta.
5. *Suborno.* Faça o que eu estou dizendo e você não se arrependerá. Ninguém é dono da verdade e ninguém está isento de cometer erros.
6. *Por força e por poder.* Cale a boca e faça o que mandei! Não é possível tentar calar a vontade, a personalidade da outra pessoa.
7. *Humilhação.* Se você não fizer o que eu estou mandando, vou falar bem alto, para todos ouvirem, como você é. Constrangimento público pode ser fatal para o relacionamento. Cuidado!
8. *Hipocondria.* Por favor, não me aborreça com isso. Não percebe que eu estou doente? Existem pessoas eternamente doentes e que se utilizam disso para chamar atenção e cuidados sobre si.
9. *Ajuda do além.* Se você não fizer o que eu estou pedindo, arrumo facilmente outra pessoa que o faça! Isto é uma demonstração de deslealdade, insegurança, ressentimento.

Esses artifícios manipuladores violam o princípio divino de falar a verdade com amor. As manipulações destroem a intimidade, a abertura, a honestidade familiar.

Pense nisto

"O coração do rei está nas mãos do Senhor" (Provérbios 21:1). Se Ele transforma o coração do rei, quanto mais o do seu cônjuge. Ore constantemente por ele(a). Peça para Deus modificar seu cônjuge e, se isso não acontecer, viva na graça e sabedoria do Senhor.

15 de Dezembro

A identidade sexual

... Até suas mulheres trocaram suas relações sexuais naturais por outras, contrárias à natureza. Da mesma forma, os homens também abandonaram as relações naturais com as mulheres e se inflamaram de paixão uns pelos outros. Começaram a cometer atos indecentes, homens com homens, e receberam em si mesmos o castigo merecido pela sua perversão.

Romanos 1:26,27

Não posso deixar de citar o homossexualismo que, no Brasil, infelizmente, já atingiu porcentagens alarmantes. Atribuo a confusão reinante pela inversão dos papéis da mulher e do homem como um dos mais fortes motivos para que isto aconteça. O menino que vê sua mãe dominar e humilhar implacavelmente seu pai e fazer o mesmo com ele, tende a recuar diante daquela figura invencível, assumindo características femininas. Ou então, ele cresce rodeado de mulheres, por força das circunstâncias. Só vê e convive com a mamãe, a vovó, a titia, acabando por ter apagada de sua mente a figura masculina.

A menina assiste diariamente seu pai maltratar, subjugar, espancar sua mãe. Dentro dela cresce a revolta por aquele homem desumano e ela chega à maturidade tentando desenvolver atitudes que a façam tão dura e forte como ele, para poder enfrentá-lo.

Outras distorções, mais chocantes, surgirão enquanto insistimos em ignorar que existem diferenças entre os sexos. O desrespeito total ao plano inicial de Deus, obviamente, deve tornar a receber por parte da humanidade toda atenção, estudo e prática, na tentativa de readquirir-se equilíbrio social, tão abalado por filosofias, modismos e concepções que já têm dado provas irrefutáveis de sua ineficácia.

Com isto não estou pretendendo determinar normas tais como: todos devem se casar, mulheres não devem trabalhar fora, mulheres não devem desejar seguir uma carreira profissional etc. Seria tolo se não reconhecesse que a crise econômica do país impele, pela situação financeira adversa, a esposa a trabalhar fora para ajudar o orçamento da família. Mas o que gostaria de salientar é que aquelas que não desejam seguir carreira e tão-somente almejam ser esposas e mães, devem ser honradas e apoiadas nesta árdua e divina tarefa.

É preciso ficar patente a distinção entre os sexos, isto através do estilo das roupas, dos costumes e funções. Filhos merecem ser valorizados como pessoas – a maior dádiva de Deus para os pais. Devem saber que a menina é bem diferente do menino, moças são moças e rapazes são rapazes. É prioritário conscientizarmo-nos de quem somos e ter compreensão de nossa identidade sexual.

Pense nisto

Para preservarmos nossos casamentos, não podemos permitir que a força devastadora da revolução dos sexos mude conceitos de valor absoluto e básico, criando prejuízos indeléveis em nosso relacionamento conjugal.

16 de Dezembro

O Natal vem chegando

Mas, que importa? O importante é que de qualquer forma, seja por motivos falsos ou verdadeiros, Cristo está sendo pregado, e por isso me alegro.
Filipenses 1:18

Você já notou que cada ano o Natal chega mais cedo? As lojas querem aproveitar ao máximo para vender seus produtos. Os preparativos são feitos com bastante antecedência para que se possa conseguir um bom lucro.

Nós que conhecemos o "nenê de Belém" sabemos que o significado do Natal é outro, mas será que já estamos nos preparando para esse acontecimento tão importante? Quais são os nossos planos para divulgar o verdadeiro sentido do Natal?

Cada família tem suas próprias tradições natalinas. Nós, ao chegarmos ao Brasil, fizemos algumas adaptações aos nossos hábitos de comemoração. Não temos família aqui, então incluímos outras pessoas em nossos festejos. Gostamos de enfeitar a casa e eu faço biscoitos típicos dessa época.

Existem várias outras tradições de Natal e, em minha opinião, uma das mais importantes é a de dar um presente para Jesus. Nossa família utiliza várias maneiras para presenteá-lo. Às vezes dependuramos na árvore de Natal, um envelope com uma oferta para Missões. Outras vezes, fazemos cestas de mantimentos, ou então, compramos brinquedos para crianças necessitadas. O importante não é o quanto gastamos. O que realmente importa é não nos esquecermos de Jesus no Natal, pois afinal de contas, "ele é o dono da festa!"

Natal também é compartilhar a mensagem de amor, de que Deus mandou seu único Filho para nos salvar. Estas são as boas-novas para todos os povos, para os colegas de escola de seus filhos, para os vizinhos e, especialmente para seus parentes.

O Natal é uma oportunidade perfeita para falarmos do evangelho. Todos os olhos estão voltados para o bebê na manjedoura. Todos ouvem músicas sobre ele. Nós, como família, gostamos muito de fazer uma festa de Natal e de convidar nossos amigos não crentes. Fazemos brincadeiras gostosas, comemos biscoitos de Natal e evangelizamos.

Não é necessário que o programa seja complicado nem demorado. Certo momento, perguntamos: "Por que o Natal se chama Natal? – Por que Jesus veio? – O que o Natal significa para você?" Damos um tempinho para as respostas e depois alguém da família termina dando o seu testemunho. Quem sabe você poderá aproveitar essa ideia!

Pense nisto

Você já "bolou" algum plano sobre como compartilhar, com seus amigos e parentes, o verdadeiro sentido do Natal? O Natal vem chegando e isso significa muito mais do que simplesmente Papai Noel, troca de presentes e comida gostosa.

17 DE DEZEMBRO

NÃO TENHAM MEDO

Deixo-lhes a paz; a minha paz lhes dou. Não a dou como o
mundo a dá. Não se perturbe o seu coração,
nem tenham medo.
João 14:27

HÁ DOIS mil anos nascia Jesus. Seu berço foi o cocho onde se alimentavam os animais, e seu colchão foi a palha que lhes servia de alimento. Na noite de seu nascimento, pastores que viviam nos campos e guardavam seus rebanhos nas vigílias da noite viram surgir no céu, em meio a fortes flashes de luz, o maior espetáculo jamais visto, inigualável e inimitável. O palco era o próprio firmamento, os protagonistas – seres celestiais, a música, angelical! Nenhuma tecnologia, nenhum estúdio cinematográfico conseguirá jamais igualar tal espetáculo! E o coral de anjos cantava: "Glória a Deus nas maiores alturas e paz na terra..." Que quadro! Que espetáculo grandioso!

Jesus deixou o seio do Pai Celeste e nasceu do ventre de uma mãe humana. O Filho de Deus tornou-se filho de Maria. O Infinito tornou-se infante. Aquele que sustentava com seus braços o mundo, passa a ser embalado pelos frágeis braços de uma mulher. Aquele cuja casa era o próprio universo, que tinha por carruagem as nuvens e por diadema as estrelas, passa a dormir em uma simples manjedoura.

Ele deixou o palácio real nos céus, por uma estrebaria e pela bancada de uma carpintaria. Ele deixou o trono dos céus por uma cruz fora dos muros da cidade. Ele, o Príncipe da Vida, pendeu na morte sua cabeça. Ele, que nunca pecou, tornou-se pecado por nós. Ele aqui veio, aqui caminhou. Teve fome. Teve sede. Sofreu, chorou, sangrou e morreu. Qual o motivo? Por que razão o Ilimitado limitou-se? Para estender a sua paz ao mundo aflito.

Para o quebrantado, para o decepcionado, para o solitário, para o culpado, para os que fracassaram, para os que estão presos, para os pais que criam seus filhos sozinhos, para os idosos, para os que estão à beira da morte, ele veio trazer esperança, sentido, conforto, mas especialmente paz ao coração atribulado. Foi ele mesmo que assegurou: "Deixo-lhes a paz; a minha paz lhes dou. Não a dou como o mundo a dá. Não se perturbe o seu coração, nem tenham medo" (João 14:27).

PENSE NISTO

A cruz do Calvário não retratou apenas uma tragédia, mas o sacrifício de um Deus de amor que se entregou por mim, por você para que pudéssemos ter paz em nossos corações, apesar de todas as adversidades que nos surpreendem, afligem, mas não podem nos vencer.

18 de dezembro

O que mesmo estamos celebrando?

A virgem ficará grávida e dará à luz um filho, e lhe chamarão Emanuel, que significa 'Deus conosco'.
Mateus 1:23

A História se divide em duas fases: antes e depois de Cristo. O calendário foi mudado por sua chegada, ele é o ponto central.

Toda celebração inexistente, em seu nascimento na terra, foi realizada no céu. Basicamente, ocorreram três diferentes reações ao nascimento de Jesus: O rei Herodes o enxergou como uma ameaça e mandou matá-lo; os sábios vindos do Oriente o adoraram e os líderes religiosos da época estavam muito ocupados para demonstrar qualquer cordialidade. Hoje as reações continuam sendo as mesmas.

Quem é esse homem? Ele mesmo deixou bem claro que era o Filho de Deus:

- *Testemunho pessoal.* "Eu sou o caminho, a verdade e a vida. Ninguém vem ao Pai, a não ser por mim. Se vocês realmente me conhecessem, conheceriam também a meu Pai. Já agora vocês o conhecem e o têm visto" (João 14:6-7).
- *Testemunho humano.* "Jesus realizou na presença dos seus discípulos muitos outros sinais miraculosos, que não estão registrados neste livro. Mas, estes foram escritos para que vocês creiam que Jesus é o Cristo, o Filho de Deus e, crendo, tenham vida em seu nome" (João 20:30-31).
- *Testemunho do Pai.* "E o Pai que me enviou, ele mesmo testemunhou a meu respeito" (João 5:37).
- *Testemunho dos milagres.* "Se eu não realizo as obras do meu Pai, não creiam em mim. Mas se as realizo, mesmo que não creiam em mim, creiam nas obras, para que possam saber e entender que o Pai está em mim, e eu no Pai" (João 10:37,38).
- *Testemunho das Escrituras.* "Vocês estudam cuidadosamente as Escrituras, porque pensam que nelas vocês têm a vida eterna. E são as Escrituras que testemunham a meu respeito; contudo, vocês não querem vir a mim para terem vida" (João 5:39,40).

Onde ele está? Onde Jesus está agora? A Bíblia nos diz que ele está à direita de Deus Pai, intercedendo por nós. Também fala que ele virá outra vez para buscar aqueles que confiaram nele. Infelizmente, porém, já será muito tarde para muitos. Os que não o aceitaram como Salvador, terão que encará-lo como Juiz.

Pense nisto

O cristianismo pode ser definido como Deus desejando chegar até nós, desde o início dos tempos, empenhado em salvar todos os que dele se aproximam através do de seu Filho, Jesus Cristo. Ao celebrar este Natal, não esqueçamos de agradecer a Jesus por sua vinda.

19 DE DEZEMBRO

POR QUE CELEBRAMOS O NATAL?

Mas, quando chegou a plenitude do tempo, Deus enviou seu Filho, nascido de mulher...
Gálatas 4:4

A CELEBRAÇÃO da vinda do nosso Senhor Jesus Cristo, há mais de dois mil anos, tem sido tristemente transformada num truque para o enriquecimento do mundo dos negócios. O maravilhoso objetivo do Natal, suas implicações eternas, o mistério da encarnação, são ignorados. O fato de não ter sido encontrado lugar para acolher Maria e Jesus na hospedaria em Belém é repetido a cada ano no mundo de hoje, tornando profética a fria acolhida ao menino-Deus.

Porém, seu nascimento em uma pequena estrebaria também profetizou as boas--vindas que milhões de pessoas lhe dispensaram e ainda hoje o fazem, com corações humildes, receptivos e gratos.

Naquele primeiro Natal não houve "show", orquestra nem fogos para apresentar o Salvador de nossas almas. Uma simples "estrela guia", uns poucos magos visionários e alguns pastores que receberam do céu o anúncio da chegada do Messias, estavam ali. Por certo, naquela noite houve outros que reconheceram o bebê como o redentor há muito prometido, assim como hoje há pessoas que compreendem o significado sobrenatural do Natal.

O real significado do Natal não pode ser entendido até que Jesus receba um lugar prioritário em nossos corações e em nossas vidas. Quando o mistério da vinda de Cristo a este mundo rompe a escuridão provocada pelo engano do inferno e se revela à alma humana, ela compreende que o Natal não é apenas um feriado, mas sim um dia sagrado.

O Natal não pode ser plenamente entendido, se não for à luz de uma cruz erguida num calvário de sofrimento 33 anos depois ou na alegria imensurável e incontrolável dos discípulos à beira de um túmulo vazio, ou na visão destes apóstolos que tiveram o privilégio de assistir à gloriosa ascensão de Cristo.

Portanto, para aqueles que conhecem a Jesus Cristo pessoalmente, essa celebração traz grande e grata felicidade, enquanto que para outros, a única alegria é o êxtase de uma festa que termina em 24 horas.

Nestes nossos tempos incertos, aqueles que carregam o nome de Jesus devem anunciar o real significado do Natal. O nascimento de Jesus não foi um evento trivial da história. Foi a entrada triunfante de Deus em carne, osso e sangue na vivência de suas criaturas. Infelizmente, milhões de pessoas comemoram o nascimento do Filho de Deus, sem conhecer o próprio Aniversariante!

PENSE NISTO

Não percamos as chances para testemunhar! Neste Natal, não deixemos de compartilhar a verdadeira razão da nossa celebração!

20 de dezembro

Esperança para o mundo!

Pois tu és a minha esperança, ó Soberano Senhor, em ti está
a minha confiança desde a juventude.
Salmos 71:5

Outro ano está chegando ao fim e, mais uma vez, o Natal nos oferece sua esplendorosa mensagem: Emanuel, Deus conosco.

Aquele que habitava nos céus, coigual e coeterno com o Pai e com o Espírito, pela própria vontade desceu até o nosso mundo, respirou o mesmo ar que nós, sentiu nossas dores, caminhou por nossas estradas, conheceu nosso sofrimento e morreu por nossos pecados. Ele não veio para nos ameaçar, mas para nos trazer **Esperança.**

Muitos não têm **Esperança.** Para estes, o Natal é a época mais solitária e depressiva do ano – estão presos, abandonados, hospitalizados, são soldados em missão etc.

Outra categoria de pessoas desesperançadas é a daquelas que receberam comunicados de doenças terminais. Entre uma e outra quimioterapia, radioterapia, uma transfusão de **Esperança** é absolutamente essencial!

Aqueles que perderam entes queridos e estão passando por momentos de luto, também precisam de **Esperança.**

A esperança tem o dom de fazer com que o final não seja tão iminente, que medos não sejam tão atormentadores, e que a dor da perda não seja tão intensa.

Esperança, Esperança é o que precisamos!

Veja, olhe bem... Há uma estrela brilhando lá longe. Ela é pequena, mas está lá! Essa estrela nos lembra que há **Esperança** para este planeta Terra. Ela é o símbolo da esperança para este mundo confuso. Uma estrela anunciou a vinda do Messias, Emanuel, Deus conosco.

Ao nos aproximarmos do final do ano, e entrarmos no ano novo, nos lembramos que há dois milênios Jesus nasceu para nos dar **Esperança.**

Desejamos a você, amigo, um Feliz Natal e um Ano Novo onde suas **Esperanças** sejam renovadas!

Pense nisto

Que neste novo ano que agora se inicia, não deixemos esmorecer nossa ESPERANÇA. Para isso, é necessário que confiemos totalmente no Senhor, e que entreguemos em suas mãos todas as nossas ESPERANÇAS, pois somente Ele pode concretizá-las.

21 de dezembro

O Verbo se fez carne

... aos que o receberam, e creram em seu nome, deu-lhes o
direito de se tornarem filhos de Deus.
João 1:12

Há uma antiga história, sobre um garoto que estudava num colégio interno na Inglaterra. Sua mãe havia morrido por ocasião de seu nascimento. O pai morava e trabalhava em outro país e eles nunca haviam se encontrado pessoalmente. Apesar disso, seu pai sempre se fazia presente através de cartas, presentes e fotos. Sua solidão era suportável na época das aulas. Nas férias, porém, em contraste com a alegria dos outros garotos, sua tristeza sobressaía. Jimmy não tinha para onde ir nem pais para visitar. "Esta escola fica vazia nas férias!", escreveu ele a seu pai – "Às vezes imagino se vou chegar a vê-lo pessoalmente!"

Certo dia recebeu uma carta e, por fora, estava carimbado "URGENTE". Mais do que depressa ele a abriu e leu: "Querido filho, estarei chegando de navio na sexta-feira, dia 15. Teremos dias gostosos juntos! Amo você, papai". Às dez horas daquela sexta-feira o navio atracou e Jimmy estava lá. A primeira pessoa que viu foi seu pai. Ambos correram e se abraçaram fortemente. Até então, pai significava uma palavra, um doador de brinquedos, um escritor de cartas, um homem bom, mas extremamente ocupado, que morava em outro país. Agora era de carne e osso, uma realidade palpável. Estava ali, presente em sua vida.

Esta história simples ilustra a verdade da encarnação, a mesma que celebramos neste Natal. No Antigo Testamento, Deus se revelou a seu povo nas mais variadas maneiras: em uma sarça ardente, numa voz audível, em blocos de pedra chamados de "Os Dez Mandamentos". Todas essas formas de comunicação foram eficazes, mas persistia a necessidade de um contato mais pessoal e íntimo. Então, Deus decidiu apresentar sua mensagem final ao ser humano, de forma que todos os povos, raças e tempos pudessem entender.

Ele enviou um bebê ao nosso mundo, o qual se chamou "Emanuel", que quer dizer, "Deus conosco". Aquele bebê cresceu e viveu uma vida sem pecado. Ele morreu a única morte que poderia oferecer redenção a todos nós. Ele venceu a morte, o inferno e a sepultura, sendo capaz de oferecer vida eterna.

Milhares de pessoas conhecem a Deus intelectualmente, de ouvir sobre ele ou como doador de tudo que é bom. Porém, não O conhecem pessoalmente porque nunca convidaram seu Filho a morar em seus corações para ser o Senhor e Salvador de suas vidas.

Pense nisto

Jesus Cristo abdicou de sua divindade enquanto esteve entre nós. Ele sabe o que sentimos; ele já sofreu o que nós estamos sofrendo. Ele sempre está presente, perto de nós.

22 DE DEZEMBRO

ABRA SEU PRESENTE

Toda boa dádiva e todo dom perfeito vêm do alto,
descendo do Pai das luzes...
Tiago 1:17

NÃO SEI sobre você, mas uma das coisas que mais aprecio no Natal é dar presentes. Fico muito feliz quando consigo comprar alguma coisa que as pessoas gostam. Contemplar a alegria demonstrada quando abrem os presentes, compensa qualquer dinheiro e tempo gastos.

Você já se imaginou em uma situação onde alguém rejeita seu presente? Talvez o ignorando desembrulhado embaixo da árvore de Natal? E, se a pessoa que o recebeu oferecesse para pagar por ele? Como essas reações afetariam você? Ultimamente tenho pensado muito sobre isso.

Por que damos presentes no Natal?

Alguns dizem que esse hábito iniciou-se com o exemplo dos magos, que se ajoelharam perante o menino Jesus, oferecendo-lhe seus presentes. No entanto, temos um exemplo bem maior: o próprio Deus. Naquele primeiro Natal, ele deu o que tinha de melhor, o maior presente que o mundo já tinha visto até então, e que jamais veria novamente. Deus enviou seu Filho ao mundo para ser nosso Salvador. Jesus Cristo veio abrir o caminho para que o homem pecador pudesse achegar-se ao Deus santo. Ele veio para dar perdão aos pecadores e vida eterna.

Como as pessoas reagiram ao presente de Deus?

Herodes tentou se livrar dele. Os líderes religiosos o ignoraram. Alguns disseram que não precisavam dele. Julgaram-se autossuficientes. Alguns tentaram se sentir merecedores do presente de Deus fazendo grandes sacrifícios, dando esmolas, fazendo caridade etc., esperando o dia em que se tornariam suficientemente bons para abrir o presente.

O que devemos fazer quando recebemos um presente?

O que um "presenteador" deseja de nós? Pagamento? Sacrifício? Favores? Não, aquele que presenteia só quer uma coisa. Que aceitemos seu presente, o abramos e o apreciemos. Um agradecimento também seria adequado.

O presente de Deus é a vida eterna através de Jesus Cristo. Você já aceitou o presente da vida eterna, dado por Cristo? Já lhe agradeceu por resolver seu problema do pecado? Ou ainda está rejeitando, ignorando, ou mesmo tentando pagá-lo?

PENSE NISTO

Natal é o amor de Deus embrulhado em um singelo pacote, enviado especialmente para você, com seu nome gravado. Por que você não o aceita? Se você já o aceitou, que tal compartilhá-lo com outros de sua família que ainda não o receberam?

23 de dezembro

Você está convidado

Calem-se diante do Soberano, o Senhor, pois o dia do Senhor está próximo. O Senhor preparou um sacrifício e consagrou seus convidados.
Sofonias 1:7b

Quando os grandes estilistas ou as grandes fábricas de automóveis ou até mesmo o presidente da República têm algum pronunciamento a ser feito, eles o fazem de forma dispendiosa, sofisticada, e grandiosa. O mundo está preocupado em manter seus produtos, o nome de suas firmas e marcas em evidência.

Quando Jesus chegou a este mundo, há dois mil anos, Deus ignorou todas as costumeiras regras promocionais. Escolheu uma humilde manjedoura, numa simples estrebaria; um casal pobre como pais do Rei dos reis e uma plateia, no mínimo pitoresca, para presenciar o mais maravilhoso de todos os eventos. E é isso que nos encanta na natividade.

Esse fato ilustra como Deus não segue as formas humanas para agir e apresentar seu plano messiânico. Infelizmente, porém, a grande maioria da humanidade não captou sua mensagem. Note que as pessoas "importantes" da época estavam ausentes no nascimento de Cristo. O Rei Herodes, preocupado em matar os bebês para se "livrar" do Rei dos judeus. O imperador de Roma, preocupado com suas batalhas. Os líderes religiosos de Jerusalém não se deram conta de que o Messias, o Salvador Deus tornara-se homem. Os ricos da época estavam preocupados em trabalhar duro para terminar o ano com lucros maiores que os de costume.

Se a maior intervenção de Deus na história da humanidade passou despercebida dos grandes daquele tempo e lugar, quem estava perto de José, Maria e Jesus naquela noite memorável?

Pastores e ovelhas foram convidados pelos próprios anjos. Deus os convidou. Deus os quis ao seu lado. E os magos? Eram reis, pagãos, estrangeiros do leste, que jamais seriam convidados – ajoelhados frente ao menino Jesus, adorando ao próprio Deus. Que incoerência!

O que essa reflexão me faz concluir? Que esses homens de destaque eram ocupados demais para silenciar e escutar a Deus.

E para você? O que o Natal significará este ano? Apenas corre-corre para a compra de presentes? Uma árvore de Natal enfeitada às pressas? Trabalhar dobrado para ganhar mais dinheiro? Uma mesa farta para a ceia? E Jesus? Será que Ele tem algum espaço em sua mente e em seu coração?

Pense nisto

Não podemos desprezar ou ignorar o convite de Deus para participarmos da alegria do nascimento de Cristo. É um evento que pode determinar o que será de nossas vidas eternamente. Junte-se a todos que confessam Jesus como Salvador e comemore com sua família o verdadeiro significado do Natal.

24 de dezembro

O significativo entre os insignificantes

Assim, José também foi da cidade de Nazaré para Belém [...] ele foi a fim de alistar-se, com Maria [...] enquanto estavam lá, chegou o tempo de nascer o bebê, e ela deu à luz o seu primogênito. Envolveu-o em panos e o colocou numa manjedoura, porque não havia lugar para eles na hospedaria.
Lucas 2:4-7

Em Belém, por ocasião do censo ordenado por Roma, não havia hotéis ou acomodações satisfatórias para o povo que estava na cidade. José e Maria, vindos de Nazaré, chegaram exaustos da viagem; ela, ainda mais, pois estava próxima a dar à luz ao seu primeiro filho.

Não havia um só lugar em Belém onde eles pudessem passar a noite decentemente. Perto de uma estrebaria, José descobriu um curral onde repousavam alguns animais. Local sujo, com um odor que feria as narinas. José limpou um canto meio reservado. As dores do parto se intensificavam. Maria gemia na escuridão da estrebaria, sem qualquer assistência especial de alguém capacitado.

Naquele lugar estranho e inadequado, seu filho nasceu. O local mais simples e humilde, o mais imprevisível e despreparado, serviu para acolher a entrada do Filho de Deus neste mundo. "O significativo veio conviver entre os insignificantes". O simples choro daquela criança confortou o coração de seus pais e vem confortando nossas vidas através dos séculos. Emanuel, Deus conosco, aleluia!

De lá para cá, o quadro daquela noite na Judeia não se modificou muito. O significativo fica perdido entre o que é insignificante. A árvore de Natal, a decoração, a compra, a troca, a comida, a roupa, a festividade, os exageros, os desmandos, o engano. E Cristo? Quem se preocupa com uma "lenda" longínqua?

Conta-se a história verídica que se passou em uma loja de departamento dos Estados Unidos. Na época do Natal, eles colocaram à venda um boneco numa manjedoura, personificando Jesus Cristo. Entretanto, o marketing fracassou e nada foi vendido. Logo, o gerente, pressionado com o eventual prejuízo, decidiu-se por uma promoção, e fixou uma placa na vitrina: "Jesus Cristo, 50% abaixo do preço!"

Meu amigo, Cristo é o Filho de Deus, o Cordeiro que foi oferecido no seu e no meu lugar. Ele não veio empacotado para presente, concedendo ofertas promocionais, onde, se você correr, ainda conseguirá obter seu favor, sua graça. Você é suficientemente sábio para perceber o significativo entre os insignificantes?

Pense nisto

Será que estamos tão acostumados à insipidez e mesmice do Natal de hoje em dia, a ponto de esquecermos que ele sempre se renova no nascimento do Filho de Deus, Jesus Cristo, com a promessa de salvação eterna e vida plena?

25 DE DEZEMBRO

OBRIGADO DE QUÊ?

Graças a Deus por seu dom indescritível!
2Coríntios 9:15

NÃO HÁ melhor época para sermos gratos do que no Natal! Mais do que nunca, nos lembramos do presente que Deus deu à humanidade, seu Filho Jesus Cristo. O Natal pode ser resumido em uma só palavra: Emanuel, cujo significado é "Deus conosco".

Acredito que um dos pecados mais comuns desta época em que damos e recebemos presentes seja a ingratidão. Paulo nos informa que uma das características mais fortes de uma sociedade que deu as costas a Deus é a ingratidão ...nem lhe deram graças (Romanos 1:21). Seja qual for o motivo que nos faça esquecer a razão da existência do Natal, nos torna ingratos.

Natal é tempo para adoração, louvor e gratidão, primeiramente ao Doador da vida – o Senhor Jesus Cristo – mas também uns aos outros. E é tempo de refletirmos sobre o Doador. Paulo disse: Graças a Deus...:

Por seu grande amor para conosco. Porque Deus tanto amou o mundo que deu seu Filho Unigênito, para que todo o que nele crer não pereça, mas tenha a vida eterna (João 3:16).

Pelo grande e gracioso coração do Pai. Sabemos que não merecemos seu amor e graça pelo fato de sermos pecadores. Paulo deixa isso bem claro em Romanos 5:8: Mas Deus demonstra seu amor por nós: Cristo morreu em nosso favor quando ainda éramos pecadores. Que maravilhoso presente!

Deus permitiu que seu Filho passasse pela agonia, que viesse a este mundo pecador, fosse rejeitado e humilhado. Para que carregasse o pecado do mundo todo, exigiu-se amor e graça acima de toda nossa imaginação e conhecimento. É por isso que Paulo utiliza o adjetivo indescritível para esse dom. O fato de Deus ter vindo até o homem foi a atitude mais indescritível, intraduzível, incompreensível etc., que já ocorreu. E não somente isso! Ele tornou-se homem, mas... continuou Deus. A profundidade dessa verdade é tremenda! Deus, através de Jesus, nos dá o perdão dos pecados, reconciliação com Ele, libertação da culpa, nova vida, vida eterna. Poderia existir algum presente melhor do que esse? Nunca, de forma alguma!

Como reagimos quando recebemos um presente? Pagamos por ele? Trabalhamos por ele? Suplicamos para ganhá-lo? Não, somente o aceitamos. É até possível rejeitá-lo, mas eu insistiria que você o recebesse. No dia de Natal, na véspera, ou quando for que você esteja acostumado a abrir seus presentes, dê uma parada e agradeça ao presente indescritível dado por Deus a nós.

PENSE NISTO

Ensinemos nossos filhos, desde pequenos, a sentir gratidão pelo presente indescritível que o Senhor nos deu. Que a cada Natal, nosso coração esteja mais grato pela salvação que recebemos.

26 DE DEZEMBRO

POR QUAIS MOTIVOS DEVEMOS ORAR?

Eu rogo por eles. Não estou rogando pelo mundo, mas por aqueles que me deste, pois são teus.
João 17:9

JESUS OROU por seus discípulos. Se Ele, o próprio Filho de Deus, dependia tanto da oração, quanto mais eu preciso depender dela. Às vezes, penso que Deus nos deixa ser pais para nos ensinar o quanto realmente precisamos dEle.

Sem dúvida, devemos orar por proteção. A preocupação é um pecado no qual as mães caem muito facilmente. Minha paz interior depende de conseguir transferir minhas preocupações para Alguém que ama minhas filhas até mais do que eu.

Já vi diversas vezes filhos pedindo às suas mães, ao saírem de casa: "Bênção, mãe!" "Deus o abençoe!" é a resposta. Isto me lembra a importância de orar com meus filhos e de confiá-los ao cuidado de Deus quando saem pela manhã.

Também devemos fazer oração de dedicação. Isto é mais do que uma cerimônia única lá na frente da igreja. Precisamos recordar que nossos filhos são herança do Senhor, e que pertencem a Ele, para servi-lo e glorificá-lo.

Devemos orar também por provisão. Meu marido é a resposta às orações de minha mãe. Eles se dão muito bem, apesar de meu marido ter uma boa coleção de piadas sobre sogras!

Sem dúvida, também devemos orar por salvação. Quero contar-lhes algo a respeito de dona Alice, uma senhora da nossa igreja. Ela era mãe de quatro filhos, dos quais três serviam ao Senhor e um fugia dele. Depois de muitos anos difíceis, o Senhor honrou as orações dessa mãe e o filho não somente se converteu, mas também está servindo ao Senhor com tempo integral dedicado ao ministério.

Quando conversarmos com Deus sobre nossos filhos, devemos pedir-lhe sabedoria, força e orientação, e também confiança em Suas promessas, mesmo que ainda não estejamos vendo a resposta.

Precisamos não somente orar por nossos filhos, mas também, com eles. Ensine seus filhos a pedir grandes coisas a Deus. Eles aprenderão que Ele pode fazê-las. Ensine-os também a pedir coisas pequenas. Eles aprenderão que Ele se preocupa com qualquer detalhe de suas vidas.

PENSE NISTO

Você tem orado por seus filhos? E com seus filhos?Que experiências de resposta de oração sua família já experimentou?

27 de dezembro

Com mansidão se vai longe

Quem é sábio e tem entendimento entre vocês? Que o demonstre por seu bom procedimento [...] com mansidão...
Tiago 3:13

Calmo... sereno... tranquiiiiiiiiiiiiiiiiiiilo.

Mansidão significa entregar todos os direitos a Deus. Esposa, se você quiser ser uma mulher de Deus, entregue seus direitos a ele.

Ter um espírito tranquilo significa ser calma e controlada. Parece uma fraqueza, não é mesmo? Mas não é. Aqueles que têm controle de si mesmos, são pessoas de grande caráter.

A mulher que tem um espírito manso confia no poder de Deus para "mudar o coração do rei" (significando qualquer autoridade). Pedro diz que tal mulher não temerá nenhuma perturbação.

Talvez você possa dizer a si mesma: "Eu não tenho esta atitude, mas gostaria de desenvolver esse tipo de caráter".

Pois bem, para desenvolver esse tipo de caráter, esse espírito de mansidão, você precisa primeiro querer mudar; depois reconhecer que para cultivar essas qualidades é necessário uma vida toda e por fim submeter sua vontade à obra do Espírito Santo.

Cuidar de sua aparência física pode ser uma questão de minutos (para algumas leva horas). Mas é necessário toda uma vida para desenvolver qualidades incorruptíveis.

Que característica tem grande valor diante de Deus? Um espírito manso e tranquilo. Isso é que realmente tem valor.

Pense nisto

Seja mansa, e não arisca; afinal você é a "gata" do seu marido!

28 de dezembro

Os desapontamentos da vida

"... pois fui eu que fiz isso"
1Reis 12:24b

Os desapontamentos da vida são controlados pelo Deus soberano que atua para o nosso bem. Ele trabalha nos bastidores, mas nem sempre revela o que está fazendo.

Tenha certeza que tudo o que lhe preocupa, também preocupa o Senhor. Tudo que lhe toca, toca a menina dos olhos de Deus (Zacarias 2:8).

Você está em dificuldades financeiras? O seu Deus é o dono de todas as coisas. Suas riquezas são intermináveis (Filipenses 4:19). Ele pode estar testando sua fé, para ver se você continuará crendo e confiando nele.

Pode ser que alguém lhe tenha acusado falsamente. Não tome a causa em suas mãos; aproxime-se do Pai: "Ele deixará claro como a alvorada que você é justo, e como o sol ao meio-dia que você é inocente" (Salmos 37:6).

Você desejou ardentemente realizar uma grande obra para o Senhor, mas ao invés disso está retido no leito de doença e dor. Na quietude do seu quarto, ouça a voz do Pai, dizendo: "Eu quero lhe ensinar uma profunda lição. Meu (minha) filho(a), somente aqueles que têm aprendido pacientemente tal lição, podem ser usados por mim".

Não se esqueça de que as interrupções da vida geralmente são intervenções divinas para Deus nos abençoar e usar além do que podemos pensar ou imaginar.

Descanse nele neste momento difícil de sua vida.

Pense nisto

Você consegue reconhecer a intervenção de Deus nas atuais circunstâncias de sua vida e na de sua família? As lágrimas em seus olhos podem estar impedindo-o(a) de perceber, mas neste momento de dor ele pode estar carregando-o(a) nos braços.

29 DE DEZEMBRO

UM DESAFIO PARA O SÉCULO 21

Se alguém não cuida de seus parentes, e especialmente dos de sua própria família, negou a fé e é pior que um descrente.
1Timóteo 5:8

A MÍDIA vive redefinindo a família, a qual permanece sob seus constantes ataques. O fluxo de programas televisivos, que ridicularizam a família tradicional, mas exaltam a infidelidade conjugal, é frenético. Essas pressões têm, muitas vezes, levado o convívio marido x mulher a se tornar mais pesado. Além disso, o número de casais que ficam juntos "até que a morte os separe" tem diminuído significativamente, resultando em menos filhos contando com os pais em sua criação e educação.

O materialismo invadiu as estruturas da família. A ganância e as formas de saciá-la têm aumentado. Tanto os pais quanto as mães vão à busca de melhores oportunidades de trabalho, onde forças competitivas e o retorno rápido, os tem mantido muito mais tempo afastados de casa.

O declínio moral também tem ajudado a destroçar a família. Os valores, que distinguem o certo do errado e dão base ao compromisso no casamento, estão desaparecendo. As separações e os divórcios causam um impacto devastador na família brasileira.

A tecnologia, em desenvolvimento constante, abre mais portas para os diálogos "internetizados", do que para a conversa em família. As pessoas vão ficando cada vez mais fechadas, mais voltadas para si, em detrimento de um relacionamento mais afetivo e fraternal.

À luz desse quadro, não muito promissor do futuro da família, vamos estar alertas, preparados e nos desafiando para este novo século.

PENSE NISTO

Como está a sua família diante de tudo isso que acabamos de conversar? Cabe aqui este alerta. Nunca devemos esquecer de cultivar a afetividade, a cumplicidade e a intimidade dentro da nossa família.

30 de dezembro

Uma boa liderança

Ele deve governar bem sua própria família...
1Timóteo 3:4

Uma boa liderança exige:
– presença: a presença do marido no lar é de extrema importância. Se há alguma coisa que caracteriza o marido e pai moderno, é a sua ausência no lar. Todo marido deve avaliar suas 168 horas semanais e perguntar a si mesmo: "Quanto tempo estou gastando com minha esposa e meus filhos?". Como posso melhorar?

1. *Prioridade*: dando prioridade a sua família, assim como Deus faz, consequentemente você dará mais tempo ao seu lar. O marido deve colocar Deus em primeiro lugar, depois a esposa, os filhos, e, então, seu trabalho.
2. *Percepção*: você é um marido e pai perceptivo? É através da presença do marido no lar e da prioridade dedicada a sua família que ele pode perceber as necessidades tanto da esposa quanto dos filhos.
3. *Personalidade*: alguns maridos falam que não são lideres, que não têm essas qualidades, mas Deus pode mudá-los. Deus ordenou que o marido fosse o chefe do lar. Ele também dará a ele a capacidade para estabelecer alvos e cumpri-los.

Marido, se você percebe que sua esposa e filhos são rebeldes à sua autoridade, seu primeiro recurso é recorrer a Deus, reconhecendo suas fraquezas e procurando na Palavra as diretrizes que ele deixou para nos orientar nessa área.

Pense nisto:
Marido: Procure ser alguém que sabe para onde está indo, que é capaz de levar outros consigo, e faz com que os mesmos sejam e façam aquilo que você é e faz.

31 de dezembro

Aprimorando sua prioridade...

Como você é linda, minha querida!. O meu
amado se destaca entre dez mil!.
Cântico dos Cânticos 4:1a e 5:10b

Há muitas maneiras de um casal abençoar-se mutuamente. Esta bênção propicia a ambos uma aproximação real, um companheirismo profundo, uma cumplicidade duradoura, uma valorização recíproca e a visualização de um futuro especial. Eis algumas sugestões para aprimorar o relacionamento conjugal:

- *Aceite seu cônjuge.* Devemos aceitar a outra pessoa como ela é, com pontos fracos e fortes. É claro que existem mudanças a serem feitas na personalidade, nos hábitos de cada um. Algumas ocorrerão ao longo da vida, outras não. Porém, o cônjuge não deve ter grandes expectativas nesse sentido. O cônjuge deve ser amado como é.
- *Seja amigo(a).* Há muitos casais que depois de um certo tempo de casamento substituem a amizade pelo ressentimento, mágoa, rancor. No início do relacionamento são compatíveis, mas, pelas pressões e dificuldades da vida, tornam-se incompatíveis.
- *Toquem-se com frequência.* Por que esse costume tão saudável torna-se tão raro e escasso conforme os anos de casamento vão se sucedendo? Toques de carinho são reafirmadores.
- *Separem um tempo para ficarem juntos, a sós.* Todo casal precisa ter um momento para ficar a sós, conversando, orando, compartilhando suas emoções e sentimentos.
- *Sejam bons ouvintes.* Ouça seu cônjuge não só com os ouvidos, mas com os olhos, expressão facial, gestos e, especialmente, com o coração.
- *Comprometam-se reciprocamente.* O casal precisa ter um compromisso mútuo irrestrito, demonstrado de modo prático.
- *Faça de seu cônjuge sua prioridade.* Deus é nossa principal prioridade. Depois dele, em termos humanos vem o cônjuge.
- *Riam juntos.* Aprenda a rir de si, ou do cônjuge quando acontecerem coisas engraçadas. Não perca o senso de humor.
- *Encorajem-se com palavras.* A intimidade pode levar ao esquecimento de que o incentivo e encorajamento por meio de palavras, atitudes e pequenos atos são extremamente necessários no casamento. Lembrem-se disso!
- *Cuidem juntos da futura estabilidade financeira.* Conversem, discutam, planejem as possibilidades mais adequadas para obter certa tranquilidade financeira.

Pense nisso

É preciso disposição para fazer do relacionamento conjugal algo valoroso, profundo, alegre, estável. Isso é possível com cumplicidade, amor, respeito, companheirismo — evidências de bênçãos comunicadas através do afeto e palavras de incentivo e elogio. A fonte é o próprio Deus.